DLATEGO KŁAMALIŚMY

WILL
TRENT
THRILLER

KARIN SLAUGHTER

DLATEGO KŁAMALIŚMY

Przełożył
Piotr Cieślak

Harper
Collins

Tytuł oryginału: *This Is Why We Lied*

Pierwsze wydanie: HarperCollinsPublishers 2024

Opracowanie graficzne okładki: Emotion Media Pamela Magierowska-Kobus
Projekt okładki oryginalnej: Claire Ward/HarperCollins*Publishers* Ltd
Ilustracja na okładce: © Ute Klaphake/Trevillion Images (odbicie postaci); © Jarno
Saren/Arcangel Images (kręgi na wodzie)

Redaktor prowadząca: Alicja Oczko
Opracowanie redakcyjne: Jakub Sosnowski
Korekta: Sylwia Kozak-Śmiech

Do złożenia tekstu użyto kroju pisma HC Arc.
Typeface HC Arc © HarperCollins Publishers L.L.C

HarperCollins Polska sp. z o.o.
ul. Domaniewska 34a
02-672 Warszawa
www.harpercollins.pl

Skład i łamanie: Editio

Druk: Abedik

ISBN 978-83-8342-884-0

Davidowi – za jego nieskończoną życzliwość i cierpliwość.

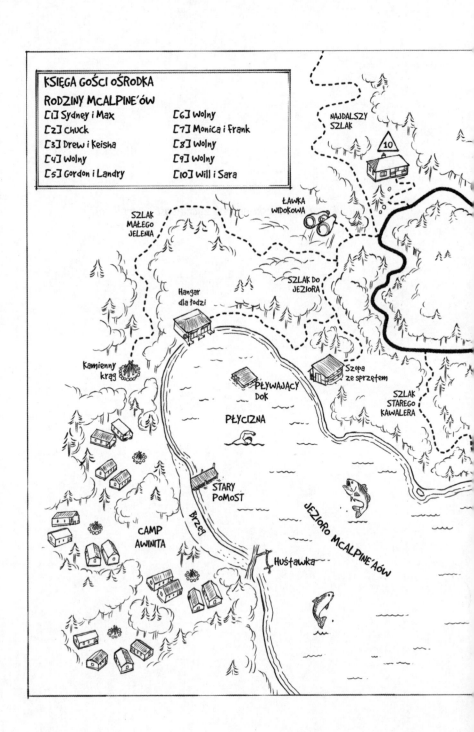

KSIĘGA GOŚCI OŚRODKA
RODZINY McALPINE'ów
[1] Sydney i Max   [6] Wolny
[2] Chuck   [7] Monica i Frank
[3] Drew i Keisha   [8] Wolny
[4] Wolny   [9] Wolny
[5] Gordon i Landry   [10] Will i Sara

NAJDALSZY SZLAK
10
ŁAWKA WIDOKOWA
SZLAK MAŁEGO JELENIA
SZLAK DO JEZIORA
Hangar dla łodzi
Kamienny krąg
Szopa ze sprzętem
SZLAK STAREGO KAWALERA
PŁYWAJĄCY DOK
PŁYCIZNA
STARY POMOST
CAMP AWINITA
Brzeg
Huśtawka
JEZIORO McALPINE'Aów

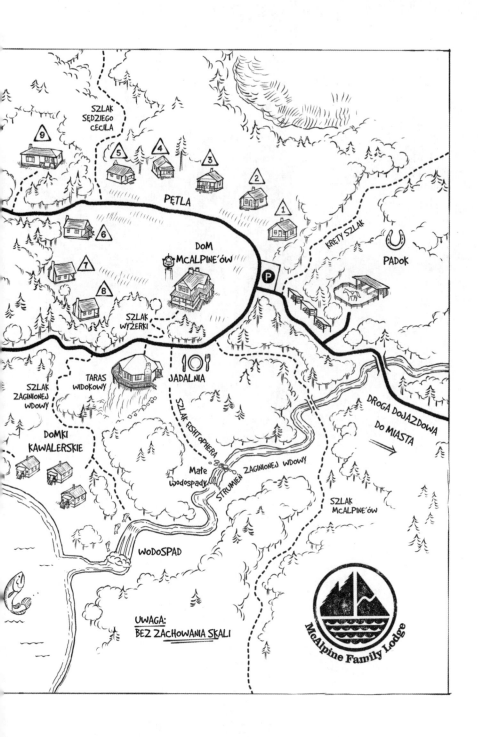

PROLOG

Will Trent przysiadł nad brzegiem jeziora, by zdjąć buty trekkingowe. Cyfry na jego zegarku jarzyły się w ciemności. Do północy została godzina. Z oddali dobiegało pohukiwanie sowy. Łagodny wietrzyk szeptał wśród drzew. Księżyc był idealnym kręgiem na nocnym niebie, a jego światło odbijało się od płynącej postaci. Sara Linton zmierzała w stronę pływającego pomostu. Przecinała delikatne fale, a jej ciało było skąpane w chłodnym, błękitnym blasku. Odwróciła się na plecy i uśmiechnęła do Willa, nieśpiesznie pracując rękami.

– Wchodzisz?

Nie zdołał odpowiedzieć. Wiedział, że Sara przywykła do chwil jego niezręcznego milczenia, lecz nie był to jeden z takich momentów. Po prostu odebrało mu mowę od samego patrzenia na nią. Myślał tylko o tym, o czym myślą wszyscy, widząc ich razem: co ona, do cholery, z nim robi? Jest tak diabelnie mądra, zabawna i piękna, a on po ciemku nie potrafi nawet rozsupłać własnej sznurówki.

Siłą ściągnął uparty but, gdy płynęła w jego kierunku. Jej długie kasztanowe włosy przylegały do głowy. Nagie ramiona kontrastowały z czernią fal. Rozebrała się przed wejściem do wody, wyśmiewając jego obawy. Wskakiwanie w samym środku nocy do jeziora, którego żadne z nich nie zna i gdy nikt nie wie, gdzie się znajdują, wydawało mu się złym pomysłem.

Ale jeszcze gorszym pomysłem zdało mu się niespełnienie życzenia nagiej kobiety, która prosi, by do niej dołączył.

Zdjął skarpetki i wstał, żeby rozpiąć spodnie. Kiedy zaczął się rozbierać, Sara gwizdnęła cicho, z uznaniem.

– Wow! – zawołała. – Trochę wolniej, proszę.

Roześmiał się, ale właściwie nie wiedział, co zrobić z uczuciem lekkości przepełniającym jego klatkę piersiową. Will nigdy nie doświadczył

szczęścia, które trwałoby tak długo. Jasne, zdarzały mu się chwile radości – pierwszy pocałunek, pierwszy seks trwający dłużej niż trzy sekundy, ukończenie studiów, pierwsza prawdziwa wypłata czy dzień, w którym wreszcie udało mu się zakończyć poprzednie, fatalne małżeństwo.

Ale to było coś innego.

Will i Sara byli dwa dni po ślubie, a euforia, jaka ogarnęła go w trakcie ceremonii, nie wygasła. Przeciwnie, potęgowała się z każdą godziną.
Sara uśmiechała się do niego albo śmiała z jakiegoś jego głupiego żartu,
a serce Willa trzepotało niczym motyl. Miał świadomość, że nie są to
męskie myśli, lecz sprawy dzieliły się dla niego na te, o których mówił,
i na te, które zostawiał dla siebie. Między innymi właśnie dlatego czasami wolał niezręczną ciszę.

Sara krzyknęła z uznaniem, gdy przed wejściem do jeziora ostentacyjnie ściągnął koszulkę. Nie przywykł do chodzenia nago, zwłaszcza na świeżym powietrzu, zanurzył się więc znacznie szybciej, niż
powinien. Jak na środek lata woda była zimna. Po skórze przebiegł
mu dreszcz. Poczuł, jak muł nieprzyjemnie oblepia jego stopy. Ale
potem Sara objęła go ramionami i przestał skarżyć się w myślach na
cokolwiek.

– Hej – powiedział po prostu.

– Hej. – Odgarnęła mu włosy. – Pływałeś kiedyś w jeziorze?

– Nie z własnego wyboru – przyznał. – Na pewno jest tu bezpiecznie?

Zastanowiła się nad tym przez chwilę.

– Miedziogłowce są aktywne raczej o zmierzchu. A mokasyny błotne
nie zapuszczają się tak daleko na północ.

Will nie brał pod uwagę węży. Dorastał w centrum Atlanty, wśród
brudnego betonu i zużytych strzykawek. Sara spędziła młodość w miasteczku uniwersyteckim w wiejskim rejonie południowej Georgii, w otoczeniu przyrody.

I zapewne także węży.

– Muszę ci się do czegoś przyznać – stwierdziła. – Powiedziałam Mercy, że ją okłamaliśmy.

– Domyśliłem się – odparł Will. Wieczorny incydent z udziałem Mercy
i jej rodziny nie należał do miłych. – Myślisz, że da sobie radę?

– Raczej tak. Jon wydaje się dobrym dzieckiem. – Sara pokręciła głową, jakby zniechęcona daremnością ich rozważań. – Życie nastolatka bywa trudne.

Will spróbował rozluźnić atmosferę.

– Mógłbym powiedzieć to i owo na temat dorastania w sierocińcu.

Przyłożyła palec do ust, co przetłumaczył sobie jako: *mało zabawne*.

– Spójrz w górę.

Zerknął posłusznie. Ogarnął go taki zachwyt, że zadarł głowę jeszcze mocniej. Nigdy nie widział na niebie tak jasnych gwiazd. A już na pewno nie tylu. Mrowie pojedynczych błyszczących punkcików jarzyło się na tle aksamitnej czerni nocy. Nie były przytłumione zanieczyszczeniem świetlnym. Nie przyćmiewały ich smog ani mgła. Napełnił płuca powietrzem. Poczuł, jak jego tętno zaczyna zwalniać. Ciszę przerywało tylko cykanie świerszczy. Jedynym sztucznym światłem był blask bijący z werandy przy odległym domostwie, głównym budynku tutejszego kompleksu.

W pewnym sensie pokochał to miejsce.

Pokonali osiem kilometrów w skalistym terenie, by dotrzeć do górskiego pensjonatu o nazwie McAlpine Family Lodge. Obiekt istniał bardzo długo, Will słyszał o nim już jako dziecko i marzył o tym, by któregoś dnia się tu wybrać. Spływy kajakowe, paddleboarding[1], jazda na rowerach górskich, piesze wędrówki, pałaszowanie s'moresów[2] przy ognisku. Fakt, że odbył tę podróż z Sarą i był szczęśliwym żonatym mężczyzną podczas miesiąca miodowego, zdumiewał go bardziej niż wszystkie gwiazdy na niebie.

– W miejscach takich jak to wystarczy trochę poskrobać pozłotko, by wyszły na jaw różne złe rzeczy – zauważyła Sara.

Will był pewien, że wciąż myśli o Mercy. Ostra sprzeczka z synem. Zimna reakcja rodziców. Jej godny pożałowania brat. I totalny palant w postaci byłego męża. Ekscentryczna ciotka. A do tego inni goście ze

---

[1] Inaczej SUP (od ang. *stand up paddle*) – rodzaj sportu wodnego uprawianego na specjalnej desce, nieco przypominającej deskę do windsurfingu, z użyciem wiosła z jednym piórem, czyli pagaja (przyp. tłum.).

[2] S'more – amerykański przysmak; rodzaj „kanapki" z krakersów, czekolady i słodkiej pianki *marshmallow* (przyp. tłum.).

swoimi problemami, które wyolbrzymił alkohol lejący się strumieniami podczas wspólnej kolacji. To zaś przypomniało Willowi, że gdy marzył o tym miejscu w dzieciństwie, nie spodziewał się tutaj innych ludzi. A zwłaszcza pewnego dupka.

– Wiem, co ci chodzi po głowie – dodała Sara. – Dlatego skłamaliśmy.

Niezupełnie właśnie to zamierzał powiedzieć, ale było blisko.

Will był agentem specjalnym w Biurze Śledczym stanu Georgia, nazywanym na ogół po prostu GBI. Sara ukończyła pediatrię, a obecnie pracowała w GBI jako lekarz sądowy. Obydwa zajęcia zwykle wiązały się z długimi rozmowami z nieznajomymi, wśród których rzadko zdarzali się dobrzy ludzie, za to całkiem sporo bardzo złych. Nieprzyznawanie się do swoich profesji w trakcie miesiąca miodowego zdawało się Sarze i Willowi dobrym pomysłem.

Jednak trzymanie w tajemnicy tego, kim się jest, nie powstrzymuje od bycia tą osobą. Oboje należeli do ludzi, którym leży na sercu los innych. Chodziło zwłaszcza o Mercy. Wydawało się, że cały świat zwrócił się przeciwko niej. Will wiedział, ile potrzeba siły, by iść przed siebie z uniesioną głową, gdy wszyscy próbują ciągnąć cię w dół.

– Hej... – Sara przytuliła go mocniej i objęła nogami w pasie. – Muszę ci się przyznać jeszcze do czegoś.

Will uśmiechnął się, ponieważ ona się uśmiechała. Motylki w jego brzuchu rozpoczęły swój taniec. Potem poruszyły się także inne rzeczy, bo czuł bijące od niej ciepło.

– Co to takiego? – zapytał.

– Nie mogę się tobą nasycić. – Sara powędrowała pocałunkami w górę jego szyi, lekko przygryzając skórę, by skłonić go do reakcji. Dreszcze wróciły. Łaskoczący ucho ciepły oddech napełnił mózg Willa pożądaniem. Pozwolił dłoni powoli się zsunąć. Ten gest sprawił, że Sara na chwilę wstrzymała oddech. Czuł na torsie dotyk jej piersi.

Wtem nocne powietrze przeszył ostry, donośny krzyk.

– Will... – Sara cała się spięła. – Co to było?

Nie miał pojęcia. Nie potrafił nawet stwierdzić, czy to człowiek, czy zwierzę. Krzyk brzmiał przenikliwie, mroził krew w żyłach. Nie był słowem ani wołaniem o pomoc, ale wyrazem skrajnego przerażenia. Tym rodzajem dźwięku, który sprawia, że pierwotna część mózgu przełącza się w tryb walki lub ucieczki.

Will nie był stworzony do ucieczki. Chwycił Sarę za rękę i szybko ruszyli w stronę brzegu. Pozbierał swoje ubrania i podał Sarze jej rzeczy. Założywszy koszulę, spojrzał w stronę wody. Pamiętał z mapy, że jezioro przypomina kształtem śpiącego bałwana, który o coś się oparł. Kąpielisko znajdowało się na jego głowie, a linia brzegowa niknęła w ciemności gdzieś w okolicach brzucha. Dźwięk był trudny do zlokalizowania. Jego oczywistym źródłem zdawało się miejsce, w którym przebywali ludzie. W kompleksie wypoczynkowym nocowały jeszcze cztery inne pary i samotny mężczyzna. Rodzina McAlpine'ów mieszkała w głównym budynku. Pomijając Willa i Sarę, goście zajmowali pięć z dziesięciu domków, które otaczały go półokręgiem. Łącznie na terenie kompleksu przebywało osiemnaście osób.

Krzyknąć mogła każda z nich.

– Para kłócąca się przy kolacji – powiedziała Sara, zapinając guziki sukienki. – Dentystka była kompletnie wstawiona. A informatyk...

– A ten samotny facet? – Will naciągał bojówki na mokre nogi. – Ten, który naprzykrzał się Mercy?

– Chuck – przypomniała Sara. – Prawnik z kolei był obleśny. Swoją drogą, jakim cudem zdobył dostęp do wi-fi?

– Jego żona z bzikiem na punkcie koni irytowała wszystkich. – Will wsunął bose stopy w buty. Skarpetki powędrowały do kieszeni. – Kombinatorzy od aplikacji coś knują.

– A co z Szakalem?

Will uniósł wzrok znad sznurowadła.

– Kochanie? – Sara odwróciła stopą sandały, by je założyć. – Czy...

Zrezygnował z wiązania sznurówki. Nie chciał rozmawiać o Szakalu.

– Gotowa?

Ruszyli ścieżką. Niesiony zastrzykiem energii Will podkręcał tempo, aż Sara zaczęła zostawać w tyle. Była bardzo wysportowana, ale jej obuwie nadawało się do spacerów, nie do biegania.

Przystanął i odwrócił się do niej.

– Czy mogę cię tu...

– Idź – nie pozwoliła mu dokończyć. – Dogonię cię.

Will zszedł ze ścieżki i ruszył przez las na przestrzał. Kierując się światłem na werandzie niczym gwiazdą przewodnią, rozsuwał rękami gałęzie i kolczaste pnącza, które zaczepiały o rękawy koszuli. Mokre stopy nieprzyjemnie ocierały się o wnętrze butów. Niezawiązanie sznurowadła było błędem. Przez chwilę chciał się zatrzymać, ale wtedy wiatr zmienił kierunek i przyniósł zapach kojarzący się z miedzianymi monetami. Will nie był pewien, czy naprawdę poczuł krew, czy też jego policyjny mózg podsuwał mu wspomnienia sensoryczne z miejsc zbrodni z przeszłości.

Wrzask mógł pochodzić od zwierzęcia.

Nawet Sara nie była pewna jego źródła. Will był przekonany jedynie co do tego, że istota, która wydała ten dźwięk, bała się o swoje życie. Kojot. Ryś. Niedźwiedź. Te lasy były pełne stworzeń mogących wzbudzić w innym zwierzęciu taką panikę.

Zareagowali przesadnie?

Przestał brnąć przez zarośla i odwrócił się, aby zlokalizować ścieżkę. Orientował się, gdzie jest Sara, nie dlatego, że ją widział, lecz po odgłosie jej sandałków na żwirze. Znajdowała się w połowie drogi między głównym budynkiem a jeziorem. Ich domek mieścił się na drugim końcu kompleksu. Prawdopodobnie próbowała ułożyć w głowie jakiś plan. Czy w pozostałych domkach paliło się światło? Czy powinna zacząć pukać do drzwi? A może przyszło jej też na myśl to samo, co Willowi: ponieważ w określony sposób zarabiają na życie, wykazali się nadgorliwością, dzięki czemu za jakiś czas opowiedzą siostrze Sary zabawną historię o tym, jak to usłyszeli zwierzę wydające z siebie pełen grozy przedśmiertny wrzask i popędzili zbadać sprawę, zamiast uprawiać gorący seks w jeziorze.

Jednak Willowi wcale nie było do śmiechu. Pot posklejał mu włosy na głowie. Z tyłu pięty zrobił się pęcherz. Krew płynęła z czoła w miejscu, gdzie kolczaste pnącze rozcięło skórę. Wsłuchał się w panującą w lesie ciszę. Umilkły nawet świerszcze. Uderzył dłonią w bok szyi, gdzie ukąsił go jakiś owad. Coś przemykało w koronach drzew.

Może jednak wcale tego miejsca nie kochał?

Co gorsza, gdzieś w głębi duszy obwiniał za wszystko Szakala. Począwszy od czasów, gdy obaj byli dziećmi, w życiu Willa nigdy nic się nie układało, kiedy ten dupek był w pobliżu. Sadystyczny kutas zawsze był chodzącym symbolem pecha.

Will potarł twarz dłońmi, jakby chciał wymazać z umysłu wszelkie myśli o Szakalu. Dzieciństwo dawno zostało za nimi. Will był teraz dorosłym mężczyzną w trakcie miesiąca miodowego.

Ruszył z powrotem w stronę Sary. A przynajmniej w kierunku, w którym jego zdaniem się udała. W ciemności stracił poczucie przestrzeni i czasu. Nie wiedział, jak długo przedzierał się przez las niczym przez tor przeszkód. Wędrówka w zaroślach okazała się o wiele trudniejsza bez adrenaliny, która pchała go naprzód pomimo kaleczących twarz pnączy. Will po cichu opracował swój własny plan. Postanowił cofnąć się na ścieżkę, założyć skarpety i zawiązać sznurowadło, żeby nie utykać przez resztę tygodnia. A potem odnaleźć swoją piękną żonę, zabrać ją do domku i wrócić do tego, co przerwali.

– Pomocy!

Will zamarł.

Tym razem nie miał żadnych wątpliwości. Krzyk był na tyle wyraźny, by stwierdzić, że pochodzi z ust kobiety.

Krzyknęła raz jeszcze:

– Proszę!

Zawrócił i puścił się pędem w stronę jeziora. Dźwięk dochodził z przeciwnej strony kąpieliska, z okolic dolnej części bałwana. Spuścił głowę. Szybko przebierał nogami. Pulsowanie krwi w jego uszach mieszało się z echem krzyków. Zarośla wkrótce przemieniły się w gęsty las. Nisko wiszące gałęzie smagały po rękach. Wokół twarzy roiły się komary. Nagle stracił grunt pod nogami i wylądował na krawędzi stopy, a kostka mocno się wykręciła.

Zignorował ostry ból, zmuszając się do dalszego marszu. Próbował zapanować nad szalejącą adrenaliną. Musiał zwolnić tempo. Kompleks znajdował się na większej wysokości niż jezioro. Nieopodal jadalni teren dość raptownie opadał. Will odnalazł koniec szlaku, który nazywali tutaj Pętlą, i podążył kolejną wijącą się zygzakiem ścieżką w dół. Jego serce wciąż biło jak szalone. W głowie kłębiło się od oskarżeń. Powinien był słuchać instynktu od samego początku. Powinien był się domyślić.

Mdliło go na myśl o tym, co zastanie, bo ta kobieta krzyczała w obawie o życie, a nie ma drapieżnika okrutniejszego niż człowiek.

Zakaszlał, gdy powietrze zgęstniało od dymu. Światło księżyca przedarło się przez drzewa w samą porę, by ujawnić uskok terenu. Will wyszedł na otwartą przestrzeń. Ziemia była usłana puszkami po piwie i niedopałkami papierosów. Wszędzie walały się narzędzia. Will pokręcił głową, mijając kozły do piłowania drewna, przedłużacze i przewrócony na bok generator. Zauważył trzy chatki w różnych stadiach remontu. Dach jednej z nich przykrywała plandeka. Okna drugiej były zabite deskami. Trzecia płonęła. Spomiędzy tworzących ściany belek wypełzały żywe języki ognia. Drzwi były uchylone. Zza rozbitej szyby unosił się dym. Dach nie wyglądał, jakby miał długo wytrzymać.

Wołanie o pomoc. Ogień.

Ktoś musiał być w środku.

Will nabrał powietrza do płuc, wbiegł po schodkach na ganek i kopniakiem otworzył uchylone drzwi. Fala gorąca wysuszyła mu spojówki. Wszystkie okna, oprócz jednego, były zasłonięte deskami. Jedyne światło dawał ogień. Przemierzając salon, przykucnął, aby uniknąć unoszących się wyżej kłębów dymu. Dotarł do maleńkiej kuchni. Potem do łazienki z miejscem na niedużą wannę i do małego schowka. Zaczęły go piec płuca. Brakowało mu tchu. Kierując się do sypialni, mimowolnie wciągnął do ust gęsty dym. Nie było drzwi. Żadnych sprzętów. Żadnej szafy. Tylna ściana chatki została rozebrana do pionowych podpór.

Były rozstawione zbyt wąsko, by mógł się przez nie przecisnąć.

Will usłyszał donośny zgrzyt przedzierający się przez trzask płomieni. Pobiegł z powrotem do salonu. Teraz płonął już cały sufit, ogień trawił belki nośne. Dach się zapadał. Posypały się kawałki płonącego drewna. Will ledwie widział przez dym.

Drzwi wejściowe były za daleko. Ruszył w stronę rozbitego okna, w ostatniej chwili uskakując przed spadającymi z dachu szczątkami. Przewrócił się na podłogę. Jego ciałem targnął ostry kaszel. Skóra naprężyła się pod wpływem gorąca. Spróbował wstać, ale udało mu się podnieść jedynie na kolana i dłonie, po czym wypluł strzęp czarnej sadzy. Ciekło mu z nosa. Pot spływał po twarzy. Znowu zakaszlał. Płuca bolały jak wypełnione potłuczonym szkłem. Przywarł czołem do podłogi, brudząc błotem osmalone brwi. Gwałtownie wciągnął powietrze.

Miedź.

Will usiadł.

Wśród funkcjonariuszy policji panuje przekonanie, że da się wyczuć żelazo we krwi, gdy zetknie się ona z tlenem. To nieprawda. Ten charakterystyczny zapach wymaga zajścia innej reakcji chemicznej. Na miejscach zbrodni wyzwalają go zwykle zawarte w skórze tłuszcze. Woń staje się silniejsza w obecności wody.

Will spojrzał na jezioro. Rozmazywał mu się wzrok. Otarł z oczu błoto i pot. Siłą woli opanował kolejny atak kaszlu.

W oddali rozpoznał znajomo wyglądające buty marki Nike.

Poplamione krwią dżinsy ściągnięte poniżej kolan.

Ręce rozrzucone na boki.

Ciało leżało twarzą do góry, częściowo zanurzone w wodzie.

Widok sparaliżował go w jednej chwili. Chodziło o blask księżyca nadający skórze woskowy, bladoniebieski odcień. Może przez nieudany żart o dorastaniu w sierocińcu, a może przez wciąż żywe emocje związane z nieobecnością rodziny przy jego boku podczas uroczystości ślubnej, Willowi przypomniała się matka.

O ile wiedział, istniały tylko dwa zdjęcia dokumentujące jej krótkie, zaledwie siedemnastoletnie życie. Jedno było policyjną fotografią zrobioną po jej aresztowaniu na rok przed przyjściem Willa na świat. Drugie wykonał lekarz sądowy, który przeprowadzał sekcję zwłok. Fotka z polaroidu. Wyblakła. Woskowy błękit skóry jego matki miał ten sam odcień, co skóra martwej kobiety leżącej sześć metrów dalej.

Will podźwignął się i pokuśtykał w stronę ciała.

Nie miał żadnych wątpliwości, że ujrzy twarz własnej matki, choć intuicja zdążyła mu już podpowiedzieć, kogo znajdzie. Mimo to gdy stanął nad ciałem i przekonał się, że ma słuszność, w najciemniejszym zakątku jego serca pojawiła się nowa rysa.

Kolejna stracona kobieta. Kolejny syn, który będzie dorastał bez matki.

Mercy McAlpine leżała w płytkiej wodzie, a napływające fale delikatnie poruszały jej rękami. Głowa opierała się na skupisku kamieni, które utrzymywało jej nos i usta nad taflą jeziora. Unoszące się na wodzie pasma jasnych włosów tworzyły eteryczny efekt upadłego anioła lub gasnącej gwiazdy. Przyczyna śmierci nie stanowiła tajemnicy. Will widział, że Mercy została wielokrotnie dźgnięta nożem. Biała, zapinana na guziki koszula, którą miała na sobie podczas kolacji, ginęła w krwawej jatce na jej piersiach. Woda obmyła niektóre rany. Dostrzegł potworne wyżłobienia na jej ramieniu w miejscu, gdzie napastnik obrócił nóż. Prostokątne ciemnoczerwone ślady świadczyły o tym, że jedyną rzeczą, która powstrzymała ostrze przed dalszym zagłębieniem się, była rękojeść.

W trakcie swojej kariery zawodowej Will widział niejedną przerażającą scenę zbrodni, ale ta kobieta zaledwie godzinę temu żyła, chodziła, żartowała, flirtowała, kłóciła się z nadąsanym synem i toksyczną rodziną, a teraz była martwa. Nigdy nie zdoła naprawić relacji ze swoim dzieckiem. Nigdy nie zobaczy, jak zakochuje się po raz pierwszy. Nie usiądzie w pierwszym rzędzie, patrząc, jak poślubia miłość swojego życia. Nie będzie wspólnych świąt, obchodzenia urodzin, cieszenia się z ukończenia kolejnej szkoły i spędzonych razem sielskich chwil.

Jedyne, co pozostanie Jonowi, to poczucie bolesnej straty wywołane jej nieobecnością.

Will pozwolił sobie na kilka chwil smutku, nim wszedł w tryby tego, w czym został wyszkolony. Uważnie rozejrzał się po lesie, badając, czy zabójcy nie ma w okolicy. Sprawdził, czy narzędzie zbrodni nie leży gdzieś w pobliżu. Napastnik zabrał ze sobą nóż. Will ponownie wbił wzrok w las. Nadstawił uszu na podejrzane dźwięki. Przełknął zalegające mu w gardle resztki sadzy i żółć. Uklęknął obok Mercy. Przyłożył palce do boku jej szyi, by sprawdzić puls.

Poczuł bicie serca.

Ona żyła.

– Mercy? – Will delikatnie obrócił jej głowę w swoją stronę. Oczy miała szeroko otwarte, białka lśniły jak wypolerowany marmur. Nadał głosowi stanowcze brzmienie. – Kto ci to zrobił?

Usłyszał świst, który nie wydobywał się jednak z jej nosa ani ust. To płuca Mercy próbowały nabrać powietrza przez otwarte rany w klatce piersiowej.

– Mercy. – Ujął jej twarz w dłonie. – Mercy McAlpine. Nazywam się Will Trent. Jestem agentem Biura Śledczego stanu Georgia. Spójrz na mnie.

Jej powieki zaczęły drgać.

– Spójrz na mnie, Mercy – zażądał Will. – Spójrz na mnie.

Jej oczy na chwilę zaszły mgłą. Źrenice się rozszerzyły. Minęło kilka długich sekund, może nawet minuta, nim wreszcie udało się jej skupić na twarzy Willa. Dostrzegł iskrę świadczącą o tym, że go poznaje; potem przypływ strachu. Wróciła do swojego ciała przepełniona przerażeniem i bólem.

– Wyjdziesz z tego. – Will zaczął wstawać. – Sprowadzę pomoc.

Mercy chwyciła go za kołnierzyk i pociągnęła z powrotem w dół. Spojrzała na niego bardzo, bardzo uważnie. Oboje wiedzieli, że z tego nie wyjdzie. Zamiast panikować, zamiast pozwolić mu odejść, postanowiła go zatrzymać. Zaczęła koncentrować się na ostatnich przeżyciach. Ostatnich słowach wypowiedzianych do rodziny, kłótni z synem.

– J... Jon... powiedz mu... powiedz mu... że musi... uciec...

Will patrzył, jak jej powieki znowu zaczynają trzepotać. Nie zamierzał nic mówić Jonowi. Mercy mogła sama przekazać synowi swoje ostatnie słowa.

– Sara! – krzyknął. – Sprowadź Jona! Szybko!

– Nnnie... – Mercy dygotała. Zaczynała się agonia. – Jon... nie może... zostać... zabierzcie go...

– Posłuchaj – powiedział Will. – Daj swojemu synowi szansę na pożegnanie.

– Kocham... – odparła. – Tak... bardzo... go kocham.

– Mercy, proszę, zostań ze mną jeszcze przez chwilę. – Will usłyszał drżenie we własnym głosie. – Sara przyprowadzi Jona. Musi cię zobaczyć, zanim...

– Prze...praszam.

– Nie przepraszaj – zaprotestował. – Po prostu zostań ze mną. Proszę. Przypomnij sobie ostatnią rzecz, którą powiedział ci Jon. To nie może się tak skończyć. Wiesz, że nie ma w nim nienawiści do ciebie. Nie chciał twojej śmierci. Nie zostawiaj go z tym. Proszę.

– Wybacz... mu... – Zakaszlała, tryskając kropelkami krwi. – Wybacz.

– Powiedz mu to sama. Jon musi to usłyszeć od ciebie.

Dłoń Mercy zacisnęła się w pięść na jego koszuli. Przyciągnęła go jeszcze bliżej.

– Wybacz... mu.

– Mercy, proszę, nie... – Głos Willa się załamał. Odchodziła za szybko. Nagle uświadomił sobie, co ujrzałby Jon, gdyby Sara rzeczywiście go tutaj sprowadziła. To nie był dobry moment na pożegnanie. Żaden młody człowiek nie powinien nosić w pamięci obrazu tak potwornej śmierci własnej matki.

Z trudem przełknął smutek.

– Dobrze. Przekażę Jonowi. Obiecuję.

Mercy potraktowała tę obietnicę jak pozwolenie. Jej ciało zwiotczało. Puściła jego kołnierzyk. Will patrzył, jak dłoń Mercy opada i faluje łagodnie, zanurzając się w wodzie. Drżenie ustało. Jej usta pozostały szeroko otwarte. Ciało opuściło powolne, pełne bólu ostatnie westchnienie. Will czekał na kolejny chrapliwy oddech, ale jej klatka piersiowa zamarła.

Spanikował w zapadłej nagle ciszy. Nie mógł pozwolić jej odejść. Sara była lekarzem. Mogła ocalić Mercy. Sprowadzić Jona, który zyska ostatnią szansę na pożegnanie.

– Sara!

Głos Willa poniósł się echem po jeziorze. Zerwał koszulę i zakrył rany Mercy. Jon nie zobaczy wyrządzonych jej krzywd. Ujrzy tylko twarz matki. Dowie się, że go kochała. Nie będzie musiał spędzać reszty życia na zastanawianiu się, co by było, gdyby.

– Mercy? – Will potrząsnął nią tak mocno, że jej głowa opadła na bok. – Mercy?!

Uderzył ją otwartą dłonią w twarz. Jej skóra była lodowata. Nie została w niej ani odrobina ciepła. Krew przestała krążyć. Nie oddychała. Nie wyczuwał pulsu. Rozpoczął resuscytację. Splótł dłonie, położył je na klatce piersiowej Mercy, napiął ramiona i naparł całym ciężarem.

Ból przeszył jego dłoń niczym ładunek elektryczny. Próbował się cofnąć, ale coś mu nie pozwalało.

– Przestań! – Sara pojawiła się nie wiadomo skąd. Schwyciła jego ręce i przycisnęła do piersi Mercy. – Nie ruszaj się. Przetniesz nerwy.

Dopiero po chwili zorientował się, że Sarze nie chodzi o Mercy, lecz o niego.

Spojrzał w dół. Jego mózg nie znajdował żadnego wytłumaczenia dla tego, co zobaczył. Powoli wracał do zmysłów. Ujrzał przed sobą narzędzie zbrodni. Atak musiał być szaleńczy, potwornie gwałtowny, nacechowany wściekłością. Zabójca nie ograniczył się do dźgnięcia Mercy w klatkę piersiową. Zaatakował także od tyłu, wbijając broń w jej plecy z taką siłą, że rękojeść się odłamała. Ostrze wciąż tkwiło w piersi Mercy.

Will nadział się dłonią na złamany nóż.

ROZDZIAŁ PIERWSZY

DWANAŚCIE GODZIN PRZED MORDERSTWEM

Mercy McAlpine wpatrywała się w sufit, myśląc o minionym tygodniu. Wszystkie dziesięć par wymeldowało się rano. Pięć nowych miało przyjechać dzisiaj. Pięć kolejnych zjawi się w czwartek, więc w weekend znowu będą mieli komplet. Musiała umieścić rzeczy poszczególnych gości we właściwych domkach. Tego dnia rano spedytor wyładował ostatnie bagaże na parkingu. Będzie też musiała wymyślić, jak postąpić z gamoniowatym przyjacielem swego brata, który co rusz pojawiał się na ich progu jak bezpański pies. Trzeba powiadomić personel kuchni, że Chuck znowu tu jest, ponieważ ma alergię na orzeszki ziemne. A może wcale nie trzeba, bo to szansa, że poziom idiotyzmu w jej życiu zmaleje o mniej więcej połowę.

Przyczyna drugiej połowy właśnie leżała na niej. Dave sapał jak pociąg parowy, który nie zdoła dojechać do końca tunelu. Miał wybałuszone oczy i krwiste rumieńce na policzkach. Pięć minut temu Mercy przeżyła cichy orgazm. Pewnie powinna była mu o tym powiedzieć, ale nie cierpiała dawać mu satysfakcji.

Odwróciła głowę, próbując spojrzeć na zegar przy łóżku. Leżeli w domku numer pięć, na podłodze, bo dla Dave'a nie warto było ponownie zmieniać pościeli. Południe musiało być blisko. Mercy nie mogła się spóźnić na rodzinne spotkanie. Około czternastej zaczną się schodzić goście. Trzeba zadzwonić tu i tam. Dwie pary poprosiły o masaże. Kolejna w ostatniej chwili zapisała się na spływ kajakowy. Mercy musiała się też upewnić, że stadnina będzie gotowa na przyjęcie gości o odpowiedniej porze. Powinna raz jeszcze zerknąć na prognozę pogody, aby sprawdzić, czy burza nadal zmierza w ich stronę. Dostawca przywiózł nektarynki zamiast brzoskwiń. Naprawdę sądził, że nie dostrzeże różnicy?

– Merce? – Dave wciąż rytmicznie się poruszał, ale wyczuła rezygnację w jego głosie. – Myślę, że dłużej nie dam rady.

Poklepała go po ramieniu, zwalniając ze służby. Wymęczone przyrodzenie Dave'a opadło na jej nogę, gdy odwrócił się na plecy. Wbił wzrok w sufit. Spojrzała na niego. Dopiero co skończył trzydzieści pięć lat, a wyglądał na osiemdziesiąt. Miał zaczerwienione, załzawione oczy. Nos poprzecinany siatką popękanych naczynek. Świszczący oddech. Znowu zaczął palić. Najwyraźniej alkohol i prochy nie zabijały go wystarczająco szybko.

– Przepraszam – powiedział.

Mercy nie czuła potrzeby odpowiadać. Powtarzali tę scenę tyle razy, że jej słowa unosiły się wokół niczym echo:

Może gdybyś nie był naćpany... może gdybyś nie był pijany... może gdybyś nie był bezwartościowym śmieciem... może gdybym nie była samotną idiotką, która pieprzy się ze swoim przegranym eksmężem na podłodze...

– Chcesz, żebym... – Wskazał gestem na dół.

– Nie trzeba.

Dave się roześmiał.

– Jesteś jedyną kobietą, jaką znam, która udaje brak orgazmu.

Mercy nie zamierzała z nim żartować. Ciągle narzekała na jego durne życiowe wybory, a jednak wciąż uprawiała z nim seks, bo nie czuła się wiele lepsza. Naciągnęła dżinsy. Ledwie dopięła guzik; ostatnio przytyła kilka kilogramów. Oprócz spodni nie zdjęła niczego, jeśli nie liczyć butów. Nike w kolorze lawendy stały obok jego skrzynki z narzędziami niczym przypomnienie: „Musisz naprawić tę toaletę przed trzecią, zanim przyjadą goście".

– Jasne, szefowo. – Dave przekręcił się na bok, niemrawo przygotowując się do wstania. Nigdy się nie śpieszył. – Możesz mi pożyczyć trochę forsy?

– Odlicz sobie z alimentów.

Skrzywił się. Zalegał od szesnastu lat.

– Co zrobiłeś z pieniędzmi, które Papa dał ci na remont domków kawalerskich? – zapytała.

– To był depozyt. – Dave wstał z głośnym trzaśnięciem kolana. – Musiałem kupić materiały.

Założyła, że większość „materiałów" pochodzi od jego dilera albo bukmachera.

– Kawałek brezentu i używany generator nie kosztują tysiąca dolarów.

– Daj spokój, Mercy Mac.

Westchnęła głośno, patrząc na swoje odbicie w lustrze. Blizna przecinająca jej twarz czerwieniła się na tle bladej skóry. Włosy nadal były mocno ściągnięte do tyłu. Koszula nawet się nie pogniotła. Wyglądała dokładnie tak, jak wygląda kobieta, która właśnie przeżyła najmniej satysfakcjonujący orgazm życia z najbardziej rozczarowującym mężczyzną świata.

– Co sądzisz o tej inwestycji? – zapytał Dave.

– Moim zdaniem Papa zrobi, co sam uzna za słuszne.

– Nie pytam jego.

Spojrzała na Dave'a w lustrze. Przy śniadaniu ojciec przekazał informację o bogatych inwestorach. Ponieważ nie konsultował się wcześniej z Mercy w tej sprawie, doszła do wniosku, że przypomina jej w ten sposób, kto naprawdę wciąż tutaj rządzi. Pensjonat był własnością rodziny McAlpine'ów od siedmiu pokoleń. W przeszłości zdarzały im się drobne pożyczki, zwykle od długoletnich gości, którym zależało na tym, by biznes nie upadł. Pomagali w naprawie dachów, zakupie nowych bojlerów, a raz wymienili nawet linię energetyczną docierającą tu z głównej drogi. Ale ta propozycja brzmiała o wiele poważniej. Papa powiedział, że pieniędzy od inwestorów wystarczy na rozbudowanie głównego kompleksu.

– Myślę, że to dobry pomysł – odparła Mercy. – Stare obozowisko znajduje się w najlepszym miejscu posiadłości. Moglibyśmy tam postawić większe domki, zacząć promować wesela i zjazdy rodzinne.

– Nadal będziesz wtedy nazywać je pedoobozem?

Mercy roześmiała się wbrew sobie. Obóz Awinita rozciągał się na terenie czterdziestu hektarów, dawał dostęp do jeziora i strumienia pełnego pstrągów, a przy tym zapewniał obłędny widok na góry. Ta ziemia niezawodnie przynosiła zyski jeszcze piętnaście lat temu, dopóki kolejnymi organizacjami, które ją dzierżawiły – od skautów po przedstawicieli

Południowej Konwencji Baptystycznej – nie wstrząsnęły pedofilskie skandale. Nie wiadomo, ile dzieci ucierpiało. Jedynym wyjściem było zamknięcie obozowiska, zanim zła sława nie rzuci się cieniem na pensjonat.

– Nie wiem, co o tym sądzić – przyznał Dave. – Większość tych gruntów jest objęta ochroną. Tak naprawdę nie możemy budować niczego od miejsca, w którym potok wpada do jeziora. Poza tym wątpię, żeby Papa pozwolił komukolwiek decydować o sposobie wydania tych pieniędzy.

Mercy przytoczyła słowa ojca:

– Na znaku przy drodze widnieje tylko jedno nazwisko.

– To także twoje nazwisko – zauważył Dave. – Robisz kawał dobrej roboty, zarządzając tym miejscem. Miałaś rację co do modernizacji łazienek. Ściągnięcie tu tych marmurów było trudne, ale robią wrażenie. Baterie i wanny wyglądają jak w folderach. Goście są skłonni głębiej sięgnąć do kieszeni. Chcą wracać. Ci inwestorzy nie oferowaliby żadnych pieniędzy, gdyby nie to, czego tutaj dokonałaś.

Mercy oparła się pokusie puszenia się z dumy. W jej rodzinie trudno było zapracować na komplement. Nikt nie zająknął się nawet słowem o akcentach kolorystycznych na ścianach domków, o kawiarni czy stojących na parapetach skrzynkach pełnych kwiatów, dzięki którym goście mogli poczuć się jak w bajce.

– Jeśli odpowiednio wydamy te pieniądze, ludzie zapłacą dwa, a może nawet trzy razy więcej niż teraz – stwierdziła. – Zwłaszcza jeśli doprowadzimy tu przejezdną drogę, zamiast zmuszać ich do pieszej wędrówki. Moglibyśmy nawet kupić kilka quadów i robić wypady na drugi koniec jeziora. A tam jest pięknie.

– Pięknie, pełna zgoda. – Przez większość czasu Dave nie ruszał się z placu budowy, rzekomo zajmując się renowacją trzech najstarszych domków. – Co Bitty sądzi na temat tych pieniędzy?

Mercy domyślała się, że jej matka jak zwykle stanie po stronie ojca, lecz skwitowała to krótko:

– Jestem pewna, że dowiedziałbyś się przede mną.

– Nie pisnęła ani słowem. – Dave wzruszył ramionami. Wiedział, że Bitty w końcu mu się zwierzy. Kochała go bardziej niż rodzone dzieci. – Jeśli chodzi o mnie, więcej nie zawsze znaczy lepiej.

Ale Mercy liczyła właśnie na więcej. Gdy pierwszy szok po usłyszeniu tej wiadomości minął, wpadła na pewien pomysł. Nagły przypływ gotówki mógłby nieźle namieszać w jej życiu. A ona miała dość brnięcia w ruchomych piaskach.

– Mogłoby się bardzo wiele zmienić – orzekł Dave.

Oparła się plecami o komodę i obrzuciła go spojrzeniem.

– A czy byłoby źle, gdyby sprawy przybrały trochę inny obrót? Przez chwilę wpatrywali się w siebie. Pytanie miało duży ciężar gatunkowy. Zignorowała przekrwione oczy i czerwony nos Dave'a, widząc w nim znów osiemnastoletniego chłopca, który obiecywał, że pomoże jej się stąd wyrwać. Później przypomniała sobie o wypadku samochodowym, który zmasakrował jej twarz. Rehabilitacja. Potem kolejna. Walka o opiekę nad Jonem. Wisząca nad nią jak miecz Damoklesa groźba, że nie da sobie rady. I nieustannie prześladujące ją rozczarowanie.

Leżący na stoliku nocnym telefon zabrzęczał. Dave zerknął na powiadomienie.

– Ktoś jest na początku szlaku.

Mercy odblokowała ekran. Kamera znajdowała się na parkingu, co oznaczało, że mają dwie godziny, zanim pierwsi goście pokonają osiem kilometrów dzielących ich od kwater. Może nawet niecałe dwie godziny. Nic nie wskazywało na to, by akurat tym dwojgu szlak miał sprawiać jakiekolwiek trudności. Wysoki i szczupły mężczyzna był zbudowany jak biegacz, a kobieta z długimi, kręconymi rudymi włosami miała plecak, który raczej niejedno już widział.

Przed wejściem na szlak para namiętnie się pocałowała. Mercy poczuła ukłucie zazdrości, gdy wzięli się za ręce. Mężczyzna niemal nie spuszczał swojej partnerki z oczu, a ona nie pozostawała mu dłużna. W pewnej chwili oboje się roześmiali, jakby sobie uświadomili, że zachowują się jak para szaleńczo zakochanych nastolatków.

– Koleś ma chyba świra na jej punkcie – orzekł Dave.

Zazdrość Mercy nasiliła się.

– A ona na jego.

– Przyjechali bmw – zauważył. – To ci inwestorzy?

– Bogaci ludzie nie bywają aż tak szczęśliwi. To chyba ci nowożeńcy, Will i Sara.

Dave spojrzał na ekran uważniej, choć para stała już tyłem do kamery.

– Wiesz, czym się zajmują zawodowo?

– On jest mechanikiem, a ona nauczycielką chemii.

– Skąd są?

– Z Atlanty.

– Z prawdziwej Atlanty czy okolic?

– Nie mam pojęcia, Dave. Atlanta to Atlanta.

Podszedł do okna. Obserwowała, jak patrzy na główną siedzibę poprzez środkową część kompleksu. Wyczuwała, że coś wytrąciło go z równowagi, lecz nie znalazła w sobie odwagi, by o to zapytać. Mercy poświęcała Dave'owi czas. Próbowała mu pomóc. Próbowała wyprowadzić go na prostą. Próbowała kochać na tyle mocno, na ile powinna. Próbowała być dla niego wystarczająco dobra. Przede wszystkim jednak za wszelką cenę próbowała nie utonąć w ruchomych piaskach jego potrzeb.

Ludzie uważali go za luzaka i imprezowicza, lecz Mercy wiedziała, że jest na wskroś przeżarty gniewem. Gdyby był oazą spokoju, nie zostałby nałogowcem. Pierwsze jedenaście lat życia spędził w przytułkach. Kiedy uciekł, nikt nie zadał sobie trudu, by go poszukać. Kręcił się po ich terenie, aż wreszcie ojciec Mercy natknął się na niego w którymś z domków kawalerskich. Potem jej matka zaprosiła go na obiad, po jakimś czasie Dave zaczął pojawiać się u nich co wieczór, aż wreszcie przeprowadził się do rodzinnego domu, a McAlpine'owie go adoptowali, co stało się żyzną glebą dla wielu paskudnych plotek, zwłaszcza gdy Mercy zaszła w ciążę. Z pewnością nie pomogło to, że Dave miał wtedy osiemnaście lat, a Mercy właśnie skończyła piętnaście.

Nigdy nie myśleli o sobie jako o rodzeństwie. Byli raczej jak durna czapla i jeszcze głupszy żuraw. On jej nienawidził, dopóki nie pokochał. Ona go kochała, dopóki nie znienawidziła.

– Uwaga. – Dave odwrócił się od okna. – Nadciąga Fishtopher.

Mercy wkładała właśnie telefon do tylnej kieszeni, gdy jej brat otworzył drzwi. Trzymał jednego z kotów, pulchnego ragdolla, który bezwładnie zwisał mu z rąk. Christopher jak zwykle był ubrany w kamizelkę, kapelusz upstrzony muchami wędkarskimi, szorty bojówki z niezliczonymi kieszeniami oraz klapki, które można szybko zamienić na wodery, by przez cały dzień stać pośrodku strumienia i zarzucać wędki. Stąd przezwisko[3].

– Jaka przynęta cię tu zwabiła, Fishtopher?

– Nie wiem. – Fish uniósł brwi. – Ale najwyraźniej złapałem haczyk.

Mercy wiedziała, że mogą przerzucać się żarcikami w nieskończoność.

– Fish, powiedziałeś Jonowi, żeby doprowadził kajaki do porządku?

– Owszem, a on w odpowiedzi kazał mi się pieprzyć.

– Jezu. – Mercy posłała Dave'owi takie spojrzenie, jakby to on był jedynym człowiekiem odpowiedzialnym za zachowanie Jona. – Gdzie się teraz podziewa?

Fish umieścił kota na werandzie obok tego, który już tam siedział.

– Wysłałem go do miasta po brzoskwinie.

– Dlaczego?! – Ponownie spojrzała na zegarek. – Spotkanie rodzinne jest za pięć minut. Nie płacę mu za szwendanie się po mieście przez całe lato. Powinien się trzymać harmonogramu.

– Musiał zniknąć. – Fish skrzyżował ramiona na piersiach jak zawsze, gdy uważał, że ma do powiedzenia coś ważnego. – Delilah tu jest.

Byłaby mniej zszokowana na wieść, że sam Lucyfer tańcuje na ich werandzie. Bez namysłu chwyciła Dave'a za ramię. Serce biło jej jak oszalałe. Minęło dwanaście lat, odkąd walczyła z ciotką w zatłoczonej sali sądowej. Delilah usiłowała zdobyć prawo do stałej opieki nad Jonem. Mercy wciąż lizała głębokie rany po walce o jego powrót.

– Co ta stuknięta suka tu robi?! – wrzasnął Dave. – Czego chce?

– Tego nie wiem – odparł Fish. – Minąłem się z nią na ścieżce. Potem poszła do domu z Papą i Bitty. Znalazłem Jona i odprawiłem go, zanim ją zobaczył. Nie dziękujcie.

Mercy wcale nie zamierzała mu dziękować. Zaczęła się pocić. Delilah mieszkała godzinę drogi stąd w bańce swojej małej rzeczywistości. Ich rodzice niewątpliwie coś knuli, skoro ją tu ściągnęli.

– Papa i Bitty czekali na Delilah na werandzie?

---

[3] Gra słów; *fish* w języku angielskim oznacza rybę (przyp. tłum.).

– Ranki zawsze spędzają na werandzie. Skąd miałem wiedzieć, czy czekają?

– Fish! – Mercy tupnęła. Potrafił z kilometra odróżnić okonia od sandacza, ale za jasną cholerę nie umiał czytać ludzi. – Jak się zachowali na jej widok? Byli zaskoczeni? Powiedzieli coś?

– Nie wydaje mi się. Delilah wysiadła z samochodu. Trzymała torebkę w ten sposób. – Mercy spojrzała, jak zaciska dłonie na brzuchu. – A potem weszła po schodach i wszyscy zniknęli w środku.

– Wciąż ubiera się jak Fizia Pończoszanka? – zapytał Dave.

– Kto to jest Fizia Pończoszanka?

– Cicho – syknęła Mercy. – Delilah nie skomentowała tego, że Papa jeździ na wózku inwalidzkim?

– Nie. Właściwie to chyba żadne z nich nie odezwało się nawet słowem. Byli dziwnie milczący. – Fish uniósł palec na znak, że przypomniał mu się jeszcze jeden szczegół. – Bitty zaczęła pchać wózek Papy do środka, ale Delilah go przejęła.

– Cała Delilah – mruknął Dave.

Mercy poczuła, jak odruchowo zaciska zęby. Delilah nie była zaskoczona widokiem swojego brata na wózku, więc musiała wiedzieć o wypadku, a to oznacza, że rozmawiali już wcześniej. Pytanie brzmiało, kto zadzwonił. Została tu zaproszona czy pojawiła się z własnej inicjatywy?

Jak na zawołanie zadzwonił jej telefon. Mercy wyciągnęła go z kieszeni. Zerknęła na wyświetlacz. To była Bitty.

– Przełącz na głośnomówiący – poprosił Dave.

Mercy stuknęła w ekran. Matka zaczynała każdą rozmowę telefoniczną tak samo, niezależnie od tego, czy odbierała połączenie, czy dzwoniła sama:

– Mówi Bitty.

– Tak, mamo? – odpowiedziała Mercy.

– Przychodzicie na spotkanie, dzieciaki?

Mercy zerknęła na zegarek. Byli spóźnieni już dwie minuty.

– Wysłałam Jona do miasta. Ale Fish i ja już idziemy.

– Zabierz Dave'a.

Dłoń Mercy zawisła nad telefonem. Zamierzała się rozłączyć, ale teraz jej palce zadrżały.

– Dlaczego chcesz, żebym przyprowadziła Dave'a?

Rozległo się pikniące, gdy matka zakończyła połączenie.

Mercy spojrzała na Dave'a, a potem na Fisha. Poczuła, jak po plecach spływa jej gruba kropla potu.

– Delilah zamierza odzyskać Jona.

– Wątpię. Dopiero co miał urodziny, jest już właściwie dorosły. – Choć ten jeden, jedyny raz Dave wykazał się logicznym myśleniem. – Delilah nie może go tak po prostu zabrać. Nawet jeśli spróbuje, sprawa nie trafi na wokandę jeszcze przez kilka lat. A on będzie już wtedy pełnoletni.

Mercy przycisnęła dłoń do serca. Miał rację. Jon czasami zachowywał się jak małe dziecko, choć skończył szesnaście lat. A ona sama nie była już alkoholiczką z dwiema sprawami za jazdę pod wpływem i patentowaną ćpunką, która rozpaczliwie próbuje zerwać z heroiną. Stała się odpowiedzialną obywatelką. Prowadziła rodzinny biznes. Od trzynastu lat była czysta.

– Ludzie – zagaił Fish. – Czy my w ogóle powinniśmy udawać, że nie wiemy o obecności Delilah?

– Widziała cię w drodze tutaj? – zapytał Dave.

– Kto wie? – odparł pytaniem Fish. – Układałem drewno przy szopie. A ona jak zwykle działała szybko. Wiecie, jaka jest. Człowiek z misją.

Mercy przyszło na myśl wytłumaczenie prawie zbyt potworne, by wypowiedzieć je na głos. A jednak to zrobiła:

– Może chodzi o nawrót nowotworu.

Fish sprawiał wrażenie zszokowanego. Dave cofnął się o krok i odwrócił do obojga plecami. Cztery lata temu u Bitty stwierdzono czerniaka z przerzutami. Agresywna terapia doprowadziła do remisji, ale nie oznaczało to całkowitego wyzdrowienia. Onkolog zasugerował jej, by uporządkowała swoje sprawy.

– Dave? – zagaiła Mercy. – Zauważyłeś coś? Czy Bitty zachowuje się jakoś inaczej?

Dave pokręcił głową, a potem przetarł oczy pięścią. Zawsze był synkiem mamusi, a Bitty nadal kochała go jak dziecko. Mercy mu tego nie zazdrościła. Jego własna matka porzuciła go, zostawiając w kartonie przed remizą strażacką.

– Ona... – Dave odkaszlnął kilka razy, by odzyskać zdolność mówienia. – Gdyby rak wrócił, porozmawiałaby ze mną w cztery oczy. Nie zdecydowałaby się o tym mówić na spotkaniu rodzinnym.

Mercy nie wątpiła w słuszność jego słów choćby dlatego, że poprzednim razem nie kto inny, lecz właśnie Dave był pierwszą osobą, której Bitty powiedziała o chorobie. Więź między nim a jej matką zawsze miała szczególny charakter. To on nazwał ją Bitty, bo była taka drobna[4]. Kiedy walczyła z rakiem, Dave woził ją na każdą konsultację z lekarzem, na każdą operację i każdą terapię. To on zmieniał jej opatrunki, pilnował zaleceń dotyczących farmakoterapii, a nawet mył jej włosy.

Papa był za bardzo zajęty prowadzeniem kompleksu.

– Pomijamy kwestię oczywistą – zauważył Fish.

Dave, który właśnie ocierał nos brzegiem koszulki, gwałtownie się odwrócił i spytał:

– Niby jaką?

– Papa chce porozmawiać o inwestorach – dokończył Fish.

Mercy poczuła się jak idiotka. Dlaczego nie wpadła na to sama?

– O ile wiem, głosowanie dotyczące przyjęcia pieniędzy od inwestorów wymaga zebrania nas wszystkich.

– Nie. – Dave znał zasady funduszu rodowego McAlpine'ów lepiej niż ktokolwiek inny. Delilah próbowała go usunąć z zarządu, ponieważ był adoptowany. – Papa, jako członek zarządu, może podejmować takie decyzje. Poza tym do przegłosowania uchwały wystarczy kworum. Ty jesteś pełnomocniczką Jona, więc potrzebuje tylko ciebie, Fisha i Bitty. Moja obecność jest zbędna. Podobnie jak Delilah.

Fish nerwowo zerknął na zegarek.

– Powinniśmy już iść, prawda? Papa czeka.

– Czeka z zastawioną pułapką – dodał Dave.

Mercy zyskała wewnętrzną pewność, że zwołane przez ojca spotkanie rzeczywiście jest pułapką. Nie miała najmniejszych złudzeń, że przeżyje ciepłe chwile w gronie rodziny.

– Miejmy to już za sobą – powiedziała.

---

[4] *Bitty* dosłownie oznacza maleńki, drobny (przyp. tłum.).

Mercy poszła przodem przez teren kompleksu, a za nią obaj mężczyźni. Koty dreptały obok nich. Usiłowała zwalczyć towarzyszące jej od niepamiętnych czasów poczucie lęku. Jon był bezpieczny. Ona też nie czuła się bezradna. To nie ten wiek, by rodzice mogli wymierzać jej klapsy, a poza tym Papa nie byłby już w stanie fizycznie jej dopaść. Na jej policzki wpełzł rumieniec. Myśląc o tym w takich kategoriach, poczuła się jak wyrodna córka. Półtora roku temu ojciec prowadził grupę kolarzy górskich. W trakcie wyprawy przeleciał nad kierownicą i wpadł do wąwozu. Goście z przerażeniem patrzyli, jak ratownicy ze śmigłowca układają go na noszach. Miał pęknięte dwa kręgi szyjne i czaszkę. Jego plecy były w opłakanym stanie. Nikt nie łudził się nadzieją, że nie wyląduje na wózku. Upadek uszkodził mu nerw w prawym ramieniu. Przy odrobinie szczęścia mógł liczyć na ograniczoną sprawność lewej ręki. Był w stanie samodzielnie oddychać, ale i tak przez kilka pierwszych dni chirurdzy mówili o nim jak o żyjącym trupie.

Mercy nie miała czasu na smutek. W kompleksie nadal przebywali goście, a kolejni mieli przybyć w najbliższych tygodniach. Musiała ustalić harmonogram zajęć, przydzielić przewodników, zrobić zamówienia, opłacić rachunki.

Fish był od niej starszy, lecz nigdy nie ciągnęło go do zarządzania. Pasjonował się zabieraniem gości nad wodę. Jon był zbyt młody, a co więcej, nie podobało mu się tutaj. Obowiązkowość Dave'a jawiła się jako dyskusyjna. Delilah nie wchodziła w grę. Bitty, co zrozumiałe, nie chciała pozbawiać męża swojego wsparcia. Rola zarządcy przypadła więc w udziale Mercy. To, że okazała się w tym naprawdę dobra, powinno stanowić powód do rodzinnej dumy. To, że wprowadzone przez nią zmiany już w pierwszym roku przyniosły znaczne zyski, a teraz była na dobrej drodze do ich podwojenia, tym bardziej powinno wszystkich cieszyć. Jednak ojciec bulgotał gniewem od chwili, w której opuścił ośrodek rehabilitacyjny. Nie chodziło o wypadek. Nie chodziło o utratę zdolności do uprawiania sportów ani nawet o brak swobody poruszania się. Z jakiegoś niezgłębionego powodu całą swą wściekłość i wrogość skierował bezpośrednio na Mercy.

Każdego dnia Bitty obwoziła Papę po terenie kompleksu. I każdego dnia wytykał Mercy błędy we wszystkim, co robiła. Łóżka pościelone nie tak, jak trzeba. Ręczniki złożone w niewłaściwy sposób. Goście traktowani nieodpowiednio. Posiłki podawane niezgodnie z zasadami. A oczywiście *właściwy* sposób to zawsze był, cytując jego słowa, *mój sposób*.

Na początku Mercy starała się go zadowolić, ugłaskać jego ego, udawać, że nie poradziłaby sobie bez niego, błagać o rady i akceptację. Bezskutecznie. Jego gniew tylko narastał. Mogłaby srać sztabkami złota, a on w każdej z nich doszukałby się wad. Wiedziała, że Papa potrafi być wymagającym tyranem. Nie zdawała sobie jednak sprawy z tego, że jego małostkowość dorównuje okrucieństwu.

– Poczekajcie. – Fish powiedział to przyciszonym głosem, jakby wszyscy byli dziećmi, które po kryjomu wymykają się nad jezioro. – Jak zamierzamy to rozegrać, moi drodzy?

– Jak zwykle – odparł Dave. – Ty będziesz wpatrywał się w podłogę i milczał. Ja będę wkurzał wszystkich. A Mercy zaciśnie zęby i będzie walczyć.

Tym tekstem zasłużył sobie na uśmiech Mercy. Ścisnęła jego ramię i otworzyła drzwi wejściowe.

Jak zwykle powitał ją mrok ciemnych, nadgryzionych zębem czasu ścian. Dwa małe okienka, ani odrobiny słońca. Foyer głównego budynku było pozostałością pierwotnej siedziby, zbudowanej tuż po wojnie secesyjnej. Wtedy to miejsce niewiele różniło się od chatki rybackiej. Drewno na boazerię pozyskano z drzew rosnących na tym terenie, a deski do dziś nosiły ślady siekiery po wycince.

Trochę za sprawą szczęścia, a trochę z konieczności, dom rozrastał się z biegiem lat. Z boku werandy dodano drugie wejście, zachęcające do odwiedzin wędrowców schodzących ze szlaku. Powstały pokoje dla zamożniejszych gości, co wiązało się z koniecznością skonstruowania tylnych schodów na piętro. Potem wybudowano salon i jadalnię dla potencjalnych następców Theodore'a Roosevelta, którzy przybywali tu, by zwiedzać nowy park narodowy. Gdy opalane węglem piece wyszły z mody, dom wzbogacił się o nowocześniejszą kuchnię. Weranda otaczająca cały budynek stanowiła schronienie przed potwornymi letnimi upałami. W pewnym momencie na piętrowych łóżkach w domostwie spało aż dwunastu braci McAlpine. Jedna połowa nienawidziła drugiej, co poskutkowało postawieniem trzech domków kawalerskich ulokowanych w pobliżu jeziora.

W czasie wielkiego kryzysu większość ówczesnych McAlpine'ów rozproszyła się po kraju, osamotniając ostatniego z nich, urażonego w swej dumie i ledwie wiążącego koniec z końcem. Wracali do niego kolejno w postaci prochów, które przechowywał na półce w piwnicy. Ów pradziadek Mercy i Fisha założył fundusz rodowy, który podlegał ścisłym ograniczeniom, a gorycz tego człowieka względem rodzeństwa przejawiała się w każdym akapicie regulaminu.

Tylko dzięki jego zabiegom posiadłość nie została rozparcelowana wiele lat temu. Większa część terenów kompleksu była zagospodarowana w ramach dzierżawy podlegającej przepisom, które uniemożliwiały uzyskanie pozwolenia na budowę. Użytkowanie pozostałej części ograniczały inne umowy, a ich zapisy ograniczały swobodne korzystanie z ziemi. Każda poważniejsza decyzja dotycząca funduszu rodowego wymagała konsensusu, a przez całe lata sprawa wyglądała tak, że jeden dupek nazwiskiem McAlpine zajadle walczył z drugim dupkiem o tym samym nazwisku tylko po to, by zrobić mu na złość. Fakt, że z perspektywy pokoleń jej ojciec okazał się największym dupkiem z nich wszystkich, nie powinien być dla niej zaskoczeniem.

A jednak.

Idąc długim korytarzem na tyły domu, Mercy wyprostowała ramiona. Jej oczy zwilgotniały pod wpływem słońca wpadającego przez okna – najpierw przez zwykłe, skrzydłowe, a potem w stylu weneckim. Minęła eleganckie harmonijkowe drzwi prowadzące na tył werandy. Każde kolejne pomieszczenie było znakiem czasu niczym słoje drewna. Jego upływ znaczył tynki z dodatkiem końskiego włosia, akustyczne sufity o niejednorodnej strukturze oraz urządzenia gospodarstwa domowego w kolorze awokado, dopełniające nowiutką sześciopalnikową płytę kuchenną marki Wolf.

Tam właśnie zastała czekających na nią rodziców. Wózek inwalidzki Papy stał przysunięty do okrągłego stołu na jednej nodze, który Dave skonstruował po wypadku. Bitty siedziała obok niego z wyprostowanymi plecami, zaciśniętymi ustami i dłonią spoczywającą na stercie harmonogramów. Czas zdawał się jej nie imać. Twarz miała niemal nietkniętą zmarszczkami. Zawsze bardziej przypominała siostrę Mercy niż matkę. Jeśli nie liczyć otaczającej ją atmosfery dezaprobaty. Jak zwykle Bitty nawet się nie uśmiechnęła, dopóki nie zobaczyła Dave'a. Na jego widok rozpromieniła się tak, jakby Elvis wniósł przez próg Jezusa. Mercy ledwie zarejestrowała wymianę spojrzeń między nimi. Delilah nie było w zasięgu wzroku, przez co Mercy znów zaczęła intensywnie myśleć. Gdzie się ukrywała? Po co przyjechała? Czego chciała? Czy po drodze wpadła na Jona?

– Tak trudno o punktualność? – Papa ostentacyjnie spojrzał na kuchenny zegar. Nosił zegarek, lecz obrócenie lewego nadgarstka przysparzało mu trudności. – Siadajcie.

Dave zignorował polecenie i pochylił się, by pocałować Bitty w policzek.

– Wszystko w porządku, mamusiu?

– Tak, kochanie. – Wyciągnęła rękę i pogłaskała go po policzku.

– Usiądź.

Jej łagodny dotyk na chwilę zmazał niepokój z twarzy Dave'a. Mrugnął do Mercy, odsuwając krzesło. *Synek mamusi.* Fish zajął swoje stałe miejsce po jej lewej stronie. Wbił spojrzenie w podłogę i położył dłonie na kolanach. Też żadna niespodzianka.

Wzrok Mercy spoczął na ojcu. Miał teraz na twarzy więcej blizn niż ona. Z kącików oczu rozrastały się na boki skupiska głębokich zmarszczek, konkurując ze szramami w zagłębieniach policzków. W tym roku skończył sześćdziesiąt osiem lat, ale wyglądał na dziewięćdziesiąt. Zawsze był człowiekiem aktywnym, lubiącym spędzać czas na świeżym powietrzu. Przed wypadkiem rowerowym Mercy nigdy nie widziała, żeby ojciec siedział bez ruchu dłużej, niż wymagało tego spałaszowanie posiłku. Góry były jego domem. Znał każdy skrawek szlaków. Nazwę każdego ptaka. Każdego kwiatu. Goście go uwielbiali. Mężczyźni zazdrościli mu stylu życia. A kobiety poczucia celu. Nazywali go swoim ulubionym przewodnikiem, zwierzęciem duchowym, powiernikiem.

Tylko że nie zachowywał się jak ojciec.

– No dobrze, dzieci. – Bitty zawsze zaczynała spotkania rodzinne tym samym zdaniem, jakby wszyscy rzeczywiście byli jeszcze szkrabami.

Pochyliła się na krześle, żeby rozdać harmonogramy. Była drobną kobietą, mierzącą najwyżej metr pięćdziesiąt, obdarzoną miękkim głosem i twarzą cherubina. – Dziś przyjeżdża pięć par. W czwartek pięć kolejnych. – Znowu mamy komplet – powiedział Dave. – Dobra robota, Mercy Mac. Palce lewej dłoni Papy mocno zacisnęły się na poręczy wózka.

– Będziemy musieli sprowadzić na weekend dodatkowych przewodników.

Mercy potrzebowała chwili na odzyskanie głosu. Naprawdę zamierzali poprowadzić to spotkanie tak, jakby Delilah nie czaiła się w cieniu? Papa niewątpliwie coś knuł. Nie pozostawało jej nic innego, jak udawać, że wszystko gra.

– Umówiłam się już z Xavierem i Gilem. Jedediah będzie czekał w pogotowiu – odparła.

– W pogotowiu? – zawołał Papa. – Co to ma niby oznaczać?

Mercy ugryzła się w język, by nie zaproponować mu wyszukania tego określenia w Google'u. Mieli rygorystyczne zasady dotyczące proporcji między liczbą gości a przewodników. Chodziło nie tylko o względy bezpieczeństwa, ale także o to, że wynajem przewodników wiązał się z wysokimi opłatami.

– Na wypadek gdyby niektórzy goście zapisali się na wycieczkę w ostatniej chwili.

– Wtedy powiesz im, że jest już za późno. Nie będziemy trzymać przewodników na wszelki wypadek. Chcą pieniędzy, a nie pustych obietnic.

– Jed nie ma nic przeciwko temu. Powiedział, że przyjedzie, jeśli tylko będzie mógł.

– A jeśli nie będzie?

Mercy odruchowo zacisnęła zęby. Ojciec zawsze podnosił poprzeczkę.

– W takiej sytuacji sama zabiorę gości na szlak.

– A kto zajmie się kompleksem, kiedy będziesz włóczyć się po górach?

– Ci sami ludzie, którzy się nim zajmowali, gdy ty się włóczyłeś.

Nozdrza Papy rozszerzyły się ze złości, natomiast Bitty wyglądała na głęboko rozczarowaną. Minęła ledwie minuta spotkania, a oni już znaleźli się w impasie. Mercy nie miała żadnych szans. Mogła iść szybko albo wolno, ale zawsze po ruchomych piaskach.

– W porządku – orzekł Papa. – I tak zrobisz, co zechcesz.

Nigdy nie odpuszczał. Ostatnie słowo musiało należeć do niego i pokazywać, że Mercy się myli. Już miała odpowiedzieć, gdy poczuła, jak Dave dotyka nogą jej nogi pod stołem, sygnalizując, by dała sobie spokój. Zresztą Papa i tak zmienił temat. Zmierzył wzrokiem Fisha.

– Christopherze, musisz jak najlepiej zaprezentować nas przed inwestorami. Nazywają się Sydney i Max. To mężczyzna i kobieta, z tym że jedna z tych, które noszą spodnie. Zabierz ich nad wodospad, gdzie na pewno złowią coś dobrego. I nie zanudzaj ich gadkami o ekologii.

– Jasne. Zrozumiano. – Fish uzyskał tytuł magistra zarządzania zasobami naturalnymi ze specjalizacją w rybołówstwie i hydrologii na Uniwersytecie Georgii. Większość gości była zachwycona opowieściami o jego pasjach. – Myślę, że spodoba się im...

– Dave – nie dał mu dokończyć Papa. – Jak ci idzie z domkami kawalerskimi? Za co ci płacę?

Wokół stołu zapanowała atmosfera pasywnej agresji. Dave nie śpieszył się z odpowiedzią. Powoli uniósł dłoń do twarzy. Mimowolnie podrapał się po podbródku.

– W trzecim domku pojawiła się pleśń – powiedział wreszcie. – Musiałem zdemontować znaczną część i zacząć od nowa. Niewykluczone, że sięga do fundamentów. Kto wie?

Nozdrza Papy znów się rozszerzyły. Nie miał możliwości zweryfikowania słów Dave'a. Nie był w stanie dotrzeć do tej części posiadłości, nawet gdyby został przypięty pasami do quada.

– Sfotografuj mi to – nakazał. – Udokumentuj szkody. I pamiętaj o zabezpieczeniu całego sprzętu. Nadchodzi burza. Nie zamierzam płacić za kolejną pilarkę stołową tylko dlatego, że zabrakło ci rozumu, by schować przed deszczem tę, którą mamy.

Dave wyskubywał brud spod paznokcia.

– Jasne, Papo.

Mercy patrzyła, jak lewa dłoń ojca ściska poręcz wózka. Dwa lata temu przeskoczyłby przez ten stół, teraz musiał oszczędzać każdą drobinę energii, by móc podrapać się po tyłku.

– Kiedy mam spotkać się z inwestorami? – zapytała.

Papa tylko prychnął, słysząc to pytanie.

– A dlaczego miałabyś się z nimi spotykać?

– Bo jestem tu menedżerem. Bo mam wszystkie arkusze kalkulacyjne i rachunki zysków i strat. Bo nazywam się McAlpine. Bo każdy z nas ma równy udział w funduszu. Bo mam do tego prawo.

– Masz prawo zamknąć gębę, zanim sam ci ją zamknę. – Papa zwrócił się do Fisha. – Dlaczego Chuck znowu kręci się po naszym terenie? Nie jesteśmy schroniskiem dla bezdomnych.

Mercy wymieniła spojrzenia z Dave'em. Uznał to za sygnał do zdetonowania małej bomby na środku pomieszczenia.

– A może ty nam wyjaśnisz, co tu robi Delilah?

Bitty poruszyła się niespokojnie na krześle.

Papa zaczął się uśmiechać, co samo w sobie mogło budzić szczególny strach. Jego okrucieństwo zawsze pozostawiało bolesne ślady.

– A jak sądzisz, dlaczego tu jest?

– Wydaje mi się... – Dave zaczął bębnić palcami po stole. – Wydaje mi się, że inwestorzy nie przyjechali tu inwestować. Przyjechali kupować.

Fishowi opadła szczęka.

– Co?!

W płucach Mercy nagle jakby zabrakło powietrza.

– Nie możesz tego zrobić. Zgodnie z założeniami funduszu...

– Sprawa jest już przyklepana – oznajmił Papa. – Musimy się stąd ewakuować, zanim doprowadzisz to miejsce do upadku.

– Doprowadzę do upadku?! – Mercy nie mogła uwierzyć w to, co właśnie usłyszała. – Jaja sobie, kurwa, ze mnie robisz?

– Mercy! – zawołała jej matka. – Uważaj na słowa.

– Mamy rezerwacje na cały sezon! – Nie mogła przestać krzyczeć. – W ubiegłym roku zyski wzrosły o trzydzieści procent!

– Które roztrwoniłaś na marmurowe łazienki i fikuśne pościele.

– Dzięki nim goście do nas wracają.

– I jak długo to będzie trwało?

– Tak długo, kurwa, jak długo będziesz się od tego trzymał z daleka!

Mercy usłyszała wściekły pisk we własnym głosie, który poniósł się echem po pomieszczeniu. Ogarnęło ją poczucie winy. Nigdy nie rozmawiała z ojcem w taki sposób. Żadne z nich tak się do niego nie zwracało.

Za bardzo się go bali.

– Mercy – powiedziała Bitty. – Usiądź, dziecko. Okaż trochę szacunku.

Mercy powoli opadła na krzesło. Z jej oczu popłynęły łzy. Poczuła się straszliwie zdradzona. Nazywała się McAlpine. Miała być przedstawicielką siódmego pokolenia. Zrezygnowała ze wszystkiego – dosłownie wszystkiego – by tu zostać.

– Mercy – powtórzyła Bitty. – Przeproś ojca.

Mercy poczuła, że odruchowo kręci głową. Próbowała przełknąć drzazgi suchości w gardle.

– Posłuchaj mnie, Panno Trzydzieści Procent. – Ton Papy był jak brzytwa rozdzierająca jej skórę. – Każdy głupi może mieć dobry rok. To chude lata dadzą ci w kość. Presja wgniecie cię w ziemię.

Otarła oczy.

– Tego akurat nie wiesz.

Papa parsknął śmiechem.

– Ile razy musiałem wyciągać cię z pierdla za kaucją? Płacić za rehabilitację? Za prawników? Za zwolnienie warunkowe? Sypnąć szeryfowi trochę grosza, by łaskaw był przymknąć oko? Zając się twoim synem, bo byłaś tak pijana, że sikałaś pod siebie?

Mercy patrzyła na piec ponad jego ramieniem. Ten obszar ruchomych piasków był najgroźniejszy. Przeszłość, od której nigdy, przenigdy nie miała szans uciec.

– Delilah przyjechała na głosowanie, prawda? – zapytał Dave.

Papa nie zaszczycił go odpowiedzią.

– Zasady funduszu mówią, że sprzedaż komercyjnej części nieruchomości wymaga sześćdziesięciu procent głosów. Kazałeś mi pracować przy domkach, żeby móc włączyć te grunty do części komercyjnej, prawda?

Jego słowa ledwie docierały do Mercy. Reguły funduszu były niezmiernie skomplikowane. Tak naprawdę nigdy nie wczytywała się w niuanse, bo nie sądziła, że kiedykolwiek będą miały jakieś znaczenie. Przedstawiciele wszystkich poprzednich pokoleń, sięgających ponad półtora wieku wstecz, albo gardzili tym miejscem na tyle, by się zeń wynieść, albo niechętnie pracowali dla wspólnego dobra.

– Jest nas siedmioro – stwierdził Dave. – To oznacza, że aby dokonać sprzedaży, musisz mieć cztery głosy.

Ku własnemu zaskoczeniu Mercy parsknęła śmiechem.

– Nie zdobędziesz ich. Dopóki Jon nie skończy osiemnastu lat, jestem jego pełnomocniczką. Oboje jesteśmy na nie. Dave jest na nie, tak samo jak Fish. Nie masz wymaganej liczby głosów nawet razem z Delilah.

– Christopher? – Papa zmierzył Fisha wzrokiem. – Czy to prawda?

– Ja... – Fish wbił wzrok w podłogę. Kochał tę krainę, znał tu każdy pagórek i każdą nieckę, wszystkie dobre łowiska i ciche zakątki. Ale był taki, jaki był. – Nie zamierzam się w to pakować. Odstępuję od decyzji. Wstrzymuję się od głosu czy jakkolwiek inaczej chcesz to nazwać. Na mnie nie patrz.

Mercy żałowała, że nie jest zaskoczona jego rejteradą. Zwróciła się do ojca:

– To oznacza, że obie strony mają po pięćdziesiąt procent głosów. Ale pięćdziesiąt to nie sześćdziesiąt.

– Mam dla ciebie inną liczbę – powiedział Papa. – Dwanaście milionów dolców.

Mercy usłyszała, jak Dave głośno przełyka ślinę. Zawsze ulegał czarowi pieniędzy. Były niczym eliksir zmieniający doktora Jekylla w potwora.

– Odejmij połowę na podatki – odparła Mercy. – To sześć milionów podzielone na siedem osób. Papa i Bitty dostają równe udziały. Fish otrzyma swoją część niezależnie od tego, czy zagłosuje.

– Jon także – dodał Dave.

– Dave, proszę. – Poczekała, aż na nią spojrzy. Był jednak zbyt zajęty postrzeganiem świata przez pryzmat symbolu dolara, zastanawianiem się, na jakie bzdury wyda forsę i ilu ludziom zaimponuje. Mercy znajdowała się w pomieszczeniu pełnym ludzi i teoretycznie była otoczona rodziną, ale jak zwykle czuła się całkowicie sama.

– Pomyślcie, dzieci, co możecie zrobić z takimi pieniędzmi – odezwała się Bitty. – Podróżować. Założyć własną firmę. Pójść na studia.

Mercy doskonale wiedziała, co zrobią. Jon nie udźwignie sprawy. Dave przepieprzy kasę na narkotyki i alkohol, a potem wyciągnie łapę po więcej. Fish będzie łożył na pierwsze lepsze stowarzyszenie zajmujące się ochroną stanu rzek, jakie wpadnie mu w oko. Ona sama zaś będzie musiała uważnie liczyć każdego centa, bo ciąży na niej wyrok za dwukrotną jazdę pod wpływem alkoholu, a poza tym rzuciła szkołę średnią, żeby zająć się dzieckiem. Bóg jeden raczy wiedzieć, czy tych pieniędzy wystarczy jej na starość. O ile jej dożyje.

Dla odmiany jej rodzice byli ustawieni. Regularnie opłacali składki emerytalne. Rachunki Papy za szpital i rehabilitację pokryła polisa ubezpieczeniowa. Oboje podlegali ubezpieczeniu zdrowotnemu Medicare, mieli renty i dywidendy z działalności kompleksu. Nie potrzebowali pieniędzy. Na dobrą sprawę mieli wszystko.

Z wyjątkiem czasu.

– Jak sądzisz, ile ci jeszcze zostało? – zapytała ojca.

Papa mrugnął niepewnie. Jego garda na moment opadła.

– Do czego zmierzasz?

– Nie dbasz o fizjoterapię. Nie chcesz robić ćwiczeń oddechowych. Z domu wychodzisz tylko po to, by mnie kontrolować. – Mercy wzruszyła ramionami. – Covid, RSV albo ciężki przypadek grypy i za tydzień cię nie ma.

– Merce – mruknął Dave. – Nie bądź wredna.

Mercy otarła łzy z oczu. Była już bardziej niż wredna. Chciała skrzywdzić ich wszystkich tak samo, jak oni krzywdzili ją.

– A ty, mamo? Ile czasu zostało ci do nawrotu nowotworu?

– Jezu! – zawołał Dave. – Przeginasz.

– A kradzież mojej ojcowizny nie jest przegięciem?

– Twojej ojcowizny – prychnął Papa. – Ty głupia suko. Chcesz wiedzieć, co się z nią stało? Popatrz w lustro, na swój pieprzony paskudny pysk.

Mercy przeszedł dreszcz. Spięła się w sobie. Poczuła przyprawiający o mdłości strach.

Papa się nie poruszył, lecz ona odniosła wrażenie, jakby znów była nastolatką, a jego dłonie zaciskały się na jej szyi. Przypomniała sobie, jak chwytał ją za włosy, gdy próbowała uciec. Jak szarpnął za ramię tak mocno, że trzasnęło ścięgno. Znów spóźniła się do szkoły, znów spóźniła się do pracy, nie odrobiła lekcji albo odrobiła je za wcześnie. Chodził za nią jak cień, bił po rękach, siniaczył nogi, tłukł paskiem, lał sznurem w stodole. Kiedy była w ciąży, kopnął ją w brzuch. Wciskał twarz w talerz, gdy nudności odbierały jej apetyt. Założył zamek w drzwiach jej sypialni, żeby nie mogła widywać się z Dave'em. Zeznał przed sędzią, że zasłużyła na więzienie. Innemu sędziemu powiedział, że jest chora psychicznie. Trzeciemu, że nie nadaje się na matkę.

Ujrzała go nagle z zaskakującą wyrazistością.

Papa nie wściekał się z powodu tego, co stracił w wypadku rowerowym. Chodziło mu o to, co zyskała Mercy.

– Ty stary głupcze. – W jej głosie zabrzmiała nagle jakaś diaboliczna siła. – Zmarnowałam prawie całe życie na tej zapomnianej przez Boga ziemi. Myślisz, że nie słyszałam twoich rozmów, szeptów, telefonów i nocnych spowiedzi?

Głowa Papy odskoczyła do tyłu.

– Nie waż się...

– Zamknij się! – warknęła Mercy. – Wszyscy się zamknijcie. Co do jednego. Fish. Dave. Bitty. Nawet Delilah, gdziekolwiek się, do cholery, ukrywa. Mogłabym zrujnować wam życie. Jednym telefonem. Jednym listem. Co najmniej dwoje z was, skurwiele, mogłoby wylądować w pierdlu. A reszta wstydziłaby się pokazać ludziom. Nie ma kwoty, która pozwoliłaby wam się wykupić. Bylibyście zrujnowani.

Ich strach dał Mercy posmak władzy, jakiego nigdy wcześniej nie zaznała. Patrzyła, jak rozważają zagrożenia i oceniają swoje szanse. Wiedzieli, że nie blefuje. Mogła puścić ich z dymem, nawet nie zapalając zapałki.

– Mercy – odezwał się Dave.

– Co, Dave? Masz do powiedzenia coś poza moim imieniem czy po prostu chcesz się poddać, jak zwykle?

Przycisnął brodę do piersi.

– Mówię tylko, żebyś uważała.

– Na co mam niby uważać? – zapytała. – Kto jak kto, ale ty wiesz, że potrafię przyjąć cios na klatę. A wszystko, co spieprzyłam, znajduje się na widoku. Jest wypisane na moim pieprzonym paskudnym pysku. Jest wyryte na nagrobku na cmentarzu w Atlancie. Nie mam do stracenia nic poza tym miejscem, a jak przyjdzie co do czego, przysięgam na Boga Wszechmogącego, że pociągnę was wszystkich za sobą.

Groźba wystarczyła, by uciszyć ich na jedną błogą chwilę. W tej ciszy Mercy usłyszała chrzęst opon na żwirowej ścieżce. Stara ciężarówka wyraźnie domagała się nowego tłumika. Mercy była wdzięczna za to ostrzeżenie. Jon wrócił z miasta.

– Porozmawiamy po kolacji – powiedziała. – Za chwilę zejdą się goście. Dave, napraw toaletę w trójce. Fish, doprowadź do porządku kajaki. Bitty, przypomnij kuchni, że Chuck ma alergię na orzeszki ziemne. A ty, Papo... Wiem, że niewiele możesz zrobić, ale lepiej trzymaj swoją cholerną siostrę z dala od mojego syna.

Mercy wyszła z kuchni. Minęła harmonijkowe drzwi i skrzydłowe okna. Położyła dłoń na klamce w ciemnym przedpokoju, lecz nie nacisnęła jej od razu. Jon próbował zaparkować ciężarówkę. Usłyszała zgrzyt skrzyni biegów, gdy stopa osunęła mu się ze sprzęgła.

Wzięła głęboki wdech i powoli wypuściła powietrze z płuc.

Ten ciemny pokój skrywał szmat historii. Był świadectwem potu, znoju i ziemi przekazywanej z pokolenia na pokolenie przez ponad sto sześćdziesiąt lat. Ściany pokrywały zdjęcia, które upamiętniały najważniejsze wydarzenia. Dagerotyp przedstawiający pierwszą chatkę rybacką. Sepiowe odbitki z postaciami wielu McAlpine'ów pracujących na terenie posiadłości. Kopanie pierwszej studni. Robotnicy doprowadzający linię energetyczną. Przyłączenie obozowiska Awinita. Młodzi skauci śpiewający przy ognisku. Goście szykujący s'moresy na brzegu jeziora. Pierwsze kolorowe zdjęcie przedstawiające nową instalację wodno-kanalizacyjną. Domki kawalerskie. Pływający dok. Przystań dla łodzi. Portrety rodzinne. Kolejne pokolenia, małżeństwa i pogrzeby, dzieci i życie codzienne.

Mercy nie potrzebowała zdjęć. Rejestrowała historię tego miejsca po swojemu. Miała pamiętniki z dzieciństwa. Księgi rachunkowe, które znalazła w biurze i z tyłu starej kuchennej szafki. Dokumentację, którą potem sama kontynuowała. Znała sekrety mogące zniszczyć Dave'a. Tajniki działań Fisha, które by go pogrążyły. Postępki Bitty śmierdzące kryminałem. I czyste zło, jakiego dopuszczał się Papa, by utrzymać to miejsce w swoich brutalnych, chciwych rękach.

Żadne z nich nie odbierze Mercy tej posiadłości.

Najpierw musieliby ją zabić.

ROZDZIAŁ DRUGI

DZIESIĘĆ GODZIN PRZED MORDERSTWEM

Will szybko doszedł do wniosku, że codzienne ośmiokilometrowe biegi ulicami Atlanty i górskie wędrówki dzieli spora różnica. Spędzanie prawie całego życia na trenowaniu mięśni nóg tylko pod jednym kątem mogło nie być najlepszym pomysłem. Sprawy nie ułatwiała mu Sara, która pokonywała przełęcz rączo niczym gazela. Zawsze czerpał wielką przyjemność z patrzenia na jej poranną jogę. Nie miał pojęcia, że potajemnie przygotowuje się do startu w zawodach ironman.

Pod pretekstem napicia się przystanął i wyciągnął z plecaka butelkę wody.

– Powinniśmy się nawadniać.

Szelmowski uśmiech zdradził, że Sara dokładnie wie, o co mu tak naprawdę chodzi. Odwróciła się i zaczęła podziwiać krajobraz.

– Ależ tu pięknie. Zapomniałam, jak miło jest przebywać wśród drzew.

– W Atlancie też mamy drzewa.

– Ale nie takie.

Will musiał się z nią zgodzić. Widok na ciągnące się przed nimi jak okiem sięgnąć góry przyprawiał o zawrót głowy. Zachwycałby się nim jeszcze bardziej, gdyby nie poczucie, że jego łydki pokąsały mordercze szerszenie.

– Dziękuję, że mnie tu przywiozłeś. – Położyła dłonie na jego ramionach. – Idealne miejsce na rozpoczęcie miesiąca miodowego.

– Dzisiejsza noc była cudowna.

– Poranek też. – Obdarzyła go długim pocałunkiem. – O której godzinie musimy być na lotnisku?

Uśmiechnął się. Sara była odpowiedzialna za wesele. Will zorganizował miesiąc miodowy i zrobił wszystko, co w jego mocy, aby utrzymać swój plan w tajemnicy. Posunął się nawet do tego, że poprosił siostrę Sary, by ją spakowała. Walizki zostały już wysłane do ośrodka. Sarze powiedział, że najpierw wybiorą się na jednodniową wycieczkę w góry, urządzą sobie sielankowy piknik, a potem wrócą do Atlanty i udadzą się do ostatecznego celu podróży.

– A o której chcesz być na lotnisku? – zapytał.

– To nocny lot?

– Kto wie?

– Czy tam, dokąd się później wybieramy, będziemy spędzać czas mniej aktywnie? Dlatego chciałeś, żebyśmy się najpierw trochę rozruszali?

– Kto wie? – powtórzył.

– Możesz już przestać się zgrywać. – Sara żartobliwie pociągnęła go za ucho. – Tessa wszystko mi wyśpiewała.

Will prawie dał się nabrać. Sara była bardzo blisko związana z siostrą, ale nie było mowy, żeby Tessa go wsypała.

– Aha, jasne.

– Muszę wiedzieć, co powinnam spakować – powiedziała, co było słuszne i podstępne zarazem. – Będę potrzebować kostiumu kąpielowego czy raczej ciepłej kurtki?

– Pytasz, czy wybieramy się plażować, czy podziwiać Arktykę?

– Naprawdę każesz mi czekać aż do wieczora?

Will w milczeniu zastanawiał się, kiedy nadejdzie najwłaściwszy moment, by wyjawić jej prawdziwy cel wycieczki. Poczekać, aż dotrą do kwatery? Powiedzieć jej wcześniej? Czy będzie zadowolona z jego wyboru? Wspomniała o nocnym locie. Może myśli, że wybierają się w jakieś romantyczne miejsce, na przykład do Paryża? Może faktycznie powinien ją tam zabrać. Gdyby sprzedał nerkę, powinno wystarczyć na hostel...

– Kochanie. – Przeciągnęła kciukiem po jego brwi. – Ucieszę się niezależnie od tego, dokąd pojedziemy, bo będę tam z tobą.

Pocałowała go raz jeszcze, a on uznał, że ten moment jest równie dobry jak każdy inny. Jeśli Sara się rozczaruje, to przynajmniej nie na oczach innych ludzi.

– Usiądźmy – poprosił.

Pomógł jej z plecakiem. Gdy postawił go na ziemi, plastikowe talerzyki stuknęły o aluminiowe sztućce. Wcześniej zatrzymali się na lunch, podziwiając łąkę pełną pasących się koni. We francuskiej piekarni w Atlancie kupił wyszukane kanapki, które utwierdziły go w przekonaniu, że nie jest smakoszem wyszukanych kanapek.

Ale Sara była zachwycona i tylko to się liczyło.

Gdy usiedli na ziemi naprzeciwko siebie, delikatnie ujął ją za rękę i odruchowo dotknął kciukiem jej palca serdecznego. Zaczął bawić się cienką obrączką, która dołączyła do pierścionka należącego wcześniej do jego matki. Will wrócił myślami do ceremonii i związanej z nią euforii, która nie opuściła go do tej pory. Towarzyszyła mu Faith, jego partnerka z GBI. Tańczył ze swoją szefową, Amandą, która była dla niego jak matka. Oczywiście jeśli można nazwać matką ten typ osoby, który postrzeli cię w nogę, żeby źli faceci dopadli cię jako pierwszego, a ona mogła zwiać gdzie pieprz rośnie.

– Will? – zapytała Sara.

Poczuł, jak na jego wargach pojawia się niezręczny uśmiech. Ni z tego, ni z owego zaczął się denerwować. Nie chciał jej zawieść. Nie chciał też wywierać na niej zbyt dużej presji. Górska kwatera mogła być fatalnym pomysłem. Mogła w ogóle nie przypaść jej do gustu.

– Powiedz mi, co ci się najbardziej podobało w dniu ślubu – zagaiła.

Jego uśmiech stał się odrobinę mniej niezręczny.

– Miałaś piękną suknię.

– Słodziak – odparła. – Mnie się najbardziej podobało, jak wszyscy wyszli, a ty pieprzyłeś się ze mną przy ścianie.

Zarechotał raczej, niż się roześmiał.

– Mogę zmienić odpowiedź?

Delikatnie dotknęła jego policzka.

– Powiedz.

Will wziął głęboki wdech i z trudem otrząsnął się z natrętnych myśli.

– Kiedy byłem mały, istniała taka organizacja przykościelna, która organizowała letnie zajęcia we współpracy z moim domem dziecka. Zabierali nas do parku rozrywki Six Flags, na hot dogi do kampusu uniwersyteckiego albo do kina. I inne takie.

Uśmiech Sary złagodniał. Wiedziała, że w domu dziecka nie miał łatwego życia.

– Ci ludzie sponsorowali też obozy letnie dla podopiecznych. Dwa tygodnie w górach. Mnie się jakoś nie udało załapać, ale dzieciaki, które wyjechały, przez resztę roku opowiadały tylko o tym. Spływy kajakowe, wędkarstwo, piesze wędrówki. Różności.

Sara zacisnęła usta. Kalkulowała w myślach. Will spędził osiemnaście lat w państwowej placówce opiekuńczo-wychowawczej. Wydawało się jej statystycznie nieprawdopodobne, że nie pojechał ani razu.

– Dawali wersety z Biblii do zapamiętania – wyjaśnił. – Trzeba było je recytować przed wiernymi w kościele. Jeśli udało ci się je wykuć na blachę, mogłaś jechać.

Zauważył, że jej grdyka porusza się nerwowo.

– Cholera, przepraszam. – Daj Willowi szansę, a doprowadzi Sarę do płaczu podczas miesiąca miodowego. – Nie chodziło o moją dysleksję. Sam tak decydowałem. Umiałbym to zrobić, ale nie chciałem występować przed ludźmi. Pewnie próbowali nam w ten sposób pomóc wyjść ze skorupy. Nauczyć nas rozmawiać z nieznajomymi, przedstawiać prezentacje albo...

Ścisnęła jego dłoń.

– Tak czy inaczej, pod koniec każdego lata miałem okazję nasłuchać się o kolejnym obozie. – Teraz Will musiał już ciągnąć temat. – Dzieciakom nie zamykały się gęby. Pomyślałem sobie, że fajnie byłoby tam pojechać. Nie na kemping, bo wiem, że nie cierpisz biwakować.

– To prawda.

– Ale w ośrodku są ekologiczne domki, do których prowadzi górski szlak. Nie da się tam dojechać samochodem. Kompleks od lat należy do tej samej rodziny. Mają przewodników, którzy zabierają gości na przejażdżki rowerami górskimi, organizują wędkowanie, paddleboarding i...

Przerwała mu pocałunkiem.

– Już mi się wszystko podoba.

– Naprawdę? – zapytał. – Bo przecież nie chodziło tylko o mnie. Zarezerwowałem ci masaż i jogę nad jeziorem o wschodzie słońca. Poza tym nie ma tam wi-fi, telewizji ani nawet zasięgu sieci komórkowej.

– Jasna cholera! – Wyglądała na szczerze oszołomioną. – A co ty będziesz robił?

– Zamierzam pieprzyć się z tobą przy każdej ścianie naszego domku.

– Mamy własny domek?

– Dzień dobry!

Odwrócili się na dźwięk czyjegoś głosu. Kawałek od nich na szlaku przystanęła para, mężczyzna i kobieta. Mieli na sobie typowo turystyczne ubrania i plecaki sprawiające wrażenie tak nowych, że Will zadał sobie w myślach pytanie, czy aby nie zdjęli z nich metek w samochodzie.

– Idziecie do ośrodka? – zawołał mężczyzna. – Bo my się zgubiliśmy.

– Wcale się nie zgubiliśmy – mruknęła jego partnerka. Oboje nosili obrączki ślubne, ale z ostrego spojrzenia, jakie kobieta posłała mężowi, wynikało, że kwestia ich związku jest dyskusyjna. – Prowadzi tam tylko jedna droga, prawda?

Sara spojrzała na Willa. Szlak istotnie był jeden, a on prowadził tę wyprawę, ale najwyraźniej nie zamierzał się wtrącać.

– Mam na imię Sara – powiedziała. – A to mój mąż, Will.

Will wstał i odkaszlnął. Nigdy wcześniej nie nazywała go swoim mężem.

Mężczyzna obrzucił go wzrokiem.

– Chłopie, ile ty masz wzrostu?! Metr dziewięćdziesiąt? Więcej?

Will nie odpowiedział, ale facetowi najwyraźniej to nie przeszkadzało.

– Jestem Frank. Poznajcie Monicę. Nie macie nic przeciwko temu, żebyśmy zabrali się z wami?

– Jasne, chodźcie. – Sara podniosła swój plecak. Spojrzenie, jakie rzuciła Willowi, stanowiło dyskretne przypomnienie o różnicy między niezręczną ciszą a niegrzecznością.

– Miły dzień, prawda? – zagadnął Will. – Ładna pogoda.

– Podobno nadciąga burza – odparł Frank.

Monica burknęła coś pod nosem.

– Tędy, mam rację? – Frank objął prowadzenie i ruszył przed Sarą. Ścieżka była wąska, Will nie miał więc innego wyjścia, jak tylko dołączyć do wszystkich na końcu, za Monicą. Sądząc po jej ciężkim sapaniu, nie była zachwycona wędrówką. Ani do niej przygotowana. Lekkie buty sportowe ślizgały się po kamieniach.

– ...wpadłem na pomysł, żeby tu przyjechać – relacjonował Frank. – Uwielbiam przebywać na świeżym powietrzu, ale praca zabiera mi mnóstwo czasu.

Monica ponownie sapnęła. Will spojrzał na Franka ponad jej głową. Facet użył jakiegoś spreju, by zamaskować łysinę na czubku głowy, lecz barwnik spłynął wraz z potem aż na kołnierzyk, pozostawiając po sobie jedynie okrągły ciemny ślad.

– ...a wtedy Monica powiedziała: „Pojadę, jeśli obiecasz, że wreszcie przestaniesz o tym głędzić". – Frank wyrzucał z siebie sylaby w rytmie budzącym skojarzenia z młotem udarowym. – Musiałem więc zaplanować sobie wolne w pracy, co nie jest takie proste. Raportuje mi ośmiu podwładnych.

Słuchając go, Will doszedł do wniosku, że Frank zarabia mniej od swojej żony. I że zapewne nie jest mu to w smak. Spojrzał na zegarek. Z informacji podanych na stronie internetowej ośrodka wynikało, że pokonanie prowadzącego do niego szlaku zwykle zajmuje gościom dwie godziny. Ponieważ Will i Sara zatrzymali się na lunch, zostało im jeszcze dziesięć, może piętnaście minut drogi. Albo i dwadzieścia, bo Frank szedł wolno.

Sara zerknęła na Willa przez ramię. Nie zamierzała brać tej rozmowy tylko na siebie. Czekał go ciąg dalszy tak zwanej niezobowiązującej pogawędki.

– Skąd dowiedzieliście się o tym miejscu? – zagadnął Franka.

– Z Google'a – usłyszał w odpowiedzi.

– Wielkie dzięki, Google'u – mruknęła Monica.

– Czym się zajmujecie na co dzień? – zapytał Frank.

Will zauważył, że Sara prostuje ramiona. Kilka tygodni temu uzgodnili, że niezależnie od tego, dokąd się udadzą, będzie im łatwiej, jeśli skłamią w kwestii swoich zajęć zawodowych. Will nie chciał być ani hołubiony, ani oczerniany z powodu noszenia odznaki. Sara zaś wolała nie wysłuchiwać utyskiwań na zdrowie ani szalonych i niebezpiecznych teorii na temat szczepionek.

– Jestem mechanikiem – powiedział, zanim Sarę opuściła odwaga. – A moja żona uczy chemii w szkole średniej.

Zobaczył, że Sara się uśmiecha. Will po raz pierwszy nazwał ją swoją żoną.

– Nigdy nie byłem orłem w naukach ścisłych – stwierdził Frank. – Monica jest stomatologiem. Uczyłaś się chemii, Monico?

Jej odpowiedź przypominała chrząknięcie, bardzo w stylu Willa.

– Ja pracuję w dziale IT w Afmeten Insurance Group – mówił dalej Frank. – Tak, wiem, nikt o tej firmie nie słyszał, nie przejmujcie się. Obsługujemy głównie zamożne osoby fizyczne i inwestorów instytucjonalnych.

– Zobaczcie, następni turyści – zauważyła Sara.

Na myśl o większej liczbie ludzi Will poczuł ucisk w żołądku. Kolejna para musiała wyprzedzić ich na szlaku, gdy jedli lunch na uboczu. Ta dwójka była starsza, przypuszczalnie po pięćdziesiątce, lecz bardziej zdeterminowana i lepiej przygotowana do wędrówki. Czekali z uśmiechem, aż grupka ich dogoni.

– Niech mnie, pewnie wszyscy idziecie do McAlpine'ów! Mam na imię Drew, a to Keisha, moja partnerka.

Will poczekał na swoją kolej, by wymienić uściski dłoni, starając się nie wspominać błogich chwil, które spędził sam na sam z Sarą. W jego mózgu przewijały się obrazy ze strony internetowej McAlpine Lodge. Posiłki przygotowywane przez zawodowego kucharza. Zorganizowane wycieczki w góry. Wyprawy wędkarskie. Na każdym zdjęciu dwie czy trzy rozradowane pary. Dopiero teraz uświadomił sobie, że te pary prawdopodobnie nie znały się przed przybyciem na miejsce.

Skończy się tak, że będzie uprawiał paddleboarding z Frankiem.

– Mało brakowało, a dogonilibyście Landry'ego i Gordona – powiedziała Keisha. – Wyprzedzili nas w drodze do pensjonatu. To ich pierwszy raz tutaj. Są projektantami aplikacji.

– Naprawdę? – upewnił się Frank. – Mówili, jaką aplikację rozwijają?

– Byliśmy za bardzo pochłonięci podziwianiem widoków, żeby rozmawiać o czymkolwiek innym. – Drew położył dłoń na biodrze Keishy. – Poza tym poprzysięgliśmy sobie, że przez cały tydzień nie będziemy rozmawiać o pracy. Wchodzicie w to?

– Jak w dym – odparła Sara. – Ruszamy?

Will pokochał ją jeszcze mocniej.

Grupa podążająca w górę krętym szlakiem pogrążyła się w milczeniu. Drzewa gęstniały nad głowami. Ścieżka ponownie się zwęziła, więc znów szli gęsiego. Brzegi rwącego potoku spinał dobrze utrzymany drewniany mostek. Will spojrzał na wzburzoną wodę. Zastanowiło go, jak często strumień występuje ze swojego koryta, ale odpuścił sobie dalsze rozważania, gdy Frank zaczął na głos roztrząsać cechy różnych cieków wodnych. Sara posłała Willowi zbolały uśmiech, podczas gdy ujadający niczym pudelek Frank deptał jej po piętach. Will jakimś cudem znalazł się na przedostatnim miejscu kolumny. Miał przed sobą Drew. Monica szła ostatnia, ze spuszczoną głową, wciąż ślizgając się na kamieniach. Will miał nadzieję, że wysłała do swojej kwatery jakieś turystyczne obuwie. On uzbroił się w wojskowe buty marki HAIX. Przypuszczał, że mógłby się w nich wdrapać nawet na ścianę budynku, jeśli tylko wytrzymałyby to jego łydki.

Gdy dotarli do skalistego odcinka szlaku, Frank wreszcie przestał mówić. Na szczęście milczenie uchowało się dłużej, nawet gdy ścieżka stała się szersza, co ułatwiło wędrówkę. Sara została za Frankiem, żeby móc porozmawiać z Keishą. Po chwili obie się śmiały. Will docenił swobodę i otwartość Sary. Potrafiła znaleźć płaszczyznę porozumienia właściwie z każdym. W odróżnieniu od niego, choć przecież miał pełną świadomość, że następne sześć dni spędzą wśród tych ludzi. Pamiętał też spojrzenia, jakie mu wcześniej rzucała. Potrzebowała, by wziął na siebie część rozmowy. Ale Will potrafił odnaleźć się w konwersacji tylko wtedy, gdy zasiadał naprzeciwko podejrzanego po drugiej stronie stołu.

Zaczął się hipotetycznie zastanawiać, jakimi przestępcami mogło być czworo dopiero co poznanych gości pensjonatu. Biorąc pod uwagę wysokie ceny kwater, założył, że co najmniej trójka skłania się ku przestępstwom w białych rękawiczkach. Frank jak nic był uwikłany w machinacje z kryptowalutami. Keisha miała przebiegły wyraz twarzy oblatanego malwersanta. Drew przypominał faceta, którego Will przyskrzynił kiedyś za prowadzenie piramidy finansowej opartej na sprzedaży suplementów diety. Pozostawała jeszcze Monica, która wyglądała na osobę zamierzającą zamordować Franka. Rozważając możliwości całej grupy, Will ocenił, że jej przestępstwo z największym prawdopodobieństwem uszłoby na sucho. Miałaby alibi. Miałaby prawnika. Z całą pewnością nie byłoby mowy o dobrowolnym przesłuchaniu.

I trudno byłoby mu winić ją za tę zbrodnię.

– Will? – zagadnął Drew, ponieważ właśnie tak zaczyna rozmowę ktoś, kto nie snuje w myślach scenariuszy, których bohaterami są potencjalni złoczyńcy. – Pierwszy raz tutaj?

– Tak – odparł Will cicho, bo Drew też mówił przyciszonym głosem.

– A ty?

– Już trzeci. Uwielbiamy to miejsce. – Przełożył kciuki za ramiączka plecaka. – Keisha i ja prowadzimy razem firmę cateringową w West Side. Trudno się wyrwać. Za pierwszym razem ściągnęła mnie tu wierzgającego i krzyczącego. Nie mogłem uwierzyć, że nie ma zasięgu ani internetu. Myślałem, że już po pierwszym dniu będę w ciężkim szoku. Ale okazało się... – Will patrzył, jak Drew wyciąga ręce i bierze głęboki, oczyszczający wdech. – Że obcowanie z naturą coś w człowieku resetuje. Wiesz, co mam na myśli?

Will kiwnął głową, ale miał pewne obawy.

– Czy wszystko w ośrodku odbywa się w grupach?

– Posiłki je się wspólnie. Aktywności w plenerze są ograniczone do czterech osób na przewodnika.

Willowi nie spodobały się te proporcje.

– Na jakiej zasadzie odbywa się podział?

– Możesz poprosić o konkretną parę – odparł Drew. – Jak sądzisz, dlaczego zwolniłem, żeby z tobą pogadać?

Will domyślił się powodów.

– Naprawdę nie ma internetu? Ani zasięgu? – dopytał.

– Nie dla nas. – Drew się uśmiechnął. – Na miejscu jest telefon stacjonarny w razie nagłych wypadków. Personel ma też dostęp do wi-fi, ale nie jest upoważniony do podawania hasła. Wierz mi, za pierwszym razem próbowałem je wydębić, ale Papa rządzi wszystkim żelazną ręką.

– Papa?

– Wow! – wykrzyknął Frank.

Will ujrzał pędzącego ścieżką jelenia. W odległości mniej więcej stu metrów znajdowała się duża polana. Promienie słońca przeciskały się przez prześwity między gałęziami drzew. Błękitne niebo przecinała tęcza. Wyglądało to jak scena z filmu, brakowało tylko śpiewającej zakonnicy. Poczuł, jak serce zwalnia mu w piersiach. Ogarnął go spokój. Sara spojrzała na niego cała rozpromieniona. Odetchnął, dopiero teraz uświadamiając sobie, że wstrzymywał oddech.

Była szczęśliwa.

– Trzymaj. – Drew podał Willowi mapę. – Jest stara, ale można się połapać.

„Stara" było ze wszech miar trafnym określeniem. Mapa wyglądała, jakby sporządzono ją w latach siedemdziesiątych. Napisy sprawiały wrażenie ułożonych z pojedynczo wytłaczanych liter, a odręczne rysunki ilustrowały położenie istotnych miejsc i atrakcji. Fragment terenu w górnej części mapy otoczono nieregularną grubszą pętlą, a linie przerywane oznaczały pomniejsze szlaki. Will dostrzegł kładkę narysowaną w miejscu, w którym przekroczyli potok. Doszedł do wniosku, że autor mapy raczej nie zachował skali, gdyż marsz od strumienia zajął im co najmniej dwadzieścia minut, lecz patrząc na niewyraźną pieczątkę McAlpine'ów na dole arkusza, uznał, że właścicielom raczej nie zależało na dokładności.

Idąc, przyglądał się ilustracjom. Duży dom w dolnej części grubej pętli musiał być główną częścią posiadłości. Will wyszedł z założenia, że mniejsze chatki to kwatery gościnne. Zostały ponumerowane od jednego do dziesięciu. Za jadalnię, sądząc po narysowanych obok sztućcach i talerzu, służył ośmiokątny budynek. Kolejny szlak prowadził do wodospadu, z którego wyskakiwało w powietrze kilka ryb. Następny kończył się w pobliżu szopy z kajakami i sprzętem. Jeszcze inny wił się w stronę hangaru dla łodzi. Jezioro miało kształt bałwana, który oparł się o ścianę. Część będąca jego głową najwyraźniej została przeznaczona na kąpielisko. Oznaczono tam pływający pomost. W miejscu, które miało zadatki na malowniczy punkt obserwacyjny, znajdowała się ławka z widokiem na panoramę okolicy.

Will z zaciekawieniem odnotował istnienie tylko jednej drogi dojazdowej, która kończyła się w pobliżu głównego budynku. Założył, że droga przecina strumień gdzieś w pobliżu kładki i prowadzi w dół, do miasta. Rodzina raczej nie taszczyła tu zapasów na plecach. Obiekt tej wielkości wymagał hurtowego zaopatrzenia oraz możliwości dojazdu dla personelu. A także dostępu do wody i prądu. Doszedł do wniosku, że linia telefoniczna biegnie pod ziemią. Nikt nie chciał zostać odcięty od świata w miejscu rodem z powieści Agathy Christie.

– Cholera – powiedział Drew. – Zawsze robi takie samo wrażenie.

Will uniósł wzrok. Wyszli na polanę. Główny budynek stanowił konglomerat złej architektury. Piętro jednoznacznie kojarzyło się z czymś dobudowanym naprędce. Parter był z jednej strony murowany, a z drugiej drewniany. Wyglądało na to, że dom ma dwa główne wejścia, od frontu i z boku. Z tyłu znajdowały się trzecie, mniejsze schody i podjazd dla wózków inwalidzkich. Okalająca cały budynek przestronna weranda starała się zapewnić obiektowi jako taką spójność architektoniczną, lecz nic nie tłumaczyło różnorodności typów okien. Niektóre z tych węższych skojarzyły się Willowi z celami w areszcie hrabstwa Fulton.

Przed bocznymi schodkami prowadzącymi na werandę stała kobieta wyglądająca na miłośniczkę plenerowych aktywności. Miała blond włosy ciasno związane z tyłu głowy, a na sobie szorty bojówki, białą koszulę zapinaną na guziki i buty marki Nike w lawendowym kolorze. Na stole obok niej rozstawiono przekąski, kubki z wodą i kieliszki z szampanem. Will zerknął przez ramię, aby się upewnić, że Monica dotrzymuje im kroku. Na widok stołu wyraźnie się ożywiła. Minęła Willa na ostatniej prostej, chwyciła kieliszek i wypiła duszkiem jego zawartość.

– Nazywam się Mercy McAlpine i jestem menedżerką McAlpine Family Lodge – powiedziała kobieta. – W posiadłości mieszkają trzy pokolenia McAlpine'ów. Wszyscy pragniemy powitać was w naszym domu. Najpierw poproszę o chwilę uwagi, ponieważ chcę omówić kilka zasad i podać garść informacji na temat bezpieczeństwa. Potem przejdę do przyjemniejszych spraw.

Co było do przewidzenia, Sara ustawiła się z przodu i słuchała uważnie, jak na piękną mądralę przystało. Frank nie odstępował jej na krok. Keisha i Drew stanęli w pewnym oddaleniu, obok Willa, jak niegrzeczne dzieci w klasie. Monica wzięła kolejny kieliszek szampana i usiadła na dolnym stopniu schodów. Muskularny kot otarł się o jej nogę, drugi zeskoczył na ziemię i odwrócił się na grzbiet, co Will zarejestrował kątem oka. Domyślał się, że Landry i Gordon, projektanci aplikacji, przeszli odprawę i już mogli cieszyć się samotnością.

– W mało prawdopodobnym przypadku jakiegoś zagrożenia, na przykład pożaru albo niebezpiecznej pogody, usłyszycie dźwięk tego dzwonu.

– Mercy wskazała duży dzwon wiszący na słupie. – Ten sygnał to prośba o zebranie się na parkingu po drugiej stronie domu.

Gdy szczegółowo opisywała plan ewakuacji, Will chrupał na przemian ciasteczka i chipsy. Po pewnym czasie instruktaż zaczął mu przypominać odprawę w miejscu pracy, przestał więc słuchać i rozejrzał się po okolicy. Obiekt skojarzył mu się z kampusami uniwersyteckimi, które widywał w telewizji. Wokół stały gliniane donice pełne kwiatów i ławki, rozciągały się trawniki i brukowane deptaki, na których, jak przypuszczał, koty wygrzewały się w promieniach słońca.

Osiem domków, każdy z niewielkim ogródkiem, było rozlokowanych wokół głównego budynku. Will domyślił się, że pozostałe dwa znajdują się na tyłach wyrysowanej na mapie pętli. Cała rodzina prawdopodobnie mieszkała razem w głównym domu. Oceniając jego rozmiary, Will doszedł do wniosku, że na piętrze musi się znajdować co najmniej sześć pokoi. Nie wyobrażał sobie życia w takiej gromadzie. Z drugiej strony siostra Sary mieszkała piętro niżej od niej, więc może on za bardzo kojarzył tę sytuację z domem dziecka w Atlancie, a za mało z serialem *Waltonowie*[5].

– A teraz te przyjemniejsze sprawy – powiedziała Mercy.

Rozdała broszury. Trzy pary, trzy egzemplarze. Sara z zapałem otworzyła swój prospekt. Uwielbiała wszelkiego rodzaju pakiety informacyjne. Will odruchowo ponownie skupił się na Mercy, która przeszła do omawiania przebiegu zajęć, miejsca spotkań i dostępnego sprzętu. Jej twarz niczym by się nie wyróżniała, gdyby nie długa blizna biegnąca od czoła przez powiekę w dół nosa, a potem ostro skręcająca w stronę żuchwy.

---

[5] Amerykański serial telewizyjny emitowany w latach 70. i 80. Opowiada o losach trzypokoleniowej rodziny i przedstawia jej codzienne, zwykłe życie (przyp. tłum.).

Will był dobrze obeznany z bliznami powstałymi wskutek przemocy. Pięść ani but nie zadałyby tak precyzyjnej rany. Skaleczenie od noża nie biegłoby tak prosto. Podłużna szrama może pochodzić od uderzenia kijem baseballowym, lecz większość z nich cechuje się wgłębieniem w miejscu, w którym cios miał największą siłę. Gdyby miał zgadywać, rana była skutkiem cięcia ostrym kawałkiem metalu lub szkła. Oznaczało to albo wypadek przy pracy, albo kraksę samochodową.

– Jeśli chodzi o przydziały kwater... – Mercy zerknęła do notesu. – Sara i Will mają domek numer dziesięć, znajdujący się na końcu tej ścieżki. Mój syn, Jon, pokaże wam drogę.

Odwróciła się w stronę domu, a ciepły uśmiech zmiękczył rysy jej twarzy. Chłopak, który nieśpiesznie schodził po schodkach z werandy, nie wyglądał, jakby podzielał serdeczność jej uczuć. Miał około szesnastu lat i ten szczególny rodzaj muskulatury, jakiego niektórzy nastolatkowie nabierają przez samo swoje istnienie. Will zauważył powłóczyste spojrzenie, którym Jon powiódł po sylwetce Sary. Chłopak odgarnął kręcone włosy i uśmiechnął się, odsłaniając proste białe zęby.

– Cześć! – Jon minął Franka i skierował cały swój urok na Sarę. – Podobała ci się wędrówka?

– Tak, dziękuję. – Sara zawsze była miła dla młodych ludzi, lecz zdawała się nie dostrzegać, że ten nastolatek nie patrzy na nią jak dzieciak.

– Ty też jesteś z McAlpine'ów? – spytała, jakby umknęło jej uwadze, że Mercy przed chwilą przedstawiła go jako swojego syna.

– Trafiony, zatopiony. Kolejne pokolenie mieszkające w tych górach.

– Ponownie przeczesał włosy palcami. Może potrzebował grzebienia. – Mówcie mi Jon. Mam nadzieję, że będzie wam się tutaj podobało.

– Cześć, Jon. – Will stanął przed Frankiem. – Mam na imię Will. Jestem mężem Sary.

Dzieciak musiał zadrzeć głowę, żeby spojrzeć mu w twarz, ale najważniejsze było to, że zrozumiał przekaz.

– Tędy, proszę pana.

Will oddał odręczną mapę Drew, który skinął głową w podziękowaniu. Uznał, że tydzień zaczął się całkiem nieźle. Poślubił piękną kobietę. Wdrapał się na górę. Uszczęśliwił Sarę. Ostudził zapędy napalonego nastolatka.

Jon oprowadził ich po kompleksie. Miał dziwaczny sposób chodzenia, jakby wciąż uczył się robić użytek z własnego ciała. Will pamiętał, jakie to uczucie – nie wiedzieć, czy następnego dnia obudzisz się z zarostem albo głosem piskliwym jak u nastolatki. Nie wróciłby do tamtych czasów za żadne skarby.

Przechodząc między domkami numer pięć i sześć, dotarli do miejsca, które na mapie oznaczono pętlą. Ziemia była wysypana żwirem. Jeden z kotów smyrgnął w zarośla, prawdopodobnie w pogoni za wiewiórką. Will z zadowoleniem odnotował istnienie niskonapięciowego oświetlenia, które ułatwi poruszanie się po zapadnięciu zmroku. Ciemność w lesie nie była tym samym, co ciemność w mieście. Korony drzew tworzyły nad ich głowami gęsty baldachim. Idąc za Jonem, Will poczuł, że robi się trochę chłodniej. Teren zaczął łagodnie opadać. Pnącza i gałęzie po obu stronach ścieżki były przycięte, ale i tak miał wrażenie, że wkracza w głąb gęstego lasu.

– Ten szlak nazwali Pętlą. – Sara otworzyła broszurę na stronie z mapą. Zwolniła kroku, przez co dystans dzielący ich od Jona trochę się zwiększył. – Na oko ma niecałe dwa kilometry. Jesteśmy w górnej połowie. Dolną możemy sobie obejrzeć w drodze na kolację. Myślę, że do jadalni jest dziesięć, najwyżej piętnaście minut drogi.

Willowi zaburczało w brzuchu.

Przewróciła kartkę i spojrzała najpierw na kalendarz, a potem z zaskoczeniem na Willa.

– Zapisałeś nas oboje na poranną jogę.

– Pomyślałem, że spróbuję. – Tak naprawdę pomyślał, że będzie wyglądał jak idiota. – Poza tym twoja siostra powiedziała, że uwielbiasz wędkować.

– Dobrze powiedziała, ale nie łowiłam, odkąd przeprowadziłam się do Atlanty. – Powiodła palcem po dniach w kalendarzu. – Spływ potokiem. Kolarstwo górskie. Nie widzę, żebyś zapisywał się na kurs darcia kotów z nastolatkiem.

Will zdobył się na uśmiech.

– Myślę, że pierwszy był gratis.

– To dobrze. Nie chciałabym, żebyś płacił za drugi.

Pojął aluzję, której wymowę Sara złagodziła, biorąc go pod rękę. Ruszyli dalej, ona z głową opartą o jego ramię. Pogrążyli się w przyjaznym milczeniu. Will nie tyle wyczuł wzniesienie terenu, co jego łydki przypomniały mu, że nie są przyzwyczajone do tego rodzaju aktywności. Spacer nie był krótki. Ocenił, że od chwili, gdy zrobiło się bardziej stromo, minęło dobre pięć minut. Drzewa trochę się przerzedziły, ukazując im niebo nad głowami. W oddali ujrzał pasma górskie ścielące się niczym nieskończony magiczny dywan. Nie wiedział, czy to kwestia zmian wysokości, czy wędrówki słońca po niebie, lecz krajobraz wyglądał trochę inaczej za każdym razem, gdy chłonął go wzrokiem. Pejzaż tonął w morzu zieleni. Powietrze było tak rześkie, że łaskotało go w płuca.

Jon się zatrzymał. Wskazał gestem rozejście szlaków, znajdujące się dwadzieścia metrów przed nimi.

– Ta droga prowadzi do jeziora. Nie zalecamy pływania po zmroku. Domek numer dziesięć jest położony najdalej od głównego budynku. Jeśli skręcicie w lewo na rozwidleniu, dotrzecie z powrotem do jadalni.

– Kiedyś w tej okolicy było obozowisko, prawda? – spytał Will.

– Obóz Awinita – potwierdził Jon.

– Czy *awinita* to słowo z języka rdzennych Amerykanów? – zainteresowała się Sara.

– W narzeczu Czirokezów oznacza jelonka. Jeden z naszych gości wyjaśnił mi kiedyś, że powinno się je zapisywać rozdzielnie i przez literę de, *ahwi anida*.

– Wiesz, gdzie znajduje się ten obóz? – zapytał Will.

– Zamknęli go, kiedy byłem mały. – Jon wzruszył ramionami i podążył szlakiem. – Jeśli interesują was takie historie, pogadajcie z moją babcią, Bitty. Poznacie ją podczas kolacji. Wie o tym miejscu więcej niż ktokolwiek inny.

Will patrzył, jak Jon znika za zakrętem. Puścił Sarę przodem. Dzięki temu miał na nią jeszcze lepszy widok. Przyjrzał się kształtowi jej nóg. Krągłości pośladków. Sprężystym mięśniom na odsłoniętych ramionach. Włosy miała spięte w kucyk, a po wędrówce skóra na jej karku lśniła od potu. Will też był spocony. Rozważał długi wspólny prysznic przed kolacją.

– Och! – Sara przystanęła na rozgałęzieniu szlaku.

Podążył za jej spojrzeniem. Jon wchodził po kamiennych schodach, które wyglądały, jakby zostały wyryte w zboczu wzgórza dla Glorfindela. Po obu stronach schodów tłoczyły się paprocie. Pobliskie kamienie pokrywał mech. Na samej górze stał mały drewniany domek wykończony listwami w rustykalnym stylu. W skrzynkach na parapetach pyszniły się kolorowe kwiaty. Na ganku kołysał się hamak. Will uznał, że choćby poświęcił kolejne dziesięć lat, próbując zbudować coś takiego, nawet nie zbliżyłby się do tego ideału.

– Jest jak w bajce – powiedziała oczarowana Sara. Nigdy nie była piękniejsza niż wtedy, kiedy się uśmiechała. – Cudownie.

– Z tego grzbietu rozciąga się widok na trzy stany – poinformował ich Jon.

Sara odpięła od plecaka kompas. Otworzyła broszurę, odnalazła mapę i wskazała gestem kierunek:

– Domyślam się, że tam jest Tennessee.

– Tak, proszę pani. – Jon zszedł po schodach i zajął się objaśnianiem. – A to jest wschodnie zbocze Lookout Mountain. Przy szlaku prowadzącym nad jezioro znajduje się punkt obserwacyjny z ławką. Stamtąd widać je lepiej. My znajdujemy się na wyżynie Cumberland.

– Co oznacza, że Alabama jest tam. – Sara pokazała ręką obszar za plecami Willa. – A Karolina Północna daleko w tamtą stronę.

Will zrobił w tył zwrot. Widział jedynie miliony drzew układających się miękkimi falami na górskich pasmach. Obrócił głowę, uchwyciwszy spojrzeniem blask popołudniowego słońca, które przemieniło część tafli jeziora w lustro. Z wysoka jego kształt mniej kojarzył się z bałwanem, a bardziej z gigantyczną amebą, która zaległa w zagłębieniu terenu.

– Tę część jeziora nazywamy Płycizną – mówił dalej Jon. – Woda spływa tu ze szczytów gór, więc o tej porze roku wciąż jest dość zimna.

Sara trzymała otwartą broszurę jak książkę.

– Jezioro McAlpine ma powierzchnię ponad stu pięćdziesięciu hektarów i głębokość sięgającą dwudziestu jeden metrów – przeczytała. – Płycizna, położona na końcu Szlaku Jeziora, ma niecałe pięć metrów głębokości, co czyni ją idealnym miejscem do pływania. W jeziorze występują bassy małogębowe i niebieskie, a także sandacze i okonie żółte.

Osiemdziesiąt procent powierzchni jeziora jest objęte ochroną i nie może być wykorzystywane do celów komercyjnych. Od zachodu do kompleksu przylega las stanowy Muscogee o powierzchni trzystu tysięcy hektarów, a od wschodu las stanowy Cherokee o powierzchni trzystu dwudziestu tysięcy hektarów.

– Cherokee, czyli Czirokezi, i Muscogee, nazywani Krikami – dodał Jon – to dwa plemiona, które zamieszkiwały te rejony. Pierwsze nasze zabudowania na tym terenie powstały po wojnie secesyjnej, siedem pokoleń McAlpine'ów temu.

Will domyślił się, że tę ziemię dosłownie skradziono. Jej pierwotni mieszkańcy zostali wyrzuceni ze swoich siedzib i zmuszeni do marszu na zachód. Większość z nich zapewne zmarła po drodze.

Sara spojrzała na mapę.

– A ten Szlak Zaginionej Wdowy, który biegnie wzdłuż strumienia?

– Prowadzi w dół stromego zbocza, na sam koniec jeziora – odparł Jon.

– Podobno pierwszy McAlpine, Cecil, założyciel tego miejsca, padł ofiarą kilku bandziorów, którzy poderżnęli mu gardło. Jego żona była pewna, że nie żyje, i zaginęła gdzieś na tym szlaku. Ale Cecil przeżył, tylko ona o tym nie wiedziała. Szukał jej potem przez wiele dni, lecz przepadła na zawsze.

– Sporo wiesz o tych okolicach – stwierdziła Sara.

– Kiedy byłem dzieckiem, niemal każdego dnia babcia mi o nich opowiadała. Uwielbia to miejsce. – Chłopak wzruszył ramionami, ale Will dostrzegł na jego twarzy rumieniec dumy. – Gotowi?

Jon nie czekał na odpowiedź. Wszedł po schodach i otworzył drzwi chatki. Nie było klucza. Wszystkie okna otwarto, żeby przewietrzyć wnętrze.

Sara znów się uśmiechała.

– Will, tu jest pięknie. Dziękuję.

– Bagaże są już w waszym pokoju. – Jon zaczął kwestię, którą wyraźnie miał dobrze przećwiczoną. – Ekspres do kawy jest tutaj. Kapsułki są w tym pudełku. Kubki znajdziecie na wieszakach. Pod blatem jest mała lodówka ze wszystkimi produktami, które zamówiliście.

Gdy Jon wymieniał oczywistości, Will rozglądał się po wnętrzu. Zarezerwował dwupokojowy domek, bo akurat ten miał znajdować się w bardzo widokowym miejscu. Dopłata do większej kwatery oznaczała, że prawdopodobnie przez najbliższy rok będzie musiał sobie robić kanapki do pracy, ale sądząc po reakcji Sary, było warto. Zresztą sam też ucieszył się z wyboru. Główne pomieszczenie domku było wystarczająco duże, by pomieścić kanapę i dwa fotele. Skórzane obicia wyglądały na spracowane, ale wygodne. Sznurkowy dywanik sprężyście uginał się pod stopami. Styl lamp można by nazwać nowoczesnym retro. Wszystko wydawało się starannie rozlokowane i sprawiało solidne wrażenie. Will wydedukował, że kiedy poświęca się czas na wtaszczenie czegoś na taką wysokość, trzeba mieć pewność, że będzie trwałe.

Poszedł za Jonem i Sarą do sypialni. Walizki leżały na wysokim łóżku przykrytym aksamitną ciemnoniebieską narzutą. Kolejny miękki dywanik. Pasujące stylistycznie oświetlenie. I jeszcze jeden wygodny skórzany fotel ze stojącym obok stolikiem.

Will zajrzał do łazienki i zdumiał się jej współczesnym wystrojem. Biały marmur i nowoczesna armatura o industrialnym wyglądzie. Pod wielkim oknem, z którego roztaczał się widok na dolinę, znajdowała się duża wanna. Nie przyszły mu do głowy słowa, którymi mógłby opisać ten zapierający dech w piersiach krajobraz, pomyślał więc o wspólnej kąpieli z Sarą i uznał, że zdecydowanie warto przeżyć ten rok na kanapkach.

– Któreś z nas obchodzi całą Pętlę najpierw o ósmej rano, a potem o dziesiątej wieczorem – powiedział Jon. – Jeśli będziecie czegoś potrzebowali, zostawcie na schodach kartkę pod kamieniem albo poczekajcie na werandzie, na pewno nas nie przegapicie. W przeciwnym razie będziecie musieli skoczyć do naszej siedziby. Dajcie nam znać, gdyby czegokolwiek zabrakło. Mogę coś jeszcze dla was zrobić?

– Mamy chyba wszystko, dzięki. – Will sięgnął po portfel.

– Nie wolno nam przyjmować napiwków – zaoponował Jon.

– A może odkupię od ciebie e-papierosa, którego masz w tylnej kieszeni? – zaproponowała Sara.

Jej słowa zaskoczyły Willa równie mocno, jak Jona. Wiedział, że żywiła właściwą pediatrom niechęć do wapowania. Widziała niejednego młodego człowieka, który niszczy sobie płuca.

– Tylko nie mówcie nic mamie, proszę. – Ta rozpaczliwa prośba odjęła Jonowi dobre pięć lat. Wypowiedział ją piskliwym głosem, w którym słychać było zdenerwowanie. – Kupiłem go dzisiaj w mieście.

– Dam ci za niego dwie dychy.

– Naprawdę? – Jon już wyciągał metalowy waporyzator. Urządzenie było jasnoniebieskie i miało srebrną końcówkę; w 7-Eleven mogło kosztować najwyżej dziesięć dolarów. – Liquid nazywa się Red Zeppelin. Potrzebujesz więcej wkładów?

– Nie, dziękuję. – Sara skinęła Willowi głową, żeby zapłacił.

Will wolałby wprawdzie skonfiskować nieletniemu wyrób tytoniowy, lecz mechanicy samochodowi nie robią takich rzeczy. Niechętnie podał Jonowi pieniądze.

– Dzięki. – Chłopak pieczołowicie zwinął dwudziestaka. Will praktycznie widział, jak jego mózg próbuje znaleźć kolejne sposoby na zarobienie dodatkowych pieniędzy. – Wprawdzie nie wolno nam tego robić, ale... to znaczy w razie potrzeby znam hasło do wi-fi. Tu nie ma zasięgu, ale jest w jadalni, więc gdyby...

– Nie trzeba, dzięki – przerwała mu Sara.

Will otworzył drzwi, żeby wypuścić chłopaka. Wychodząc, Jon pozdrowił ich gestem. Pokusa była silna. Co jak co, ale hasło do wi-fi mogłoby się przydać.

– Chyba nie myślisz o zdobyciu tego hasła? – zapytała Sara.

Will zamknął drzwi, udając człowieka, który wcale nie chce się dowiedzieć, jak Atlanta United radzi sobie w meczu z FC Cincinnati. Patrzył, jak Sara wyjmuje z plecaka woreczek strunowy. Włożyła e-papierosa do środka, a potem wsunęła całość do przedniej kieszeni plecaka.

– Nie chcę, żeby Jon wyciągnął go ze śmietnika – wyjaśniła.

– Przecież wiesz, że po prostu kupi kolejny.

– Pewnie tak – przyznała. – Ale już nie dziś.

Postępowanie Jona nieszczególnie Willa obchodziło.

– Podoba ci się tu?

– Jest cudownie. Dziękuję, że zabrałeś mnie w to wyjątkowe miejsce.

– Skinęła głową, dając mu znać, by poszedł za nią do sypialni, ale zanim

zdążył zrobić sobie nadzieję, zaczęła ustawiać szyfr na zamku walizki. –
Co znajdę w środku?

– Poprosiłem Tessę, żeby cię spakowała.

– Bardzo podstępnie. – Rozpięła górny zamek torby. Zajrzała do niej,
a potem z powrotem ją zamknęła. – Od czego zaczynamy? Idziemy nad
jezioro? Na spacer po kompleksie? Poznamy pozostałych gości?

– Powinniśmy wziąć prysznic przed kolacją.

Sara spojrzała na zegarek.

– Zdążymy nawet wziąć długą kąpiel w wannie, a potem wypróbować łóżko.

– Podoba mi się ten plan.

– Wytrzymasz na tych poduszkach?

Will ocenił je wzrokiem. Wypełnienie wyglądało na twarde jak kamień. Wolał poduszki wyglądające jak naleśniki.

– Jon powiedział, że w głównym budynku mają też inne. To ta część,
której nie słuchałeś – powiedziała z uśmiechem. – Mogę się rozpakować
i nalać wody do wanny, a ty skocz po poduszki.

Will pocałował ją i wyszedł.

Gdy schodził po kamiennych schodach, na Płyciźnie tańczyły promienie słońca. Uniósł dłoń i osłaniając oczy od światła, doszedł do
ścieżki. Zamiast pójść Pętlą z powrotem do głównego kompleksu,
skręcił w stronę jeziora, aby zapoznać się z tą częścią szlaku. Im bardziej zbliżał się do wody, tym mocniej zmieniał się krajobraz. Poczuł
wilgoć w powietrzu. Usłyszał delikatne pluskanie fal. Słońce zniżyło
się na niebie. Minął ławkę widokową, z której – zgodnie z obietnicą –
rozpościerał się piękny pejzaż. Will poczuł, jak ogarnia go ten sam
spokój, co wcześniej. Drew miał rację, mówiąc o resecie na łonie natu-
ry. A Sara miała słuszność co do drzew. Wszystko wydawało się tutaj
inne. Płynęło wolniej. Mniej stresująco. Trudno będzie stąd wyjeżdżać
pod koniec tygodnia.

Will spojrzał w dal, pozwalając sobie na wyciszenie umysłu i cieszenie
się chwilą. Nie zdawał sobie sprawy z tego, jak wielkie napięcie gnieździło
się w jego ciele, dopóki nie ustąpiło. Spojrzał na obrączkę na swoim palcu. Jeśli nie liczyć timexa na nadgarstku, nie był miłośnikiem ozdób, lecz

podobało mu się ciemne wykończenie tytanowej biżuterii, którą wybrała dla niego Sara. Na dobrą sprawę oświadczyli się sobie równocześnie. Will wyczytał gdzieś, że na pierścionek zaręczynowy trzeba wydać równowartość trzech miesięcznych pensji. Jako lekarz Sara zarabiała więcej, można więc powiedzieć, że wyszedł na tym lepiej.

Zamiast gapić się w przestrzeń z opadniętą szczęką, powinien raczej się zastanowić, jak podziękować Sarze. Will zawrócił w stronę, z której przyszedł. Mógł oglądać zachód słońca, wylegując się z Sarą w wannie. Mijając kamienne schody, Will usilnie starał się wyłączyć swój detektywistyczny umysł. Domyślał się, że po prostu chciała zostać w chatce sama na kilka chwil. Wiedziała przecież, że można zabrać nowe poduszki po kolacji. Pewnie chciała go zaskoczyć czymś miłym. Na samą myśl uśmiechnął się i ruszył w stronę ostrego zakrętu na szlaku.

– Cześć, Śmieciuchu!

Will uniósł wzrok. Kilka metrów przed nim stał jakiś człowiek i palił papierosa, zanieczyszczając kryształowe powietrze. Od dawna nikt nie nazywał go tym pseudonimem. Dostał go w domu dziecka. Nie krył się za nim żaden wyrafinowany powód. Policja znalazła Willa w koszu na śmieci, gdy był niemowlęciem.

– Ejże, Śmieciuchu – ciągnął facet. – Nie mów, że mnie nie poznajesz.

Will przyjrzał się nieznajomemu. Miał na sobie spodnie robocze i poplamiony biały T-shirt. Był niższy od Willa i pulchniejszy. Pajęczyna popękanych naczynek krwionośnych i zażółcone oczy świadczyły o silnych nałogach. Nie ułatwiało to jednak identyfikacji. Większość dzieciaków, z którymi dorastał Will, zmagała się z uzależnieniami. Trudno było im się oprzeć.

– Jaja sobie ze mnie robisz? – Mężczyzna wypuścił kłąb dymu i powoli ruszył w stronę Willa. – Naprawdę nie kojarzysz?

Will poczuł ukłucie strachu. Właściwe skojarzenia nasunęła mu dopiero rozmyślna powolność w ruchach tego człowieka. W jednej chwili przeniósł się z górskiej ścieżki do świetlicy w domu dziecka i patrzył, jak chłopiec, którego wszyscy nazywali Szakalem, powoli schodzi po schodach. Jeden krok. Potem następny. Jego zakrzywiony palec przesuwał się po poręczy jak sierp.

W kręgach rodzin adopcyjnych panowała niepisana zasada, że nie wybiera się podopiecznych powyżej szóstego roku życia. Byli już za bardzo pogubieni. Zbyt mocno skaleczeni życiem. W domu dziecka Will był świadkiem wielu smutnych historii. Starsze dzieci bardzo rzadko trafiały do adopcji, częściej do rodzin zastępczych. Te, które wracały, zawsze miały szczególny wyraz oczu. Czasami opowiadały, co je spotkało. Kiedy indziej można było się tego domyślić, oglądając blizny na ich ciałach. Ślady wypalone papierosami. Charakterystyczna szrama po haku drucianego wieszaka. Wklęsła blizna po kiju baseballowym. Nadgarstki obandażowane po próbie zakończenia gehenny na własnych warunkach.

Wszystkie przeżywały i leczyły swoje krzywdy na różne sposoby. Obżeranie się i wymioty. Nocne koszmary. Napady wściekłości. Niektóre bez przerwy się okaleczały. Topiły smutki w butelce albo puszczały je z dymem gandzi. Inne nie mogły pohamować gniewu. Jeszcze inne stawały się mistrzami niezręcznego milczenia.

Kilkoro uczyniło ze swoich cierpień broń przeciwko otoczeniu. Nadawano im pseudonimy takie jak Szakal, bo były przebiegłymi, agresywnymi drapieżnikami. Nie nawiązywały przyjaźni. Zawierały strategiczne sojusze, które łatwo zrywały, gdy nadarzyła się lepsza okazja. Kłamały prosto w oczy. Kradły. Rozpowszechniały paskudne plotki na twój temat. Włamywały się do biura i czytały twoje akta. Dowiadywały się, co ci się przydarzyło; wiedziały o tobie więcej niż ty sam. A potem wymyślały ci pseudonim. Taki jak Śmieciuch. Ksywę, która przyklejała się do ciebie na resztę życia.

– Widzę, że już sobie przypominasz – powiedział Szakal.

Will poczuł, jak wraca do niego napięcie.

– Czego chcesz, Dave?

ROZDZIAŁ TRZECI

Mercy wskazała gestem małą kuchnię w domku numer trzy.

– Ekspres do kawy jest tam. Kapsułki są w tym pudełku. Kubki wiszą...

– Wiemy. – Na twarzy Keishy wykwitł znaczący uśmiech. Prowadziła firmę cateringową w Atlancie. Wiedziała, jak to jest dzień w dzień powtarzać to samo. – Dziękuję, Mercy. Cieszymy się, że mogliśmy do was wrócić.

– Bardzo się cieszymy! – Drew stanął w przeszklonych drzwiach do salonu. Wszystkie jednopokojowe domki były zwrócone frontem do Cherokee Ridge. – Już czuję, jak mi spada ciśnienie.

– Bo wciąż bierzesz leki, mój drogi – skwitowała Keisha i zwróciła się do Mercy: – Jak się miewa ojciec?

– Miewa się – odparła Mercy, starając się nie zgrzytnąć zębami. Nie widziała żadnego z członków rodziny, odkąd zagroziła, że zniszczy im życie. – Jesteście u nas po raz trzeci. To cudownie, że postanowiliście nas znowu odwiedzić.

– Przypomnij Bitty, że wciąż lubimy z nią rozmawiać – powiedziała Keisha.

Mercy zwróciła uwagę na ostry ton własnego głosu, ale była w dupie wystarczająco głęboko, żeby nie chcieć zapuszczać się dalej.

– Tak zrobię.

– Wygląda na to, że tym razem trafiła się dobra grupa – orzekł Drew. – Z kilkoma wyjątkami.

Mercy zdobyła się na uśmiech. Zdążyła już poznać dentystkę i jej trajkoczącego męża. Nie zdziwiła się, gdy Monica wręczyła jej kartę kredytową i zażyczyła sobie stałych dostaw alkoholu.

– Fajna jest ta nauczycielka, Sara – stwierdziła Keisha. – Trochę się poznałyśmy na szlaku.

– Jej mąż też wydaje się miłym facetem – dodał Drew. – Nie masz nic przeciwko temu, żebyśmy byli w jednej grupie?

– Nie ma sprawy. – Mercy powiedziała to swobodnym tonem, choć wiedziała doskonale, że po kolacji będzie musiała przerobić cały harmonogram. – Fishtopher wybrał dla was kilka znakomitych miejsc. Myślę, że będzie się wam podobało.

– Mnie się już podoba. – Drew spojrzał na Keishę. – A tobie?

– Wiesz, że zawsze mi się tu podoba, kochanie.

Mercy uznała to za sygnał do wyjścia. Kiedy zamykała drzwi, obejmowali się. Powinna być pod wrażeniem faktu, że starsi od niej o dwadzieścia lat ludzie nadal się kochają, ale była tylko zazdrosna. A także poirytowana. Słyszała ciurkającą w toalecie wodę, co oznaczało, że Dave nie zadał sobie trudu naprawienia usterki.

Idąc w stronę domku numer pięć, zrobiła adnotację w notesie. Czuła na sobie pełne dezaprobaty spojrzenie Papy, który obserwował ją z werandy. Bitty siedziała obok niego i robiła na drutach coś, czego nikt w życiu by nie założył. Koty leżały u jej stóp. Oboje zachowywali się tak, jakby rodzinne spotkanie przebiegło zupełnie zwyczajnie. Delilah nadal nie raczyła się ujawnić. Dave gdzieś zniknął. Fish poszedł do szopy ze sprzętem. Był chyba jedyną osobą, która faktycznie robiła to, o co prosiła Mercy. I zapewne też najbardziej przejmował się sytuacją.

Powinna znaleźć swojego brata i go przeprosić. Powinna mu powiedzieć, że wszystko będzie dobrze. Na pewno istnieje jakiś sposób na przekonanie Dave'a do głosowania przeciwko sprzedaży. Musiała zebrać trochę pieniędzy, żeby go przekupić. Dave zawsze wolał zgarnąć 100 dolarów dziś niż 500 dolarów za tydzień. A potem przez resztę swojego cholernego życia narzekać na stracone cztery stówy.

– Mercy Mac! – huknął Chuck, aż echo poniosło się po całym kompleksie. Jak zwykle miał ze sobą wielką butlę z wodą, niczym zawodowy sportowiec, który rozpaczliwie stara się nawodnić. Szedł, stawiając długie, zamaszyste kroki, jakby każdym z nich chciał kogoś kopnąć. Dlatego Dave zaczął nazywać go Chuckiem: „Koleś rozdaje kopniaki w stylu Chucka Norrisa".

Mercy nawet już nie pamiętała, jak ten człowiek naprawdę ma na imię. Wiedziała tylko, że ma na jej punkcie fioła i przyprawia ją o gęsią skórkę.

– Fish czeka na ciebie na dole, w szopie ze sprzętem – skłamała.

– Aha. – Mrugnął zza grubych szkieł. – Dzięki. Ale właściwie to szukałem ciebie. Chciałem się upewnić, że pamiętasz o mojej...

– Alergii na orzeszki ziemne – dokończyła. Wiedziała o tym od siedmiu lat, ale i tak za każdym razem jej przypominał. – Powiedziałam Bitty, żeby powiadomiła personel kuchni. Zapytaj ją dla pewności.

– Jasne. – Spojrzał przez ramię na Bitty, ale się nie ruszył. – Potrzebujesz jakiejś pomocy? Jestem silniejszy, niż się wydaję.

Mercy spojrzała, jak napina pokryty tłuszczem mięsień. Przygryzła wargę, żeby się jej nie wymknęło, by zechciał łaskawie spierdalać. Był najlepszym przyjacielem jej brata. Powiedzmy to sobie szczerze, był jego jedynym przyjacielem. Musiała zdobyć się choć na tyle, by tolerować tego odrażającego sukinsyna.

– Lepiej idź pogadać z Bitty. Karetka jechałaby tu co najmniej godzinę. Nie chcę cię stracić z powodu zatrucia orzeszkami.

Odwróciła się, żeby nie oglądać rozczarowania na jego okrągłej niczym księżyc twarzy. Jej życie było pełne Chucków. Głupków, którzy mieli dobre chęci, przyzwoite posady i przestrzegali podstawowych zasad higieny. Spotykała się nawet z kilkoma. Poznała ich matki. Czasem chodziła z nimi do kościoła. Ale potem zawsze zawalała sprawę, wracając do Dave'a.

Może Papa nie mylił się aż tak bardzo, twierdząc, że Mercy nie starcza rozumu, by zdać sobie sprawę z własnej głupoty, i to jest jej największy problem. Nic w jej przeszłości nie wskazywało na to, by miało być inaczej. Jedyny sukces, jakim mogła się pochwalić, to odzyskanie syna. Być może Jon byłby skłonny się z tym zgodzić. Zastanawiała się jednak, jak by się poczuł, gdyby się dowiedział, że ona blokuje sprzedaż. Kiedy przyjdzie co do czego, będzie musiała zaryzykować i mu o tym powiedzieć.

Weszła po schodach do domku numer pięć. Zapukała mocniej, niż zamierzała.

– Tak? – Drzwi otworzył Landry Peterson, którego poznała podczas odprawy. Miał na sobie tylko ręcznik przewiązany w pasie. Był przystojnym mężczyzną. Jego prawy sutek zdobił kolczyk. Na lewej piersi widniał tatuaż przedstawiający motyla i kolorowe kwiaty, które otaczały wypisane zamaszystą kursywą imię *Gabbie*.

Mercy wpatrywała się w napis, aż zapiekły ją oczy. Poczuła nagłą suchość w ustach. Oderwała wzrok od tatuażu i spojrzała prosto na Landry'ego.

Miał przyjemny uśmiech.

– Kawał blizny – zauważył.

– Ja... – Dłoń Mercy odruchowo powędrowała do twarzy, lecz nie zasłoniła całej szramy.

– Przepraszam za wścibstwo, ale w poprzednim życiu byłem chirurgiem szczękowo-twarzowym. – Landry przechylił głowę, przyglądając jej się niczym okazowi w gablotce. – Ktoś wykonał dobrą robotę. Domyślam się, że trzeba było założyć sporo szwów. Jak długo cię operowali?

Mercy wreszcie udało się przełknąć ślinę. Przestawiła w głowie typowy dla McAlpine'ów przełącznik, który pozwalał jej udawać, że wszystko gra.

– Nie jestem pewna. To było dawno temu. A zajrzałam tylko po to, by sprawdzić, czy się rozgościliście. Potrzebujecie czegoś?

– Myślę, że na razie jesteśmy zaopatrzeni. – Spojrzał na teren za nią, rozglądając się najpierw w lewo, a potem w prawo. – Fajnie się tu urządziliście. Pewnie jest z tego niezły grosz. Da się utrzymać całą rodzinę?

Mercy się zdumiała. Przyszło jej na myśl, że ten człowiek może być w jakiś sposób powiązany z inwestorami. Podjęła próbę sprowadzenia tematu na znajomy grunt.

– Wasz harmonogram zajęć jest w broszurze. Kolacja jest o...

– Kochanie? – zawołał Gordon Wylie z wnętrza domku. Rozpoznała jego głęboki baryton. – Przyjdziesz?

Mercy zaczęła się wycofywać.

– Mam nadzieję, że będziecie zadowoleni z pobytu.

– Momencik – powstrzymał ją Landry. – Co mówiłaś na temat kolacji?

– Koktajle podajemy od osiemnastej. Posiłek jest serwowany o osiemnastej trzydzieści.

Wyciągnęła notes i schodząc po schodach, udawała, że coś pisze. Nie usłyszała za sobą odgłosu zamykanych drzwi. Landry ją obserwował; czuła jego spojrzenie, które dołączyło do boleśnie piekącego, pełnego dezaprobaty wzroku Papy. Kierując się w stronę Pętli, odniosła wrażenie, że jej plecy płoną.

Czy Landry naprawdę zachował się dziwnie, czy tylko ona tak to odebrała? „Gabbie" może oznaczać cokolwiek. Piosenkę, miejsce, kobietę. Wielu gejów eksperymentuje, zanim się ujawni. A może Landry jest bi. Może nawet flirtował z Mercy. Takie rzeczy się jej już zdarzały. A może po prostu wpadła w panikę, gdy na widok tego cholernego tatuażu przez jej serce przetoczyła się fala emocji o sile schodzącej z gór lawiny.

Gabbie.

Mercy dotknęła palcami blizny na twarzy. Ta szrama doskonale ilustrowała podział jej życia na „przed" i „po". Na dwie różne strefy czasowe. Owszem, różne, ale tak samo parszywe. Przed, gdy Mercy była irytującą degeneratką. Po, kiedy zniszczyła jedyną dobrą rzecz, jaka wydarzyła się w jej życiu. Nie tylko dobrą rzecz, ale szansę na szczęście. Na spokój. Na przyszłość, która nie budziła rozpaczliwego pragnienia, by cofnąć się w czasie i zmienić przeszłość.

Z wysiłkiem przestawiła w głowie przełącznik McAlpine'ów, by z powrotem znaleźć się w krainie, w której wszystko gra. Miała wystarczająco dużo stresów, by szukać powodów do kolejnych. Spojrzała na listę zadań. Musiała sprawdzić, co u nowożeńców. Zajrzeć do kuchni, bo Bitty z pewnością nie przekazała informacji o alergii Chucka. Powinna też odnaleźć Fisha i wszystko mu wyjaśnić. A także naprawić cieknącą toaletę. Inwestorzy mogli pojawić się lada chwila. Spodziewała się, że nie zechcą brudzić sobie butów wędrówką i przyjadą samochodem. Nie zastanawiała się zbyt długo nad tym, jak powinna się wobec nich zachowywać. Była rozdarta pomiędzy okazaniem im chłodnej uprzejmości a wydrapaniem oczu.

Gabbie.

Przełącznik nie zadziałał. Zeszła ze ścieżki i oparła się o drzewo. Pot spływał jej po plecach. Czuła żółć podchodzącą do gardła. Pochyliła się i kasząc, wyrzuciła ją z siebie. Rozprysk przycisnął do ziemi liście paproci. Mercy czuła się tak samo jak ta roślina; jakby przytłaczała ją ciężka, nieustępliwa choroba.

– Mercy Mac?

Pieprzony Dave, pomyślała.

– Dlaczego chowasz się między drzewami? – Przedarł się przez zarośla. Cuchnął tanim piwem i papierosami.

– W pokoju Jona znalazłam wkłady do wapowania – rzuciła. – To ty go tego nauczyłeś.

– Co? – Zrobił urażoną minę. – Jezu, kobieto, akurat dzisiaj zamierzasz ciskać we mnie gromy, ilekroć mnie zobaczysz?

– Czego chcesz, Dave? Naprawdę mam co robić.

– Daj spokój – odparł. – Chciałem ci opowiedzieć coś fajnego, ale widzę, że nie jesteś w nastroju.

Mercy znowu oparła się o drzewo. Wiedziała, że nie pozwoli jej tak po prostu sobie pójść.

– Co takiego?

– Najpierw zmień nastawienie.

Miała ochotę go uderzyć. Przed trzema godzinami podrygiwał na niej jak sapiący wieloryb. Dwie godziny temu groziła, że zniszczy mu życie. A teraz on chciał jej opowiedzieć coś fajnego.

– Przepraszam – mruknęła ustępliwie. – Co to za historia?

– Na pewno cię to interesuje? – zapytał, ale nie czekał na dalsze zachęty. – Pamiętasz tego chłopaka z domu dziecka, o którym ci opowiadałem?

Mówił o wielu dzieciakach z tamtego domu, dlatego spytała:

– Którego?

– Śmieciucha. To ten wysoki facet, który dziś przyjechał. Will Trent. Ten od rudej.

Mercy nie mogła się powstrzymać.

– Od tej, która zrobiła ci pierwszego loda?

– Nie, to była inna dziewczyna, Angie. Chyba w końcu kopnęła go w dupę albo zdechła gdzieś w rynsztoku. Nigdy nie przypuszczałem, że ten dureń znajdzie sobie kogoś normalnego.

Normalnymi Dave określał ludzi, którzy nie byli skrzywieni przez swoje żałosne dzieciństwo. Mercy rzadko spotykała kogoś, kto zaliczałby się do tej kategorii, ale Sara Linton rzeczywiście zdawała się należeć do elitarnego grona szczęśliwców. Otaczała ją aura, którą umiały wychwycić tylko inne kobiety. Wszystko działało u niej jak w zegarku.

Mercy otarła usta wierzchem dłoni. Jej własny zegarek był smętną zbieraniną rozsypanych na podłodze trybików i sprężyn.

– Zdziwiłem się, widząc go tutaj – dalej opowiadał Dave. – Wspominałem ci, że nie szło mu z czytaniem. Nie umiał zapamiętać wersetów z Biblii. Trochę żałosne, że po tylu latach postanowił się pojawić w okolicy starego obozowiska. Wiesz, na zasadzie „gościu, ten pociąg dawno odjechał!". Powinien to zostawić za sobą dawno temu.

Oparta o drzewo Mercy wciąż pociła się jak mysz. Obrzygana paproć znajdowała się o pół kroku przed Dave'em, ale on jak zwykle był za bardzo pochłonięty sobą, by ją zauważyć. A Mercy jak zwykle udawała zainteresowanie. Choć akurat w tym przypadku „udawała" nie było właściwym słowem, bo temat rzeczywiście ją zaciekawił. Śmieciuch zawsze zajmował ważne miejsce w opowieściach Dave'a o tragicznej młodości. Niewydarzony dzieciak stanowił puentę właściwie każdego dowcipu.

Nie byłby to pierwszy raz, gdy Dave pomylił się w ocenie kogoś. Mercy nie zamieniła z Willem Trentem ani słowa, ale jego żona nie należała do kobiet, które związałyby się z obiektem ciągłych drwin. Była to raczej domena Mercy.

– O co ci naprawdę chodzi? – zapytała. – Kiedy zobaczyłeś go w kamerze na początku szlaku, zareagowałeś dość dziwnie.

Dave wzruszył ramionami.

– Stary uraz. Gdyby to ode mnie zależało, kazałbym mu wracać tam, skąd przyszedł.

Słysząc tę idiotyczną fanfaronadę, Mercy musiała powstrzymać się od śmiechu.

– Co ci zrobił?

– Nic. Chodzi o to, co jego zdaniem – odparł z naciskiem – ja mu zrobiłem. – Westchnął flegmatycznie. – Koleś się na mnie wkurzył, bo myślał, że to ja nadałem mu przezwisko.

Patrzyła, jak Dave rozkłada ręce i wzrusza ramionami, jakby wcale nie lubował się w nadawaniu ludziom głupawych przezwisk, takich jak Bitty, Mercy Mac, Chuck czy Fishtopher.

– Bez względu na to, co dawno temu wydarzyło się w domu dziecka, dzisiaj staram się być lepszym człowiekiem. A ten gość okazał się zwykłym dupkiem – powiedział.

– Rozmawiałeś z nim?

– Szedłem naprawić toaletę. Wpadłem na niego przypadkiem.

Mercy zastanawiała się, za jak głupią uważa ją Dave. Domek numer dziesięć znajdował się na końcu Pętli, a toaleta ciekła w domku numer trzy, rzut beretem od miejsca, w którym właśnie rozmawiali.

– I co? – dopytała mimo wszystko.

Dave znów wzruszył ramionami.

– Próbowałem zachować się jak człowiek. Nie odpowiadam za to, co go spotkało, ale pomyślałem, że przeprosiny trochę pomogą mu uporać się z traumą. Życzyłbym sobie, żeby ktoś zdobył się na coś takiego wobec mnie.

Mercy niejeden raz była odbiorczynią nieszczerych przeprosin Dave'a. Nie były miłe.

– Co konkretnie powiedziałeś?

– Nie pamiętam. Żebyśmy zostawili przeszłość tam, gdzie jej miejsce, czy coś w tym rodzaju. Starałem się być wielkoduszny.

Przygryzła wargę. Słowa takie jak to nieczęsto padały z ust Dave'a.

– Jak na to zareagował?

– Zaczął odliczać od dziesięciu. – Dave wsunął kciuki do kieszeni. – Groził mi czy co? Mówiłem ci, że nie jest zbyt bystry.

Mercy spuściła wzrok, żeby nie mógł zobaczyć jej reakcji. Will Trent był o głowę wyższy od Dave'a i bardziej umięśniony niż Jon. Mogłaby postawić swój udział w sprzedaży kompleksu, że Dave by uciekł, zanim tamten doliczyłby do pięciu. W przeciwnym razie trzeba byłoby go znosić z góry w worku na zwłoki.

– I co wtedy zrobiłeś? – zapytała.

– Poszedłem sobie. Co innego miałbym zrobić? – Dave podrapał się po brzuchu, co stanowiło jedną z wielu oznak, że kłamie. – Tak jak mówiłem, jest trochę żałosny. Zawsze był cholerny milczek z niego, nie umiał rozmawiać z ludźmi, a teraz zjawia się tutaj po nie wiedzieć ilu latach. Z niektórymi dzieciakami jest tak, że nigdy nie otrząsają się po swoich przejściach. Nie moja wina, że nadal ma niepoukładane we łbie.

Mercy sporo wiedziała o ludziach, którzy niełatwo zapominają.

– Ale dooobra. – Dave przeciągnął słowo. – O co ci chodziło na spotkaniu? Zgaduję, że jak zwykle bredziłaś od rzeczy.

Mercy poczuła, że sztywnieją jej plecy.

– Nie bredziłam, Dave. Nie zamierzam pozwolić Papie sprzedać ośrodka i sobie go odebrać. Odebrać go Jonowi.

– Ale sama zamierzasz odebrać własnemu dziecku prawie milion dolców?

– Niczego mu nie odbieram – odparła. – Rozejrzyj się, Dave. Popatrz na to miejsce. Dzięki temu ośrodkowi Jon może prowadzić dostatnie życie. A potem przekazać go dzieciom i wnukom. Nazwisko na znaku przy drodze to także jego nazwisko. Wystarczy, że będzie pracował. Jestem mu winna choć tyle.

– Jesteś mu winna możliwość wyboru – stwierdził Dave. – Zapytaj go, co chce zrobić. Jest już właściwie dorosły. To powinna być także jego decyzja.

Mercy zaczęła odruchowo kręcić głową, zanim skończył mówić.

– Za żadne skarby.

– Tak właśnie myślałem. – Dave prychnął z rozczarowaniem. – Nie zapytasz Jona, bo za bardzo się boisz usłyszeć, co ma do powiedzenia.

– Nie zapytam Jona, bo jest jeszcze dzieckiem – odparowała Mercy. – Nie chcę wywierać na niego presji. Jon domyśli się, że ty wolisz sprzedać. I będzie wiedział, że ja nie chcę. To jakbym kazała mu wybierać między nami. Naprawdę chcesz mu to zrobić?

– Mógłby iść na studia.

Mercy poczuła się oburzona tą sugestią. Nie odmawiała Jonowi dalszego kształcenia, ale Dave od lat wkładał mu do głowy, że studia są stratą czasu. To samo powtarzał jej, kiedy zaczęła chodzić na wieczorowe zajęcia, żeby zdać maturę. Nie chciał, by ktokolwiek osiągnął więcej niż on.

– Merce – powiedział. – Pomyśl o tym, co cię ominie. Chciałaś wyrwać się z tych gór, odkąd cię znam.

– Dave, chciałam wyrwać się z tych gór z tobą – odparła z naciskiem na ostatnie słowa. – A kiedy ci to mówiłam, miałam piętnaście lat. Nie jestem już małą dziewczynką. Odnalazłam się jako zarządzająca tym miejscem. Sam przyznałeś, że dobrze sobie radzę.

– To tylko... – Machnął ręką, bagatelizując komplement, z którego była taka dumna. – Musisz przejrzeć na oczy. Tu chodzi o forsę, która może odmienić życie.

– Ale nie w dobry sposób – zaprotestowała. – Nie powiem wszystkiego, co myślę, ale oboje wiemy, jak pazerny jesteś na pieniądze.

– Uważaj na słowa.

– Nie ma na co uważać. Nieważne. Równie dobrze moglibyśmy dyskutować o cenie balonów na ogrzane powietrze. Nie pozwolę sobie odebrać tego miejsca. Nie po tym, jak włożyłam w nie całe serce. I nie po wszystkim, przez co przeszłam.

– Niby przez co, do cholery, przeszłaś?! – krzyknął Dave. – Wiem, że nie było ci lekko, ale zawsze miałaś dom i żarcie na stole. Nigdy nie spałaś na zewnątrz podczas ulewy. I nigdy żaden pieprzony zboczeniec nie wgniatał ci twarzy w ziemię.

Mercy spojrzała nad jego ramieniem. Kiedy po raz pierwszy opowiedział jej o molestowaniu seksualnym, którego ofiarą padł w dzieciństwie, ogarnął ją niewysłowiony smutek. Za drugim i trzecim razem płakała razem z nim. Za czwartym, piątym i nawet za setnym spełniała każdą jego zachciankę, by pomóc mu wyrwać się z mroku, jaki go spowijał. Robiła wszystko bez względu na to, czy chodziło o gotowanie, sprzątanie czy o coś w sypialni. Nawet jeśli to bolało. Nawet jeśli sprawiało, że czuła się brudna i mała. Robiła wszystko, byle tylko poczuł się lepiej.

Potem uświadomiła sobie, że to, co przeszedł w dzieciństwie, jest bez znaczenia. Liczyło się piekło, jakie jej zgotował już jako dorosły człowiek. Jego potrzeby były lejem bez dna w ruchomych piaskach.

– Nie ma sensu ciągnąć tej rozmowy – powiedziała. – Już podjęłam decyzję.

– Poważnie? Nie chcesz nawet o tym rozmawiać? Zamierzasz po prostu wyrolować swoje dziecko?

– To nie ja wyroluję Jona, Dave! – Mercy nie dbała o to, czy słyszą ją goście. – Bardziej niepokoi mnie twoje podejście.

– Moje? A co ja, do diabła, miałbym zrobić?

– Zabrać jego pieniądze.

– Gadasz bzdury.

– Widziałam, do czego jesteś zdolny, gdy masz w kieszeni trochę gotówki. Tysiąc dolców, które dał ci Papa, nie uchowało się u ciebie nawet przez jeden dzień.

– Mówiłem ci, że kupiłem materiały!

– I kto teraz bredzi? – zapytała Mercy. – Nie nasycisz się milionem dolarów. Przehulasz je na samochody, mecze futbolowe i imprezy, stawianie kolejek w pubie i puszenie się na mieście. Nic z tego nie odmieni twojego życia. Nie sprawi, że staniesz się lepszym człowiekiem. Nie wymaże tego, przez co przeszedłeś w dzieciństwie. Będziesz chciał więcej, jak zwykle, Dave. Umiesz tylko brać i brać, nie przejmując się, że odbierasz drugiemu człowiekowi wszystko.

– To cholernie krzywdzące. – Pokręcił głową i ruszył w swoją stronę, ale po chwili zawrócił, robiąc wyzywającą minę. – Powiedz mi, kiedy podniosłem rękę na tego chłopca.

– Nie musisz go bić. Po prostu stopniowo go niszczysz. Robisz to odruchowo. Taki po prostu jesteś. To samo próbujesz robić z tym nieszczęsnym facetem z domku numer dziesięć. Przez całe życie postępujesz tak, by wszyscy czuli się przy tobie cholernie mali, bo tylko w ten sposób sam możesz poczuć się wielki.

– Zamknij jadaczkę! – Gwałtownie wyciągnął ręce i zacisnął dłonie na jej gardle.

Plecy Mercy mocno zaparły się o pień drzewa, oddech uleciał z piersi. Właśnie to się działo, gdy przestawała się litować. Dave znajdował inne sposoby, by zmusić ją do uległości.

– Posłuchaj mnie, jebana szmato.

Mercy już dawno nauczyła się nie zostawiać śladów na jego twarzy i rękach. Teraz wbiła mu paznokcie w klatkę piersiową, rozpaczliwie próbując się uwolnić.

– Słuchasz? – Wzmocnił uścisk. – Myślisz, że jesteś taka cholernie cwana? Że mnie rozpracowałaś?

Wierzgnęła. Dosłownie widziała gwiazdy.

– Powinnaś pomyśleć o tym, kto będzie pełnomocnikiem Jona, jeśli kopniesz w kalendarz – wysyczał. – Trudno ci będzie zablokować tę sprzedaż, kiedy będziesz leżeć w grobie.

Płuca Mercy zaczęły dygotać. Nabrzmiała wściekłością twarz Dave'a pływała jej przed oczami. Czuła, że za chwilę straci przytomność. Może umrze. Przez moment nawet tego chciała. Tak łatwo byłoby się poddać po raz ostatni. Pozwolić Dave'owi zgarnąć pieniądze. Pozwolić Jonowi zrujnować sobie życie, a Fishowi opuścić te góry. Papa i Bitty odetchnęliby z ulgą. Delilah byłaby wniebowzięta. Nikt nie zatęskniłby za Mercy. Jej wyblakły portret nie zawisłby na ścianie wśród rodzinnych fotografii.

– Pieprzona suka. – Dave rozluźnił uścisk, zanim straciła przytomność. Wyraz obrzydzenia na jego twarzy mówił wszystko. Już obwiniał ją za doprowadzenie do takiego kryzysu. – Nigdy nie okradłem nikogo, kogo kochałem. Nigdy. W dupę sobie wsadź swoje słowa.

Gdy gniewnie ruszył przez las, Mercy osunęła się na ziemię. Zanim odważyła się poruszyć, przez chwilę słuchała jego wściekłej tyrady, dopóki nie ucichła w oddali. Dotknęła policzków pod oczami, lecz nie poczuła łez. Oparła głowę o pień i spojrzała na korony drzew. Promienie słońca przeciskały się przez liście.

Kiedyś, na początku, Dave błagał, by wybaczyła mu wyrządzone krzywdy. Potem rozpoczął się etap fałszywych przeprosin, kiedy to bąkał pod nosem różne słowa, lecz ostatecznie jakimś cudem nie czuł się winny. Teraz trwał w niezachwianej pewności, że to Mercy wydobywa z niego całą podłość. Pan Wyluzowany Dave. Pan Dobroduszny Dave. Pan Dave Imprezowicz. Nikt nie zdawał sobie sprawy z tego, że każdy z nich był tylko maską na pokaz. Prawdziwy Dave, autentyczny Dave właśnie próbował zdusić w niej życie.

A prawdziwa Mercy właśnie tego chciała.

Namacała na szyi miejsca, które ucierpiały podczas napaści. Będzie miała siniaki, to pewne. W jej głowie zaroiło się od wytłumaczeń. Uległa groteskowemu wypadkowi z końskim lassem. Spadła z roweru i uderzyła szyją o kierownicę. Poślizgnęła się, wychodząc z kajaka. Zaplątała się w żyłkę wędkarską. Umysł podsuwał dziesiątki pomysłów. Wystarczy, że jutro spojrzy w lustro i wybierze ten, który będzie najlepiej pasował do zaognionych sinych śladów.

Wstała z trudem. Odkaszlnęła w dłoń, którą zrosiły kropelki krwi. Tym razem Dave się nie patyczkował. Skierowała się do ścieżki, tocząc w myślach swego rodzaju grę polegającą na przypominaniu sobie wszystkich krzywd, jakie jej wyrządził, niezliczonych szturchnięć i uderzeń.

Przeważnie sprawa kończyła się szybko. Atakował i od razu się wycofywał. Rzadko szarżował niczym bokser, który nie usłyszał dzwonka. Tylko dwa razy przydusił ją do nieprzytomności. Wydarzyło się to w odstępie miesiąca i w obu przypadkach ze względu na rozwód. Przyłapała Dave'a na zdradzie. Potem jeszcze raz. I kolejny, bo kiedy coś uszło mu płazem, traktował to jako pozwolenie na recydywę. Z perspektywy czasu Mercy nie wierzyła, że zakochał się w którejkolwiek z tych kobiet. Albo że choćby go pociągały. O kilku wiedziała, że były znacznie starsze od niego. Wygląd niektórych świadczył o fatalnej kondycji, inne miały kilkoro dzieci albo były skrajnie odpychające. Jedna skasowała jego ciężarówkę. Ciężarówkę, za którą zapłaciła Bitty. Druga go okradała. Trzecia zostawiła z torebką trawki w dłoni, gdy gliniarze zapukali do drzwi jego przyczepy.

W zdradach nie chodziło mu o seks. Bóg jeden wiedział, że jego fiut nie zawsze staje na wysokości zadania. Tym, co uwielbiał, było oszukiwanie. Czajenie się. Potajemne wysyłanie wiadomości z telefonu kupionego specjalnie w tym celu. Przeglądanie aplikacji randkowych. Kłamanie w kwestii tego, dokąd idzie, kiedy wróci i z kim jest. Świadomość, że Mercy zostanie upokorzona. Przekonanie, że kobiety, które uwodzi, są głupie na tyle, by sądzić, że zostawi dla nich Mercy i popędzi na ślubny kobierzec. Kochał pewność, że może skakać z kwiatka na kwiatek, nie interesując się, czy ktoś się o tym dowie.

Świadomość, że Mercy i tak przyjmie go z powrotem.

Jasne, za każdym razem kazała mu na to zapracować, ale Dave potrafił odegrać swoją rolę. Udawać, że się zmienił. Wylewać krokodyle łzy. Nocami toczyć egzaltowane rozmowy telefoniczne. Zasypywać ją esemesami. Pojawiać się z kwiatami, romantyczną playlistą i wierszem, który napisał na serwetce w pubie. Prosić, błagać, przymilać się i kłaniać, gotować, sprzątać i okazywać nagłe zainteresowanie wychowywaniem Jona; być słodkim jak miód, dopóki Mercy znów go nie przygarnie.

By miesiąc później mógł zrobić z niej worek treningowy, bo za głośno upuściła klucze na kuchenny stół.

Duszenie stanowiło bardzo zły znak. A przynajmniej tak Mercy wyczytała w internecie. Jeśli mężczyzna decydował się zacisnąć dłonie na szyi kobiety, ryzyko, że padnie ofiarą dalszej bestialskiej przemocy lub zostanie zabita, rosło sześciokrotnie.

Pierwszy raz dusił ją po tym, gdy Mercy, również po raz pierwszy, poprosiła go o rozwód. Nie oznajmiła mu swojej decyzji, tylko właśnie poprosiła o zgodę, jakby jej potrzebowała. Dave eksplodował. Ścisnął jej szyję tak mocno, że czuła przemieszczające się chrząstki. Straciła przytomność w przyczepie i obudziła się w kałuży własnego moczu.

Drugi raz nastąpił, gdy powiedziała mu, że znalazła w mieście małe mieszkanie dla siebie i Jona. Nie pamiętała, co wydarzyło się później, poza przeświadczeniem, że już po niej. Urwał się jej film. Nie wiedziała, gdzie jest i jak się tam dostała. Dopiero potem uświadomiła sobie, że znajduje się w owym małym mieszkaniu. Jon płakał w sąsiednim pokoju. Podbiegła do jego łóżeczka. Miał czerwoną, zasmarkaną buzię i pełną pieluchę. Był przerażony.

Czasami wciąż czuła jego małe rączki wczepiające się w nią desperacko. Drobne ciałko rozdygotane od zawodzenia. Koiła go, tuliła przez całą noc i tłumaczyła, że wszystko będzie dobrze. Bezbronność Jona zmotywowała ją do ostatecznego rozstania z Dave'em. Nazajutrz rano złożyła pozew o rozwód. Opuściła mieszkanie i wróciła do pensjonatu. Nie zrobiła tego dla siebie. Nie uległa pod wpływem ciągłych upokorzeń ze strony Dave'a, strachu przed pogruchotaniem kości czy nawet śmiercią, lecz z powodu przytłaczającej świadomości, że gdy ona odejdzie, Jon nie będzie miał nikogo.

Tym razem musiała na dobre wyrwać się z tego błędnego koła. Musiała zablokować sprzedaż. Zrobić wszystko, by Dave nie wywierał negatywnego wpływu na jej syna. Papa w końcu umrze. Liczyła na to, że Bitty nie pozostało o wiele więcej czasu. Mercy nie chciała skazywać Jona na brnięcie w ruchomych piaskach przez całe życie.

Jakby na zawołanie, usłyszała charakterystycznie nieregularne kroki Jona idącego Pętlą. Szedł z rękami rozłożonymi na boki niczym skrzydła samolotu, a jego dłonie muskały końcówki zarośli. Obserwowała go w milczeniu. Chodził w ten sposób od wczesnego dzieciństwa. Mercy pamiętała, jak zawsze bardzo się cieszył, gdy zobaczył ją na ścieżce.

Z rozpędu wpadał w jej ramiona, a ona unosiła go wysoko. Teraz mogła mówić o szczęściu, jeśli w ogóle ją zauważył.

Gdy weszła na ścieżkę, opuścił ręce.

– Poszedłem do szopy, żeby pomóc Fishowi z kajakami, ale stwierdził, że poradzi sobie sam – powiedział. – Byłem w dziesiątce, przekazałem gościom wszystko, co trzeba.

Mercy od razu zaczęła zastanawiać się nad następnym zadaniem, które mogłaby mu przydzielić, ale się powstrzymała.

– Jacy są?

– Kobieta jest miła – odparł Jon. – A ten jej facet trochę straszny.

– Może nie trzeba było mizdrzyć się do jego żony.

Jon uśmiechnął się nieśmiało.

– Zadawała mnóstwo pytań na temat ośrodka.

– Odpowiedziałeś na każde?

– No pewnie. – Jon skrzyżował ramiona. – Zasugerowałem, że jeśli chce się dowiedzieć czegoś więcej, powinna zapytać Bitty przy kolacji.

Mercy odruchowo kiwnęła głową. Od czasów Papy wiele się zmieniło, ale jej syn nie miał prawa wyjść na ignoranta w kwestii tej ziemi.

– Coś jeszcze? – zapytał.

Znów pomyślała o Davie. Ich konflikty przebiegały według jednego schematu. Domyślała się, że dziś wieczorem pójdzie do pubu i utopi złość w alkoholu. Powinna raczej martwić się o jutro. Nie mogła pozwolić mu namierzyć Jona i powiedzieć mu o inwestorach. Nie wątpiła, że w jego wersji zdarzeń grałaby rolę szwarccharakteru.

– Chodźmy na ławkę widokową – zaproponowała. – Chcę z tobą przez chwilę posiedzieć.

– A nie masz nic do roboty?

– Oboje mamy – odparła, ale skierowała się już w stronę ławki.

Jon ruszył za nią, zachowując spory dystans. Mercy dotknęła palcami szyi. Miała nadzieję, że nie dostrzegł śladów. Nienawidziła spojrzeń, jakie jej posyłał, ilekroć Dave'owi puszczały nerwy. Oskarżenie mieszało się w nich z litością. Przypuszczała, że już dawno przestał się nad tym zastanawiać i patrzy na nią jak na kogoś, kto z rozpędu uderza głową w ścianę, wstaje, a potem tłucze czołem w mur jeszcze raz.

Nie mylił się.

– Dobra. – Mercy usiadła na ławce i poklepała miejsce obok siebie. – Miejmy to za sobą.

Jon opadł na drugi koniec ławki, nie wyjmując rąk z kieszeni szortów. W zeszłym miesiącu skończył szesnaście lat i wreszcie wszedł w okres dojrzewania, co stało się właściwie z dnia na dzień. Nagłe fale hormonów rzucały nim to w jedną, to w drugą stronę. Potrafił być zarozumiały i flirtować z żoną gościa, by moment później sprawiać wrażenie zagubionego chłopca. Do tego stopnia przypominał jej Dave'a, że Mercy na moment odebrało mowę.

Niespodziewanie znów przemienił się w opryskliwego nastolatka.

– I czemu tak dziwnie na mnie patrzysz?

Mercy otworzyła usta, lecz zaraz je zamknęła. Potrzebowała więcej czasu. W tej chwili panował między nimi chwiejny pokój. Zamiast go niweczyć, udzielając Jonowi wykładu na temat wapowania, bałaganu w pokoju i innych spraw, którymi suszyła mu głowę, rozejrzała się po okolicy. Spojrzała na feerię roślinności i powierzchnię Płyczyny delikatnie marszczącą się od wiatru. Jesienią można było stąd podziwiać zmieniające się barwy liści i zieleń gasnącą na okolicznych szczytach. Musiała ratować to miejsce dla Jona. Nie chodziło tylko o zabezpieczenie jego bezpośredniej przyszłości. Chodziło o całe życie.

– Czasami zapominam, jakie to wszystko jest piękne – powiedziała.

Nie skomentował tego. Oboje wiedzieli, że byłby przeszczęśliwy, gdyby mógł zamieszkać w mieście w jakiejś betonowej celi bez okien. Podobnie jak Dave, miał w zwyczaju obwiniać innych za poczucie izolacji. Obaj mogli przebywać w pokoju pełnym ludzi i nadal czuć się samotni. Choć, szczerze mówiąc, Mercy często odnosiła podobne wrażenie.

– Ciotka Delilah przyjechała – oznajmiła, a gdy spojrzał na nią bez słowa, dodała: – Chcę, żebyś pamiętał, że Delilah cię kocha niezależnie od tego, co się stało, kiedy byłeś dzieckiem. Właśnie dlatego poszła do sądu. Chciała cię zatrzymać dla siebie.

Jon popatrzył w dal. Mercy nigdy nie powiedziała o Delilah złego słowa. Jeśli nauczyła się od Dave'a czegoś pożytecznego, to tego, że człowiek, który ciągle ujada i szczuje na innych, rzadko zaskarbia sobie życzliwość. Dlatego Dave ujawniał swoje paskudne oblicze tylko przed nią.

– To jej subaru stoi na parkingu? – zapytał Jon.

Mercy poczuła się jak idiotka. Przecież musiał zauważyć samochód ciotki. W tym miejscu nic się nie ukryje.

– Myślę, że Papa i Bitty z nią rozmawiali. Dlatego się zjawiła.

– Nie chcę z nią mieszkać. – Jon zerknął na Mercy, po czym ponownie odwrócił wzrok. – Jeśli po to tu przyjechała, wiedz, że się stąd nie ruszę. A w każdym razie nie z jej powodu.

Mercy już dawno przelała wszystkie swoje łzy, lecz słysząc pewność w jego głosie, poczuła głęboki smutek. Próbował się o nią zatroszczyć. Może po raz ostatni na długi czas. A może w ogóle ostatni.

– Czego chce? – zapytał.

Gardło Mercy zrobiło się szorstkie niczym papier ścierny.

– Powinieneś porozmawiać z Papą. Wyjaśni ci, o co chodzi.

– Dlaczego ty mi nie powiesz?

– Bo... – Nie mogła znaleźć właściwych słów. Nie z powodu tchórzostwa. Jakże łatwo byłoby przekonać Jona do własnego pomysłu. Wiedziała jednak, że manipulując synem, nie byłaby lepsza od Dave'a. Na miłość boską, potrafiłaby to zrobić. Choć miał już szesnaście lat, nadal był bardzo podatny na wpływy. Nastoletnia naiwność i buzujące hormony robiły swoje. Kilka odpowiednio dobranych słów, a namówiłaby go na skok z klifu. A Dave był w stanie zupełnie go zniszczyć.

– Mamo, dlaczego sama mi nie powiesz? – powtórzył pytanie.

– Bo powinieneś wysłuchać opinii drugiej strony. Kogoś, komu na tym zależy.

Uśmiechnął się.

– Mówisz zagadkami.

– Daj znać, kiedy będziesz chciał usłyszeć moją wersję. Będę z tobą tak szczera, jak to możliwe. Ale najpierw musisz porozmawiać z Papą, dobrze?

Poczekała, aż skinie głową na znak zgody. A potem spojrzała w jego jasne niebieskie oczy i poczuła się tak, jakby ktoś sięgnął rękami do jej piersi i rozerwał serce na pół.

To była sprawka Dave'a. Zamierzał odebrać Mercy jeszcze jedną jej część, tę najcenniejszą. Tę, której nigdy nie odzyska.

Jon wpatrywał się w nią uważnie.

– Wszystko w porządku?

– Tak – odparła. – Kobieta z domku numer siedem poprosiła o butelkę whisky. Zaniesiesz jej?

– Pewnie. – Jon wstał. – Którą whisky?

– Najdroższą. I zapytaj, czy jutro dostarczyć kolejną. – Mercy także wstała. – Przez resztę wieczoru masz wolne. Sama zajmę się sprzątaniem po kolacji.

Wyszczerzony uśmiech wrócił i Jon znów przemienił się w jej małego chłopca.

– Serio?

– Serio. – Mercy delektowała się jego podekscytowaniem. Pragnęła, aby ta chwila trwała jak najdłużej. – Odwalasz tu kawał dobrej roboty, słonko. Jestem z ciebie dumna.

Jego uśmiech był lepszy niż jakikolwiek narkotyk, którym się w życiu odurzała. Powinna częściej go chwalić, żeby dać mu więcej szans na bycie jej dzieckiem. Zamierzała zniszczyć całą swoją rodzinę, a tym samym przerwać międzypokoleniowy cykl typowej dla McAlpine'ów podłości.

– Bez względu na to, co się stanie, pamiętaj, że cię kocham, słonko. Nigdy o tym nie zapominaj – powiedziała. – Jesteś tym najlepszym, co mi się w życiu przytrafiło, i kocham cię jak diabli.

– Mamo! – jęknął.

Ale potem rzucił jej się na szyję i Mercy znalazła się w siódmym niebie.

Jego uścisk trwał może dwie sekundy. Walcząc z pokusą zawołania syna, patrzyła, jak podąża ścieżką.

Odwróciła się, zanim zniknął w oddali. Dała sobie kilka chwil na pozbieranie się przed powrotem do zwykłych zajęć. Na rozwidleniu skręciła w lewo, potem poszła wzdłuż biegnącego łagodnym łukiem brzegu jeziora. Wdychała świeży zapach wody wymieszany z aromatem butwiejącego drewna.

W każdą sobotę wieczorem urządzali ognisko przy brzegu Płycizny, aby dać gościom ostatni miły akcent na zakończenie pobytu. Były s'moresy i gorąca czekolada, a Fish brzdąkał na mandolinie, ponieważ tak się składało, że należał do tych wrażliwców, którzy lubią grać. Goście to uwielbiali. Mercy zresztą też. Lubiła patrzeć na ich uśmiechnięte twarze ze świadomością, że przyczyniła się do czyjegoś szczęścia. Jako matka nastoletniego syna, była żona agresywnego alkoholika i córka okrutnego sukinsyna oraz jego zimnej, zamkniętej w sobie żony, musiała odcinać kupony od swoich sukcesów wszędzie, gdzie tylko się dało.

Omiotła wzrokiem wodę. Zastanawiała się, jak Papa wyjaśni Jonowi kwestię inwestorów. Przedstawi ją samą w złym świetle? Będzie krzyczał i na nią pomstował? Czyżby nawet niechcący dokonała jakiejś ukrytej manipulacji? Człowiek, który zachowuje się jak ostatni dupek, rzadko wzbudza zrozumienie. Jon zapewne spróbuje stanąć w jej obronie, nawet jeśli nie zgodzi się z jej zdaniem.

Teraz jednak nie mogła zrobić nic innego, jak tylko czekać, aż sam ją znajdzie.

Uznała, że dzięki pracy czas do tego momentu minie jej szybciej. Wyjęła notatnik. W drodze powrotnej na górę zerknie, co u nowożeńców. Potem sama naprawi toaletę. Będzie też musiała porozmawiać z kuchnią. Zapisała butelkę whisky, którą Jon zaniesie do siódemki. Przeczuwała, że do wyjazdu w niedzielę dentystka wyskoczy z nielichych pieniędzy. Dysponując platynową kartą kredytową Moniki, Mercy nie widziała żadnych przeszkód, by dostarczać jej procenty z najwyższej półki. Papa był abstynentem i nigdy nie napędzał sprzedaży alkoholu. A za niedawny wzrost zysków odpowiadały niemal wyłącznie kraftowe trunki, które Mercy promowała w ubiegłym roku.

Wsunęła notes z powrotem do kieszeni i ruszyła ścieżką przecinającą szerokie, płaskie uskoki terenu, które przypominały terasy. Przy szopie na sprzęt dostrzegła Fisha. Opłukiwał kajaki wodą z węża. Na widok pracującego na kolanach brata ścisnęło się jej serce. Fish stanowił wzór rzetelności i autentyczności. Był spośród nich najstarszy, lecz Papa zawsze traktował go jak piąte koło u wozu. Kiedy pojawił się Dave, Bitty jasno dała do zrozumienia, kogo tak naprawdę uważa za swojego syna. Nic dziwnego, że Fish postanowił po prostu usunąć się w cień.

Już miała go zawołać, kiedy z szopy wyszedł Chuck. Nie miał na sobie koszuli. Ognista czerwień jego twarzy i klatki piersiowej sugerowała, że mocno przesadził z przebywaniem na słońcu. W jednej ręce trzymał kawałek folii aluminiowej, a w drugiej zapalniczkę. Błysnął płomień. Z czegoś, co znajdowało się na folii, unosił się dym. Na oczach Mercy Chuck uniósł folię w stronę Fisha. Fish machnięciem dłoni skierował opary na swoją twarz i głęboko się zaciągnął.

– Mercy? – zagadnął Chuck.

– Idioci – syknęła i odwróciła się na pięcie.

– Mercy?! – krzyknął Fish. – Mercy, proszę, nie...

Odgłos jej stóp, gdy puściła się pędem po szlaku, zagłuszył wszystko, co miał do powiedzenia. Nie mogła uwierzyć w głupotę swojego brata. Właśnie przed tym ostrzegała go podczas rodzinnego spotkania. Nawet już się z tym nie krył. A jeśli zamiast niej zjawiłby się tu któryś z gości? Jon przed chwilą był w szopie. Co, jeśli zszedłby ze szlaku i zobaczył, co robią? Jak niby mieliby się z tego wytłumaczyć?

Mercy ruszyła prosto przed siebie. Minęła rozwidlenie prowadzące w stronę Pętli i nie zwolniła kroku, dopóki nie znalazła się po drugiej stronie hangaru dla łodzi. Otarła pot z twarzy. Zastanawiała się, co złego może ją jeszcze dziś spotkać. Spojrzała na zegarek. Miała godzinę, zanim będzie musiała pomóc w przygotowywaniu kolacji. Nadal nie powiedziała w kuchni o głupiej alergii Chucka na orzeszki ziemne.

– Chryste – szepnęła. Naprawdę miała dość. Zamiast iść dalej w górę zbocza, usiadła na skalistym brzegu. Westchnęła ciężko, chłonąc zmysłami otaczającą ją przyrodę. Szelest liści. Łagodny plusk fal. Zapach wczorajszego ogniska. Ciepło słońca nad głową.

Westchnęła raz jeszcze.

Dotarła do swojego azylu. Płycizna była niczym niewidzialna kotwica, która trzymała ją na tej ziemi. Nie mogła jej porzucić. Nikt nigdy nie kochałby tego miejsca tak jak ona.

Patrzyła na pływający dok, który lekko kołysał się na falach. Wiele razy szukała tutaj schronienia. Papa nienawidził wody i nie chciał nauczyć się pływać. Kiedy wybuchał, jak to się często zdarzało, Mercy płynęła do doku, uciekając przed nim. Bywało, że zasypiała pod gwiazdami. Czasami dołączał do niej Fish. A potem także Dave, lecz z innych powodów. Mimowolnie pokręciła głową. Nie chciała już myśleć o tym, co złe. Jej brat nauczył ją tutaj pływać. A Dave'a bezpiecznie brodzić w wodzie, ponieważ był takim cykorem, że bał się zanurzyć z głową. Mercy pokazała Jonowi najlepsze miejsce do nurkowania z pływającego pomostu; tam, gdzie woda jest najgłębsza i gdzie można skutecznie się ukryć, gdyby pojawili się goście. Kiedy był młodszy, przychodziła tu z nim w niedzielne poranki. Opowiadał jej o szkole, dziewczynach i o tym, co chciałby robić w życiu.

Bóg jeden wiedział, że później już się tak przed nią nie otwierał, ale był dobrym dzieckiem. Może nie oszałamiał szkolnymi sukcesami i w żadnym razie nie można go było nazwać duszą towarzystwa, lecz w porównaniu z rodzicami radził sobie całkiem nieźle. Mercy pragnęła tylko, by był szczęśliwy.

Pragnęła tego najbardziej na świecie.

Jon kiedyś odnajdzie swoich ludzi. Może to trochę potrwa, lecz tak się stanie. Był serdeczny. Mercy nie miała pojęcia, skąd wzięła się u niego ta cecha. Owszem, miał temperament, podobnie jak Dave. Podejmował złe decyzje, jak ona sama. Ale uwielbiał babcię. Narzekał tylko wtedy, gdy Mercy goniła go do pracy. Oczywiście się nudził, jak każdy dzieciak tutaj. Dwunastoletnia Mercy nie zaczęła podkradać alkoholu z butelek dlatego, że jej życie było piekielnie ekscytujące.

– Kurwa – mruknęła. Mózg uporczywie podsuwał jej złe skojarzenia. Zmusiła się, by przestawić w głowie znany przełącznik, bezmyślnie wpatrując się w niemożliwie błękitne niebo, dopóki słońce nie zaczęło zniżać się nad górami. Zamknęła oczy, by nie wpatrywać się w jego gorejącą tarczę, która pozostawiła na jej siatkówkach wspomnienie w postaci okrągłej białej cętki. Plamka stopniowo ciemniała, aż stała się prawie granatowa. Potem przemieniła się w słowo. Wypisane zamaszystą kursywą słowo, biegnące łukiem nad sercem Landry'ego Petersona.

Gabbie.

Goście z domku numer pięć dokonali rezerwacji na nazwisko Gordon Wylie. Do formularza dołączono kopię prawa jazdy Gordona. Zadatek wpłacono przy użyciu jego karty kredytowej, która posłużyła też do zabezpieczenia pozostałej części opłaty. Zaparkowany przy wejściu na szlak lexus Gordona miał tablice rejestracyjne zgodne z papierami. A na etykietach wysyłkowych ich bagaży widniał jego adres domowy.

Nazwisko Landry'ego pojawiło się w dokumentach tylko raz, jako personalia drugiego gościa. Jego pracodawcą była ta sama firma, co w przypadku Gordona: Wylie App Co. Teraz nazwa ta kojarzyła się Mercy z Wilusiem Kojotem z bajek Looney Tunes. Była właściwie przekonana, że nazwisko Landry'ego jest fałszywe. Ale zgodnie z panującymi w pensjonacie zasadami, weryfikowana była tylko osoba uiszczająca rachunek. Przyjmowali na wiarę, że goście nie kłamią w kwestii zatrudnienia, zainteresowań oraz obycia z końmi, wspinaczką i raftingiem.

Oznaczało to, że Landry Peterson może być kimkolwiek. Potajemnym kochankiem Gordona. Długoletnim seksprzyjacielem. Liczącym na coś więcej kolegą z firmy. Mógł też mieć jakiś związek z młodą kobietą, którą Mercy zabiła siedemnaście lat temu.

Miała na imię Gabriella, lecz bliscy nazywali ją *Gabbie*.

ROZDZIAŁ CZWARTY

Sara usiadła na skraju łóżka i pozwoliła sobie na łzy. Przepełniały ją emocje tak silne, że chlipała bez skrępowania. Przygotowania do ślubu kosztowały ją mnóstwo stresu. Trzeba było przełożyć ceremonię o miesiąc, żeby zdążyła pozbyć się gipsu ze złamanego nadgarstka. Musiała anulować zamówienia, pozmieniać harmonogramy, przeorganizować sprawy zawodowe i odłożyć na później przypadki medyczne, którymi się zajmowała. Potem zaczął się cyrk w postaci żonglowania kuzynami, ciotkami i wujkami. Należało zadbać, by wszyscy mieli zarezerwowane pokoje w hotelach, transport i miejsca do odwiedzenia, ponieważ niektórzy przylecieli zza oceanu i postanowili zostać na tydzień, a przez ten czas chcieli porobić i zobaczyć coś ciekawego. Najwyraźniej uznali Sarę za osobistą przewodniczkę z Lonely Planet.

Nigdy wcześniej nie zaznała takiej ulgi z powodu zakończenia jakiegoś przedsięwzięcia, choć siostra i matka pomagały, a Will zrobił więcej, niż do niego należało.

Spojrzała na pierścionek. Wzięła głęboki uspokajający wdech. Uznała, że zasługuje na Oscara za utrzymanie nerwów na wodzy dzisiejszego ranka, kiedy Will oznajmił, że ich właściwa podróż poślubna rozpocznie się po małej wyprawie w plenerze. Dwie godziny wędrówki. Po górach. A lotnisko było dwadzieścia minut od jego domu.

Ich domu.

Starała się nie przejmować, kiedy pakowali plecaki, wsiedli do samochodu, opuścili granice miasta. Ani wtedy, gdy zaparkowali na początku szlaku. Will wziął na siebie zorganizowanie ich miesiąca miodowego, więc Sara po prostu musiała pozwolić mu się tym zająć. Ale gdy zatrzymali się na lunch w szczerym polu, a ona zauważyła uciekający czas, wpadła w panikę na myśl, że zamierza zaskoczyć ją czymś w rodzaju biwaku.

Bo ona nienawidziła biwakowania. Choć może trafniej byłoby powiedzieć, że nim pogardzała. Przetrwała skauting tylko dlatego, że zawzięła się na zdobycie wszystkich odznak.

Całe życie Sary stało pod znakiem tego rodzaju uporu. Zawsze forsowała się do granic możliwości. Szkołę średnią ukończyła rok przed czasem. Licencjat zrobiła w ekspresowym tempie. Na studiach medycznych walczyła o prymat w swojej grupie. Podczas rezydentury dawała z siebie absolutnie wszystko. Potem była praktyka pediatryczna, a jeszcze później praca lekarza sądowego na pełny etat. Zawsze starała się wykorzystywać swoje wykształcenie w służbie innym ludziom. Opiekowała się dziećmi na wsiach, a potem w szpitalu publicznym. Pomagała rodzinom ofiar przestępstw odnaleźć ukojenie. A także non stop opiekowała się młodszą siostrą i rodzicami. Była wierną kompanką swojej ciotki Belli. Wspierała pierwszego męża. Opłakała jego śmierć. Ciężko pracowała, by zbudować z Willem coś cennego. Przetrwała wtrącanie się jego toksycznej byłej żony. Omijała rafy dziwnych układów Willa z szefową. Zaprzyjaźniła się z jego służbową partnerką. Zakochała się w jego psie.

Przyglądając się swojemu dotychczasowemu życiu, Sara widziała kobietę, która nieustannie prze do przodu i zawsze dba o to, by wszyscy mieli się dobrze.

Aż do teraz.

Spojrzała na otwartą walizkę. Will ściągnął wszystkie jej książki na iPada oraz zaktualizował podcasty w telefonie. Siostra spakowała dokładnie to, czego Sara potrzebowała, włącznie z właściwymi przyborami toaletowymi i szczotką do włosów. Ojciec wcisnął do bagażu jedną ze swoich ręcznie robionych przynęt wędkarskich i kartkę z czerstwymi dowcipami. Ciotka podarowała jej duży słomkowy kapelusz, który miał chronić upiornie bladą skórę Sary przed słońcem. Od matki dostała małą kieszonkową Biblię, co początkowo uznała za apodyktyczne, lecz po chwili spostrzegła tkwiącą w książce zakładkę. Matka lekko podkreśliła ołówkiem fragment z Księgi Rut (1:16):

...gdzie ty pójdziesz, tam ja pójdę, gdzie ty zamieszkasz, tam ja zamieszkam, twój naród będzie moim narodem, a twój Bóg będzie moim Bogiem[6]. Lektura tych wersetów na dobre wytrąciła ją z równowagi. Matka znakomicie uchwyciła uczucia Sary do Willa. Pójdzie tam, dokąd on ją zabierze. Będzie przy nim spać, gdziekolwiek zechce. Będzie traktować jego wybraną rodzinę jak własną. Gdyby przyszło co do czego, mogłaby nawet udawać, że lubi biwakowanie. Była mu całkowicie i nieodwołalnie oddana.

Chlipanie przemieniło się w płacz, płacz ustąpił miejsca szlochaniu, a ona opadła na łóżko jak rozhisteryzowana dama z czasów wiktoriańskich. Nie mogła nic na to poradzić. Wszystko układało się aż nazbyt idealnie. Cudowna ceremonia zaślubin. A teraz to piękne miejsce. Prezenty od rodziny. Dbałość, z jaką Will zaplanował każdy szczegół. Dopilnował nawet, by w małej lodówce w kuchni znalazł się jej ulubiony jogurt. Sara nigdy w życiu nie czuła się otoczona taką czułością.

– Weź się w garść – skarciła samą siebie.

Czas na roztkliwianie się dobiegał końca. Will powinien wrócić lada chwila.

Zatkany nos skłonił Sarę do poszukiwań chusteczek, których pudełko znalazła w końcu w łazience. Obok głębokiej wanny stało kilka rodzajów soli kąpielowych. Ze względu na Willa wybrała tę najdelikatniej pachnącą i odkręciła kran. Spojrzała na siebie w lustrze. Jej skóra była zaczerwieniona i naznaczona cętkami. Nos błyszczał. Miała przekrwione oczy. Po powrocie od McAlpine'ów Will będzie się spodziewał gorącego seksu w wannie, a powita go dama wyglądająca jak uciekinierka z wariatkowa.

Sara wydmuchnęła nos. Rozpuściła włosy, wiedząc, że Willowi się to spodoba. Potem poszła do sypialni i dokończyła rozpakowywanie ubrań. Jej siostrą nie kierował wyłącznie altruizm. Tessa dla żartu wcisnęła na samo dno walizki zabawkę erotyczną. Sara wkładała właśnie gadżet z powrotem do pokrowca, gdy usłyszała donośny krzyk dobiegający zza frontowego okna.

– Paul! – zawołał męski głos. – Możesz chwilę zaczekać, do jasnej cholery?

---

[6] Biblia Tysiąclecia, Księga Rut 1:16, za: https://biblia.deon.pl (przyp. tłum.).

Sara przeszła do dużego pokoju. Okna były otwarte. Stanęła w cieniu i zaczęła przyglądać się dwóm mężczyznom, którzy kłócili się na ścieżce biegnącej przed ich domkiem. Byli od niej starsi, bardzo wysportowani i wyraźnie poirytowani.

– Wisi mi, co na ten temat myślisz, Gordon – powiedział Paul. – Robię, co trzeba.

– Co trzeba? – powtórzył Gordon. – Kiedy zrobiłeś się taki akuratny?

– Kiedy zobaczyłem, jak ona, do kurwy nędzy, żyje! – wrzasnął Paul. – To nie jest w porządku!

– Kochanie. – Gordon położył ręce na ramionach drugiego mężczyzny. – Musisz o tym zapomnieć.

Paul wyrwał się z uścisku i zaczął biec ścieżką w stronę jeziora.

Gordon puścił się za nim w pogoń, krzycząc:

– Paul!

Sara zaciągnęła zasłony. Interesujące. Kiedy tutaj szli, Keisha powiedziała, że faceci od projektowania aplikacji nazywają się Gordon i Landry. Sara przez chwilę zastanawiała się, czy Paul jest gościem, czy jednym z pracowników. Szybko jednak odgoniła te myśli, bo nie przyjechała tu po to, by prześwietlać innych ludzi. Była tu, żeby uprawiać w wannie płomienny seks z mężem.

Mężem.

Uśmiechnęła się, wracając do łazienki. Pamiętała wyraz twarzy Willa, gdy po raz pierwszy nazwała go mężem. Dorównywał absolutnej rozkoszy, jaką poczuła, usłyszawszy od niego słowo „żona".

Wyjrzała przez duże panoramiczne okno nad wanną. Po Gordonie i Paulu nie było już ani śladu. Chatka znajdowała się na wzniesieniu znacznie górującym nad ścieżką. Nie było stąd widać jeziora. Jak okiem sięgnąć, krajobraz był usiany drzewami. Sprawdziła temperaturę wody i uznała, że jest w sam raz. Wanna napełniała się znacznie szybciej, niż się spodziewała. Sara była córką hydraulika, dlatego wiedziała to i owo o przepływie wody. Znała też swojego męża. Przypuszczała, że jeśli zastanie ją, gdy nago na niego czeka, nie zauważy, że płakała. I taką ją właśnie zastał, gdy pięć minut później wszedł do łazienki.

Will upuścił trzymaną w ręce poduszkę.

– Co się stało?

Sara rozluźniła się w wannie.

– Właź.

Will wyjrzał przez okno. Wstydził się swojego ciała. Tam, gdzie Sara widziała sprężyste mięśnie i ścięgna, kontury wyrzeźbionego brzucha i piękne mocne ramiona, on dostrzegał tylko blizny, które nosił od dzieciństwa. Pomarszczone okrągłe cętki wypalone papierosami. Ślad po haku drucianego wieszaka. Przeszczep skóry w miejscu, w którym rozerwana tkanka doznała zbyt poważnych uszkodzeń, by sama się zagoić. Sara znów poczuła znajome pieczenie napływających do oczu łez. Zapragnęła cofnąć się w czasie i zamordować każdego, kto kiedykolwiek go skrzywdził.

– Na pewno wszystko gra? – dopytał Will.

Kiwnęła głową.

– Po prostu napawam się widokami.

Will nie zawracał sobie głowy sprawdzaniem temperatury. Wszedł do wanny i usiadł naprzeciwko Sary. Ledwie się mieścili. Jego kolana wystawały kilka centymetrów ponad krawędź. Sara odwróciła się, żeby móc oprzeć głowę na jego piersi, a on otoczył ją ramionami. Oboje spojrzeli na wierzchołki drzew. Nad górami unosiła się mgła. Sarze spodobała się perspektywa słuchania kropel deszczu bębniących o dach.

– Muszę ci się do czegoś przyznać – powiedziała, a gdy cmoknął ją w czoło, wyznała: – Czuję się tym wszystkim trochę oszołomiona.

– Oszołomiona w ten zły sposób?

– W ten dobry. – Spojrzała na niego. – Radosny.

Will skinął głową. Pocałowała go delikatnie i ponownie położyła głowę na jego piersi. Zostawiła mu przestrzeń do rozmowy. Widziała, że on także jest trochę zagubiony. Z tą różnicą, że Will wolałby przebiec piętnaście kilometrów po górskich szlakach, niż usiąść na łóżku i płakać.

– Twoja siostra zapakowała wszystko, czego potrzebujesz? – zapytał.

– Włącznie z piętnastocentymetrowym jasnoróżowym wibratorem.

Will milczał przez chwilę.

– Myślę, że możemy go wypróbować, jeśli zechcesz pobawić się czymś mniejszym niż zwykle.

Sara roześmiała się, a on przytulił ją mocniej. W wyłożonej marmurem łazience zapanowała absolutna cisza. Z kranu nie spłynęła nawet jedna kropla wody. Zamknęła oczy, słuchając miarowego oddechu Willa. Leżała w jego ramionach, dopóki woda nie zaczęła stygnąć. Nie chciała przysypiać, ale właśnie to zrobiła. Kiedy się ocknęła, mgiełka odległego deszczu zdążyła przemieścić się nad górami.

Wzięła głęboki wdech i westchnęła.

– Powinniśmy się czymś zająć, prawda?

– Może. – Will zaczął łagodnie głaskać ją po ramieniu. Miała ochotę zamruczeć jak kotka, lecz się powstrzymała. – Ja też muszę ci coś wyznać – powiedział.

Sara nie potrafiła wyczuć, czy Will żartuje.

– Co takiego?

– W ośrodku jest facet, który mieszkał ze mną w domu dziecka.

Informacja była tak nieoczekiwana, że Sara potrzebowała dłuższej chwili, by ją przyswoić. Will rzadko wspominał o ludziach stamtąd. Spojrzała na niego i zapytała:

– Co to za gość?

– Ma na imię Dave – odparł. – Najpierw był w porządku, ale potem coś się wydarzyło. Zmienił się. Dzieciaki zaczęły nazywać go Szakalem. Nie wiem, może sam wymyślił sobie tę ksywę. Lubił nadawać ludziom przezwiska. – Sara ponownie położyła głowę na torsie Willa i wsłuchała się w powolne bicie jego serca. – Przez jakiś czas się przyjaźniliśmy – ciągnął. – Chodził na te same lekcje co ja. Zajęcia wyrównawcze. Myślałem, że dobrze się dogadujemy.

Wiedziała, że Will uczęszczał na te zajęcia tylko z powodu swojej dysleksji. Stwierdzono ją, dopiero gdy był na studiach. Nadal traktował tę przypadłość jak wstydliwą tajemnicę.

– Co się z nim stało?

– Trafił do naprawdę złej rodziny zastępczej. Oszukiwali system. Wymyślali najróżniejsze problemy z Dave'em, żeby dostawać więcej pieniędzy na leczenie go. A potem zaczął łapać infekcje, więc...

Zauważyła, że ścisza głos. Wiedziała, że nawracające infekcje dróg moczowych u dzieci mogą być oznaką wykorzystywania seksualnego.

– Zabrali go stamtąd, ale po powrocie Dave zmienił się na gorsze. Tylko ja na początku nie zdawałem sobie z tego sprawy. Nadal udawał, że się przyjaźnimy. Słyszałem o nim różne złe rzeczy, ale złe rzeczy mówiło się o wszystkich. Każdy z nas był na swój sposób skaleczony. Sara czuła, jak jego klatka piersiowa unosi się i opada. – Zaczął mnie prześladować. Wszczynać bójki. Kilka razy chciałem go uderzyć, ale to nie byłoby uczciwe. Był młodszy i mniejszy ode mnie, więc mógłbym mu zrobić krzywdę. – Will nie przestawał głaskać jej po ramieniu. – A potem zaczął kręcić z Angie, która... Nie, nie jestem idiotą. To nie tak, że siłą zaciągnął ją do piwnicy. Była z wieloma chłopakami. Dawało jej to jakieś poczucie kontroli nad życiem i wydaje mi się, że z Dave'em było podobnie. Ale kiedy to z nim zrobiła, odebrałem sprawę inaczej. Tak jak powiedziałem, sądziłem, że się przyjaźnimy, lecz on już wcześniej się ode mnie odwrócił. Angie o tym wiedziała, ale i tak to zrobiła. Nie spodobało mi się to.

Sara nawet nie próbowała zrozumieć spaczonych relacji między Willem a jego byłą żoną. Jeśli miałaby powiedzieć coś dobrego, co dotyczyłoby tej kobiety, byłby to fakt, że zniknęła z ich życia.

– Dave ciągle się do niej przystawiał. Dokładał wszelkich starań, żebym o tym wiedział, wkładał mi to do głowy. Jakby sam się prosił, żebym go pobił. Jakby chciał udowodnić, że może mnie zniszczyć. – Will umilkł na dłuższą chwilę. – To on zaczął mnie nazywać Śmieciuchem.

Sarze ścisnęło się serce. Nie potrafiła sobie nawet wyobrazić, co poczuł, wpadając na tego wrednego człowieka zaraz po ślubie, i do jakiego stopnia zalały go złe wspomnienia z dzieciństwa. Zwłaszcza ten pseudonim był jak cios prosto w twarz. W ciągu ostatnich dni Will kilkukrotnie żartował na temat pustki w kościelnych ławach po stronie swojej rodziny, lecz Sara widziała w jego oczach prawdę. Brakowało mu matki. Jej ostatnim aktem miłości wobec dziecka było umieszczenie go w koszu na śmieci, bo nie umiała inaczej zadbać o jego bezpieczeństwo. A potem ten obmierzły dupek przemienił ów fakt w narzędzie tortur.

– Dave próbował przepraszać – przyznał Will. – Przed chwilą, na szlaku.

Spojrzała na niego i spytała zaskoczona:

– Co mówił?

– Właściwie nie brzmiało to jak przeprosiny. – Zaśmiał się gorzko, choć w tej sytuacji nie było niczego zabawnego. – Powiedział: „Daj spokój, Śmieciuchu. Nie patrz tak na mnie. Jestem gotów cię przeprosić, jeśli dzięki temu zrobi ci się lepiej".

– Co za skurwiel – szepnęła Sara. – Jak zareagowałeś?

– Zacząłem odliczać od dziesięciu. – Wzruszył ramionami. – Sam nie wiem, czy rzeczywiście bym go uderzył, ale akurat tego się już nie dowiemy, bo zwiał, gdy doliczyłem do ośmiu.

Bezwiednie pokręciła głową. Trochę żałowała, że nie wgniótł tego kutasa w ziemię.

– Przykro mi – rzekł Will. – Nie pozwolę, by zakłóciło to nasz miodowy miesiąc. Obiecuję.

– Nic nam go nie zakłóci. – Sara pomyślała o dodaniu do zaznaczonego przez matkę biblijnego wersetu słów: „Jego wrogowie są jej wrogami". Dave powinien się modlić, żeby przez ten tydzień się na nią nie natknąć. – Jest tu gościem?

– Wygląda raczej na pracownika. Sądząc po tym, jak był ubrany, jest tutejszą złotą rączką. – Will nie przestawał głaskać jej ramienia. – Zabawne, bo uciekł z domu dziecka kilka lat przed tym, zanim sam go opuściłem ze względu na przekroczenie progu wiekowego. Policjanci przesłuchali wtedy wszystkich. Powiedziałem im, że prawdopodobnie jest właśnie tutaj. Dave uwielbiał wyjeżdżać na obóz. Co roku starał się o wyjazd, a ja pomagałem mu z nauką biblijnych wersetów. Czytał je na głos tyle razy, że i mnie wchodziły do głowy. Ćwiczył je ze mną w autobusie, na wuefie i w czasie przeznaczonym na samodzielną naukę. Gdyby włożył choć połowę tego wysiłku w zwykłą edukację, z pewnością nie musiałby chodzić na zajęcia z mniej kumatymi dzieciakami, takimi jak ja.

Sara przyłożyła palec do jego ust. Nie był mniej kumaty. Ujął jej dłoń, pocałował ją i spytał:

– Skończyliśmy z wyznaniami?

– Powiem ci coś jeszcze.

Roześmiał się.

– Dawaj.

Usiadła tak, by mogli patrzeć sobie w oczy.

– Na mapie jest ścieżka nazwana Szlakiem Małego Jelenia. Prowadzi na tyły jeziora.

– Jon wspominał, że *awinita* w języku czirokeskim oznacza jelonka.

– Myślisz, że ten szlak prowadzi do starego obozowiska?

– Sprawdźmy to.

ROZDZIAŁ PIĄTY

SZEŚĆ GODZIN PRZED MORDERSTWEM

Kiedy Mercy weszła do kuchni, personel dwoił się i troił, jak zawsze przed kolacją. Odchyliła się, o włos omijając stos talerzy piętrzący się obok zmywarki. Pochwyciła spojrzenie Alejandra, a on lekko skinął głową, dając znać, że wszystko jest w porządku.

Mimo to zapytała:

– Dostaliście informację o alergii na orzeszki ziemne?

Znów skinął, tym razem jednak gestem podbródka zasygnalizował też, że nie jest tu potrzebna.

Nie poczuła się urażona. Z zadowoleniem pozwalała mu robić swoje. Ich poprzedni kucharz, niepotrafiący utrzymać łap przy sobie i uzależniony od oksykodonu stary dureń, tydzień po wypadku Papy został aresztowany za udział w handlu ludźmi. Alejandro był młodym Portorykańczykiem, świeżo upieczonym absolwentem szkoły gastronomicznej w Atlancie. Mercy obiecała mu, że jeśli zacznie pracę od zaraz, to da mu wolną rękę. Goście go pokochali. Dwóch pozostałych pracowników kuchni, dzieciaków z miasta, też rozpływało się z zachwytu. Nie wiedziała tylko, kiedy znudzi mu się gotowanie niezbyt urozmaiconych potraw dla białych ludzi w górskim ośrodku.

Gdy pchnęła drzwi do jadalni, niespodziewanie poczuła falę mdłości i żołądek podchodzący do gardła. Oparła dłoń o framugę. Jej mózg tłumił wszystkie stresy, lecz ciało przypominało o ich obecności. Otworzyła usta, wzięła głęboki oddech i wróciła do pracy.

Obeszła stół, tu poprawiając łyżkę, tam nóż. Dostrzegła błysk światła w kroplach wody na jednej ze szklanek. Osuszyła je skrajem koszuli, rozglądając się po sali. Pomieszczenie dzieliły dwa długie stoły. Za czasów Papy jedynymi siedziskami były ławy, ale Mercy postanowiła zainwestować w porządne krzesła. Ludzie pili więcej, gdy mogli wygodnie się rozsiąść. Kupiła też głośniki, by puszczać w tle łagodną muzykę, i zainstalowała oświetlenie z możliwością przyciemniania, co pozwalało stworzyć odpowiedni nastrój. Papa go nie cierpiał, lecz nie będąc w stanie obsługiwać panelu sterowania, niewiele mógł zrobić.

Odstawiła szklankę, poprawiła jakiś widelec i przesunęła świecznik na środek stołu. Cicho policzyła nakrycia. Frank i Monica, Sara i Will, Landry i Gordon, Drew i Keisha. Sydney i Max, inwestorzy, mieli siedzieć obok jej rodziny. Chuck dostał miejsce przy Fishu, żeby mogli razem stroić fochy. Delilah miała usiąść na końcu stołu, jakby na doczepkę, co wydało się Mercy właściwe. Zgadywała, że Jon się nie pokaże. Nie tylko dlatego, że zapewne zdążył już porozmawiać z Papą o inwestorach, lecz także że dzięki temu, że niemądrze zaoferowała mu wolny wieczór. Alejandro nie zmywał naczyń, a dzieciaki z miasta na ogół urywały się z kompleksu najpóźniej o dwudziestej trzydzieści, co oznaczało, że ona nie będzie spać do północy, tylko sprzątać i przygotowywać kuchnię na śniadanie.

Spojrzała na zegarek. Zbliżała się pora serwowania koktajli. Wyszła na taras widokowy, który stanowił kolejną nowość po wypadku Papy. Poprosiła Dave'a o takie rozbudowanie poprzedniego tarasu, by wystawał nad urwisko. Musiał ściągnąć ludzi do pomocy przy stawianiu podpór, a potem razem z kumplami-pomocnikami żłopali piwo, zwisając z lin ponad piętnaście metrów nad ziemią. Na koniec zamontował girlandy świetlne na poręczach. Na werandzie znalazło się miejsce dla ławek i szafek na napoje. Całość wyglądała fantastycznie, zwłaszcza jeśli człowiek nie zdawał sobie sprawy z faktu, że Dave spóźnił się z ukończeniem prac o pół roku i wyciągnął od Mercy trzy razy więcej pieniędzy, niż zapowiadał.

W milczeniu przyglądała się wystawionym na bar butelkom z alkoholem. Ich egzotyczne etykiety dobrze prezentowały się w wieczornym słońcu. Pod rządami Papy bar oferował jedynie ciężkie wina domowej roboty, których smak przypominał przetwory owocowe. Teraz serwowali gościom whisky sour i gin z tonikiem za absurdalne pieniądze. Mercy od dawna podejrzewała, że ludzie, którzy ich odwiedzają, będą gotowi szczodrze płacić za alkohole marki Tito czy Macallan. Nie spodziewała się jednak, że na sprzedaży napojów wyskokowych obiekt może zarobić niemal tyle samo, co na wynajmie kwater.

Za barem krzątała się Penny, również miastowa. Pragmatyczna i starsza od reszty personelu, była wyraźnie naznaczona upływem czasu. Mercy znała ją od szkoły średniej, kiedy to Penny zaczęła sprzątać w ośrodku pokoje. Imprezowały wtedy jak szalone, a potem w bolesny sposób zostały zmuszone do zmierzenia się z trzeźwością. Na szczęście Penny nie musiała już pić alkoholu, żeby wiedzieć, co dobre. Miała wręcz encyklopedyczną wiedzę na temat mało znanych koktajli, które zachwycały gości i zachęcały do składania kolejnych zamówień.

– Jakoś leci? – zapytała Mercy.

– Jakoś. – Penny uniosła wzrok znad krojonej limonki, gdy w oddali rozległy się głosy. Spojrzała na zegarek i zmarszczyła brwi.

Mercy nie była zaskoczona na widok Moniki i Franka, którzy przyszli na cocktail party przed ustaloną godziną. Na szczęście dentystka chyba umiała obchodzić się z alkoholem. Pod jego wpływem nie stawała się uciążliwa ani głośna, lecz niesamowicie milcząca. Mercy znała jednak niejednego alkoholika i wiedziała, że ci spokojni często byli najgorsi. Nie dlatego, że nagle wstępował w nich diabeł, tylko przez to, że obrali sobie za misję zapicie się na śmierć. Frank był irytujący, lecz Mercy nie dostrzegała w nim tej autodestrukcyjnej tendencji.

Inna sprawa, że ludzie myśleli to samo o Davie.

– Witamy! – Mercy zmusiła się do uśmiechu, kiedy weszli na taras. – Wszystko w porządku?

Frank odwzajemnił uśmiech.

– Jest świetnie. Bardzo się cieszymy z przyjazdu.

Monica udała się prosto do baru. Postukała palcem w jedną z butelek i zwróciła się do Penny:

– Podwójną, bez lodu.

Mercy poczuła, że ślini się na sam widok otwieranej przez Penny butelki WhistlePig Estate Oak. Próbowała sobie wmówić, że za tę nagłą tęsknotę odpowiada ból szyi, który wciąż dokuczał jej po tym, jak Dave nieomal ją udusił. Łyczek żytniego destylatu złagodziłby dolegliwości. To samo powtarzała sobie, gdy poprzednim razem przerwała abstynencję, choć wtedy chodziło o bimber z kukurydzy.

Monica ujęła szkło i wypiła połowę zawartości. Mercy nie mieściło się w głowie, jakimi ambicjami trzeba się kierować w życiu, by upijać się whisky po dwadzieścia dolców za szklaneczkę. Po drugiej i tak nie czuło się już smaku.

Chrzęst żwiru pod kołami wózka inwalidzkiego oznajmił przybycie Papy. Bitty pchała go ze swoim zwykłym grymasem. Po obu stronach wózka szło dwoje ludzi, mężczyzna i kobieta. Zapewne inwestorzy z Atlanty. Oboje z pewnością dawno przekroczyli pięćdziesiątkę, lecz byli wystarczająco zamożni, by wyglądać na czterdziestolatków. Max miał na sobie dżinsy i czarny T-shirt. Jedno i drugie zostało tak skrojone, że prezentował się obłędnie. Sydney była ubrana podobnie, lecz o ile on miał buty marki Hoka, o tyle ona wybrała mocno znoszone skórzane obuwie do jazdy konnej. Miała rozjaśnione blond włosy spięte w wysoki kucyk na czubku głowy. Ostre kości policzkowe. Ściągnięte ramiona. Uniesiony biust. I podbródek również.

Mercy uznała ją za amazonkę z prawdziwego zdarzenia. Nie da się uzyskać takiej sylwetki, szwendając się po centrum handlowym. Ta kobieta mogła mieć w swojej posiadłości w Buckhead stajnię pełną gorącokrwistych koni i etatowego trenera. Jeśli płacisz komuś dziesięć tysięcy miesięcznie za uczenie stada wałachów po dwieście tysięcy każdy, jak skakać przez patyki, to dwanaście milionów dolarów za drugi lub trzeci dom nie robi na tobie większego wrażenia.

Bitty próbowała uchwycić spojrzenie Mercy. Skrzywiona twarz matki wyrażała głęboką dezaprobatę. Nadal gotowało się w niej po spotkaniu. Lubiła, gdy wszystko szło gładko, i zawsze stawała po stronie Papy, wywołując w dzieciach poczucie winy, które zmuszało je do posłuszeństwa, a często także do przebaczenia.

Mercy nie miała teraz siły na swoją matkę. Wróciła do jadalni. Jej żołądek znów się buntował. Dała sobie przyzwolenie na odrobinę smutku. Przychodząc tu, żywiła wątłą nadzieję, że to Jon będzie pchał wózek Papy.

Liczyła na to, że syn zapyta o jej punkt widzenia, że razem przedyskutują sprawę, że uświadomi sobie własne perspektywy związane z dalszym prowadzeniem rodzinnego biznesu. Że jej nie znienawidzi, a przynajmniej uzna argumenty Mercy, jeśli będzie miał inne zdanie. Ale Jon się nie zjawił. Zjawiło się tylko pogardliwe spojrzenie matki.

Przeczuwała, że straci poparcie wszystkich jeszcze przed upływem tego wieczoru. Jon nie był taki jak Dave. Jego gniew bulgotał pod pokrywką, zanim wybuchł, a gdy już do tego doszło, wiele dni, a czasami nawet tygodni zajmował mu powrót do normalności. A przynajmniej do nowej normalności, bo Jon gromadził swoje żale jak karty kolekcjonerskie.

Dało się słyszeć ciche kliknięcie. Mercy uniosła wzrok. To Bitty delikatnie zamknęła drzwi do jadalni. Niezależnie od tego, czy gotowała jajka, czy chodziła po podłodze, matka robiła wszystko z intencjonalnym spokojem. Umiała podkradać się jak duch. Lub kostucha, w zależności od nastroju.

Teraz jej nastrój zdecydowanie pasował do tej drugiej postaci.

– Papa przyszedł z inwestorami – powiedziała. – Wiem, co czujesz, ale staraj się robić dobrą minę do złej gry.

– Masz na myśli mój pieprzony paskudny pysk? – Choć tylko cytowała ojca, Mercy zauważyła, że matka się wzdrygnęła. – Dlaczego miałabym być dla nich miła?

– Ponieważ nie zrobisz tego, o czym mówiłaś. Po prostu nie zrobisz.

Mercy spojrzała na matkę. Bitty opierała dłonie o wąską talię. Miała zarumienione policzki. Przy tej twarzy cherubina i drobnej budowie ciała można by ją wziąć za dziecięcą aktorkę.

– Nie blefuję, mamo – oznajmiła Mercy. – Jeśli spróbujecie przeforsować tę sprzedaż, zniszczę was.

– W żadnym razie. – Bitty niecierpliwie tupnęła nogą, choć w jej wykonaniu przypominało to raczej szurnięcie. – Skończ z tymi bzdurami.

Mercy już miała roześmiać się jej w twarz, lecz nagle pomyślała, że powinna zadać pewne pytanie:

– Chcesz sprzedać to miejsce?

– Twój ojciec powiedział ci...

– Nie pytam o ojca. Pytam, co ty chcesz zrobić, mamo. Wiem, że nieczęsto zdarza ci się zajmować własne stanowisko. – Mercy odczekała chwilę, lecz matka nie kwapiła się do odpowiedzi. – Chcesz sprzedać to miejsce? – powtórzyła.

Bitty zacisnęła wargi w wąską kreskę.

– To nasz dom. – Mercy podjęła próbę odwołania się do jej poczucia sprawiedliwości. – Dziadek zawsze powtarzał, że nie jesteśmy właścicielami, tylko zarządcami tej ziemi. Ty i Papa mieliście swój czas. Podejmowanie za następne pokolenie decyzji, które nie będą miały wpływu na wasze życie, jest po prostu nieuczciwe.

Bitty milczała, lecz jej wzrok odrobinę złagodniał.

– Poświęciliśmy dla tego miejsca całe nasze życie. – Mercy wskazała gestem jadalnię. – Pomagałam wbijać gwoździe w te deski, kiedy miałam dziesięć lat. Dave zbudował taras, na którym ludzie sączą teraz drinki. Jon szorował tę kuchnię na kolanach. Fish dostarczył część jedzenia, które właśnie jest przyrządzane. Odkąd pamiętam, prawie wszystkie kolacje w życiu jadłam pośród tych gór. Tak samo jak Jon. Tak samo jak Fish. Chcesz nam to odebrać?

– Christopher powiedział, że wszystko mu jedno.

– Powiedział, że nie chce się wtrącać – sprostowała Mercy. – Co nie oznacza, że się nie przejmuje. Wręcz przeciwnie.

– Zdruzgotałaś Jona. Nie chciał nawet przyjść na kolację.

Mercy położyła dłoń na sercu.

– Trzyma się jakoś?

– Nie – odparła Bitty. – Biedne dziecko. Jedyne, co mogłam zrobić, to przytulić go, kiedy płakał.

Mercy ścisnęło się gardło, a nagły przenikliwy ból – echo zaciskających się dłoni Dave'a – usztywnił jej kręgosłup.

– Jestem jego matką. Wiem, co dla niego najlepsze.

Bitty parsknęła nieszczerym śmiechem. Zawsze starała się zachowywać bardziej jak przyjaciółka Jona niż jego babcia.

– Jon nie rozmawia z tobą tak jak ze mną. Ma marzenia. Chce robić w życiu różne rzeczy.

– Ja też chciałam – szybko odparła Mercy. – Zagroziłaś mi, że jeśli odejdę, nie będzie dla mnie powrotu.

– Byłaś w ciąży – powiedziała Bitty. – Miałaś piętnaście lat. Wiesz, jakie to było upokarzające dla mnie i dla Papy?

– A wiesz, jakie to było dla mnie trudne?

– To trzeba było się nie puszczać – warknęła Bitty. – Odkąd pamiętam, miałaś tendencje do przeciągania struny. Dave mówi o tobie to samo. Posuwasz się za daleko.

– Rozmawiałaś z nim?

– Owszem, rozmawiałam. Jon wypłakiwał mi się w jedno ramię, a on w drugie. Czuje się rozdarty. Potrzebuje tych pieniędzy. Ma długi wobec ludzi.

– Pieniądze tego nie zmienią – oznajmiła Mercy. – Skończy się tak, że narobi długów wobec innych ludzi.

– Tym razem będzie inaczej. – Bitty od dziesięciu lat powtarzała to samo. – Dave chce się zmienić. Pieniądze dadzą mu szansę stać się lepszym.

Mercy pokręciła głową. Jeśli chodziło o Dave'a, łaskawość Bitty nie znała granic. Mógł do woli kluczyć i zmieniać zdanie. Tymczasem Mercy musiała przez rok, miesiąc w miesiąc, robić badania moczu, zanim matka pozwoliła jej spędzać czas z Jonem bez nadzoru.

– Dave chce, żebyśmy kupili dom u podnóża gór i zamieszkali tam razem – powiedziała Bitty.

Mercy się roześmiała. Pieprzony podstępny Dave już ostrzył sobie zęby na udziały Bitty i Papy w sprzedaży. Dawała mu rok, zanim zacznie czerpać z ich funduszy emerytalnych.

– Mówi, że powinniśmy poszukać czegoś dużego, ale parterowego, żeby Papa nie musiał spać w jadalni. Z basenem, przy którym Jon mógłby spotykać się z przyjaciółmi. Chłopak czuje się tu samotny – ciągnęła Bitty. – Dave może zapewnić dobre życie nam i Jonowi. I tobie też mógłby, gdybyś nie była tak cholernie uparta.

Mercy ponownie parsknęła śmiechem.

– Dlaczego czuję się odrobinę zaskoczona, że bierzesz stronę Dave'a? Najwyraźniej jestem tak samo łatwowierna jak ty.

– Niezależnie od tego, co sobie ubzdurałaś, nadal jest moim dzieckiem. Nigdy nie traktowałam go inaczej niż ciebie i Christophera.

– Jeśli nie liczyć niezachwianej miłości i czułości.

– Przestań się nad sobą użalać. – Bitty znów cicho tupnęła. – Papa zamierza ci dziś wieczorem przekazać, że bez względu na to, jak potoczy się sprawa z inwestorami, jesteś zwolniona.

Po raz drugi tego dnia Mercy poczuła się jak uderzona w brzuch.

– Nie możecie mnie zwolnić.

– Występujesz przeciwko rodzinie – odparła Bitty. – Gdzie będziesz mieszkać? Bo nie w moim domu. O nie, szanowna pani.

– Mamo...

– Ty mi tu nie mamuj! – odparowała Bitty. – Jon zostaje, ale ty znikasz z końcem tygodnia.

– Nie zatrzymacie mojego syna.

– A jak zamierzasz się o niego zatroszczyć? Nie masz grosza przy duszy.

– Bitty arogancko uniosła podbródek. – Zobaczymy, jak daleko zajdziesz, szukając pracy w mieście z wiszącym nad głową zarzutem morderstwa.

Mercy do niej przyskoczyła.

– Zobaczymy, jak daleko zajdzie twój kościsty tyłek w więzieniu. – Gdy oszołomiona matka cofnęła się, atakowała dalej: – Myślisz, że nie wiem, co wyczyniałaś? – Zobaczyła błysk strachu w jej oczach i było w tym coś niezmiernie satysfakcjonującego. Nie zamierzała na tym poprzestać. – No dalej, sprawdź mnie, staruszko. Mogę zadzwonić po gliny w każdej chwili.

– Posłuchaj, dziewczyno. – Bitty dźgnęła ją palcem w twarz. – Jeśli nadal będziesz nam grozić, ktoś wbije ci nóż w plecy.

– Myślę, że moja matka właśnie to zrobiła.

– Gdybym ja miała to zrobić, patrzyłabym ci prosto w oczy. – Spojrzała gniewnie na Mercy. – Masz czas do niedzieli.

Bitty odwróciła się na pięcie i zniknęła za drzwiami. Jej bezgłośne wyjście było o wiele gorsze niż jakiekolwiek tupanie i trzaskanie. Nie będzie żadnych przeprosin ani wycofywania się z rzuconych słów. Matka powiedziała dokładnie to, co miała na myśli.

Mercy została zwolniona. Miała tydzień na opuszczenie domu.

Opadła na krzesło jak uderzona obuchem. Zaczęło jej się kręcić w głowie. Ręce drżały. Dłoń zostawiła na stole wilgotną smugę. Czy rzeczywiście mogli ją zwolnić? Papa miał wprawdzie pieczę nad funduszem, lecz większość spraw wymagała głosowania. Nie mogła liczyć na Dave'a. Fish schowa głowę w piasek. Mercy nie miała konta bankowego ani żadnych pieniędzy poza dwoma dziesiątakami w kieszeni, a i te wzięła z kasy na drobne wydatki.

– Ciężki dzień?

Nie musiała się odwracać, żeby wiedzieć, kto zadał pytanie. Głos ciotki nie zmienił się od trzynastu lat. Fakt, że Delilah właśnie ten moment wybrała na wyjście z cienia, miał w sobie jakiś pierwiastek okrucieństwa.

– Czego chcesz, ty stara, pomarszczona...

– Pizdo? – Delilah usiadła naprzeciwko niej. – Głębia może by się zgadzała, gorzej z ciepłem.

Mercy wbiła w nią wzrok. Czas zdawał się nie imać starszej siostry Papy, która wyglądała tak samo jak zawsze. Stara hipiska produkująca mydła w swoim garażu. Jej długie siwe włosy były splecione w warkocz sięgający aż do tyłka. Miała na sobie bawełnianą sukienkę tak prostą, że dałoby się ją uszyć z worka na mąkę. Jej dłonie były zrogowaciałe i pokryte bliznami od wytwarzania mydła. Głęboka szrama na bicepsie przypominała skrawek pomarszczonego płótna.

Miała miłą twarz i to było najgorsze. Mercy nie potrafiła pogodzić wizerunku ukochanej w dzieciństwie Delilah z potworem, którego ostatecznie znienawidziła. Co w zasadzie odzwierciedlało jej odczucia wobec wszystkich ludzi w jej życiu.

Z wyjątkiem Jona.

– Dziwią mnie rozpowiadane na temat tych okolic historie o dzielnych czynach – powiedziała Delilah. – Zupełnie jakby te tereny nie były miejscem ludobójstwa. Wiesz, że pierwotne obozowisko rybackie zostało zbudowane przez żołnierza Konfederacji, który zaginął po bitwie pod Chickamaugą?

Mercy nie miała o tym pojęcia, wiedziała jednak, że ośrodek powstał po wojnie secesyjnej. Historia rodzinna głosiła, że pierwszy Cecil McAlpine odmówił odbycia służby wojskowej ze względu na przekonania i uciekł w góry z pokojówką.

– Zapomnij o romantycznych perturbacjach – ciągnęła Delilah. – Cały ten mit o zaginionej wdowie jest jedną wielką bujdą na resorach. Kapitan Cecil ściągnął tu ze sobą niewolnicę. Idiota myślał, że się w sobie zakochali. Ona zaś postrzegała to raczej jako porwanie i gwałt. Poderżnęła mu gardło w środku nocy i uciekła z rodzinnymi srebrami. Otarł się o śmierć. Ale wiesz, że McAlpine'owie nie umierają tak łatwo.

Akurat o tym ostatnim Mercy była przekonana.

– Myślisz, że opowieści o karygodnych postępkach moich przodków zszokują mnie do tego stopnia, że zdecyduję się na sprzedaż? Cóż, trochę się orientuję, do czego jest zdolny mój tatulek.

– Oczywiście. – Delilah wskazała szorstką bliznę na bicepsie. – To nie był zwykły wypadek podczas jazdy konnej. Kiedy oznajmiłam twojemu ojcu, że chcę zarządzać kompleksem, rzucił się na mnie z siekierą. Uderzyłam o ziemię tak mocno, że złamałam sobie żuchwę.

Mercy przygryzła wargę, by powstrzymać się od innej reakcji. Doskonale znała tę historię. Kiedy doszło do wspomnianej napaści, chowała się w starej stodole za padokiem. Nie powiedziała nikomu, co widziała, nawet Dave'owi.

– Cecil umieścił mnie na tydzień w szpitalu. Straciłam fragment mięśnia w ramieniu. Musieli mi drutować żuchwę, a szeryf Hartshorne nawet nie zawracał sobie głowy przyjmowaniem zeznań. Nie mogłam mówić przez dwa miesiące. – Tragiczny wydźwięk tych słów kontrastował z łagodnym uśmiechem ciotki. – Śmiało, zażartuj ze mnie. Widzę, że cię korci.

Mercy przełknęła gulę w gardle.

– Do czego zmierzasz? Sugerujesz, że powinnam odejść tak jak ty, zanim stanie mi się krzywda?

Kolejny uśmiech przyznawał jej rację w tej kwestii.

– To dużo pieniędzy.

Znów poczuła podchodzącą do gardła żółć. Miała cholernie dość utarczek.

– Czego chcesz, Dee?

Delilah dotknęła boku swojej twarzy.

– Widzę, że twoja blizna zagoiła się lepiej niż moja.

Mercy odwróciła wzrok. Jej blizna wciąż była otwartą raną. Miała ją wyrytą w duszy, tak jak pewne imię było wyryte na cmentarnym nagrobku. *Gabriella.*

– Jak myślisz, dlaczego twój ojciec wykluczył mnie z rodzinnego spotkania? – zapytała Delilah.

Mercy czuła się zbyt wyczerpana na rozwiązywanie zagadek.

– Nie wiem.

– Zastanów się. Zawsze byłaś tu najbystrzejsza. Przynajmniej po moim odejściu.

Mercy uderzył melodyjny ton jej głosu – taki kojący, taki znajomy. Zanim wszystko trafił szlag, były sobie bardzo bliskie. W dzieciństwie Mercy spędzała z nią wakacje. Delilah wysyłała jej listy i pocztówki ze swoich podróży. Była pierwszą osobą, której Mercy wyznała, że jest w ciąży. I jedyną, która jej towarzyszyła, gdy Jon przyszedł na świat. Mercy przykuto kajdankami do szpitalnego łóżka, ponieważ oficjalnie była aresztowana. Delilah pomogła jej przytulić Jona do piersi, by mogła go nakarmić.

A potem podjęła próbę odebrania jej go na zawsze.

– Próbowałaś ukraść mi syna – powiedziała Mercy.

– Nie będę za to przepraszać. Robiłam to, co uważałam za najlepsze dla Jona.

– Tym czymś miało być odebranie go matce.

– Na przemian to trafiałaś do więzienia, to z niego wychodziłaś. Podobnie było z twoim odwykiem. A potem wydarzyła się tragedia z Gabbie. Ledwie udało się połatać ci twarz. Równie dobrze sama mogłaś skończyć w grobie.

– Dave był...

– Bezwartościowy – dokończyła Delilah. – Zrozum, kochanie, nigdy nie byłam twoim wrogiem.

Mercy parsknęła śmiechem. Obecnie miała wyłącznie wrogów.

– Gdy Cecil prowadził spotkanie, siedziałam w salonie. – Delilah nie musiała dodawać, że ściany w tym domu są cienkie. Słyszała wszystko, włącznie z groźbami Mercy. – Podjęłaś ryzykowną grę, moja droga.

– Jedyną, w jaką umiem grać.

– Naprawdę wysłałabyś ich wszystkich do pierdla? Poniżyła? Zniszczyła?

– Zobacz, co chcą zrobić ze mną.

– Akurat pod tym względem masz rację. Nigdy nie ułatwiali ci życia. Bitty przedkłada Dave'a nad każde z własnych dzieci.

– Próbujesz mnie pocieszyć?

– Próbuję porozmawiać z tobą jak z dorosłą.

Mercy przepełniło pragnienie zrobienia czegoś zupełnie niedorosłego. Odezwała się nierozważna strona jej charakteru; ta gotowa podpalić most, którym biegła.

– Nie jesteś tym zmęczona? – zapytała Delilah. – Ciągłą walką z tymi ludźmi? Dodajmy, że mowa o ludziach, którzy nigdy nie dadzą ci tego, czego potrzebujesz.

– A czego potrzebuję?

– Bezpieczeństwa.

Mercy poczuła ucisk w piersiach. Miała dość ciosów w brzuch jak na jeden dzień, ale tym słowem oberwała jak młotem. Czego jak czego, ale poczucia bezpieczeństwa nie zaznała nigdy. Zawsze istniała obawa, że Papa eksploduje. Że Bitty zrobi coś złośliwego. Że Fish ją zostawi. Że Dave... Cholera, o nim nie warto nawet wspominać, bo akurat on robił wszystko *oprócz* zapewniania jej bezpieczeństwa. Nawet Jon nie dawał jej poczucia wewnętrznego spokoju. Mercy nieustannie bała się, że zwróci się przeciwko niej podobnie jak reszta. Że go straci i na zawsze zostanie sama.

Całe jej życie było wyczekiwaniem na kolejny cios.

– Kochanie. – Delilah bez ostrzeżenia wyciągnęła rękę nad stołem i ujęła jej dłoń. – Powiedz coś.

Mercy spojrzała na ich dłonie. Tu widać było wiek Delilah. Ciemne plamy. Ślady po ługach i olejach. Odciski po składaniu i demontowaniu drewnianych form do mydła. Delilah była zbyt bystra. Zbyt inteligentna. Jej życie nie przypominało ruchomych piasków, przez które brnęła Mercy. Było niczym wrząca woda.

Mercy skrzyżowała ramiona i odchyliła się na krześle. Delilah była tu niecały dzień, a ona już czuła się odsłonięta i krucha.

– Dlaczego Papa nie zaprosił cię na spotkanie?

– Ponieważ powiedziałam mu, że masz mój głos. Wesprę cię, cokolwiek wybierzesz.

Mercy pokręciła głową. Przeczuwała podstęp. Miała zakodowane w duszy, że nikt nigdy nie będzie jej wspierał.

– Teraz to ty ze mną pogrywasz.

– Nie dopatruj się żadnych gierek z mojej strony. Zgodnie z regulaminem funduszu nadal otrzymuję kopie sprawozdań finansowych. Widzę, że przeprowadziłaś to miejsce przez bardzo burzliwe chwile, a tobie samej jako człowiekowi udało się wyjść na prostą. – Ciotka wzruszyła ramionami. – W moim wieku wolałabym zainkasować pieniądze, ale ponieważ odmieniłaś swoje życie na lepsze, nie zamierzam cię karać. Masz moje wsparcie. Zagłosuję przeciwko sprzedaży.

Słowo *wsparcie* zabolało mocniej niż tortury na madejowym łożu. Delilah nie przyjechała tutaj, by ją poprzeć. Zawsze kierowała się ukrytymi motywami. Jednak Mercy była za bardzo zmęczona, żeby je przejrzeć, a może po prostu miała kurewsko dość swojej kłamliwej, nienawistnej rodziny.

Wyrzuciła z siebie pierwsze słowa, które przyszły jej do głowy:

– Nie potrzebuję twojego pieprzonego wsparcia.

– Doprawdy? – Delilah sprawiała wrażenie rozbawionej, co było jeszcze bardziej irytujące.

– Właśnie tak! – Mercy zaakcentowała drugie słowo. Miała ochotę zetrzeć ten uśmieszek z jej twarzy. – Wsadź sobie to wsparcie w dupę.

– Widzę, że nie straciłaś nic ze swojego charakterku. – Delilah nadal wyglądała na uradowaną. – Czy to mądre?

– Wiesz, co jest mądre? Niewtykanie nosa w moje pieprzone sprawy.

– Próbuję ci pomóc, Mercy. Dlaczego się tak zachowujesz?

– Domyśl się, Dee. Ponoć z nas wszystkich jesteś tą najbystrzejszą.

Przejście przez salę sprawiło Mercy ogromną radość, niczym najbardziej satysfakcjonujące „pieprz się" w historii. Gdy pchnęła podwójne drzwi, owionęło ją ciepłe powietrze. Ogarnęła wzrokiem tłumek ludzi. Taras był nabity po brzegi. Chuck tkwił obok Fisha, który robił, co mógł, by unikać wzroku Mercy. Papa siedział w samym środku i opowiadał jakieś farmazony o siedmiu pokoleniach McAlpine'ów, którzy kochali swoją ziemię i siebie nawzajem. Po Jonie słuch zaginął. Pewnie jadł odgrzewaną kolację w swoim pokoju albo myślał o pustych słowach Dave'a, gówno wartych obietnicach zakupu domu z basenem w mieście i życia w wielkiej szczęśliwej rodzinie, która nie obejmowała jego cholernej matki.

Mercy ogarnął nagły niepokój. Złapała się poręczy. Rzeczywistość była niczym kolejny cios. Co jej, do cholery, odbiło, że zdecydowała się tak gwałtownie wyjść z jadalni? Głos Delilah oznaczał, że musiałaby przekabacić już tylko jedną osobę optującą za Papą. Tymczasem ona w zamian za ulotną chwilę satysfakcji z entuzjazmem piłowała gałąź, na której siedzi. Kierowała się tymi samymi złymi przesłankami, które kazały jej wracać do Dave'a. Ile razy musi jeszcze odbić się od pieprzonej ściany, zanim zrozumie, że może przestać się ranić?

Dotknęła posiniaczonego gardła. Przełknęła ślinę, która napłynęła jej do ust. Zignorowała spływający po plecach pot. Ach, ten słynny charakterek Mercy. Raczej słynny obłęd. Siłą woli uspokoiła drżące dłonie. Musiała wyrzucić tę rozmowę z własnych myśli. Wyrzucić z nich Delilah. Dave'a. Całą rodzinę. Żadne z nich nie miało teraz znaczenia. Musiała przetrwać kolację.

Wciąż była tu menedżerką. Przynajmniej do niedzieli. Monica siedziała z drinkiem w dłoni, Frank stał obok niej i Sary, która z uprzejmym uśmiechem słuchała opowieści Papy o którymś z dawnych McAlpine'ów mocującym się z niedźwiedziem. Keisha pokazywała Drew zacieki na szklance. Cholerni cateringowcy. A niech się zmierzą z twardą wodą i naćpanymi pracownikami, którzy zawsze spóźniają się o pół godziny.

Odszukała wzrokiem pozostałych gości i poczuła ucisk w żołądku na widok idących ścieżką Landry'ego i Gordona. Dotarli jako ostatni. Ich głowy były pochylone w intymnej rozmowie. Inwestorzy spoglądali na wąwóz, prawdopodobnie zastanawiając się, ile będą mogli zarobić na krótkoterminowym wynajmie. Mercy miała cichą nadzieję, że ktoś wypchnie ich za balustradę. Rozejrzała się ponownie, tym razem za Willem Trentem. Na początku go nie zauważyła. Przykucnął w kącie, by pogłaskać jednego z kotów. Nadal wyglądał na upojonego miłością, co oznaczało, że nie zaprząta sobie głowy Dave'em.

Mogła mu tego pozazdrościć.

– Cześć, Mercy Mac. – Chuck położył dłoń na jej ramieniu. – Jeśli mogę...

– Nie dotykaj mnie! – Nie zdawała sobie sprawy z tego, że krzyczy, dopóki wszyscy na nią nie spojrzeli. Pokręciła głową i zmusiła się do śmiechu. – Przepraszam. Wybacz. Po prostu mnie wystraszyłeś, głuptasie.

Kiedy pogłaskała jego ramię, Chuck zrobił bezbrzeżnie zdumioną minę. Nigdy wcześniej go nie dotykała. Unikała tego za wszelką cenę.

– Nabierasz tu mięśni, Chuck – zauważyła, a potem zwróciła się do gości: – Czy ktoś ma ochotę na następnego drinka?

Monica uniosła palec. Frank złapał i opuścił jej dłoń.

– A ten niedźwiedź... – wrócił do swojej opowieści Papa. – Legenda głosi, że założył sklep z cygarami w Karolinie Północnej.

Kilka uprzejmych chichotów rozładowało napięcie. Mercy wykorzystała okazję, by podejść do baru, który znajdował się ledwie pięć metrów dalej, lecz sprawiał wrażenie odległego o półtora kilometra. Zaczęła obracać butelki wyblakłymi etykietami do przodu, w milczeniu marząc o wlaniu sobie do gardła zawartości którejś z nich. Albo kilku.

– Wszystko w porządku, dziewczyno? – szepnęła Penny.

– Ani trochę – odszepnęła. – Rozcieńcz alkohol tamtej kobiecie. Jeszcze chwila i upadnie na stół.

– Jeśli doleję jej więcej wody, będzie to wyglądało jak próbka moczu.

Mercy zerknęła na Monicę, która patrzyła przed siebie pustym wzrokiem.

– Nie zauważy.

– Mercy! – zawołał Papa. – Chodź, poznaj tych miłych państwa z Atlanty.

Na dźwięk tego jowialnego głosu ścierpła jej skóra. To był Papa, którego wszyscy uwielbiali. Jako dziecko Mercy też kochała tę wersję ojca. Dopiero potem zaczęła się zastanawiać, dlaczego dla własnej rodziny nie umiał być tym wesołym, czarującym mężczyzną.

Krąg gości rozstąpił się, gdy podeszła. Inwestorzy rozlokowali się po obu stronach wózka Papy. Bitty stała za nim. W milczeniu dotknęła kącika ust, sugerując Mercy, że powinna się uśmiechnąć.

Mercy posłusznie przywołała na twarz fałszywy uśmiech.

– Siemano! Witamy w górach. Mam nadzieję, że niczego wam nie brakuje.

Nozdrza Papy rozszerzyły się, gdy usłyszał jej wieśniacki akcent, ale kontynuował prezentację:

– Sydney Flynn i Max Brouwer, to jest Mercy. Tymczasowo zarządza tym miejscem, aż znajdziemy kogoś bardziej wykwalifikowanego, kto przejmie jej obowiązki.

Mercy poczuła, że jej uśmiech gaśnie. Nawet im nie powiedział, że jest jego córką.

– Zgadza się. Mój ojciec zaliczył poważny upadek z góry. Bywa tu bardzo niebezpiecznie.

– Czasami przyroda wygrywa – stwierdziła Sydney.

Mercy domyśliła się, że miłośniczka koni ma swój wyidealizowany obraz śmierci.

– Sądząc po twoich butach, wiesz to i owo o jeździectwie.

Sydney się ożywiła.

– Jeździsz?

– Na litość boską, nie. Mój dziadek często powtarzał, że konie mają dwa rodzaje skłonności. Samobójcze i zabójcze. – Mercy uświadomiła sobie, że prawie wszyscy goście zapisali się na konne wycieczki. – Chyba że są naprawdę dobrze wyszkolone. My używamy wyłącznie koni przygotowanych do hipoterapii. Są przyzwyczajone do pracy z dziećmi. Max, a ty jeździsz?

– No co ty. Jestem prawnikiem. Jazda konna to nie moja działka. – Podniósł wzrok znad telefonu. Najwyraźniej od reguły Papy w kwestii braku wi-fi dla gości istniały pewne wyjątki. – Wystawiam tylko czeki za te zwierzaki.

Sydney zaśmiała się piskliwym głosem uległej i zapatrzonej w szefa podwładnej, po czym oznajmiła:

– Mercy, musisz koniecznie oprowadzić mnie po posiadłości. Bardzo chciałabym zobaczyć więcej gruntów należących do obszaru objętego ochroną. Mamy kilka zdjęć lotniczych przedstawiających te tereny, ale chcę obejrzeć wszystko z bliska. Dotknąć ziemi. Wiesz, jak to jest. Ziemia musi do ciebie przemówić.

Mercy ugryzła się w język i kiwnęła głową.

– O ile wiem, mój brat zaplanował dla was na jutro wędkowanie „na muchę".

– Wędkowanie – zauważył Max. – To bardziej w moim stylu. Nie można skręcić karku, spadając z łodzi.

– Właściwie to można. – Fish pojawił się nie wiadomo skąd. – Kiedy byłem na studiach...

– Słuchajcie, moi drodzy – przerwał mu Papa. – Chodźmy na kolację. Sądząc po zapachach, nasz szef kuchni przygotował kolejne ze swoich pysznych dań.

Mercy rozluźniła szczękę, by nie połamać sobie zębów. Odkąd Alejandro postawił swoją stopę w kuchni, Papa nieprzerwanie na niego narzekał. Odczekała chwilę po tym, jak goście udali się za Papą do jadalni. Dostrzegła współczujący uśmiech Willa, który zajął miejsce na końcu korowodu. Domyślała się, że świetnie zna odczucia, które nieodmiennie towarzyszą publicznemu ośmieszeniu. Nie wiedziała, jakie piekło zgotował mu Dave w domu dziecka, cieszyła się jednak, że jej eksmężowi nie udało się splugawić choćby jednej osoby.

– Merce. – Fish oparł się o balustradę. Spojrzał na swoją szklankę i zakręcił resztkami napoju gazowanego. – Co tu się wyprawia?

Szok wywołany konfrontacją z Bitty i rozzłoszczeniem Delilah minął. Teraz do głosu doszła panika.

– Zwolnili mnie. Dali mi czas do niedzieli.

Nie wyglądał na zaskoczonego, co oznaczało, że już o tym wie, a sądząc po jego milczeniu i dotychczasowej historii ich wspólnego życia, nie wyrzekł ani słowa w jej obronie.

– Wielkie dzięki, bracie – powiedziała.

– Może tak będzie lepiej. Nie masz dość tego miejsca?

– A ty?

Wzruszył jednym ramieniem.

– Max powiedział, że mnie tu zatrzymają.

Mercy pozwoliła sobie na chwilę zamknąć oczy. Ten dzień był jednym wielkim pasmem zdrad. Kiedy rozchyliła powieki, Fish klęczał i głaskał kota.

– To dla mnie dobre wyjście, Mercy. – Fish spojrzał na nią, drapiąc zwierzę za uszami. – Wiesz, że nigdy nie miałem głowy do interesów. Zamkną pensjonat dla gości, przemienią go w stricte rodzinny obiekt. Powiększą też przestrzeń dla koni, a ja zostanę zarządcą terenu. Wreszcie przyda mi się do czegoś dyplom.

Mercy poczuła przemożny smutek. Mówił tak, jakby sprawa była już przesądzona.

- Mam rozumieć, że nie masz nic przeciwko temu, żeby jacyś krezusi zagarnęli całą tę ziemię dla siebie? Zawłaszczyli potoki i strumienie? Na dobrą sprawę weszli w posiadanie Płycizny?

Fish wzruszył ramionami i spojrzał na kota.

- Z tego wszystkiego i tak korzystają teraz tylko bogaci ludzie.

Przyszedł jej do głowy tylko jeden sposób, by go przekonać.

- Christopherze, proszę. Musisz być silny dla Jona.

- Jon sobie poradzi.

- Naprawdę tak uważasz? - zapytała. - Wiesz przecież, co z Dave'em robią pieniądze. Jest niczym rekin wyczuwający krew w wodzie. Już wpadł na jakiś obłąkańczy pomysł kupna domu dla Papy i Bitty. Mieliby w nim zamieszkać z Jonem.

Kot, którego Fish za mocno pogłaskał po brzuchu, odwzajemnił się pacnięciem łapą. Fish wstał i spojrzał ponad ramieniem Mercy, nie mając odwagi popatrzeć jej prosto w oczy.

- Może to wszystko nie ułoży się tak źle. Dave kocha Bitty i zawsze będzie się nią opiekował. Jon też ma z nią szczególną więź, a ona go uwielbia. Przykuty do wózka Papa nie zdoła nikogo skrzywdzić. To, że zamieszkają razem, może otworzyć przed nimi nowy rozdział. Dave zawsze chciał mieć rodzinę. Przecież zjawił się tu właśnie dlatego, by mieć jakieś miejsce, które mógłby nazywać własnym.

Mercy zadała sobie pytanie, dlaczego jej brat nie uważa, że ona także na to zasługuje.

- Dave się nie zmieni. Zobacz, co zrobił ze mną. Nie mogę nawet założyć konta w banku. Wydrenuje ich z pieniędzy i zostawi bez grosza przy duszy.

- Umrą, zanim do tego dojdzie.

W ustach jej łagodnego brata to słuszne skądinąd stwierdzenie wydało się jej szczególnie bezduszne.

- A co z Jonem?

- Jest młody - odparł Fish, jakby to cokolwiek ułatwiało. - A ja dla odmiany muszę trochę pomyśleć o sobie. Byłoby miło po prostu codziennie wykonywać swoją pracę bez tych rodzinnych szopek i odpowiedzialności związanej z prowadzeniem własnego biznesu. Poza tym mógłbym zacząć działalność dobroczynną. Może założyłbym organizację charytatywną.

Nie była w stanie dalej słuchać jego nawiedzonych urojeń.

– Zapomniałeś już, co powiedziałam na spotkaniu? Nie pozwolę sobie odebrać tego miejsca. Myślisz, że nie zeznam, co robiliście dzisiaj z Chuckiem przy szopie? Gliny skopią ci tyłek tak szybko, że nawet się nie zorientujesz, kiedy trafisz za kratki.

– Nie zrobisz tego. – Fish spojrzał jej prosto w oczy, budząc w niej strach większy niż dotychczasowe wydarzenia tego dnia. Miał stalowy wzrok i zaciśnięte wargi. Nigdy w życiu nie widziała go tak pewnego siebie. – Powiedziałaś nam, że wszystko, co spieprzyłaś, zostało ujawnione. I że nie masz nic do stracenia. Tymczasem oboje wiemy, że jest coś, co mogę ci odebrać.

– Niby co?

– Resztę twojego życia.

ROZDZIAŁ SZÓSTY

Czując, że Will położył rękę na oparciu jej krzesła, Sara lekko pochyliła się ku niemu. Powiodła wzrokiem po męskich rysach jego twarzy, starając się nie stracić głowy jak nastolatka, która wariuje na punkcie chłopaków. Wciąż czuła na jego skórze zapach soli do kąpieli. Miał na sobie ciemnoniebieską koszulę z rozpiętym kołnierzykiem. Opuścił rękawy, choć w pomieszczeniu było ciepło. Dostrzegła kroplę potu w jego wcięciu nadmostkowym, a jedynym, co dorównywało naukowemu świrowi, który kazał jej określić w myślach wgłębienie pod szyją anatomiczną nazwą, było obłędne pragnienie zbadania go językiem.

Przesunął palcami po jej ramieniu. Sara oparła się pokusie zamknięcia oczu. Czuła się zmęczona po długim dniu, tymczasem jutro o świcie czekał ich trening jogi, a potem wycieczka w góry i paddleboarding. Aktywności zapowiadały się miło, ale równie miło byłoby spędzić cały dzień w łóżku.

Słuchała Drew, który opowiadał Willowi, czego mogą oczekiwać podczas wyprawy; o suchym prowiancie i krajobrazach. Wyczuwała, że Will nadal jest trochę rozczarowany kwestią obozowiska. Nawet nie byli pewni, czy udało im się je odnaleźć. Żaden z McAlpine'ów, których podpytywali o to przy koktajlach, nie wykazał szczególnej chęci do potwierdzenia czy też zaprzeczenia jego lokalizacji. Christopher udał niewiedzę. Cecil zaczął snuć kolejną długą opowieść o rybach. Nawet Bitty, która miała być znawczynią dziejów rodziny, szybko zmieniła temat.

Zamierzali spróbować szczęścia nazajutrz i po południu ponownie wyruszyć Szlakiem Małego Jelenia. Dziś nie mieli zbyt wiele czasu na rekonesans, bo zmarnowali dobrą godzinę, robiąc dokładnie to, czego Sara nienawidziła w biwakowaniu, czyli pocąc się i przedzierając przez gęste zarośla, a potem oglądając się nawzajem w poszukiwaniu kleszczy. Pod koniec wyprawy natknęli się na zarośniętą bujną trawą polanę, na której znajdował się duży kamienny krąg. Will zażartował, że znaleźli miejsce sabatów czarownic. Dla odmiany Sara, przyglądając się puszkom po piwie i niedopałkom, uznała, że trafili raczej na rewir schadzek nastolatków.

W rzeczywistości najprawdopodobniej było to miejsce, gdzie dawniej rozpalano ogniska, co oznaczało, że obozowisko znajdowało się gdzieś nieopodal. Dzieciaki z przytułku wspominały o barakach z piętrowymi łóżkami, jadalni i o zakradaniu się nocą na tyły domków opiekunów, żeby ich szpiegować. Od czasu, gdy Will słuchał tych opowieści, minęło wiele lat, lecz jakieś fundamenty czy inne pozostałości zabudowań powinny istnieć do dziś. Rzeczy wnoszone na taką górę zwykle nie są znoszone z powrotem.

Sara zaczęła się przysłuchiwać rozmowie w chwili, gdy Will zapytał Drew:

– Co porabialiście dziś po południu?

– Ach, takie tam. Pewnie się domyślasz. – Drew dał kuksańca Keishy, która znacząco patrzyła na zacieki na szklance z wodą. Stanowczo pokręcił głową, dając jej znać, by nie przejmowała się takimi drobiazgami, a potem odbił piłeczkę do Willa: – Jak tam wasz miesiąc miodowy?

– Super – odparł Will. – W którym roku się poznaliście?

Sara rozłożyła na kolanach serwetkę, skrywając uśmiech, gdy oprócz roku Drew podał dokładną datę i miejsce. Will bardzo się starał doskonalić sztukę niezobowiązujących rozmów, ale niezależnie od tego, co mówił, zawsze brzmiał jak gliniarz wypytujący o alibi.

– Zabrałem ją wtedy na mecz naszych z Tuskegee – powiedział Drew.

– Stadion znajduje się niedaleko Joseph Lowery Boulevard, prawda?

– Znasz te okolice? – Drew sprawiał wrażenie pozytywnie zaskoczonego prostym pytaniem, które nie brzmiało jak fragment przesłuchania.

– Właśnie rozpoczynali budowę Ray Charles Performing Arts Center.

– Tej sali koncertowej? – dopytał Will. – I jak to wyglądało?

Sara skierowała uszy i oczy w stronę Gordona, który zajmował miejsce po jej lewej stronie. Próbowała dosłyszeć, o czym rozmawia z siedzącym obok niego mężczyzną. Niestety, szeptali zbyt cicho. Spośród wszystkich gości ci dwaj faceci wydali się jej najbardziej tajemniczy. Podczas cocktail party przedstawili się jako Gordon i Landry, lecz wcześniej na ścieżce Gordon zwracał się do Landry'ego per Paul. Nie wiedziała, co kombinują, lecz domyślała się, że Will z pewnością wydobyłby z nich prawdę, gdyby tylko pozwolić mu zasypać ich pytaniami, co robili w okolicach domku numer dziesięć między godziną szesnastą a szesnastą trzydzieści.

Ponownie nadstawiła uszu na jego rozmowę z cateringowcami.

– Kto jeszcze był wtedy z wami? – zapytał Will Keishę, co było rzecz jasna absolutnie typowym pytaniem o pierwszą randkę.

Sara znów odwróciła uwagę od ich pogawędki i spojrzała na Monicę, która siedziała obok Franka, aczkolwiek niezbyt prosto. Sara nawet nie próbowała liczyć jej drinków, a ściślej rzecz biorąc, skończyła po drugim. Kobieta była na wpół przytomna. Frank musiał podeprzeć ją ramieniem. Był irytującym człowiekiem, ale wydawał się przejmować stanem żony. O spóźnionych przybyszach nie można było powiedzieć, by przejmowali się kimkolwiek. Sydney i Max siedzieli bliżej szczytu stołu. Mężczyzna utkwił wzrok w ekranie telefonu, co było dość interesujące, biorąc pod uwagę tutejsze ograniczenia w kwestii wi-fi. Kobieta raz po raz odrzucała do tyłu spięte w kucyk włosy, niczym koń oganiający się od much.

– W sumie jest ich dwanaście – nawijała zupełnie niezainteresowanemu tematem Gordonowi. – Cztery appaloosa, jeden holenderski gorącokrwisty, a reszta to konie trakeńskie. Są najmłodsze, ale...

Sara przestała słuchać. Lubiła konie, ale nie na tyle, by określały jej tożsamość.

Will ścisnął ją za ramię, by nawiązać z nią kontakt.

Pochyliła się i szepnęła mu do ucha:

– Znalazłeś już jakiegoś zabójcę?

– Tak, w jadalni. To Chuck, ten z paluszkiem chlebowym.

Sara spojrzała na Chucka, który rzeczywiście chrupał taką przekąskę. Obok niego na stole stała wielka butla z wodą, zupełnie jakby młodzi ludzie nie ufali już własnym nerkom. Odpowiedzialny za wędkarskie atrakcje Christopher siedział po jego lewej stronie. Obaj wyglądali żałośnie. Chuck zapewne nie bez powodu, bo Mercy niemal rozszarpała go na strzępy. Próbowała się maskować, ale było oczywiste, że czuje się przy nim nieswojo. Sara też dostrzegła odpychającą aurę, jaka go otaczała, i ograniczyła się do lakonicznego „dzień dobry".

Nie wyczuwała niczego podobnego od Christophera McAlpine'a, który sprawiał wrażenie tyleż nieśmiałego, co dziwacznego. Siedział obok osobliwie oziębłe wyglądającej matki o wykrzywionych ustach. Zauważywszy, że syn sięga po kolejną kromkę pieczywa, trzepnęła go w rękę, jakby wciąż był dzieckiem. A on złożył dłonie na kolanach i wbił wzrok w blat. Jedynym członkiem rodziny, który zdawał się cieszyć z udziału w kolacji, był mężczyzna zajmujący miejsce na końcu stołu. Podejrzewała, że zmusił do przyjścia resztę bliskich. Wyraźnie uwielbiał być w centrum uwagi. Goście wydawali się zachwyceni jego opowieściami, lecz Sara nie mogła oprzeć się wrażeniu, że jest zadufanym w sobie sztywniakiem z gatunku tych, którzy najchętniej odwołaliby wszystkie studenckie imprezy i zdelegalizowali taniec.

Cecil McAlpine miał burzę siwych włosów i surową, choć na swój sposób atrakcyjną aparycję. Prawie wszyscy tutaj nazywali go Papą. Patrząc na stosunkowo świeże blizny pokrywające jego twarz i przedramiona, Sara domyśliła się, że w ciągu ostatnich kilku lat uległ nieszczęśliwemu wypadkowi. Inna sprawa, że jak na poważny wypadek, mógł mówić o szczęściu. Nerw kontrolujący pracę przepony jest utworzony z włókien korzeni nerwowych C3, C4 i C5. Uszkodzenie go wiąże się z dożywotnim podłączeniem do respiratora. O ile oczywiście pechowcowi uda się przeżyć.

Patrzyła, jak Cecil unosi palec serdeczny lewej dłoni, dając żonie znak, że chce się napić wody. Kiedy przyszli na cocktail party, mocno uścisnął dłoń Willowi i Sarze prawą ręką, ale wszystko wskazywało na to, że ów wysiłek nadwątlił jego siły.

Cecil dopił i zwrócił się do Landry'ego vel Paula:

– Źródło strumienia, który zasila jezioro, ma swój początek na przełęczy McAlpine'ów. Jeśli chcesz je znaleźć, idź najpierw Szlakiem Zaginionej Wdowy, którym trafisz na przeciwległą stronę jeziora. Stamtąd do strumienia można dojść w kwadrans, a potem trzeba iść ze dwadzieścia kilometrów wzdłuż jego nurtu. To kawał uczciwego spaceru prawie na samą górę. Jej szczyt można podziwiać z ławki widokowej po drugiej stronie jeziora.

– Keesh – szepnął ochryple Drew. – Odpuść sobie.

Sara domyśliła się, że kłócą się o zacieki na szklance. Grzecznie się od nich odwróciła, gdy do jej uszu dotarł strzępek innej rozmowy, toczącej się po drugiej stronie stołu. Siostra Cecila, typ hipiski w farbowanej sukience, mówiła Frankowi:

– Ludzie myślą, że jestem lesbijką, bo chodzę w sandałach Birkenstock, ale ja zawsze powtarzam, że jestem lesbijką, bo uwielbiam uprawiać seks z kobietami.

– To tak jak ja! – Frank parsknął śmiechem. Uniósł w toaście szklankę z wodą.

Sara i Will wymienili się uśmiechami. Siedzieli zbyt daleko od ciotki, która wydawała się jedyną pogodną osobą przy stole. Blizny na jej dłoniach i przedramionach sugerowały, że pracuje z chemikaliami. Na bicepsie miała znacznie większą szramę, która wyglądała jak wycięty tasakiem fragment skóry. Prawdopodobnie obsługiwała ciężki sprzęt w gospodarstwie rolnym. Sara bez trudu wyobrażała ją sobie z kukurydzianą fajką w zębach w towarzystwie stada psów pasterskich.

– Hej. – Will ponownie zniżył głos. – Co to za imię: Bitty?

– To przezwisko. – Dysleksja Willa utrudniała mu zrozumienie niektórych słownych niuansów. – Chodzi o to, że jest bardzo drobna.

Kiwnął głową. Przeczuwała, że wyjaśnienie skojarzy mu się z Dave'em, twórcą przezwisk. Oboje cieszyli się, że ten skończony palant nie pojawił się na cocktail party. Sara nie chciała, by widmo Dave'a towarzyszyło im tej nocy. Dotknęła uda Willa i wyczuła napięte mięśnie. Liczyła na to, że kolacja nie przeciągnie się zanadto. Miała ochotę skonsumować coś znacznie lepszego.

– Zaczynamy! – Mercy wyszła z kuchni, niosąc w obu rękach półmiski. Za nią podążało dwóch nastoletnich chłopców z talerzami i sosjerkami. – Wśród dzisiejszych przystawek znajdziecie empanady, krokiety papa rellena i słynne tostony szefa kuchni, przygotowane według przepisu udoskonalonego przez jego matkę w Portoryko.

Naczynia trafiły na środek stołu w akompaniamencie „ochów" i „achów". Sara obawiała się, że Will spanikuje, lecz jak na mężczyznę, który uważa musztardę miodową za egzotyczny wynalazek, zachował zdumiewający spokój.

– Próbowałeś kiedyś portorykańskiego jedzenia? – zapytała.

– Nie, ale przejrzałem przykładowe menu na stronie internetowej. – Zaczął wskazywać różne przekąski. – Mięso zapiekane w chlebie. Mięso smażone w ziemniakach. A to są niby owoce, bo plantany, czyli tak naprawdę banany, ale kto by się tym przejmował; one też były dwukrotnie smażone na głębokim tłuszczu.

Sara się roześmiała, bo w głębi duszy była zadowolona. Naprawdę wybrał to miejsce także z myślą o niej.

Mercy obeszła stół i napełniła szklanki wodą. Pochyliła się między Chuckiem a swoim bratem. Sara dostrzegła, że zaciska zęby, słuchając czegoś, co mamrocze Chuck. Była podręcznikowym przykładem kobiety, której właśnie cierpnie skóra. Musiała się za tym kryć jakaś historia.

Sara się odwróciła. Nie zamierzała się wtrącać w problemy innych ludzi.

– Mercy – zagadnęła Keisha. – Czy mogłabyś wymienić nasze szklanki?

– To naprawdę nic wielkiego – powiedział poirytowany Drew.

– Żaden problem. – Mercy zacisnęła zęby jeszcze mocniej, ale zdołała wykrzywić usta w uśmiechu. – Zaraz wrócę.

Podniosła obie szklanki na tyle gwałtownie, że trochę wody wylało się na stół, po czym udała się z nimi do kuchni. Drew i Keisha wymienili ostre spojrzenia. Sara domyślała się, że cateringowcy nie są w stanie wyłączyć swoich czepialskich mózgów, podobnie jak lekarze sądowi i detektywi. A także córki hydraulików. Szklanki były czyste. Zacieki wynikały z zawartości minerałów w twardej wodzie.

– Monico – zagaił cicho Frank, gdy nakładał na talerz smażone potrawy, próbując zachęcić żonę do zjedzenia czegokolwiek. – Pamiętasz sorullitos, które jedliśmy w San Juan w barze na dachu? Tym z widokiem na port?

Monica spojrzała na Franka odrobinę przytomniej i dodała:

– A także lody.

– Lody też. – Podniósł do ust jej dłoń, by ją pocałować. – A potem próbowaliśmy tańczyć salsę.

Wyraz twarzy Moniki złagodniał.

– Ty próbowałeś. Ja totalnie zawiodłam.

– Nigdy nie zawodzisz.

Kiedy patrzyli sobie w oczy, Sara poczuła ucisk w gardle. W tej scenie było coś wzruszającego. Może źle ich oceniła. Tak czy inaczej, gapienie się na nich uznała za wścibstwo. Spojrzała na Willa. On też zwrócił uwagę na tę wymianę zdań. Poza tym czekał, aż Sara zacznie jeść, by sam mógł zrobić to samo.

Sięgnęła po widelec i wbiła go w empanadę. Burczenie w brzuchu uzmysłowiło jej, jaka jest głodna. Musiała tylko uważać, żeby nie zjeść za dużo. Nie chciała przecież być kobietą, która pierwszej nocy miesiąca miodowego pada plackiem na łóżko i zasypia z przejedzenia.

– Mamo! – Jon wpadł przez otwarte drzwi jak petarda. – Gdzie jesteś?!

Nieoczekiwany harmider sprawił, że wszyscy odwrócili się jak na komendę. Jon nie tyle przeszedł, co przetoczył się przez pomieszczenie. Jego twarz była napuchnięta i spocona. Sara uznała, że wypił tego wieczoru prawie tyle co Monica.

– Mamo! – ryknął. – Mamo!

– Jon? – Mercy wybiegła z kuchni, trzymając w obu rękach szklanki z wodą. Szybko oceniła stan syna, lecz zachowała spokój. – Chodź do kuchni, kochanie.

– Nie! – wrzasnął. – Nie jestem twoim pieprzonym kochaniem! Podaj mi powody! I to już!

Krzyczał tak niewyraźnie, że Sara ledwie go rozumiała. Kątem oka dostrzegła, jak Will odsuwa się wraz z krzesłem od stołu, przygotowując się do działania, na wypadek gdyby Jon stracił równowagę.

– Jon. – Mercy ostrzegawczo pokręciła głową. – Zajmiemy się tym później.

– Gówno się zajmiemy! – Podszedł do matki, celując w nią palcem wskazującym. – Chcesz wszystko zniszczyć. Tata zaplanował to tak, żebyśmy mogli być razem. Bez ciebie. Nie chcę być z tobą. Chcę zamieszkać z Bitty w domu z basenem.

Bitty wydała z siebie dźwięk, który można było uznać za oznakę triumfu. Sara poczuła się wstrząśnięta.

Mercy też to usłyszała. Posłała matce piorunujące spojrzenie, a potem zwróciła się do syna.

– Jon, ja...

– Dlaczego wszystko psujesz? – Chwycił ją za ramiona i potrząsnął tak mocno, że jedna ze szklanek wysunęła się z jej dłoni i rozbiła na kamiennej posadzce. – Dlaczego przez cały czas musisz być taka wredna?

– Hej. – Gdy Jon złapał matkę, Will wstał i podszedł do chłopca. – Wyjdźmy na zewnątrz.

Jon odwrócił się do niego z wrzaskiem:

– Odpierdol się, Śmieciuchu!

Will osłupiał, a Sara razem z nim. Skąd chłopak znał paskudne przezwisko? I dlaczego postanowił je teraz wykrzyczeć?

– Powiedziałem, żebyś się odpierdolił! – Jon próbował go odepchnąć, lecz Will ani drgnął. Ponowił próbę. – Kurwa!

– Jon... – Ręka Mercy dygotała tak mocno, że z drugiej szklanki zaczęła wylewać się woda. – Kocham cię i...

– A ja cię nienawidzę – powiedział Jon, a samo to, że tym razem nie wrzasnął, było o wiele gorsze niż poprzednie wybuchy. – Chciałbym, żebyś zdechła.

Wyszedł, zatrzaskując za sobą drzwi z ogłuszającym hukiem. Nikt nie wyrzekł ani słowa. Nikt się nie ruszył. Mercy zamarła.

Po chwili odezwał się Cecil:

– Zobacz, co narobiłaś.

Mercy przygryzła wargę. Wyglądała na tak przerażoną, że Sara zaczęła jej serdecznie współczuć.

Bitty cmoknęła.

– Na litość boską, Mercy, posprzątaj to szkło, zanim ktoś zrobi sobie krzywdę.

Will ukląkł na posadzce, zanim zrobiła to Mercy, wyjął z tylnej kieszeni spodni chusteczkę i zaczął wybierać okruchy szkła z kałuży wody. Mercy nerwowo przycupnęła obok. Poczucie upokorzenia sprawiło, że blizna na jej twarzy zdawała się świecić. W sali było tak cicho, że Sara słyszała chrzęst szklanych odłamków.

– Przepraszam – zwróciła się do Willa Mercy.

– Nic się nie stało – odparł. – Ja bez przerwy coś tłukę.

Próbowała się roześmiać, ale tylko nerwowo przełknęła ślinę.

– A ja wam mówię – zaczął Chuck komediowym tonem – że niedaleko pada jabłko od jabłoni.

Christopher się nie odezwał. Sięgnął po paluszek chlebowy i ugryzł go z chrupnięciem. Sara nie wyobrażała sobie wściekłości, jaką poczułaby, gdyby ktoś wyraził się źle o jej siostrze, a on tymczasem zaczął żuć jak bezużyteczny głupiec.

Właściwie to wszyscy wpatrywali się w Mercy, jakby właśnie występowała w cyrku w jakimś groteskowym przebraniu.

Sara zwróciła się do siedzących przy stole:

– Myślę, że powinniśmy zjeść te pyszności, zanim wystygną.

– Dobry pomysł. – Frank zapewne przywykł do ignorowania pijackich wybuchów złości. – Właśnie przypomniałem Monice o naszej wycieczce do Portoryko kilka lat temu – dodał. – Tańczą tam rodzaj salsy. Na mój gust to trochę jak brazylijska samba, ale jednak się różnią.

Sara podchwyciła temat, pytając:

– Pod jakim względem?

– Szlag – syknęła Mercy, gdyż rozcięła sobie kciuk szkłem.

Krew kapała na podłogę, nawet z daleka Sara dostrzegła, że rana jest głęboka. Odruchowo wstała, by pomóc.

– Macie w kuchni apteczkę? – zapytała.

– Nic mi nie jest, ja... – Mercy zasłoniła usta nieskaleczoną dłonią. Wyglądała, jakby miała zwymiotować.

– Na litość boską... – mruknął Cecil.

Sara ciasno owinęła kciuk Mercy serwetką z tkaniny, aby zatamować krwawienie. Zostawiła Willa, który zbierał resztki szkła, i zaprowadziła ją do kuchni.

Jeden z młodych kelnerów tylko na nie spojrzał i szybko wrócił do przygotowywania talerzy. Drugi był pochłonięty wkładaniem naczyń do zmywarki. Tylko szef kuchni wydawał się przejmować losem Mercy. Podniósł wzrok znad pieca i przyglądał się jej, gdy szła przez pomieszczenie. Zmarszczył brwi, wyraźnie zaniepokojony, lecz się nie odezwał.

– Wszystko gra – zapewniła go Mercy. A potem skinęła Sarze. – Jest tutaj, na tyłach.

Sara ruszyła za nią do łazienki, przez którą przechodziło się do ciasnego biura. Na metalowym biurku stała elektryczna maszyna do pisania. Podłoga była zasłana papierzyskami. Nie było telefonu. Jedyny ukłon w stronę nowoczesności stanowił zamknięty laptop leżący na stosie ksiąg rachunkowych.

– Przepraszam za bałagan. – Mercy sięgnęła pod rząd haków, na których wisiały kurtki na chłodniejsze dni. – Nie chcę ci psuć wieczoru. Jeśli możesz, podaj mi tylko apteczkę i wracaj na kolację.

Sara nie zamierzała zostawiać tej biednej krwawiącej kobiety samej. Wyciągała właśnie rękę, by zdjąć ze ściany apteczkę, gdy usłyszała, jak Mercy zaczyna wymiotować. Trzasnęła klapa toalety. Mercy uklękła i wyrzuciła z siebie strumień żółci. Konwulsje wstrząsnęły nią jeszcze kilkakrotnie. Po chwili przykucnęła na piętach.

– Kurwa. – Otarła usta grzbietem zdrowej dłoni. – Wybacz.

– Mogę spojrzeć na twój kciuk? – zapytała Sara.

– Nic mi nie jest. Wracaj na kolację, proszę. Poradzę sobie.

Jakby chcąc to udowodnić, wzięła apteczkę i usiadła na toalecie. Sara patrzyła, jak próbuje otworzyć walizeczkę jedną ręką. Widać było, że jest przyzwyczajona do robienia wszystkiego samodzielnie. Nie ulegało też wątpliwości, że tym razem sobie nie poradzi.

– Mogę? – Sara poczekała na niechętne skinienie Mercy, zanim wzięła od niej apteczkę, otworzyła ją i położyła na podłodze. Wewnątrz znalazła typowy pakiet bandaży, płyny infuzyjne, trzy komplety szwów i dwa zestawy do tamowania krwotoków, a w nich opaski uciskowe, gazę i opatrunki hemostatyczne. Była tam też fiolka z lidokainą, co w przypadku zwykłej kuchennej apteczki raczej nie było legalne, lecz biorąc pod uwagę odległość od cywilizacji, Sara domyślała się, że mogli przywyknąć do samodzielnego radzenia sobie w trudnych sytuacjach.

– Pokaż ten kciuk – poleciła.

Mercy się nie poruszyła. Tępym wzrokiem wpatrywała się w apteczkę, jakby zatonęła we wspomnieniach.

– Mój ojciec zawsze zakładał ludziom szwy w razie potrzeby. Sara słyszała smutek w jej głosie. Czasy, kiedy Cecil McAlpine był w stanie kogoś połatać, bezpowrotnie minęły. Mimo to nie umiała mu współczuć. Sarze nie mieściło się w głowie, by jej własny ojciec odezwał się do niej tak, jak Cecil do Mercy. Zwłaszcza przy nieznajomych. A matka Sary wyrwałaby serce każdemu, kto ośmieliłby się powiedzieć złe słowo na temat którejkolwiek z córek.

– Przykro mi – powiedziała.

– To nie twoja wina – odparła Mercy sucho. – Mogłabyś otworzyć mi ten opatrunek? Nie wiem, na jakiej zasadzie działa, ale zatrzymuje krwawienie.

– Jest pokryty środkiem hemostatycznym, który wchłania wodę z krwi i wspomaga krzepnięcie.

– Zapomniałam, że uczysz chemii.

– Coś w tym rodzaju... – Sara poczuła, że się czerwieni. Nie miała ochoty przyznawać się do kłamstwa, ale też nie chciała narażać Mercy na zmagania z opatrunkiem. – Tak naprawdę jestem lekarzem. Razem z Willem postanowiliśmy nie ujawniać naszych zawodów.

Mercy nie wydawała się poruszona ich nieszczerością.

– A czym się zajmuje Will? Jest koszykarzem? Futbolistą?

– Nie, agentem w Biurze Śledczym stanu Georgia. – Sara umyła ręce w zlewie, dając Mercy czas na przetrawienie informacji. – Przepraszam za kłamstwo. Nie chcieliśmy...

– Daj spokój – przerwała jej Mercy. – Biorąc pod uwagę to, co się właśnie wydarzyło, nie mnie was osądzać.

Sara dobrała odpowiednią temperaturę wody. W ostrym górnym świetle dostrzegła trzy czerwone pręgi przecinające lewą stronę szyi Mercy. Były świeże, prawdopodobnie nie starsze niż kilka godzin. Za kilka dni staną się bardziej widoczne.

– Przepłuczmy ranę, na wypadek gdyby zostały w niej drobiny szkła – powiedziała.

Mercy włożyła dłoń pod kran. Nawet się nie skrzywiła, choć ból musiał być silny. Przywykła do cierpienia.

Sara skorzystała z okazji, by uważniej przyjrzeć się czerwonym śladom na krtani Mercy. Znajdowały się po obu stronach. Wyobraziła sobie, że gdyby położyła dłonie na jej szyi, pręgi pasowałyby do palców. Robiła tak niejednokrotnie, badając zwłoki na stole sekcyjnym. Uduszenie było częstą formą zabójstwa w przypadku przemocy domowej.

– Posłuchaj – odezwała się Mercy. – Zanim mi pomożesz, powinnaś wiedzieć, że Dave jest moim byłym, a także ojcem Jona. I najwyraźniej tym dupkiem, który mu powiedział, że milion lat temu twój mąż był przezywany Śmieciuchem. Dave jest skory do takich drobnych podłości.

Sara przyjęła tę informację ze spokojem, po czym spytała:

– To on próbował cię udusić? – Gdy Mercy w milczeniu powoli zakręciła kran, Sara dodała: – To tłumaczyłoby twoje nudności. Zemdlałaś? – Mercy ruchem głowy dała znać, że nie. – Masz trudności z oddychaniem? – Mercy ponownie zaprzeczyła. – Zaburzenia widzenia? Zawroty głowy? Problemy z przypominaniem sobie różnych rzeczy?

– Chciałabym móc nie pamiętać pewnych rzeczy.

– Mogłabym zbadać twoją szyję? – zapytała Sara.

Mercy usiadła na toalecie i uniosła podbródek na znak zgody. Chrząstka nie została naruszona, podobnie jak kość gnykowa. Czerwone pręgi były teraz dobrze widoczne, dało się zauważyć, że są podpuchnięte. Zamknięcie światła tętnic szyjnych w połączeniu z uciskiem na tchawicę z łatwością mogło doprowadzić do zgonu. Jeśli chodzi o tę formę napaści, od duszenia dłońmi groźniejszy był tylko chwyt przedramieniem.

Sara nie wątpiła, że Mercy ma pełną świadomość otarcia się o śmierć, i wiedziała, iż pouczanie ofiary przemocy domowej nigdy nie zapobiega przyszłym aktom agresji. Jedyne, co mogła zrobić, to dać Mercy do zrozumienia, że nie jest sama.

– Wszystko wydaje się w porządku – stwierdziła. – Będziesz miała paskudne siniaki. Jeśli znowu poczujesz się zagrożona, chcę, żebyś mnie znalazła, dobrze? Nieważne czy w dzień, czy w nocy. I bez względu na to, co akurat będę robić. To poważna sprawa.

Mercy nie wyglądała na przekonaną.

– Twój mąż opowiedział ci prawdziwą historię o Davie?

– Tak.

– Dave nadał mu to przezwisko.

– Wiem.

– Pewnie zrobił jeszcze wiele innych paskudnych...

– Szczerze, nie obchodzi mnie to – przerwała jej Sara. – Nie jesteś swoim byłym mężem.

– Nie jestem – przytaknęła Mercy, patrząc w podłogę. – Ale jestem tą idiotką, która ciągle do niego wraca.

Sara dała jej chwilę na pozbieranie się. Otworzyła zestaw do zakładania szwów. Wyjęła gazę, lidokainę i małą strzykawkę. Spojrzeniem oceniła, że Mercy jest gotowa.

– Trzymaj rękę nad zlewem – poleciła Sara.

Także i tym razem Mercy nawet nie mrugnęła, gdy Sara polała ranę jodyną. Skaleczenie było głębokie. Mercy pracowała przy posiłkach, odłamek szkła leżał na podłodze, wszystko mogło skutkować infekcją. Normalnie Sara na wszelki wypadek dałaby jej receptę na antybiotyki, ale tym razem musiała poprzestać na ostrzeżeniu.

– Jeśli dostaniesz gorączki, zobaczysz czerwone ślady na ciele albo zacznie ci dokuczać silny ból...

– Wiem – powiedziała Mercy. – W mieście jest lekarz, do którego mogę się udać w razie czego.

Z tonu jej głosu Sara wywnioskowała, że nie zamierza się nigdzie udawać, ale znów oszczędziła jej wykładu. Pracując na oddziale ratunkowym jedynego publicznego szpitala w Atlancie, nauczyła się, że jeśli nie można wyleczyć przyczyny problemu, należy przynajmniej zająć się urazem.

– Miejmy to za sobą – zasugerowała Mercy.

Nie protestowała, gdy Sara rozłożyła na jej kolanach papierowe ręczniki, a na nich jałową serwetę ochronną. Potem ponownie umyła ręce i zdezynfekowała je płynem.

– Wydaje się miły – rzekła Mercy. – Mówię o twoim mężu

Sara potrząsnęła dłońmi, by je osuszyć.

– Bo jest miły.

– Czy... – Mercy umilkła, próbując zebrać myśli. – Czujesz się przy nim bezpieczna?

– Stuprocentowo. – Sara spojrzała jej prosto w oczy. Mercy nie wyglądała na osobę, która łatwo zdradza emocje, lecz teraz na jej twarzy malował się głęboki smutek.

– Cieszę się twoim szczęściem – powiedziała pełnym tęsknoty głosem.

– Wydaje mi się, że nigdy w życiu nie czułam się przy nikim bezpiecznie.

Sara nie umiała znaleźć odpowiedzi, lecz Mercy zdawała się jej nie oczekiwać, za to spytała:

– Wyszłaś za mąż za swojego ojca?

Prawie się roześmiała, słysząc to pytanie. Zabrzmiało jak neofreudowska bzdura, lecz zetknęła się z tym sformułowaniem już wcześniej.

– Pamiętam, że kiedy byłam na studiach, rozzłościłam się jak cholera, bo ciotka powiedziała mi, że dziewczyny zawsze wychodzą za swoich ojców.

– Miała rację?

Zakładając nitrylowe rękawiczki, Sara zastanowiła się nad odpowiedzią. Zarówno Will, jak i jej ojciec byli wysocy, tylko temu drugiemu trochę się przytyło. Obu można było nazwać gospodarnymi, o ile gospodarność oznaczała spędzanie mnóstwa czasu na wyskrobywaniu ostatniego grama masła orzechowego ze słoika. Will nie przepadał za żartami jej taty, lecz miał podobne, autoironiczne poczucie humoru. Poza tym wolał sam naprawić zepsute krzesło albo załatać ścianę, niż wzywać w tym celu złotą rączkę. Wolał też stać, gdy inni siedzieli.

– Tak – przyznała Sara. – Poślubiłam swojego ojca.

– Ja też.

Sara doszła do wniosku, że raczej nie chodzi o pozytywne cechy Cecila McAlpine'a, lecz nie miała jak tego potwierdzić. Mercy umilkła pogrążona we własnych myślach, patrząc na zraniony kciuk. Sara nabrała lidokainy do strzykawki. Nawet jeśli Mercy poczuła ból od zastrzyku, nawet nie pisnęła. Sara domyślała się, że dla człowieka, który bywa duszony i bity, wbijająca się w ciało igła jest niewartą wzmianki niedogodnością.

Mimo to starała się zaszyć ranę jak najszybciej. Założyła cztery szwy, rozmieszczając je blisko siebie. Mercy miała już na twarzy jedną bliznę, która zapewne przypominała jej złe czasy. Sara nie chciała, by kciuk przypominał jej o kolejnych. Zdjęła gazę i wyrecytowała typową formułkę:

– Przez najbliższy tydzień staraj się nie moczyć tego palca. Doraźnie stosuj paracetamol, złagodzi ból. I zanim się stąd wymelduję, chciałabym jeszcze raz rzucić na to okiem.

– Chyba mnie tu już nie będzie. Moja matka właśnie mnie zwolniła.

– Ku własnemu zaskoczeniu Mercy nagle się roześmiała. – Wiesz, przez długi czas nienawidziłam tego miejsca, ale teraz kocham je całym sercem. Nie wyobrażam sobie życia gdziekolwiek indziej. Jestem z nim duchowo związana.

Sara musiała się napomnieć, by nie wtykać nosa w ich osobiste sprawy.

– Domyślam się, że teraz sytuacja wygląda źle, ale na drugi dzień rano zwykle jest lepiej.

– Wątpię, czy dożyję do rana. – Mercy się uśmiechała, lecz w tym, co powiedziała, nie było nic zabawnego. – Na tej górze nie ma już chyba nikogo, kto nie chciałby mnie zabić.

ROZDZIAŁ SIÓDMY

GODZINA PRZED MORDERSTWEM

Przekręciwszy się na łóżku, Sara stwierdziła, że po stronie Willa jest pusto. Poszukała wzrokiem zegara, lecz na stoliku nocnym był tylko telefon męża. Przebieg kolacji zaniepokoił ich za bardzo, by potrafili zająć się czymś przyjemniejszym niż zasypianie przy podcaście o Wielkiej Stopie w górach północnej Georgii.

– Will? – Zaczęła nasłuchiwać, lecz nie doczekała się odpowiedzi. Panująca w domku cisza upewniła ją, że nie ma go w środku.

Znalazła na podłodze lekką bawełnianą sukienkę, którą miała na sobie podczas kolacji. Weszła do salonu, uderzyła kolanem o brzeg kanapy i w mrok rzuciła soczyste przekleństwo. Podeszła do otwartego okna i wyjrzała na ganek. Łagodnie bujający się hamak był pusty. Temperatura spadła, a w powietrzu wyczuwało się nadchodzącą burzę. Wyciągnęła szyję, by spojrzeć na ścieżkę prowadzącą do jeziora. W delikatnym blasku księżyca dostrzegła Willa siedzącego na ławce, z której rozpościerał się widok na góry. Ręce miał rozłożone na boki. Wpatrywał się w dal.

Włożyła sandałki i ostrożnie zeszła po kamiennych stopniach. Takie obuwie o tak późnej porze najpewniej nie było najlepszym pomysłem, zawsze przecież mogła nadepnąć na jakieś jadowite stworzenie albo skręcić kostkę. Mimo to nie zawróciła, by założyć buty trekkingowe. Coś ciągnęło ją do Willa. Po kolacji był cichy, zamyślony. Scena, jaka rozegrała się pomiędzy Mercy a jej rodziną, zszokowała ich oboje. Sara po raz kolejny uzmysłowiła sobie, jakie to szczęście mieć kochających, serdecznych bliskich. Dorastając, uznawała to za coś normalnego, lecz życie nauczyło ją, że akurat pod tym względem los się do niej uśmiechnął.

Will obejrzał się, gdy usłyszał jej kroki na ścieżce.

– Chcesz pobyć trochę sam? – zagadnęła.

– Nie.

Objął ją ramieniem, gdy usiadła. Wtuliła się w niego. Jego ciało dawało mocne, kojące oparcie. Przyszło jej na myśl niedawno zasłyszane pytanie Mercy: „Czujesz się przy nim bezpieczna?".

Jeśli nie liczyć ojca, Sara nigdy w życiu nie była tak pewna co do żadnego mężczyzny. Smuciło ją, że Mercy nigdy nie zaznała tego uczucia. Zdaniem Sary mieściło się ono w kategorii podstawowych ludzkich potrzeb.

– Chyba będzie padać – powiedział Will.

– Co zrobimy z całym wolnym czasem, jeśli utkniemy w naszym domku?

Will roześmiał się i połaskotał ją po ramieniu, ale jego uśmiech szybko zgasł, gdy ponownie spojrzał w noc.

– Sporo myślałem o mojej matce.

Sara wyprostowała się, by na niego zerknąć. Patrzył przed siebie, lecz napięta żuchwa zdradzała, że rozgryza trudne sprawy.

– Opowiedz – poprosiła.

Wziął głęboki wdech, jakby miał zanurzyć głowę pod wodą.

– Kiedy byłem dzieckiem, zastanawiałem się, jak wyglądałoby moje życie, gdyby nie umarła. – Położyła mu dłoń na ramieniu, a on mówił dalej: – Kiedyś myślałem, że bylibyśmy szczęśliwi. Życie byłoby prostsze. Szkoła łatwiejsza. Tak samo jak przyjaźnie. Dziewczyny. Wszystko. – Znów zacisnął zęby. – Ale teraz, gdy patrzę wstecz, widzę, że zmagała się z nałogami. Miała własne demony. Mogła przedawkować albo wylądować w więzieniu. Była samotną matką z agresywnym eks. W tym układzie pewnie i tak trafiłbym do domu dziecka. Ale przynajmniej bym ją poznał.

Świadomość braku tej szansy wprawiła Sarę w głęboki smutek, jednak powstrzymała się przed komentarzem.

– Miło było gościć Amandę i Faith na weselu – dodał Will, mając na myśli swoją szefową i partnerkę z pracy, które były mu prawie tak bliskie jak rodzina. – Po prostu się zastanawiam.

Sara mogła jedynie przytaknąć. Nie potrafiła czytelnie skonfrontować jego przejść z własnymi przeżyciami. Mogła jedynie słuchać i zapewniać go o swoim wsparciu.

– Ona go kocha – stwierdził Will. – Chodzi mi o Mercy i Jona. Widać, że go kocha.

– To prawda.

– Pieprzony Szakal.

– Nie poznałeś jego dalszych losów po ucieczce z domu dziecka?

– Nie, nie poznałem. – Pokręcił głową. – Jak widać, trafił tutaj, udało mu się przeżyć, ożenić i dochować się dziecka. I właśnie tego nie rozumiem, wiesz? Małżeństwo, żona i dziecko to życie, jakiego zawsze pragnął. Nawet za naszych szczenięcych lat snuł opowieści o tym, że należenie do rodziny rozwiąże jego problemy. I proszę, dostał wszystko, czego tak bardzo chciał, a i tak to spieprzył. No, może nie całkiem. Wprawdzie sposób, w jaki traktuje Mercy, jest nie do przyjęcia, ale Jon wyraźnie go potrzebuje. Dave nadal jest jego ojcem.

Sara nie poznała tego człowieka, ale również nie sądziła, by nadawał się do którejkolwiek z tych ról. Nie wiedziała też, czy nadal znajduje się na terenie kompleksu. W zwykłej sytuacji nigdy nie nadużyłaby zaufania pacjenta, lecz Mercy padła ofiarą przemocy domowej, a Will był funkcjonariuszem. Poza tym Mercy mówiła tak, jakby przeczuwała, że jej życie wisi na włosku, co utwierdzało Sarę w przekonaniu, że ma obowiązek o tym powiedzieć. Nie brała jedynie pod uwagę, jak ta informacja wpłynie na Willa. Agresywne zapędy Dave'a dosłownie spędzały mu sen z powiek.

– Jedna rzecz doprowadza mnie do szału – ciągnął Will. – Doświadczenia Dave'a były złe. Gorsze niż moje. Ale przerażenie, nieubłagany strach... te wspomnienia istnieją w ciele bez względu na to, jak bardzo twoje życie zmienia się na lepsze. Tymczasem Dave wyrządza tę samą krzywdę osobie, którą powinien kochać.

– Trudno wyrwać się ze schematu.

– Ale on zna te uczucia. Wie, jak to jest bać się bez przerwy. Nie potrafić przewidzieć, kiedy ktoś cię skrzywdzi. Nie móc jeść. Nie móc spać. Nieustannie chodzić jak po rozżarzonych węglach. A jedynym pozytywem wyrządzonej ci krzywdy jest świadomość, że masz kilka godzin, może nawet dni, zanim skrzywdzą cię znowu. – Gdy ujrzał w jej oczach łzy, zapytał: – Przeszkadza ci to?

Postanowiła się upewnić, czego dotyczy pytanie:

– Co ma mi przeszkadzać?

– Że nie mam rodziny.

– Ja jestem twoją rodziną, kochanie. – Odwróciła się, by mógł spojrzeć jej prosto w oczy. – Pójdę tam, gdzie ty pójdziesz. Zostanę tam, gdzie ty zostaniesz. Twoi ludzie są moimi ludźmi, a moi ludzie twoimi[7].

– Masz wokół siebie znacznie więcej ludzi niż ja. – Zmusił się do krzywego uśmiechu. – A niektórzy z nich są bardzo dziwni.

Sara odwzajemniła uśmiech. Znała go już od tej strony. Mechanizmy obronne Willa w tych nieczęstych chwilach, kiedy opowiadał o swoim dzieciństwie, zawsze skłaniały go do obrócenia sytuacji w żart.

– Kto jest dziwny?

– Na przykład ta kobieta w kapeluszu z piórami.

– Ciotka Clementine – podsunęła Sara. – Wciąż wisi nad nią nakaz sądowy w sprawie kradzieży kurczaków.

Will zachichotał.

– Cieszę się, że nie powiedziałaś o tym Amandzie. Byłaby wniebowzięta, gdyby mogła aresztować kogoś na moim ślubie.

Sara pamiętała emocje na twarzy Amandy, gdy Will poprosił szefową do tańca. Nie było mowy, żeby zepsuła tę chwilę.

– Mówiłam ci, że drugi mąż mojej ciotki Belli popełnił samobójstwo. Strzelił sobie w głowę, i to dwa razy.

Krzywy uśmiech zgasł.

– Sam nie wiem, czy teraz żartujesz.

Sara spojrzała mu w oczy. Światło księżyca wydobyło plamki szarości z błękitu tęczówek.

– Muszę ci się do czegoś przyznać.

Uśmiechnął się.

– Tak?

– Mam wielką ochotę uprawiać z tobą gorący seks w jeziorze.

---

[7] Biblia Tysiąclecia, ibidem (przyp. tłum).

Wstał i wskazał ręką:

– Jezioro jest tam.

Szli ścieżką, trzymając się za ręce i zatrzymując po drodze na pocałunki. Sara oparła się o ramię Willa i dostroiła do jego tempa. Dzięki panującej w tych górach absolutnej ciszy odnosiła wrażenie, że są jedynymi ludźmi na ziemi. Myśląc o miesiącu miodowym, wyobrażała go sobie właśnie tak. Na niebie księżyc w pełni. Świeże powietrze. Poczucie bezpieczeństwa, jakie dawała jej obecność Willa. Cudowna perspektywa niczym niezmąconych, leniwych chwil tylko we dwoje.

Usłyszała jezioro, zanim tam dotarli; delikatny plusk fal o skalisty brzeg. W widzianej z bliska Płyciźnie było coś zapierającego dech w piersiach. Błękit wody zdawał się jaśnieć własnym światłem. Drzewa za zakolem jeziora były niczym mur odgradzający ich przed światem. Sara dostrzegła pływający pomost, który unosił się kilkanaście metrów dalej. Były tam trampolina i platforma do opalania. Wychowała się nad jeziorem i cieszyła ją bliskość wody. Zrzuciła sandałki. Wyswobodziła się z sukienki.

– Ojej – powiedział Will. – Nie założyłaś bielizny?

– Trudno uprawiać gorący seks w jeziorze, gdy ma się na sobie różne szmatki.

Will rozejrzał się dookoła. Pomysł wystawiania się nago na widok publiczny nieszczególnie mu się podobał.

– Wydaje mi się, że wskakiwanie do czegoś, czego nie widać w środku nocy, to zły pomysł, zwłaszcza że nikt nie wie, gdzie jesteśmy.

– Pozwólmy sobie na odrobinę życia na krawędzi.

– Może powinniśmy...

Sara położyła mu dłoń między nogami i obdarzyła głębokim pocałunkiem. A potem weszła do jeziora. Stłumiła dreszcz wywołany nagłym zetknięciem z zimną wodą. Był środek lata, ale roztopy w Appalachach przychodziły późno. Płynęła w stronę pomostu, orzeźwiona chłodem.

Odwróciła się na plecy, żeby spojrzeć na Willa.

– Wchodzisz? – Nie odpowiedział, lecz ściągnął skarpety, a gdy zaczął rozpinać spodnie, zawołała: – Wow! Trochę wolniej, proszę.

Will zrobił show z powolnego opuszczania spodni. Poruszył biodrami, rozpinając koszulę. Sara gwizdnęła z uznaniem. Woda nie wydawała się jej już taka zimna. Uwielbiała jego ciało. Mięśnie Willa wyglądały jak wyrzeźbione z marmuru. Był właścicielem najseksowniejszych nóg, jakie ma prawo mieć mężczyzna. Zanim zdążyła pochłonąć go wzrokiem, zrobił to, co ona, czyli wszedł prosto do jeziora. Po zaciśniętych zębach poznała, że jest zaskoczony temperaturą wody. Stwierdziła, że będzie musiała trochę popracować nad rozgrzaniem go. Przyciągnęła męża bliżej siebie, kładąc dłonie na jego silnych ramionach.

– Hej – powiedział.

– Hej. – Odgarnęła mu włosy. – Pływałeś kiedyś w jeziorze?

– Nie z własnego wyboru. Na pewno jest tu bezpiecznie?

– Miedziogłowce zwykle są bardziej aktywne o zmierzchu. – Zauważyła, że oczy Willa rozszerzają się z niepokoju. Dorastał w Atlancie, gdzie większość gadów ma swoją siedzibę w budynku ratusza. – A mokasyny błotne nie zapuszczają się tak daleko na północ.

Rozejrzał się nerwowo, jakby chciał dostrzec węża, zanim będzie za późno.

– Muszę ci się do czegoś przyznać – odezwała się znów Sara. – Powiedziałam Mercy, że ją okłamaliśmy.

– Domyśliłem się. Myślisz, że da sobie radę?

– Raczej tak. – Sara martwiła się, że w kciuk Mercy wda się infekcja, lecz nie mogła na to nic poradzić. – Jon wydaje się dobrym dzieckiem. Życie nastolatka bywa trudne.

– Mógłbym powiedzieć to i owo o dorastaniu w sierocińcu.

Przyłożyła mu palec do ust, a potem skierowała jego uwagę na coś innego:

– Popatrz w górę.

Spojrzał posłusznie. Ona zaś spojrzała na niego. Zwróciła uwagę na napięcie mięśni na jego szyi. Odnotowała wzrokiem wcięcie nadmostkowe, które skojarzyło się jej z kolacją, ta zaś niestety ponownie przywiodła jej na myśl Mercy.

– W miejscach takich jak to wystarczy trochę poskrobać pozłotko, by wyszły różne złe rzeczy – zauważyła.

Will popatrzył na nią uważnie.

– Wiem, co ci chodzi po głowie. Dlatego skłamaliśmy.

Oszczędził jej komentarza w rodzaju: „A nie mówiłem?".

– Hej... – szepnęła, bo już wystarczająco dużą część nocy spędzili na rozmowie o McAlpine'ach. – Muszę ci się przyznać jeszcze do czegoś.

Znów zaczął się uśmiechać.

– Co to takiego?

– Nie mogę się tobą nasycić. – Sara polizała językiem wgłębienie w szyi Willa i powędrowała pocałunkami wyżej. Pozwoliła sobie na łagodne przygryzanie jego skóry. Temperatura wody przestała stanowić jakikolwiek problem. Will sięgnął między jej nogi. Jęknęła pod wpływem tego dotyku. Opuściła rękę, by mu się odwdzięczyć.

Wtem ostry, donośny krzyk poniósł się echem po wodzie.

– Will... – Sara odruchowo do niego przylgnęła. – Co to było?

Wziął ją za rękę i rozejrzał się po okolicy. Żwawo ruszyli z powrotem do brzegu.

Żadne z nich się nie odezwało. Will podał Sarze sukienkę. Obróciła ją w dłoniach, szukając właściwej strony. Wciąż miała w uszach echo rozpaczliwego krzyku i próbowała odgadnąć, z czyich ust pochodził. Najbardziej prawdopodobną osobą była Mercy, lecz nie jedyną, dla której ten wieczór stał pod znakiem silnego stresu.

Sara zastanowiła się nad pozostałymi, zaczynając od speców od cateringu:

– Para kłócąca się przy kolacji. Dentystka była kompletnie wstawiona. A informatyk...

– A ten samotny facet? – Will wciągnął spodnie. – Ten, który naprzykrzał się Mercy?

– Chuck. – Podczas kolacji Sara obserwowała odrażającego mężczyznę, który wodził wzrokiem za Mercy. Zdawał się rozkoszować jej skrępowaniem. – Prawnik z kolei był obleśny. Swoją drogą, jakim cudem zdobył dostęp do wi-fi?

– Jego żona z bzikiem na punkcie koni irytowała wszystkich. – Will wsunął stopy w buty. – Kombinatorzy od aplikacji coś knują.

Sara wspomniała mu o dziwnym przemianowaniu Landry'ego na Paula.

– A co z Szakalem?

Twarz Willa skamieniała.

Sara włożyła sandałki i rzuciła trochę niepewnie:

– Kochanie? Czy...

– Gotowa?

Nie dał jej szansy na udzielenie odpowiedzi. Ruszył ścieżką i wysforował się przed nią. Minęli domek, a potem skręcili w lewo, na Pętlę. Zauważyła, że Will stara się dostosować do niej swoje tempo. Normalnie już puściłaby się biegiem, ale w sandałkach było to trudne. Wreszcie się zatrzymał i odwrócił do niej.

– Czy mogę cię tu...

– Idź. Dogonię cię. – Przez chwilę patrzyła, jak wbiega do gęstego lasu. Minął Pętlę i skierował się prosto w stronę domostwa McAlpine'ów, co było logiczne, bo stamtąd docierało jedyne światło.

Sara spojrzała w kierunku jeziora. Z mapy wynikało, że dzieliło się na trzy części, a każda kolejna była nieco większa, jak w piętrowym torcie. Mogłaby przysiąc, że krzyk dobiegł z tej dolnej, znajdującej się po przeciwnej stronie Płycizny. A może to nie był krzyk? Może to tylko sowa porwała wypatrzonego w leśnej gęstwinie królika. A może puma starła się z szopem.

– Przestań – zganiła się Sara.

Ich zachowanie zakrawało na szaleństwo. Ruszyli pędem, nie mając żadnego planu. To nie tak, że Sara mogła sobie pozwolić na wyrywanie ludzi ze snu, bo prawdopodobnie ktoś krzyczał. Tego wieczoru w pensjonacie rozegrało się już wystarczająco dużo dramatów. Niewykluczone, że problem stworzyli właśnie oni. Żadne z nich nie było w stanie wyłączyć swojego zawodowego umysłu. Nie pozostało jej nic innego, jak iść dalej, do domu McAlpine'ów. Postanowiła usiąść na schodach prowadzących na werandę i tam poczekać na Willa. Może któryś z puszystych kotów dotrzyma jej towarzystwa.

Sara była wdzięczna za oświetlenie zainstalowane wzdłuż ścieżki prowadzącej do domu. Nie potrafiła stwierdzić, czy tym razem spacer wydaje się jej dłuższy, czy krótszy niż poprzednim razem. Nie znajdowała żadnych punktów orientacyjnych ani nie miała zegarka, więc czas zdawał się stać w miejscu. Wsłuchała się w odgłosy lasu. Cykały świerszcze, jakieś stworzenia pierzchały na boki, wiatr targał jej sukienką. Zapowiedź deszczu wisiała w powietrzu. Sara przyśpieszyła kroku.

Zanim ujrzała światło na werandzie, minęło kilka kolejnych minut. Była jakieś pięćdziesiąt metrów od niej, gdy zauważyła schodzącą po schodach postać. Księżyc zniknął za chmurami. Smolista czerń nocy wygrywała ze słabym blaskiem żarówek, nadając sylwetce upiorny kształt. Sara skarciła się za przypływ strachu. Musiała przestać słuchać przed snem podcastów o Wielkiej Stopie. Kształt okazał się mężczyzną niosącym plecak.

Już miała go zawołać, gdy potknął się, upadł na kolana i zaczął wymiotować.

W powietrzu rozszedł się kwaśny odór alkoholu. Sara przez mgnienie oka rozważała wycofanie się, odnalezienie Willa i powrót do tego, co przed chwilą przerwali, lecz nie mogła się zmusić do odwrócenia wzroku. Być może przez graniczące z pewnością podejrzenie, że upiorna postać to w istocie mocno pogubiony nastolatek.

– Jon? – zaryzykowała.

– Czego? – Niezdarnie podniósł plecak, próbując wstać. – Spadaj.

– Dobrze się czujesz? – Sara ledwie go widziała, lecz była przekonana, że wcale nie czuje się dobrze. Bujał się jak wiatrowskaz. – Może usiądziemy na werandzie?

– Nie. – Cofnął się o krok. Potem kolejny. – Odpieprz się.

– Tak zrobię – odparła. – Ale najpierw odszukajmy twoją mamę. Jestem pewna, że chciałaby...

– Pomocy!

Serce zamarło jej w piersiach. Odwróciła się w kierunku, z którego dotarł dźwięk. Tym razem nie miała żadnych wątpliwości, że dobiega z przeciwległego skraju jeziora.

– Proszę!

Zanim ponownie zwróciła się w stronę Jona, drzwi zdążyły się już zatrzasnąć. Sara nie miała czasu na niańczenie pijanego dzieciaka. Bardziej martwiła się o Willa. Wiedziała, że uda się prosto do krzyczącej kobiety.

Nie miała innego wyjścia. Zrzuciła sandały, podciągnęła sukienkę i puściła się biegiem przez ośrodek. Jej mózg rozpaczliwie starał się wytyczyć najlepszą trasę. Na cocktail party Cecil wspomniał, że Szlak Zaginionej

Wdowy prowadzi na drugi brzeg jeziora. Sara jak przez mgłę pamiętała to miejsce z mapy. Przecięła Pętlę, omijając ścieżkę wiodącą do jadalni. Nie znalazła żadnych oznaczeń Szlaku Zaginionej Wdowy. Pozostało jej przedzierać się przez las.

Sosnowe igły wbijały się w jej bose stopy, wrzośce szarpały sukienkę, Sara osłaniała się dłońmi przed największymi gałęziami. Ale to nie były zawody w sprincie. Musiała przyhamować. Sądząc po mapie, drugi brzeg jeziora znajdował się dość daleko od kompleksu. Zwolniła do truchtu, zastanawiając się, co powinna była zrobić w pierwszej kolejności. Znaleźć apteczkę. Założyć buty trekkingowe. Zawiadomić rodzinę, bo Jon po pierwsze, spił się w sztok, po drugie, był jeszcze dzieckiem, a po trzecie, prawdopodobnie teraz leżał nieprzytomny w swoim pokoju.

Biedna Mercy. Nie mogła liczyć na szybkie pojawienie się bliskich. Podczas kolacji zachowywali się wobec niej paskudnie: warknięcia matki, zniesmaczona mina ojca, żałosne milczenie brata... Sara powinna była dłużej z nią porozmawiać. Szczególnie o jej obawach związanych z niedoczekaniem poranka.

– Sara! – Głos Willa był jak dłoń zaciskająca się na jej sercu. – Sprowadź Jona! Szybko!

Potknęła się i zatrzymała. Nigdy wcześniej nie słyszała, by Will krzyczał z takim przejęciem. Odwróciła się w stronę, z której przybiegła. Nie orientowała się, ile czasu minęło od chwili, gdy rozmawiała z Jonem przed domem. Wiedziała, że Will jest blisko. Wiedziała też, że powrót do ośrodka w celu ściągnięcia Jona nie jest tym, czego chłopak teraz potrzebuje.

Mercy przydarzyło się coś bardzo złego. Will nie myślał trzeźwo, a ona z pewnością nie chciałaby, aby syn ujrzał ją w opłakanym stanie. Jeśli dopadł ją Dave i jeżeli bardzo ją skrzywdził, Sara w żadnym wypadku nie mogła pozwolić Jonowi zakodować w mózgu tego wspomnienia.

– Sara! – ponownie krzyknął Will.

Błagalny ton jego głosu ponownie pobudził ją do działania, ale tym razem lepiej przemyślanego. Pobiegła ile sił w nogach, trzymając ręce blisko ciała. W miarę jak zbliżała się do celu, powietrze coraz bardziej gęstniało od dymu. Teren raptownie się obniżył. Wpadła w kontrolowany poślizg i dopiero w ostatniej chwili straciła równowagę i niewiele brakowało, by przeturlała się przez ostatni odcinek drogi. Zabrakło jej tchu, lecz na widok polany zebrała siły i ponownie zaczęła biec. Blask księżyca kolejno wydobywał z mroku kontury kozła do piłowania drewna, rozrzuconych na ziemi narzędzi, generatora i wreszcie jeziora.

Okolicę spowijał gęsty dym. Sara pochyliła się, biegnąc po nierównym skalistym terenie. Dostrzegła trzy rustykalne domki. Ostatni trawił ogień tak bardzo buzujący, że poczuła ciepło na skórze. Wiatr zmienił kierunek, unosząc kłęby dymu. Podeszła o krok bliżej pożaru. Ziemia była wilgotna. Poczuła zapach krwi, zanim uświadomiła sobie, na czym stoi. Znajoma woń miedzi, która towarzyszyła jej przez większość dorosłego życia.

– Proszę – powiedział Will.

Sara się odwróciła. Ślady krwi prowadziły do jeziora. Will klęczał pochylony nad leżącym w wodzie ciałem. Rozpoznała Mercy po butach w kolorze lawendy.

– Mercy? – załkał Will. – Nie opuszczaj go. Nie możesz go zostawić.

Sara podeszła do męża. Nigdy nie widziała, by tak żałośnie płakał. Był bardziej niż zrozpaczony. Był całkowicie zdruzgotany.

Przyklękła po drugiej stronie ciała. Delikatnie położyła palce na nadgarstku Mercy, ale nie wyczuła pulsu. Skóra była prawie lodowata od wody. Sara spojrzała na twarz Mercy. Jej blizna nie była teraz niczym więcej niż białą kreską. Pozbawione życia oczy utkwione były w usianym gwiazdami niebie. Will starał się zasłonić ją swoją koszulą, lecz nie był w stanie ukryć śladów przemocy. Mercy odniosła wiele ran kłutych, a niektóre z nich były tak głębokie, że ciosy prawdopodobnie strzaskały kości. Krwi zebrało się tyle, że sukienka Sary zabarwiła się w wodzie na czerwono.

Musiała odkaszlnąć, by wypowiedzieć choć słowo:

– Will?

Wyglądało na to, że nawet nie zauważył jej obecności.

Splótł palce i położył dłonie na klatce piersiowej Mercy. Nie miała sumienia go powstrzymywać. W trakcie swojej kariery zawodowej próbowała reanimować wielu ludzi i wiedziała, jak wygląda śmierć. Wiedziała, kiedy pacjent przekracza granicę. Wiedziała też, że musi pozwolić Willowi spróbować.

Pochylił się nad Mercy i oparł o jej mostek całym ciężarem ciała.

Patrzyła, jak jego ręce się zapadają.

Wszystko wydarzyło się tak szybko, że do Sary początkowo nie dotarło, co tak naprawdę widzi. Dopiero po chwili uświadomiła sobie, że dłoń Willa przebił ostry kawałek stali.

– Przestań! – krzyknęła, chwytając go za ręce i unieruchamiając je. – Nie ruszaj się. Przetniesz nerwy.

Will popatrzył na nią, jak mógłby spojrzeć na zupełnie obcą osobę.

– Will... – Sara mocniej zacisnęła dłonie. – W jej piersi tkwi nóż. Nie ruszaj ręką, dobrze?

– Czy Jon... przyjdzie?

– Jest w domu. Nic mu nie będzie.

– Mercy prosiła, żebym mu powiedział... Że go kocha. Że wybacza mu kłótnię. – Will dygotał z rozpaczy. – Chciała... chciała mu przekazać, że nic się nie stało.

– Sam możesz przekazać to Jonowi. – Pomyślała o tym, by obetrzeć mu łzy, lecz bała się, że jeśli go puści, wyszarpnie rękę. – Najpierw musimy pomóc tobie, proszę, Will. W tej części dłoni znajduje się kilka ważnych nerwów. Pozwalają wyczuwać dotykiem różne obiekty. Piłkę do koszykówki. Pistolet. Albo mnie.

Powoli wracał do siebie. Spojrzał na długie ostrze, które przebiło dłoń między kciukiem a palcem wskazującym.

Nie spanikował, tylko stwierdził po prostu:

– Powiedz, co mam zrobić.

Sara odetchnęła z ulgą.

– Zabiorę ręce, żeby ocenić sytuację, dobrze?

Nerwowo przełknął ślinę i skinął głową.

Ostrożnie go puściła i przyjrzała się urazowi, wdzięczna za blask księżyca, choć okazał się zbyt nikły. Wszędzie było pełno dymu i cieni drzew, Willa i noża. Sara mocno ujęła czubek ostrza kciukiem i palcem wskazującym, żeby sprawdzić, na ile mocno tkwi w ciele Mercy. Silny opór podpowiedział jej, że nóż w jakiś sposób zaklinował się między kręgami lub mostkiem. Nie dało się go wyrwać inaczej niż siłą.

W każdej innej sytuacji Sara ustabilizowałaby dłoń Willa na ostrzu, aby chirurg mógł uwolnić rękę w kontrolowany sposób. Tutaj nie miała tego luksusu. Mercy była częściowo zanurzona w wodzie. Jedynie nacisk Willa powstrzymywał jej ciało od unoszenia się i opadania zgodnie z ruchem fal. Jeden Bóg wiedział, jak daleko jest do szpitala, a o karetce mogli zapomnieć. Nawet gdyby wszyscy pośpieszyli im z pomocą, nierozsądnie byłoby próbować wynieść z lasu ciało Mercy z dłonią Willa przyszpiloną do piersi. Co gorsza, tego rodzaju kontakt człowieka ze zwłokami wiązał się z wielkim ryzykiem. Bakterie namnażające się wskutek rozkładu mogły wywołać śmiertelną w skutkach infekcję.

Sara musiała zrobić to tu i teraz.

Will znajdował się po lewej stronie Mercy. Nóż wystawał z prawej strony jej klatki piersiowej. W przeciwnym razie przebiłby serce, co przekreśliłoby jakikolwiek sens resuscytacji. Palce Willa nadal były splecione, lecz obrażenia ograniczały się do prawej dłoni. Zakrzywiony czubek noża przebił tkankę tuż obok kciuka. Z dłoni wystawał dość dobrze widoczny kawałek ostrza. Nóż miał niecałe półtora centymetra szerokości i sądziła, że jest ostry jak brzytwa. Zabójca prawdopodobnie zabrał go z kuchni lub jadalni. Miała nadzieję, że większość ważnych struktur w dłoni Willa uniknęła uszkodzenia, bo u podstawy kciuka dzieje się stosunkowo niewiele, ale wolała nie ryzykować.

Chcąc jednocześnie uspokoić siebie i Willa, przywołała garść faktów anatomicznych:

– Mięśnie kłębu są unerwione przez nerw pośrodkowy, biegnący tutaj. Nerw promieniowy, tutaj i tutaj, zapewnia czucie w tylnej części dłoni, od kciuka do palca środkowego. Muszę się upewnić, że są nienaruszone.

– W porządku. – Przybrał stoicki wyraz twarzy. Chciał mieć to już za sobą. – Jak to sprawdzisz?

– Dotknę zewnętrznej strony twoich palców, a ty mi powiesz, czy odbierasz ten dotyk zwyczajnie, czy masz jakieś wątpliwości.

Przytaknął mimo niepokoju, który odmalował się na jego twarzy.

Sara lekko przeciągnęła palcem po obrzeżu kciuka. Potem zrobiła to samo z palcem wskazującym. Will nie zareagował. Jego milczenie było irytujące.

– Will?

– Jest jak zwykle. Chyba.

Niepokój Sary odrobinę zelżał.

– Nie dam rady wyjąć ostrza z ciała. Zamierzam podnieść twoją dłoń, by ją oswobodzić, ale musisz rozluźnić mięśnie ramion, nie spinać łokci i pozwolić mi działać. Nie próbuj mi pomagać, dobrze?

Kiwnął głową, powtarzając za nią:

– Dobrze.

Sara przytrzymała kciuk Willa i wsunęła czubki palców pod jego dłoń. Najwolniej, jak umiała, zaczęła ją unosić.

Will syknął przez zęby.

Nie przestawała podnosić jego ręki, dopóki całkowicie nie zdjęła jej z ostrza.

Will przeciągle wypuścił powietrze z płuc. Choć nic go już nie więziło, dłoń zatrzymała się nad ciałem, pozostając w tej samej co przed chwilą pozycji z rozłożonymi palcami. Spojrzał na rękę. Szok minął. Czuł wszystko i miał pełną świadomość tego, co się stało. Poruszył kciukiem. Ugiął palce. Z rany kapała krew, lecz była to raczej cienka strużka niż gwałtowny krwotok, co oznaczało, że tętnice są nienaruszone.

– Dzięki Bogu – powiedziała Sara. – Powinniśmy jechać do szpitala i to zbadać. Mogło dojść do jakichś uszkodzeń, których nie widać z zewnątrz. Odnowiłeś szczepienie przeciwko tężcowi, ale ranę i tak trzeba dokładnie oczyścić. Musimy znaleźć kogoś, kto podrzuci nas do Atlanty.

– Nie – zaprotestował. – Nie ma na to czasu. Mercy nie została po prostu dźgnięta nożem. Ktoś ją zmasakrował. Ktokolwiek to zrobił, był w amoku, zaślepiony wściekłością, pozbawiony wszelkich hamulców. Taka nienawiść jest możliwa tylko między osobami, które się znają.

– Musisz jechać do szpitala.

– Muszę znaleźć Dave'a.

ROZDZIAŁ ÓSMY

Will udał się za Sarą do jadalni. Światła były zgaszone, lecz ktoś zostawił włączoną muzykę. Wyciągnął rękę, żeby powstrzymać Sarę przed wejściem do kuchni. Dave mógł się tu ukrywać. I mógł mieć drugi nóż.

Wszedł pierwszy. Ba, miał nadzieję, że Dave istotnie jest w posiadaniu drugiego noża. Mógłby zmiażdżyć pieprzonego zabójcę jedną ręką. Przez niemal dziesięć lat pobytu w domu dziecka powstrzymywał się od tego, ale teraz nie byli już dziećmi. Kopniakiem otworzył kuchenne drzwi. Zapalił górne światła. Zobaczył przejście przez łazienkę i znajdujące się dalej biuro.

Żywej duszy.

Obrzucił spojrzeniem noże wiszące na ścianie i te na bloku rzeźniczym.

– Nie wygląda na to, by jakiegoś brakowało.

Sara nie zaprzątała sobie głowy identyfikowaniem narzędzia zbrodni, tylko udała się do łazienki.

– Czy w biurze jest telefon? – zapytał Will.

– Nie. – Zdjęła ze ściany apteczkę. – Umyj obie ręce nad zlewem. Jesteś cały we krwi.

Will spojrzał w dół. Zapomniał, że przykrył ciało Mercy swoją koszulą. Teraz jego nagi tors cały był umazany czerwienią. Zabarwiona na karmazynowo woda z jeziora poplamiła jego granatowe bojówki. Owalne ciemne ślady przypominały cętki dalmatyńczyka.

– Musimy wezwać miejscową policję i zorganizować grupę poszukiwawczą. Jeśli Dave ucieka pieszo, może być już w połowie drogi na dół. Marnujemy czas. – Mówiąc to, odkręcił kuchenny kran.

– Nie będziemy nic robić, dopóki nie zatamuję krwawienia. – Sara otworzyła apteczkę na blacie. Wycisnęła na dłonie pokaźną ilość płynu do mycia naczyń, a potem wyszorowała ręce włącznie z przedramionami. – Powiedz mi, skąd masz pewność, że to Dave zabił Mercy.

Will nie spodziewał się tego pytania, ponieważ odpowiedź wydawała mu się oczywista. Uważał go za winnego ponad wszelką wątpliwość.

– Mówiłaś, że próbował ją dziś udusić.

– Ale nie było go na kolacji. Nie widzieliśmy go w lesie ani na szlakach. – Sara wzięła ścierkę i zaczęła wycierać mu krew z brzucha. – Niecałe dwie godziny temu Mercy powiedziała, cytuję: „Na tej górze nie ma już chyba nikogo, kto nie chciałby mnie zabić".

– A potem próbowała cofnąć te słowa. Udawać, że tylko żartowała.

– A jeszcze później została zamordowana – podsumowała Sara. – Z oczywistych względów wziąłeś na celownik Dave'a, ale to mógł być ktoś inny.

– Kto na przykład?

– Ten facet, który przedstawił się jako Landry, chociaż jego partner mówi do niego Paul?

– Co to ma wspólnego z Mercy?

Zamiast odpowiedzieć na pytanie, powiedziała:

– To zaboli.

Will zacisnął zęby, gdy polała otwartą ranę środkiem dezynfekującym.

– Zanim ból zelżeje, najpierw się nasili – ostrzegła go. – A Chuck? Mercy nie chciała mieć z nim nic wspólnego, ale nawet kiedy kazała mu się odpieprzyć, gapił się na nią wzrokiem dewianta.

Już miał się odezwać, gdy obłożyła mu gazą miejsce między kciukiem a palcem wskazującym. Wrażenie było takie, jakby dotknęła znajdującej się tam kupki prochu płonącą zapałką.

– Rany boskie, co to jest?

– Opatrunek hemostatyczny – wyjaśniła. – Może powodować oparzenia skóry, ale zatrzymuje krwawienie. Muszę go dociskać przez kilka chwil. Możesz go zdjąć po mniej więcej dwudziestu czterech godzinach... albo pojechać do szpitala i pozwolić na odpowiednie opatrzenie rany.

Z jej ostrego tonu Will wywnioskował, którą opcję preferowała.

– Saro, wiesz, że nie mogę tego odpuścić.

– Wiem.

Utrzymywała stały nacisk na opatrunek. Oboje milczeli, zatopieni we własnych myślach. Ona rozważała ryzyko wdania się zakażenia, uszkodzenia nerwów i rozmaite inne kwestie medyczne, które w tej chwili najbardziej ją niepokoiły. On zaś do tego stopnia skupił się na Davie, że nie przykładał większej wagi do bólu dłoni, który zdawał się rozsadzać ją od środka.

– Jeszcze minuta. – Sara patrzyła na sekundnik okrążający tarczę wiszącego na ścianie zegara.

Will przyglądał się jej dla zabicia czasu. Wyglądała na równie spoconą i styraną jak on. Wyciągnął gałązkę z jej włosów. Była boso. Sącząca się do wody w jeziorze krew Mercy zabarwiła szarozieloną sukienkę Sary w sposób przypominający ręcznie farbowaną odzież, podobną do stroju, jaki ciotka Mercy miała na sobie podczas kolacji.

Wspomnienie ciotki nasunęło mu skojarzenia z resztą rodziny Mercy. Will był do tego stopnia owładnięty myślą o dopadnięciu Dave'a, że nie zastanowił się nad możliwymi działaniami. Obecnie nie miał żadnych uprawnień do prowadzenia śledztwa. W najlepszym razie był świadkiem, w najgorszym jedynie zastępcą miejscowego szeryfa do czasu jego przybycia.

Dotarcie do ośrodka mogło zająć temu człowiekowi dłuższą chwilę. Will musiał sporządzić zawiadomienie o śmierci. Jonowi trzeba było powiedzieć, że jego matka została zamordowana. Chłopak zapewne będzie chciał zobaczyć ciało.

Mercy nie mogła pozostać w wodzie, Will i Sara przenieśli ją więc do jednego z domków. Zablokowali drzwi znalezionym w pobliżu kawałkiem drewna, aby nie dobrało się do niej żadne zwierzę. Perspektywa rychłego deszczu oznaczała, że wszelkie ślady na miejscu zbrodni i tak zostaną zatarte.

– Niepełnosprawność Cecila zapewne wyklucza go z listy podejrzanych. – Sara wciąż zastanawiała się nad innymi potencjalnymi sprawcami. – Jon był ze mną.

– Jak się na niego natknęłaś?

– Myślę, że próbował uciec. Wciąż był pijany. – Przytrzymując bandaż na dłoni Willa, Sara otworzyła następną paczkę gazy. – Między Mercy a jej bratem wyraźnie widać było napięcie. I między nią a jej matką też. Boże, jacy oni wszyscy byli dla niej podli podczas tej kolacji.

Will wiedział, że Sara próbuje pomóc, ale to nie była skomplikowana sprawa.

– Chatkę podpalono prawdopodobnie po to, by zatuszować ślady zbrodni. Mercy miała ściągnięte dżinsy, co zapewne oznacza, że napastnik próbował ją zgwałcić. Została zawleczona do wody, przypuszczalnie w celu utopienia. Pewnie chodziło także o zmycie śladów DNA. Napaści dokonał ktoś w amoku. Był wściekły, rozjuszony. Czasami oczywistość jest oczywista nie bez powodu.

– A czasami śledczy od początku patrzy na sprawę z konkretnej perspektywy, która prowadzi go w złym kierunku.

– Chyba nie kwestionujesz moich umiejętności.

– Zawsze jestem po twojej stronie – odparła. – Ale próbuję dać ci okazję do zrewidowania oceny sytuacji. Twoja nienawiść do Dave'a jest w pełni zrozumiała.

– Powiedz mi, dlaczego według ciebie nie jest głównym podejrzanym.

Sara odpowiedziała dopiero po chwili:

– Popatrz na nas. Na nasze ubrania. Ktokolwiek zabił Mercy, musiał skąpać się w jej krwi.

– Właśnie dlatego mówię, że czas ucieka – oznajmił Will. – Miejsce zbrodni właściwie niczego nie powie. W klatce piersiowej Mercy tkwi ostrze, ale nie wiadomo, gdzie znajduje się złamana rękojeść. Nie chcę dawać Dave'owi ani chwili dłużej na pozbycie się dowodów, lecz będę musiał poczekać na przyjazd szeryfa. To on odpowiada za zorganizowanie pościgu i formalne rozpoczęcie śledztwa. Tak czy inaczej, nie wiem, jak mógłbym się stąd wydostać. Nie mam żadnej podstawy prawnej, która uzasadniałaby konfiskatę pojazdu.

Sara zaczęła owijać jego dłoń bandażem elastycznym.

– Musimy znaleźć telefon. Albo zdobyć hasło do wi-fi.

– Potrzebujemy czegoś więcej. Mam w telefonie funkcję komunikatu alarmowego, ale trzeba złapać zasięg. Komunikat zawiera informację o lokalizacji odczytaną na podstawie danych GPS i jest wysyłany do służb ratunkowych i wybranych kontaktów z mojej listy.

– Czyli do Amandy.

– Przypuszczam, że znajdzie sposób na włączenie się do śledztwa – odparł Will. Wiedział, że GBI nie mogło samo przejąć sprawy. Wymagało to prośby ze strony miejscowych władz lub decyzji gubernatora. – Jesteśmy w hrabstwie Dillon. Przypuszczam, że tutejszy szeryf miał do czynienia z najwyżej jednym morderstwem, odkąd objął ten urząd. Potrzebujemy ekspertów od podpaleń i śledczych. Trzeba przeprowadzić pełną sekcję zwłok. Jeśli obława przeciągnie się do jutra, będziemy musieli skoordynować działania z agencją federalną USMS, w razie gdyby Dave przekroczył granicę stanu. Szeryf nie ma budżetu na takie czynności. Będzie wdzięczny, gdy Amanda wkroczy do akcji.

– Przyniosę ci telefon z naszej kwatery i wyślemy komunikat. – Sara umocowała końcówkę bandaża. – Uderz w dzwon obok domu. Poderwiesz na nogi wszystkich.

– Oprócz Dave'a – zauważył. – Szybko się przekonamy, czy w sprawę jest zamieszany ktoś jeszcze. Będzie albo umazany krwią, albo nie wyjdzie. Albo będzie miał gdzieś ukrytą złamaną rękojeść noża. Musimy przeszukać wszystkie domki i siedzibę McAlpine'ów.

– Masz do tego prawo?

– Nadzwyczajne okoliczności. Morderca uciekł z miejsca zdarzenia. Mogą być inne ofiary. Gotowa?

– Poczekaj chwilę. – Sara wróciła do łazienki i przyniosła biały uniform, który prawdopodobnie należał do szefa kuchni. – Załóż to. Potem przyniosę ci coś innego, żebyś mógł się przebrać.

Pomogła mu się ubrać. Uniform był tak ciasny w ramionach, że Sara z trudem dopięła guziki. Grube poły rozchodziły się na dole, lecz akurat na to nic nie mogła poradzić. Uklękła i zawiązała mu sznurówkę. Will przypomniał sobie, że Sara wciąż jest bosa. Podał jej swoje skarpety, które wyjął z kieszeni spodni.

– Dzięki. – Zakładając je, Sara nie spuszczała z niego wzroku. – Obiecaj, że będziesz ostrożny.

Nie martwił się o siebie. Nagle przyszło mu do głowy, że w środku nocy wysyła żonę samą do ich domku, najbardziej ze wszystkich oddalonego od centrum kompleksu, podczas gdy zabójca grasuje na wolności.

– Może powinienem iść z tobą.

– Nie. Rób swoje. – Przywarła ustami do jego policzka na sekundę dłużej niż zwykle. – Rodzina nie chciałaby pewnie, żeby zwłoki Mercy przez całą noc były bez opieki. Przekaż, że posiedzę przy ciele, dopóki nie będzie można go przenieść w inne miejsce.

Will dotknął jej twarzy. Kochał ją z wielu powodów, a umiejętność okazywania współczucia była jednym z nich.

– Chodźmy – powiedział.

Rozstali się w miejscu, w którym Szlak Wyżerki przecinał Pętlę. Wraz z nadchodzącym deszczem chmury przesunęły się, zasłaniając księżyc w pełni. Will czuł, że wszystkie jego zmysły są w pogotowiu. Było tak ciemno, że Dave mógł stać kilka kroków przed nim, a on nie miałby o tym pojęcia. Przyśpieszył kroku i potruchtał w stronę domu, ignorując kłucie w kostce. Ogrom trosk sprawił, że palący ból w dłoni zszedł na dalszy plan.

Sara miała rację co do innych podejrzanych, ale nie z tych powodów, które przytoczyła. Will zdawał sobie sprawę, że któregoś dnia zostanie wezwany do sądu, by złożyć przed ławą przysięgłych zeznania w związku z wydarzeniami tej nocy. Chciał zyskać pewność, że będzie mógł wtedy z całą szczerością przyznać, iż wziął pod uwagę wszystkich potencjalnych sprawców. Nie zamierzał dopuścić do popełnienia w śledztwie jakichkolwiek błędów, które obrońca mógłby wykorzystać do podważenia wyroku skazującego. Will był to winien Mercy.

A w szczególności był to winien Jonowi.

Drewniany słup z zawieszonym na nim dzwonem, który sprawiał wrażenie zabytkowego, znajdował się kilka metrów od siedziby McAlpine'ów. Willowi wydawało się, że minęły całe wieki od momentu, gdy stał przy prowadzących na werandę schodach, pogryzając ciasteczka i chipsy. Doba przemknęła mu przed oczami, lecz zamiast tego, co miał nadzieję zapamiętać z miesiąca miodowego – uśmiechu Sary, wędrówki z nią do ośrodka, obejmowania jej, gdy zasnęła w wannie – na myśl przyszły mu wszystkie dramaty Mercy McAlpine z dnia, w którym została brutalnie zamordowana.

Dave ją dusił. Chuck rozwścieczył. Keisha zirytowała, czepiając się szklanek. Jon upokorzył na oczach wszystkich. Cecil był dla niej okrutny,

Bitty zimna jak głaz, a Christopher zachował się tchórzliwie. Stuknięta fanka koni wyraźnie ją rozeźliła, prosząc o oprowadzenie po tutejszych terenach. Szef kuchni nawet nie wyjrzał ze swego przybytku, gdy Jon urządził scenę. Niewykluczone, że kombinatorzy od projektowania aplikacji coś przed nią ukrywali. A może dentystka, informatyk, barmanka albo... Will nie mógł dłużej tracić czasu na „może". Ujął linę i pociągnął. Rozległ się dźwięk przypominający raczej brzęknięcie niż dzwonienie. Szarpnął linę jeszcze kilkakrotnie. Robienie hałasu w panującej wokół ciszy było może niestosowne, lecz nie w kontekście nieludzkiego okrucieństwa, jakie spotkało Mercy nad jeziorem.

Zamierzał znów pociągnąć za linę, gdy zaczęły zapalać się światła. Najpierw w jednym z okien na piętrze głównego budynku poruszyła się zasłona. Will zobaczył odzianą w szlafrok Bitty, która patrzyła w dół z zagniewaną miną. Błysnęło kolejne światło, tym razem na tyłach domu. Rozległy się suche trzaski i na terenie całego kompleksu rozjarzyły się reflektory. Za dnia Will nie zauważył ukrytych wśród drzew lamp, lecz teraz był wdzięczny za ich istnienie, ponieważ pozwalały ujrzeć każdy zakamarek terenu.

Okna w dwóch domkach rozbłysły tak, jakby zapalono w nich wszystkie żarówki. Gordon wyszedł na ganek. Miał na sobie skąpe czarne slipy i nic więcej. Landry'ego vel Paula nie było w zasięgu wzroku. Dwa domki dalej po schodach zszedł Chuck w żółtym szlafroku frotté z wzorem w gumowe kaczuszki. Zanim zasłonił się połami tkaniny, Will zauważył, że pod spodem jest nagi.

W kolejnym domku zapłonęło światło. Will spodziewał się ujrzeć Keishę i Drew, lecz drzwi otworzył Frank w białym podkoszulku i bokserkach. Poprawił okulary. Sprawiał wrażenie zaskoczonego widokiem Willa.

– Wszystko w porządku? – zapytał.

Will właśnie zamierzał odpowiedzieć, kiedy usłyszał skrzypienie towarzyszące otwarciu drzwi u McAlpine'ów.

– Kto tam? – Wózek inwalidzki wytoczył się na werandę. Cecil McAlpine był bez koszulki, jego klatkę piersiową przecinały głębokie blizny. Proste linie, jakby nadział się na ostre kawałki metalu. – Bitty? Kto uderzył w dzwon?

– Nie mam pojęcia. – Bitty stała za mężem z twarzą wykrzywioną niepokojem i zawiązywała pasek ciemnoczerwonego szlafroka. – Co tu się, do diabła, dzieje? – zwróciła się do Willa.

– Proszę wszystkich o wyjście na zewnątrz – polecił podniesionym głosem.

– Dlaczego? – zapytał ostro Cecil. – I kim jesteś, do cholery, żeby nam rozkazywać?

– Jestem agentem specjalnym Biura Śledczego stanu Georgia – oznajmił Will. – I raz jeszcze proszę, aby wszyscy zebrali się na zewnątrz. Teraz.

– Agent specjalny? – Gordon spojrzał przez ramię na swój domek, po czym nonszalancko zszedł po schodach.

Landry'ego nadal nie było.

– Przepraszam. – Frank pozostał na ganku. – Monica odpłynęła. Wypiła odrobinę za dużo i...

– Przyprowadź ją. – Will ruszył w stronę domku Gordona. – Gdzie jest Paul?

– Pod prysznicem. – Gordon nie skorygował imienia. – Co ty...

Will pchnął drzwi. Domek, choć mniejszy niż ten, który zajmowali z Sarą, miał zasadniczo ten sam układ pomieszczeń. Szum wody pod prysznicem ustał. – Paul? – zawołał i zaraz usłyszał:

– Tak?

Dla Willa było to wystarczające potwierdzenie, że obaj mężczyźni skłamali w kwestii imienia. Wszedł do łazienki. Paul sięgnął po ręcznik. Zerknął na Willa raz i drugi, przypuszczalnie dziwiąc się przykusemu strojowi szefa kuchni. Skrzywił się w uśmiechu.

– Już ci się znudziła świeżo upieczona małżonka? – zapytał.

Will spojrzał na zegarek. Było sześć po pierwszej w nocy. Dziwna godzina na prysznic. Popatrzył na leżące na podłodze ubrania Paula i rozsunął je czubkiem buta. Nie było śladów krwi ani złamanej rękojeści.

– Czy jest jakiś powód, dla którego znalazłeś się w mojej łazience, wyglądając tak, jakbyś właśnie wyszedł z koncertu Taylor Swift? – Paul wytarł włosy ręcznikiem. Will dostrzegł na jego piersi tatuaż, skomplikowany kwiatowy wzór wokół ozdobnego napisu, który przypominał odręczne pismo. Paul zauważył jego spojrzenie. Zarzucił ręcznik na ramię, zasłaniając wytatuowane słowo. – Zasadniczo nie przepadam za silnymi milczącymi typami, ale mogę zrobić wyjątek.

– Ubierz się i wyjdź na dwór.

Złe przeczucia, jakie Will miał wobec Paula, właśnie się nasiliły. Wychodząc, rozejrzał się po sypialni, a potem po salonie, powtórnie się upewniając, że nie ma tu śladów krwi ani złamanej rękojeści.

Kiedy był w domku, na zewnątrz zebrało się więcej ludzi. Idąc przez kompleks, Will dostrzegł wózek Cecila na szczycie głównych schodów. Christopher stał obok Chucka, także w żółtym wzorzystym szlafroku, tylko dla odmiany z rybkami. Wszyscy wodzili wzrokiem za Willem, taksując ciemne plamy na jego bojówkach i obcisły uniform szefa kuchni.

Nie padło żadne pytanie. Jedynym dźwiękiem, który przełamał ciszę, było poirytowane cmoknięcie Franka, który pomagał Monice usiąść na dolnym schodku. Miała na sobie coś, co wyglądało na czarną jedwabną halkę, i była tak pijana, że głowa opadała jej na bok. Sydney, kobieta od koni, stała obok Maxa, swego męża. Byli ubrani w te same dżinsy i T-shirty co podczas kolacji, lecz teraz Sydney zamiast butów do jazdy konnej założyła klapki. Spośród wszystkich zebranych para krezusów wyglądała na najbardziej rozdrażnioną. Will nie wiedział, czy irytacja związana z wyrwaniem ich z łóżka w środku nocy wynikała z poczucia winy, czy raczej z naruszenia ich przywilejów.

– Wytłumaczysz się? – zapytał go Gordon, który wciąż w samych slipach opierał się o słup dzwonu.

Paul powoli szedł przez kompleks. Miał na sobie bokserki i biały T-shirt. Uśmieszek zniknął z jego twarzy. Wyglądał raczej na zatroskanego.

Will odwrócił się, słysząc kroki na werandzie, i na schodach zobaczył Jona, który wyraźnie zatracił całą swoją wcześniejszą zuchwałość. Miał mokre włosy. Kolejny amator nocnych kąpieli, tylko że ta zapewne miała na celu otrzeźwienie. Chłopak był boso, w piżamie. Twarz miał opuchniętą, a oczy szkliste.

– Gdzie Keisha i Drew? – zapytał Will.

– Są w trójce. – Chuck wskazał domek, który znajdował się na przedłużeniu bocznej werandy głównego domu. Okna były zamknięte, zasłony zaciągnięte. Nie paliły się światła.

Will zwrócił się do Chucka:

– Ktoś mi mówił, że w domu jest telefon...

– Tak, w kuchni.

– Idź i zadzwoń do miejscowego szeryfa. Powiedz, że agent GBI poprosił o zgłoszenie kodu jeden-dwadzieścia-dwa. Potrzebne jest natychmiastowe wsparcie.

Nie udzielił mu dalszych wyjaśnień, tylko pobiegł w stronę domku numer trzy. Każdy krok budził w nim podskórny lęk. Ponownie wrócił myślami do rozmowy, jaką odbyli z Sarą w kuchni. Czy rzeczywiście miał klapki na oczach? Czy napaść na Mercy była przypadkowym incydentem?

Kompleks znajdował się u podnóża Szlaku Appalachów, który ciągnął się przez ponad trzy tysiące kilometrów wzdłuż Wschodniego Wybrzeża, od stanu Georgia aż do Maine. Odkąd zaczęto je odnotowywać, na szlaku miało miejsce co najmniej dziesięć morderstw. Gwałty i inne przestępstwa były rzadkie, ale też się zdarzały. Will wiedział przynajmniej o dwóch seryjnych mordercach, którzy czaili się na ofiary w tych rejonach. Niejaki Eric Rudolph, okryty złą sławą terrorysta, który dokonał zamachu bombowego podczas igrzysk olimpijskich, ukrywał się w okolicznych lasach przez kilka lat. Było dokładnie tak, jak określiła to Sara: wystarczy trochę poskrobać pozłotko, by wyszły różne złe rzeczy.

Will ciężkim krokiem wszedł po stopniach prowadzących do domku numer trzy. Tak jak w innych domkach, tak i w tym nie było zamka. Otworzył drzwi z takim impetem, że uderzyły o ścianę.

– Rany boskie! – wrzasnęła Keisha. Usiadła na łóżku wyprostowana jak struna i zaczęła na oślep szukać dłonią męża. Wreszcie zdarła z twarzy różową maskę do spania. – Will?! Co ty sobie, kurwa, myślisz?

Drew jęknął. Miał na twarzy zapobiegającą bezdechowi sennemu maskę, która obejmowała jego głowę niczym ośmiornica. Aparatura wydawała z siebie głośne mechaniczne brzęczenie, akompaniujące szumowi ustawionego przy łóżku wentylatora.

– Co się stało? – zapytał, ściągając maskę.

– Potrzebuję was oboje na zewnątrz. Teraz.

Will wyszedł, w milczeniu licząc zebranych, aby sprawdzić, czy kogoś brakuje. Grupa wciąż czekała przy schodach. Chuck poszedł do domu, skąd miał zadzwonić na policję. Sara powinna być już w drodze powrotnej, a szlak prowadził ją prosto tutaj.

– Gdzie jest personel kuchni? – zwrócił się Will do Christophera.

– Na noc wracają do domu – odparł zagadnięty. – Zwykle zbierają się stąd o wpół do dziewiątej wieczorem.

– Widziałeś, jak wyjeżdżają?

– A jakie to ma znaczenie?

Will spojrzał na parking. Trzy pojazdy.

– Czyj jest...

– Dość już tych pytań – przerwała mu Bitty. – Dlaczego nam nie powiedziałeś, że jesteś policjantem? W formularzu rejestracyjnym znajduje się informacja, że pracujesz jako mechanik. Co z tego jest prawdą?

Will zignorował ją i dalej indagował Christophera:

– Gdzie jest Delilah?

– Tutaj. – Delilah wychyliła się przez okno na piętrze. – Naprawdę muszę schodzić na dół?

– Co ty odwalasz, chłopie? – Agresywnie nastawiony Drew podszedł do Willa. On i Keisha mieli na sobie identyczne niebieskie piżamy. Na przyjaznej wcześniej twarzy mężczyzny malował się teraz gniew. – Nie masz prawa straszyć w ten sposób mojej żony.

– Poczekaj – wtrąciła Keisha. – Gdzie jest Sara? Wszystko z nią w porządku?

– Nic jej nie jest – zapewnił ją Will. – Doszło tutaj do...

– Zadzwoniłem po szeryfa! – zawołał Chuck, zbiegając po schodach. – Podobno dotarcie tu zajmie mu piętnaście, może dwadzieścia minut. Nie byłem w stanie podać mu żadnych szczegółów. Powiedziałem, że jesteś policjantem, przekazałem ten kod i poprosiłem, żeby się pośpieszył.

– Jesteś gliną? – Temperatura gniewu Drew wzrosła o kilka stopni. – Chłopie, mówiłeś, że naprawiasz auta. Co tu się, kurwa, dzieje?

Will miał już odpowiedź na końcu języka, gdy zobaczył Delilah wychodzącą na werandę. Zadała jedyne pytanie, które miało teraz znaczenie:

– Gdzie jest Mercy?

Will odnalazł wzrokiem Jona. Siedział na schodach kilka stopni wyżej od Moniki. Obok niego stała Bitty. Była tak niska, że ramieniem sięgał jej do pasa. Z przejmującą opiekuńczością tuliła jego głowę do swojego biodra. Z zaczesanymi do tyłu kręconymi włosami Jon wyglądał młodo i delikatnie, bardziej jak chłopiec niż mężczyzna. Will chciał wziąć go na stronę, w łagodnych słowach wyjaśnić, co się stało, i zapewnić, że znajdzie potwora, który odebrał mu matkę.

Ale jak miał mu powiedzieć, że tym potworem prawdopodobnie jest jego własny ojciec?

– Odpowiedz, proszę – odezwała się ponownie Delilah. – Gdzie jest Mercy?

Stłumił emocje. Najlepsze, co mógł teraz zrobić dla Jona, to wykonać swoje zadanie.

– Niełatwo mi o tym mówić.

– O nie. – Delilah zasłoniła usta dłonią, zdradzając tym gestem, że się domyśliła. – Nie, nie, nie...

– Ale co?! – zawołał Cecil. – Na litość boską, wyrzuć to z siebie.

– Mercy nie żyje. – Will zignorował ciche okrzyki zdumienia gości. Mówiąc to, przyglądał się Jonowi. Chłopak utknął gdzieś między szokiem a niedowierzaniem. Tak czy inaczej, informacja jeszcze do niego nie dotarła. Może gdy za kilka lat wspomni tę chwilę, będzie się zastanawiał, dlaczego czuł się jak sparaliżowany, siedząc z głową przyciśniętą do boku babci. Może nawet będzie to sobie wypominał, bo przecież powinien domagać się wyjaśnień, krzyczeć i rozpaczać z powodu straty.

Na razie Will mógł jedynie przedstawić mu garść szczegółów.

– Znalazłem ją nad wodą, tam gdzie stoją trzy nieduże domki...

– Chatki kawalerskie. – Christopher zwrócił się w stronę jeziora. – Co to za zapach? Coś się pali? Zginęła w pożarze?

– Nie – odparł Will. – Paliło się, ale pożar samoistnie wygasł.

– Utonęła? – Ton Christophera był trudny do rozszyfrowania. Mówił w dziwnie pozbawiony emocji sposób. – Mercy jest dobrą pływaczką. Uczyłem ją na Płyciźnie, gdy miała cztery lata.

– Nie utonęła – zaprzeczył Will. – Odniosła liczne rany.

– Rany? – Christopher nadal mówił beznamiętnym głosem. – Jakiego rodzaju rany?

– Cicho – zganiła go Bitty. – Daj mu dokończyć.

Will zastanawiał się, ile może wyjawić przy wszystkich gościach, lecz uznał, że rodzina ma prawo wiedzieć.

– Widziałem rany kłute. Jej śmierć zostanie uznana za morderstwo.

– Zadźgana...?! – Delilah chwyciła się poręczy, by nie upaść. – Mój Boże. Biedna Mercy.

– Morderstwo? – powtórzył Chuck. – Chcesz powiedzieć, że została zabita?

– Tak, idioto – odpowiedział mu Cecil. – Nie zostaje się wielokrotnie dźgniętym przez przypadek.

– Biedne dziecko. – Bitty nie miała na myśli Mercy. Przyciągnęła Jona jeszcze bliżej i pocałowała w czubek głowy, a on przywarł do niej zrozpaczony. Jego twarz zniknęła w fałdach jej szlafroka, lecz Will słyszał stłumiony szloch. – Wszystko będzie dobrze, kochanie. Jestem przy tobie.

Will ponownie zwrócił się do rodziny:

– Zabezpieczyliśmy ciało w jednym z domków. Sara zaproponowała, że będzie przy nim czuwać do czasu, aż Mercy zostanie przeniesiona w inne miejsce.

– To okropne. – Keisha zaczęła płakać. – Dlaczego ktoś chciał ją skrzywdzić?

Drew przytulił ją, nie spuszczając z Willa wzroku pełnego niepohamowanej nienawiści.

Will przestał zwracać na niego uwagę. Bardziej interesowała go rodzina. Spodziewał się zbiorowej rozpaczy, lecz przyglądając się każdemu z osobna, nie dostrzegł nawet jej cienia. Na twarzy Christophera, który stał z lekko pochyloną głową, wciąż malowała się ta sama obojętność co przed chwilą. Cecil miał minę człowieka, któremu ktoś sprawił niewiarygodny wręcz kłopot. Delilah stała teraz tyłem do Willa, więc nawet nie domyślał się jej odczuć. Bitty ze zrozumiałych względów była skupiona na Jonie, lecz nie uroniła nawet jednej łzy z żalu po stracie córki, choć jej wnuk trząsł się od płaczu tuż obok niej.

Najbardziej uderzyło go to, że nikt z bliskich nie zadaje pytań. Will miał za sobą niezliczone sytuacje, w których był zmuszony powiadomić kogoś o śmierci. Najbliżsi próbowali się dowiedzieć:

Kto to zrobił? Jak to się stało? Cierpiała? Kiedy będzie można zobaczyć ciało? Czy to na pewno ona? A może to jakaś pomyłka? Czy on, Will, ma niezachwianą pewność? Schwytał mordercę? A jeśli nie, dlaczego go nie ścigał? Co się teraz stanie? Jak długo to potrwa? Czy mogą domagać się kary śmierci? Kiedy będzie można ją pochować? Dlaczego do tego doszło? Na miłość boską, dlaczego?!

– Wy sukinsyny. – Delilah powoli schodziła po schodach, a domowe kapcie tłumiły odgłos jej kroków. Zwracała się do członków rodziny. – Które z was to zrobiło?

Patrzył, jak Delilah staje przed Bitty. Ciotka płonęła z gniewu. Jej dolna warga drżała. Z oczu popłynęły łzy.

– Ty. – Wyciągnęła palec w stronę Bitty. – Ty to zrobiłaś? Słyszałam, jak groziłaś Mercy przed kolacją.

Chuck parsknął nerwowym śmiechem.

Odwróciła się do niego gwałtownie.

– Zamknij tę plugawą jadaczkę, parszywy zboczeńcu. Wszyscy widzieli, jak dybiesz na Mercy. Co ci chodziło po łbie? A ty nie jesteś lepszy, drewniany maminsynku.

Christopher nie podniósł wzroku, ale z pewnością wiedział, że Delilah mówi do niego.

– Tak, o tobie mowa, Fishtopher – dodała z pogardą.

– Cholera, Dee, odpuść sobie tę gadkę – powiedział Cecil. – Wszyscy wiemy, kto to zrobił.

– Nie waż się tak mówić. – Głos Bitty był cichy, ale stanowczy. – Niczego nie wiemy.

– Na litość boską. – Delilah oparła ręce na biodrach i spojrzała na Bitty z góry. – Dlaczego bez przerwy chronisz tego bezwartościowego śmiecia? Nie słyszałaś, co powiedział ten człowiek? Twoja córka została zamordowana! Zadźgana na śmierć! Krew z twojej krwi! Nie obchodzi cię to?

– A ciebie obchodzi? – odparowała Bitty. – Zniknęłaś na trzynaście lat, a teraz nagle udajesz wszystkowiedzącą.

– Wystarczy mi to, co wiem o tobie, pieprzona...

– Dość. – Will musiał je rozdzielić, by nie skoczyły sobie do oczu. – Powinnyście wrócić do swoich pokojów. Gości też proszę o powrót do kwater.

– Z czyjego upoważnienia tu dowodzisz? – zapytał Cecil.

– Stanu Georgia. Aż do przybycia szeryfa. – Will zwrócił się do całej grupy. – Będę musiał spisać wasze oświadczenia.

– Nie ma chuja. – Drew odwrócił się do Bitty. – Przykro mi z powodu pani straty, ale do rana już nas tu nie będzie. Proszę odesłać nasze bagaże na domowy adres i obciążyć kartę kredytową. Zapomnijcie o tamtej sprawie. Róbcie, co wam się żywnie podoba. Już nas to nie interesuje.

– Drew – odezwał się Will. – Potrzebuję tylko zeznań świadków, nic ponadto.

– Za żadne skarby – odparł Drew. – Nie muszę odpowiadać na żadne pytania. Znam swoje prawa. Od tej pory masz na przykład prawo milczeć do mnie i mojej żony, panie agencie specjalny. Myślisz, że nie oglądałem wcześniej *Dateline*? Zwykli ludzie, tacy jak my, wdeptują w gówno, z którym nie mają nic wspólnego.

Drew zaciągnął Keishę z powrotem do domku, zanim Will wpadł na jakikolwiek pomysł, by ich zatrzymać. Drzwi zatrzasnęły się z hukiem przypominającym wystrzał ze strzelby.

Nikt się nie odezwał. Will spojrzał w stronę ścieżki prowadzącej do domku numer dziesięć. Słabo oświetlona dróżka była pusta. Nie powinien był puszczać Sary samej. Trwało to już za długo.

– Przepraszam? – zagadnął go Max, bogaty prawnik z Buckhead. – Choć Syd i ja zdecydowanie popieramy mundurowych, również odmawiamy składania zeznań.

Will musiał zainterweniować:

– Wszyscy jesteście świadkami. Nikt nie został uznany za podejrzanego. Potrzebuję oświadczeń dotyczących wydarzeń, jakie miały miejsce podczas kolacji, a także waszych miejsc pobytu potem.

– Co masz na myśli, mówiąc o miejscach pobytu? – To pytanie zadał Paul, zerkając na Gordona. – Chodzi ci o alibi?

Will chciał powstrzymać ich przed ucieczką.

– Jon wspominał, że ktoś robi obchód Pętli o ósmej rano i o dziesiątej wieczorem. Być może ten ktoś coś widział.

– To Mercy – poinformował Christopher. – W tym tygodniu wieczorny obchód należał do niej. Ja robiłem ten o ósmej.

Will pamiętał szczegóły przedstawione im przez Jona, ale próbował podtrzymać rozmowę.

– Na czym to polega? Pukacie do drzwi?

– Nie – zaprzeczył Christopher. – Ludzie sygnalizują, jeśli czegoś od nas chcą. Albo zostawiają notatki na schodach. Na kartce kładzie się kamień, aby nie zdmuchnął jej wiatr.

– Zobacz. – Monica chwilowo odżyła. Wskazywała swój domek. – Około dziewiątej zostawiliśmy kartkę pod kamieniem na naszym ganku. Zniknęła.

Dla Willa był to znak, że z Mercy nie działo się jeszcze wtedy nic złego.

– Czy Mercy przyniosła wam to, o co prosiliście?

– Nie. – Frank spojrzał na Monicę.

Sądząc po wyrazie jej twarzy, prośba dotyczyła kolejnej butelki alkoholu.

– Czy ktoś widział Mercy po dziesiątej wieczorem? – Na to pytanie nikt nie zareagował. – Czy ktoś słyszał jakieś krzyki albo wołanie o pomoc? – Ponownie odpowiedziało mu milczenie.

– Nie chciałbym znowu przerywać – odezwał się Max, choć niczego nie przerywał – ale Syd i ja musimy wracać do miasta.

– Trzeba nakarmić i napoić konie – wtrąciła Sydney.

Will spodziewał się lepszej wymówki, ale wdawanie się z nimi w słowną przepychankę nie miało sensu. Z prawnego punktu widzenia nie mógł ich zmusić nawet do mówienia, a co dopiero do pozostania na miejscu.

– Cecil, Bitty... – Max zwrócił się do McAlpine'ów. – Jest nam ogromnie przykro z powodu waszej córki. To był świetny wieczór, niestety przekreślony przez niewysłowioną tragedię. Rozumiemy, że wasza rodzina potrzebuje czasu na żałobę.

Cecil nie wydawał się potrzebować czasu na nic choćby zbliżonego do żałoby.

– Jesteśmy gotowi działać dalej. Teraz bardziej niż kiedykolwiek.

– Oczywiście – odparł Max, choć nie wyglądał, jakby było to dla niego oczywiste.

– Będziemy z wami w myślach i modlitwach – dodała Sydney.

Para odeszła ramię w ramię. Will zastanowił się, co Cecil miał na myśli, mówiąc, że są gotowi. Małżeństwo z Buckhead od początku było traktowane w szczególny sposób. Hasło do wi-fi było w tym wszystkim najmniej istotne. Will uznał, że wart sto pięćdziesiąt tysięcy dolarów mercedes G550, zaparkowany między starym chevroletem a utytłanym subaru, oznacza, że nie musieli drałować do pensjonatu na piechotę.

– Ja pierdolę – powiedział Gordon. – Muszę się napić.

Ruszył w stronę swojej chatki. Paul dołączył do niego, wcześniej obrzuciwszy uważnym spojrzeniem Willa, który uznał to spojrzenie za sygnał alarmowy. W łazience Paul niewątpliwie dostrzegł krew na jego spodniach, ale jakoś się tym nie przejął. Teraz był zauważalnie podenerwowany, co oznaczało, że wiadomość o śmierci Mercy ewidentnie zrobiła na nim wrażenie. Rozważania o przyczynach tego faktu Will musiał odłożyć do chwili, gdy się upewni, że w posiadłości jest bezpiecznie.

Sześć domków było zajętych, pozostałe cztery stały puste. Dave mógł się ukrywać w dowolnym z nich. Will w milczeniu zastanawiał się, czy powinien je sprawdzić, ale zajmując się tym, dałby rodzinie czas na zorganizowanie się. Intuicja podpowiedziała mu, by został. W zachowaniu bliskich Mercy było coś głęboko niewłaściwego. A Paul nie był jedyną osobą, która wzbudziła jego podejrzenia. Może Sara miała rację w kwestii klapek na oczach...

– Will, mogę na słówko? – Frank i Monica byli jedynymi gośćmi, którzy pozostali na zewnątrz. – Mam gdzieś, że podałeś się za kogoś innego. Całe szczęście, że byłeś na miejscu. A my nie mamy nic do ukrycia. Co chcesz wiedzieć?

Will nie zamierzał zaczynać akurat od nich.

– Moglibyście na razie wrócić do swojej kwatery? Najpierw muszę porozmawiać z rodziną. Jest kilka prywatnych szczegółów, którymi musimy się zająć.

– Oczywiście. – Frank pomógł Monice wstać. Ledwie trzymała się na nogach. – Po prostu zapukaj, gdy będziecie gotowi. Zrobimy, co w naszej mocy, by pomóc.

Will zauważył, że nikt spośród McAlpine'ów się nie ruszył. Nikt nawet na niego nie patrzył. Nikt nie zaczął zadawać pytań. Z wyjątkiem Delilah nikt nie okazał nawet cienia żalu. Atmosfera była ciężka od ich kalkulacji.

– Will?

Sara wreszcie do nich dołączyła. Will odetchnął, gdy ujrzał ją całą i zdrową, ale ulżyło mu także dlatego, że w końcu mógł liczyć na jakieś wsparcie. Podbiegł do niej, żeby zyskać odrobinę prywatności z dala od McAlpine'ów. Przebrała się w T-shirt i dżinsy. Pod pachą trzymała jedną z jego zapinanych na guziki koszul.

Podała mu najpierw telefon, a potem ubranie.

– Złapanie sygnału wymagało trochę zachodu, ale udało mi się wysłać komunikat i dostałam potwierdzenie odbioru. Wszyscy zostali powiadomieni. Jak twoja ręka?

Dłoń bolała go tak, jakby wsadził ją w pułapkę na niedźwiedzie.

– Zabierz rodzinę do środka i przypilnuj, a ja przez ten czas skontroluję pozostałe domki. Nie pozwól, żeby uzgodnili zeznania. Szeryf powinien dojechać lada chwila. Może uda ci się sprawdzić, czy w kuchni nie brakuje jakiegoś noża od kompletu. Paul ma na piersiach tatuaż z napisem. Jeśli będziesz miała okazję, dowiedz się, co to za słowo.

– Jasne. – Sara wyminęła go, ruszyła w stronę domu i zwróciła się do rodziny wyćwiczonym służbowym tonem: – Bardzo mi przykro z powodu waszej straty. Zdaję sobie sprawę, że to traumatyczny czas dla was wszystkich. Wejdźmy do środka. Być może będę w stanie odpowiedzieć na niektóre z waszych pytań.

Pierwsza odezwała się Bitty:

– Ty też jesteś gliną?

– Jestem lekarzem i patologiem sądowym w Biurze Śledczym stanu Georgia.

– Jesteście parą kłamców i tyle. – Bitty wydawała się jeszcze bardziej rozdrażniona faktem, że oboje pracowali w organach ścigania. Will obserwował, jak chwyta Jona za ramię i ciągnie go z powrotem do domu. Christopher przejął na siebie pchanie wózka Cecila. Chuck szybko poszedł za nimi. Tylko Delilah się ociągała, choć Will próbował skłonić ją do wejścia do środka. Jeśli Dave ukrywał się w którymś z pustych domków, mógł być uzbrojony w nóż albo pistolet. Will nie chciał ryzykować, że Delilah oberwie przypadkowym pociskiem. Albo że zostanie wzięta na zakładniczkę. Położył koszulę na schodach i wsunął telefon do kieszeni. Uniósł dłoń do piersi, by złagodzić ból. Delilah przyglądała mu się uważnie. Nie podążyła za resztą rodziny.

– Masz mi coś do powiedzenia? – zwrócił się do niej.

Widać było, że ma do powiedzenia bardzo wiele, lecz nie kwapiła się do wyznań. Wyciągnęła z kieszeni chusteczkę, pociągnęła nosem i otarła oczy. Nie sądził, by robiła to na pokaz. Może naprawdę była wstrząśnięta śmiercią Mercy. Trudno zagrać taką rozpacz, jeśli nie jest się Meryl Streep.

– Cierpiała? – zapytała po długiej chwili.

Will zachował neutralny ton głosu:

– Dotarłem tam właściwie na koniec.

– Jesteś pewien... – Głos jej się załamał. – Jesteś pewien, że odeszła?

Will skinął głową.

– Sara stwierdziła zgon na miejscu zdarzenia.

Delilah znów osuszyła oczy chusteczką.

– Trzymałam się z dala od tego przeklętego miejsca przez ponad dziesięć lat, a gdy tylko wróciłam, pogrążyłam się w ich bagnie.

Domyślił się, że chodzi jej nie tylko o morderstwo. Nacisnął dwukrotnie przycisk z boku swojego iPhone'a, aby uruchomić aplikację do nagrywania.

– W jakim bagnie się pogrążyłaś?

– Większym, niż się śniło waszym filozofom, Horacy.

– Dajmy spokój Szekspirowi – poprosił. – Jestem śledczym. Potrzebuję faktów.

– Proszę, oto jeden z nich – oznajmiła. – Każdy w tym domu będzie cię okłamywać. Jestem jedyną osobą, która powie ci prawdę.

Will wiedział z doświadczenia, że najmniej uczciwi ludzie to ci, którzy wszem wobec głoszą o swojej uczciwości, lecz mimo to był bardzo ciekaw jej wersji prawdy.

– Przedstaw mi ją, Delilah. Kto ma motyw?

– A kto nie ma? – odpowiedziała pytaniem. – Ta para bogatych dupków z Atlanty przyjechała tu, żeby kupić cały kompleks. Sprzedaży można dokonać tylko po rodzinnym przegłosowaniu decyzji. Kwota to dwanaście milionów dolarów podzielone na siedem osób. Mercy miała dwa głosy, swój i Jona, ponieważ chłopak jest nieletni. Oświadczyła rodzinie bez ogródek, że nie pozwoli na sprzedaż.

Niektóre przemyślenia Willa zaczęły się zmieniać.

– Kiedy to się stało?

– Dzisiaj w południe, podczas rodzinnego spotkania. Ukryłam się w salonie, żeby podsłuchiwać, bo jestem wścibska i uwielbiam afery. Wreszcie mi się to do czegoś przydało. – Wyjęła z kieszeni kolejną chusteczkę, żeby wytrzeć nos. – Cecil próbował zastraszyć Mercy, żeby zagłosowała za sprzedażą, lecz zwróciła się przeciwko niemu. A właściwie przeciwko wszystkim. Powiedziała, że nie zamierza pozwolić, by odebrali to miejsce jej i Jonowi. Że jeśli do tego dojdzie, zniszczy każdego z nich. Obiecała, że jeśli je straci, pociągnie ich za sobą na dno. I nie żartowała. Z tonu głosu wywnioskowałam, że mówiła absolutnie serio.

Will znów dokonał małych przetasowań w swoich kalkulacjach. Kwestie finansowe stanowiły motyw większości przestępstw. A dwanaście milionów baksów to kawał motywu.

– Czym groziła?

– Że odkryje ich tajemnice.

– Znasz te tajemnice?

– Gdybym je znała, wyjawiłabym ci wszystkie. Mój brat jest agresywnym skurwielem i akurat co do tego nie mam żadnych wątpliwości. Ale minęły czasy, kiedy krzywdził ludzi. Przynajmniej fizycznie. – Delilah spojrzała na dom. – Groźby Mercy miały większy ciężar gatunkowy, jeśli wiesz, co chcę powiedzieć. Oświadczyła, że niektórzy mogą trafić do pierdla, a inni nigdy nie odzyskają dobrego imienia. Żałuję, że nie pamiętam więcej szczegółów. Jednak w moim wieku mogę mówić o szczęściu, jeśli wciąż odnajduję drogę do domu... Ale tak, te dwie sprawy utkwiły mi w pamięci.

Will przypomniał sobie coś, o czym napomknęła wcześniej.

– Powiedziałaś Bitty, że podsłuchałaś ją, jak groziła Mercy przed kolacją.

– Bitty ją zwolniła, wyobraź sobie. – Delilah gniewnie pokręciła głową. – A potem postraszyła, że jeśli nie zagłosuje za sprzedażą kompleksu, skończy z nożem w plecach.

Wydawało się to niezwykłym zbiegiem okoliczności. Z tym że Bitty była drobną kobietą i nie zdołałaby zaciągnąć Mercy nad jezioro. Na pewno nie bez pomocy.

– A Dave?

– Pazerny drań. – Jej usta wykrzywiły się z obrzydzeniem. – On także optował za sprzedażą.

Nie pytał konkretnie o to, lecz teraz postanowił skorzystać z okazji, by dowiedzieć się czegoś więcej.

– Dlaczego Dave ma głos?

– Cecil i Bitty formalnie adoptowali go dwadzieścia kilka lat temu, co niestety oznacza, że jest członkiem rodzinnego funduszu. A każdy członek funduszu ma głos.

Will potrzebował kolejnej chwili, by wziąć się w garść, tym razem z powodów osobistych. A zatem Dave zyskał nie jedną, lecz dwie rodziny.

– Jak doszło do adopcji?

– Znaleźli go, jak błąkał się po kompleksie niczym zdziczały kot. Cecil chciał go oddać w ręce szeryfa, ale Bitty natychmiast go polubiła. Zwykle jest zimna jak ryba, więc jej ciepła relacja z tym człowiekiem wydaje mi się wręcz niezdrowa. Potrafiła dać Mercy popalić za byle co, Christophera traktuje jak piąte koło u wozu, ale Dave'owi wybaczy wszystko. Ośmielę się stwierdzić, że tak samo traktuje Jona, pewnie dlatego, że jest wykapanym ojcem. Swoją drogą, wszyscy zachowują się tak, jakby to było całkowicie normalne.

Will nie wnikał w to, że formalnie Dave okazał się przyrodnim wujem własnego syna. Wyjątkowo dobrze rozumiał najdziwniejsze relacje, jakie powstają na gruncie pieczy zastępczej.

Zadał inne pytanie:

– A Christopher? Wcześniej nazwałaś go jakoś inaczej.

– Fishtopher. To przezwisko, które nadał mu Dave. Chciałam być złośliwa, bo kiedyś nienawidził tej ksywy, ale chyba się do niej przyzwyczaił. Tak działa Dave. Truje tkanki, dopóki nie ulegniesz.

Will chwilowo wolał odwrócić jej uwagę od Dave'a.

– Czy Christopher byłby zdolny skrzywdzić Mercy?

– Kto wie? – Zamyśliła się. – Zawsze był odludkiem. Nie takim w rodzaju ekscentrycznego samotnika, raczej seryjnego mordercy i kolekcjonera damskiej bielizny. A on i Chuck... Są jak dwie krople wody. Szwendają się ukradkiem po lesie i robią Bóg wie co.

– Powiedziałaś, że nie było cię tu od ponad dziesięciu lat. Skąd wiesz, że się szwendają?

– Widziałam ich dziś rano, kiedy tu jechałam. Nieopodal stosu drewna na opał szeptali coś między sobą. Twarze blisko siebie, ukradkowe spojrzenia. Na widok mojego samochodu Chuck zwiał jak spłoszona wiewiórka, a Christopher się pochylił, zupełnie jakby wysokie trawy mogły go uczynić niewidzialnym. Na pewno coś było na rzeczy. – Pociągnęła nosem. – Potem, po spotkaniu, zauważyłam ich w tym samym miejscu, i znowu głowa przy głowie.

Will dodał stos drewna do listy miejsc do przeszukania.

– Są w związku?

– Masz na myśli taki związek, jak tych dwóch ekshibicjonistów z piątki? – Roześmiała się głucho. – Bardzo w to wątpię. Tak naprawdę Christopher ma strasznego pecha do kobiet. Jego dziewczyna ze szkoły średniej zaszła w ciążę z innym chłopakiem, a potem wydarzyła się ta okropna historia z Gabbie.

– Kim jest Gabbie?

– Kolejna dziewczyna, którą stracił. To było dawno temu. Od tamtej pory właściwie nie umawiał się na randki. A przynajmniej nic mi o tym nie wiadomo. Ale też nikt nie raczył mnie o takich sprawach informować.

Właśnie zaczynał padać deszcz i Will poczuł na głowie krople wody. Mimo to nie ruszył się z miejsca, czekając na dalsze słowa Delilah.

– Posłuchaj, na twoim miejscu chyba obstawiałabym Dave'a. Wszyscy mieli jakiś powód, by życzyć jej śmierci, ale tylko on robił z Mercy worek treningowy. Połamane kości, siniaki... I nikt nigdy nie powiedział ani nie zrobił nic, by temu zapobiec. Z wyjątkiem mnie, ale guzik to dało. Nie można zmienić ludzi, mówiąc im, że błądzą. Muszą dojść do tego sami. A teraz... no cóż, ta sztuka już jej się raczej nie uda.

Will zauważył, jak nerwowo przełyka ślinę. Do jej oczu napłynęły świeże łzy.

– Pogadajmy o tobie – zasugerował. – Miałaś jakiś powód, by życzyć Mercy śmierci?

– Pytasz o motyw? – Westchnęła ciężko. – Cieszyłam się, że wreszcie wyszła na prostą. Zaproponowałam nawet, że pomogę jej zablokować sprzedaż ośrodka, ale Mercy jest bardzo dumna... była dumna. Jezu, taka młoda kobieta... Nie mam pojęcia, co powiedzieć Jonowi. Właściwie nigdy nie miał ojca, a teraz stracił matkę w taki sposób...

Will postanowił wystawić na próbę jej uczciwość.

– Co usłyszę od ludzi z tego domu, gdy zapytam o twoje motywy?

– Jestem przekonana, że rzucą mnie na pożarcie. – Delilah wsunęła złożoną chusteczkę z powrotem do kieszeni. – Powiedzą, że chciałam się zemścić, bo Mercy odebrała mi Jona. Wychowywałam go od chwili narodzin do trzeciego, a właściwie nawet do czwartego roku życia. W styczniu dwa tysiące jedenastego Mercy złożyła pozew o przywrócenie praw rodzicielskich. Było to rok po wypadku samochodowym.

– Stąd ta blizna na twarzy? – domyślił się Will.

Delilah kiwnęła głową.

– Myślę, że wystraszyła się boskiego gniewu. Wypadek zmusił ją do przemyślenia swojego życia, dorośnięcia. Cóż, miałam pewne wątpliwości, bo heroina to wredna rzecz, trzyma się jak rzep psiego ogona i wydawało mi się, że Mercy nie wytrwa długo bez nałogu. Proces o opiekę nad dzieckiem przerodził się w przepychankę. Ciągnął się pół roku, a my walczyłyśmy do ostatniej kropli krwi. Byłam załamana, gdy wygrała. Na stopniach gmachu sądu powiedziałam, że życzę jej śmierci. Wtedy całkowicie odcięła mnie od Jona. Pisałam listy, próbowałam dzwonić, jednak Bitty blokowała moje starania na każdym kroku i jestem przekonana, że Mercy o tym wiedziała. Zatem tak, miałam motyw. Wierz mi lub nie, ale coś we mnie pękło dopiero teraz, po trzynastu latach.

– Gdzie w tym był Dave?

– Mercy to z nim była, to się rozstawała. Potem znowu wracała. W końcu trafiła do szpitala i wszystko się na jakiś czas skończyło. A później wyszła i zaczęło się od początku. – Delilah przewróciła oczami ze złości.

– Dave nigdy nie brał udziału w nadzorowanych wizytach u syna. Zakładałam, że jest za bardzo pijany albo naćpany. Albo się mnie boi. Co byłoby słuszne. Gdyby to on leżał teraz martwy na brzegu jeziora, mógłbyś z pełnym przekonaniem umieścić mnie na początku listy podejrzanych.

– Co się teraz stanie z Jonem?

– Nie mam pojęcia. Nie ma już między nami żadnej więzi. Myślę, że byłoby najlepiej, gdyby został z Cecilem i Bitty, bo to mniejsze zło. Stracił matkę, a jeśli jest na tym świecie jakaś sprawiedliwość, straci też ojca. Jon powinien teraz obracać się w środowisku, które zna najlepiej. Może któregoś dnia uda mi się odbudować z nim jakiś kontakt, ale to tylko moje chciejstwo. W tej chwili najważniejsze jest to, czego on potrzebuje.

Will zastanawiał się, czy była to szczera odpowiedź, czy raczej taka, która miała ukazać ją w pozytywnym świetle.

– Gdzie byłaś dziś w nocy między dziesiątą wieczorem a północą?

Uniosła brew, ale odpowiedziała:

– Czytałam w swoim pokoju do dziewiątej trzydzieści, może dziesiątej. Nie mam alibi. Kiedy rozległ się dzwon, spałam. Swoją drogą, kiedy będziesz w moim wieku, znienawidzisz wilgoć – dodała, patrząc na padający deszcz. – Mój pęcherz jest bezlitosny.

Will usłyszał nadjeżdżający samochód. Nareszcie zjawił się szeryf. Brązowe auto parkowało, gdy Sydney i Max toczyli swoje walizki w stronę mercedesa. Nawet jeśli zauważyli szeryfa, nie zareagowali. Chcieli stąd zwiać, gdzie pieprz rośnie. Will pomyślał, że nie zaproponowali nikomu podwiezienia do miasta, co wiele o nich mówiło.

Na widok wysiadającego z samochodu szeryfa Delilah jęknęła z niesmakiem. Oboje patrzyli, jak sięga na tylne siedzenie i wyjmuje duży parasol.

– Oho, Biszkopt przybył, możemy spać spokojnie.

– Biszkopt?

– To przezwisko. – Spojrzała na Willa. – Pierwszy raz cię widzę na oczy, agencie jakkolwiek-masz-na-imię, ale powiem ci, że nie ufam temu człowiekowi i trzymałabym się od niego na odległość rzutu kamieniem. A wierz mi, że jestem cholernie dobra w rzucaniu przedmiotami.

Czując, jak kolejne krople rozpryskują się na jego głowie, Will obserwował szeryfa, który kroczył przez kompleks. Miał mniej więcej metr siedemdziesiąt, a brązowy mundur uwydatniał pulchność jego brzucha. W takim uniformie nikt nie prezentuje się szczególnie dobrze, lecz szeryf wyraźnie nie czuł się swobodnie w obcisłych spodniach i pod sztywnym kołnierzykiem. Gdy deszcz przybrał na sile, zatrzymał się, by otworzyć parasol. Will wbiegł po schodach, podnosząc przy okazji złożoną koszulę. Rzucił ją na fotel bujany i razem z Delilah poczekali na szeryfa pod osłoną daszku na werandzie.

Mężczyzna powoli wspiął się na górę, po czym rozejrzał po okolicy, potrząsając parasolem. Oparł go o drzwi wejściowe. Skierował wzrok na Willa.

– Szeryfie! – Will musiał podnieść głos, żeby przekrzyczeć dźwięk kropel bębniących o metalowe zadaszenie. – Jestem Will Trent z GBI.

– Douglas Hartshorne. – Zamiast poprosić o raport, spojrzał gniewnie na Delilah. – Pojawiasz się po trzynastu latach akurat tej nocy, gdy Mercy zostaje zadźgana na śmierć. Jak to wyjaśnisz?

– Skąd wiesz, że została zadźgana? – zapytał Will, zanim Delilah zdołała odpowiedzieć.

Uśmiechnął się z dozą arogancji.

– Bitty zadzwoniła do mnie, gdy byłem w drodze.

– Cóż za niespodzianka – skomentowała Delilah. – Taka niepozorna, a potrafi owinąć sobie wokół palca takiego chłopa.

Szeryf zignorował ją i zwrócił się do Willa:

– Gdzie jest ciało?

– Przy domkach kawalerskich – odparła Delilah.

– Nie ciebie pytałem!

– Na litość boską, Biszkopt. Nie mów, że będziesz teraz prowadził wnikliwe śledztwo.

– Nie nazywaj mnie Biszkoptem! – zawołał. – Poza tym na twoim miejscu zamknąłbym się, do cholery. Jesteś tu chyba jedyną osobą, która ma na sumieniu dźganie ludzi.

– To był pieprzony widelec – wyjaśniła Willowi Delilah. – Stało się to jeszcze przed narodzinami Jona. Mercy mieszkała w moim garażu, a ja przyłapałam ją na próbie podwędzenia mi auta.

– To ty tak twierdzisz – zaoponował szeryf.

Słuchając ich sprzeczki, Will poczuł, że odruchowo zaciska zęby. Tracili na te bzdury czas, którego nie mieli. Szeryfowi zdawało się bardziej zależeć na punktowaniu Delilah niż na kwestii morderstwa, które popełniono na jego terenie. Will spojrzał na zegarek. Nawet jeśli Amanda obudziła się i przeczytała komunikat alarmowy, dojazd z Atlanty zajmie jej co najmniej dwie godziny.

– Pieprz się. – Delilah zeszła po schodach, nie zważając na ulewny deszcz. – Idę posiedzieć przy mojej siostrzenicy.

– Tylko niczego nie dotykaj! – zawołał Biszkopt.

Wystawiła środkowy palec, dobitnie pokazując, co myśli o jego poleceniu.

– Niektóre rzeczy z wiekiem nie zmieniają się na lepsze – podsumował szeryf.

Will chciał, żeby ten człowiek skupił się na tym, co najważniejsze.

– Mam zwracać się do ciebie „szeryfie" czy...

– Wszyscy nazywają mnie Biszkopt.

Znów zacisnął zęby. Chyba nikt tutaj nie posługiwał się prawdziwym imieniem i nazwiskiem.

Mimo niechęci do tego człowieka zrelacjonował ostatnie dwie godziny:

– Mniej więcej o północy byłem z żoną nad jeziorem. Usłyszeliśmy trzy krzyki. Pierwszy poprzedzał o jakieś dziesięć minut dwa następne, które rozległy się w krótkim odstępie czasu. Pobiegłem przez las i znalazłem się w miejscu, w którym stoją trzy małe domki. Ostatni płonął. Mercy leżała na skraju jeziora. Górna część jej ciała była zanurzona w wodzie, ale stopy wystawały na brzeg. Odkryłem, że została wielokrotnie dźgnięta nożem. Straciła bardzo dużo krwi. Zamieniliśmy kilka słów, ale jej umysł zaprzątał tylko Jon, syn. Nie uzyskałem żadnych informacji na temat napastnika. Próbowałem przeprowadzić resuscytację, ale ostrze noża wciąż tkwiło w jej klatce piersiowej i przebiło mi dłoń. Rękojeść musiała ułamać się podczas napaści. Nie udało mi się jej zlokalizować na miejscu zdarzenia. Wygląda na to, że w firmowej kuchni nie brakuje żadnych noży. Trzeba sprawdzić kuchnię rodzinną i wszystkie domki. O świcie możemy zacząć poszukiwania. Radziłbym rozpocząć od głównego kompleksu i kierować się w stronę miejsca zbrodni. Masz jakieś pytania?

– Nie, uwzględniłeś wszystko. To był cholernie dobry raport. Trzeba będzie przedstawić go jeszcze raz koronerowi. Na drogach robi się niebezpiecznie, myślę, że dojedzie za pół godziny. – Biszkopt spojrzał na zabandażowaną dłoń Willa. – Zastanawiałem się właśnie, co ci się stało w łapę.

Will pragnął zaszczepić w tym człowieku potrzebę działania. Mercy nie żyła, a jej pogrążony w rozpaczy syn był w domu.

– Mogę zaprowadzić cię do ciała.

– Kiedy przestanie padać i wzejdzie słońce, ona wciąż będzie martwa. – Biszkopt ponownie rozejrzał się po kompleksie. – Delilah nie myli się, gdy twierdzi, że śledztwo jest właściwie niepotrzebne. Mercy miała eksmęża, to niejaki Dave McAlpine. Kwestia wspólnego nazwiska to długa historia, ale powinieneś wiedzieć, że ci dwoje brali się za łby od dzieciństwa. Moja młodsza siostra widziała, jak rzucali się na siebie w szkole średniej. Tym razem poszli o krok za daleko i tak się to skończyło.

Przed kolejną wypowiedzią Will musiał wziąć powolny głęboki wdech. Słowa szeryfa brzmiały tak, jakby obwiniał Mercy, że padła ofiarą morderstwa.

– Moja szefowa...

– Wagner? Tak się nazywa? – Szeryf nie czekał na potwierdzenie. – Zaproponowała, że przyśle tu kilku swoich agentów terenowych, ale kazałem jej ściągnąć cugle. Dave w końcu sam się pojawi.

Cugle Amandy nie miały opcji ściągnięcia.

– Powinniśmy przeszukać pokój Mercy – zasugerował Will.

– Kogo masz na myśli, mówiąc w liczbie mnogiej, kolego? – Biszkopt uśmiechnął się nieszczerze. – Moje hrabstwo, moja sprawa.

Will uzmysłowił sobie, że szeryf ma rację.

– Chciałbym zgłosić się na ochotnika do pomocy w poszukiwaniu Dave'a.

– Nie marnuj czasu. Już kazałem swojemu zastępcy skontrolować jego przyczepę i wszystkie bary, w których zwykle przesiaduje. Nie znalazł go. Pewnie odsypia gdzieś w chaszczach.

Will się odwrócił.

– Może ukrywać się w którejś z pustych kwater. Nie mam broni, ale mogę dać ci wsparcie przy przeszukiwaniu.

– Nie twoja w tym głowa – odparł Biszkopt. – Poza tym Dave nie może się tu zjawiać po osiemnastej. Jakiś czas temu Papa zabronił mu przebywać w kompleksie. W ciągu ostatniego miesiąca bywał tu tylko dlatego, że remontował domki kawalerskie.

Will nie miał pojęcia, czy ten człowiek rozumie słowa wychodzące ze swych własnych ust. Dave był podejrzany o morderstwo i taki ktoś miałby się trzymać rodzinnej godziny policyjnej? Will postanowił podejść szeryfa od innej strony:

– Jakim samochodem jeździ?

– Nie wolno mu prowadzić. Stracił prawko za jazdę pod wpływem. O ile wiem, przywozi go tu i odwozi jakaś kobieta. Dave ma dar przekonywania ludzi, by świadczyli mu przysługi.

Will czekał, aż Biszkopt zasugeruje rozmowę z tą kobietą, rozważy inne miejsca do przeszukania albo przynajmniej uświadomi sobie, że brak prawa jazdy nie oznacza, iż Dave nie może wsiąść za kółko, lecz tamten zdawał się cieszyć patrzeniem na padający deszcz.

– Ech. – Szeryf odwrócił się do Willa. – Pewnie powinienem tam wejść i sprawdzić, co u Bitty. Ostatnie dwa lata nie oszczędzały tej drobinki.

Will trzymał gębę na kłódkę, zmuszony do pogodzenia się z oczywistym – Biszkopt był zbyt blisko związany z rodziną McAlpine'ów. Zaślepiała go nawet ta sama pogarda dla życia Mercy. Nie interesowało go poszukiwanie głównego podejrzanego, zbieranie dowodów czy choćby rozmowy ze świadkami.

Nie to, żeby potencjalni świadkowie mieli się okazać pomocni. Dwoje już odjechało swoim mercedesem. Dwójka kolejnych odmówiła złożenia oświadczeń, a dwóch jeszcze innych szwendało się w samej bieliźnie, zachowując się co najmniej podejrzanie. Następny był chodzącą zagadką odzianą w szlafrok w kaczki, a do pomocy skora była tylko para najmniej istotnych świadków. Najbliższa rodzina ofiary zachowywała się tak, jakby umarł człowiek zupełnie im obcy. Na domiar złego brakowało części narzędzia zbrodni. Główny podejrzany rozpłynął się w powietrzu. Ciało było częściowo zanurzone w wodzie. Chatka doszczętnie spłonęła. Wszelkie inne ślady właśnie spływały z miejsca zdarzenia wraz z deszczem.

Być może Biszkopt miał rację, uważając, że Dave w końcu się pojawi. Szeryf zdawał się wychodzić z typowego dla przedstawicieli prawa z zapadłej wsi założenia, że dobrzy gliniarze zawsze łapią złych ludzi, lecz Dave nie był typowym oskarżonym. Wiedział, jak manipulować ławą przysięgłych, i broniłby się zajadle. Will nie zamierzał pozwolić, by przez faceta, którego nazywają Biszkoptem, morderstwo uszło Dave'owi na sucho. Nie miał też zamiaru stać jak kołek i czekać, aż znów wydarzy się coś złego.

– Will? – Sara otworzyła drzwi wejściowe. – Jon zostawił na swoim łóżku liścik. Uciekł.

Drogi Jonie,

pewnie głupie jest pisanie do Ciebie listu, którego być może nigdy nie przeczytasz, lecz i tak postanowiłam to zrobić. Na terapii AA mówią, że dobrze jest przelewać myśli na papier. Zaczęłam to robić, gdy miałam dwanaście lat, ale przestałam, kiedy Dave znalazł mój pamiętnik i zaczął się ze mnie nabijać. Nie powinnam była pozwolić, żeby mi to odebrał, ale odkąd pamiętam, ludzie odbierali mi różne rzeczy. Myślę, że do ponownego sięgnięcia po kartkę i długopis skłoniła mnie chęć pozostawienia po sobie jakiegoś dokumentu, na wypadek gdyby przydarzyło mi się coś złego. Powiem Ci jedno. Złożyłam dzisiaj w sądzie papiery, które pomogą mi Cię odzyskać, abym mogła stać się osobą, którą powinnam być dla Ciebie od samego początku. Twoją matką.

Delilah nie jest bogata, ale powiedziała mi prosto w twarz, że wyda ostatni grosz, by Cię zatrzymać. Ma swoje powody i nie zamierzam ich roztrząsać. Któregoś dnia poznasz historię szramy na mojej twarzy i zrozumiesz, dlaczego ciotka mnie tak nienawidzi. Podobnie jak chyba wszyscy. Ale masz tu napisane czarno na białym, że raczej nie bez powodu.

Można powiedzieć, że spieprzyłam każdy dzień z osiemnastu lat przeżytych na tej ziemi, z wyjątkiem jednego, a konkretnie tego, w którym Cię urodziłam. Starając się Cię odzyskać, próbuję teraz odkręcić cały ten pierdolnik. Przepraszam za bluzgi. Twoja babcia Bitty dobrałaby mi się za nie do skóry, ale piszę do Ciebie jak do mężczyzny, bo nie przeczytasz tych słów jako dziecko.

Oddałam Cię. Taka jest prawda. Byłam na odwyku i przykuta do szpitalnego łóżka, bo znów aresztowano mnie za jazdę po pijanemu. Delilah stała obok i nie mogę powiedzieć, żebym się z tego nie cieszyła. Lekarz nie dał mi żadnych środków przeciwbólowych, jak to ćpunce. Policjant, kawał sukinsyna, nie chciał nawet poluzować kajdanek. Zupełnie jakbym mogła uciec w trakcie porodu... Takie były okoliczności twojego przyjścia na świat.

Mógłbyś powiedzieć, że sama sobie ten świat stworzyłam, i byłoby w tym wiele prawdy. Dlatego tamtego dnia oddałam Cię Delilah. Nie myślałam o Tobie ani o samotności, której zaznam bez Ciebie. Kombinowałam tylko, gdzie i kiedy będę się mogła napić albo jak znaleźć prochy, które pozwolą mi dotrwać do następnego narkotykowego strzału. Taka jest szczera prawda. Kiedy byłam dzieckiem, zaczęłam pić, żeby utopić swoje demony w alkoholu, lecz w rzeczywistości stworzyłam sobie więzienie, w którym zamknęłam się wraz z nimi.

Ale to naprawdę się już skończyło. Jestem czysta od sześciu miesięcy. Takie są fakty. Przestałam imprezować i zaczęłam nawet chodzić na wieczorowe zajęcia, żeby zdać maturę. Robię to między innymi po to, żebyś nie miał wymówki, by rzucić szkołę, bo ja jej nie skończyłam. Twój ojciec daje mi w kość za to, że spędzam tyle czasu na nauce, zamiast się nim zajmować, ale próbuję zmienić swoje życie. Staram się naprawić, co mogę, żeby żyło Ci się lepiej, bo jesteś tego wart. Któregoś dnia on też się o tym przekona. Po prostu nie zna Cię tak dobrze jak ja.

Wygląda na to, że w tym liście krytycznie wypowiadam się o Twoim ojcu. Nie chcę pisać o nim nic złego, oprócz jednego. W głębi serca wiem, że weźmie pieniądze od Delilah, żeby zwrócić się przeciwko mnie w sprawie o opiekę nad Tobą. To jego sposób na życie, ponieważ na całym świecie nie ma takiej ilości pieniędzy i miłości, by zaspokoić jego potrzeby. Jestem przekonana, że reszta mojej rodziny też się ode mnie odwróci, ale nie dla pieniędzy, tylko po to, by ułatwić sobie życie. To nie tak, że naprawdę mnie nienawidzą. A w każdym razie tak mi się wydaje. Po prostu wszyscy mają tendencję do chowania się jak króliki w norze, gdy tylko dzieje się coś złego. Z chęci przetrwania, a nie ze złości. Tego się trzymam, bo gdybym brała sobie ich zachowanie do serca, chyba nie umiałabym zmusić się do wstawania rano z łóżka.

A właśnie tak teraz robię. Wstaję każdego dnia rano. Udaję się do motelu w górach, żeby sprzątać pokoje. Robię to samo, co od niepamiętnych czasów w naszym ośrodku, tylko tam nikt mnie nie bije, jeśli ruszam się za wolno. I nikt mi nie mówi, że dach nad głową i jedzenie na stole są moją jedyną nagrodą za ciężką pracę.

W motelu nie płacą dużo, ale jeśli będę oszczędzać, pewnego dnia wystarczy nam na małe mieszkanie. Nie chcę wychowywać Cię w przyczepie ojca, na dole, gdzie każdego wieczoru wpadają na imprezę ludzie z połowy okolicy. Ty i ja zamieszkamy w mieście i zobaczymy wielki świat. A przynajmniej o kawałek więcej świata, niż sama do tej pory widziałam.

Po raz pierwszy w życiu mam w kieszeni gotówkę, która należy do mnie. Dotąd zawsze musiałam błagać Papę albo Bitty o drobne, żeby móc kupić sobie paczkę gumy do żucia albo iść do kina. A potem do błagania zmuszał mnie Twój ojciec. Teraz nie muszę się prosić. Po prostu pracuję w motelu, a oni mi płacą i to jest uczciwy układ. Nawet Twój tato nie może mi tego odebrać, choć Bóg jeden wie, że próbuje. Gdyby zdawał sobie sprawę z tego, ile naprawdę zarabiam, nie miałabym już ani grosza.

Jak już powiedziałam, nie twierdzę, że Twój ojciec jest złym człowiekiem, uważam jednak, że choć nie przyszedł na świat w naszej rodzinie, z pewnością ma w sobie coś z McAlpine'ów. Może jest nawet gorszy, bo potrafi przywdziewać różne maski w zależności od tego, co i od kogo chce wyłudzić. Kiedy dorośniesz, sam zadecydujesz, czy stanowi to dla Ciebie problem. Ty też jesteś McAlpine'em, więc kto wie? Może będziesz taki sam jak oni wszyscy.

Nawet jeśli tak będzie, i tak będę Cię kochać, słonko. Nieważne, co zrobisz albo czy Delilah wygra i będę musiała się pogodzić z tym, że spędzanie z Tobą dwóch godzin na świetlicy co drugi weekend jest wszystkim, co kiedykolwiek osiągnę. Zawsze się tam zjawię. Nie obchodzi mnie nawet, czy skończysz jako najgorszy McAlpine z całej tej bandy. Gorszy nawet niż ja, osoba z krwią na rękach. Zawsze Ci wybaczę i zawsze będę stawać w Twojej obronie. Nigdy nie będę królikiem, który chowa się w norze. A już na pewno nie w sprawach, które dotyczą Ciebie. Nie noszę masek. Niczego nie ukrywam, nawet tego, co brzydkie, a może nawet zwłaszcza tego. Jestem sobą do szpiku kości.

Zawsze będę Cię kochać,
Mama

ROZDZIAŁ DZIEWIĄTY

Sara przeczytała na głos krótki liścik, który Jon zostawił na łóżku:

– Potrzebuję trochę czasu. Nie szukajcie mnie.

– Cholera, no trudno – powiedział szeryf. – Może znajdzie Dave'a i oszczędzi nam kłopotów.

Rysy Willa zrobiły się ostre niczym odłamki szkła. Sara domyślała się, że spędził z szeryfem na werandzie chwile równie dziwaczne, jak ona wewnątrz z zimną i wyrachowaną rodziną Mercy. Nikt z bliskich nie wydawał się przejęty jej śmiercią. Rozmawiali, krzyczeli i biadolili tylko na temat pieniędzy.

– Myślisz, że Jon poszedł zobaczyć matkę? – zapytała szeryfa.

– Nie wspomniał o tym w liście – odparł, jakby można było polegać na szesnastolatku w kwestii spisywania zamiarów. – Stary pikap stoi na swoim miejscu. Gdyby wybrał się tam pieszo, musiałby nas minąć. Szlak do domków kawalerskich prowadzi tamtędy.

– Ma dziewczynę? – podjęła kolejną próbę. – Ktoś w miasteczku mógłby...

– Ten chłopak jest lubiany jak wąż w śpiworze. Jeśli ktoś zauważy go w mieście, szybko się o tym dowiemy. Marsz zajmie mu dobre dwie godziny, a i to pod warunkiem, że przestanie lać. Nie ma mowy, żeby w taką pogodę pojechał tam na rowerze. Skończyłoby się jak w przypadku Papy, upadkiem z urwiska.

Nic z tego, co powiedział, nie przyniosło jej ulgi. Odniosła wrażenie, że z równym powodzeniem może sobie pokrzyczeć na deszcz, co próbować nakłonić szeryfa, by okazał choć cień troski o zaginione dziecko.

– Jeśli pójdzie do Mercy, spotka Delilah – zauważył Will. – Chciała czuwać przy zwłokach.

Sara poczuła, że oczy zaczynają ją piec, zapowiadając płacz. Przynajmniej jedna osoba była szczerze poruszona.

– Tak przy okazji, psze pani, nazywam się Douglas Hartshorne. – Szeryf wyciągnął rękę. – Ale możesz mi mówić Biszkopt.

– Sara Linton. – Potrząsnęła jego wątłą i lepką dłonią. Zerknęła na Willa, który swoją postawą zdradzał chęć zrzucenia tego faceta z werandy. Pogawędka dwóch funkcjonariuszy organów ścigania, gdy Mercy dopiero co została brutalnie zamordowana nad jeziorem, nie miała za grosz sensu. Powinni szukać Dave'a, przyjmować zeznania od świadków i podejmować działania w celu zabezpieczenia zwłok. Po sposobie, w jaki Will zacisnął lewą rękę, wnioskowała, że brak inicjatywy w tej sprawie dokuczał mu bardziej niż rana prawej dłoni.

Sarze nie wolno było się poddać.

– Czy Jon może próbować zemścić się na Davie? – zapytała.

Biszkopt wzruszył ramionami.

– W liściku nie ma nic o zemście.

Postanowiła spróbować raz jeszcze.

– To tylko nastolatek, który stracił matkę w wyniku brutalnego morderstwa. Powinniśmy go poszukać.

– Mogę pomóc w poszukiwaniach – zaoferował się Will.

– Nie trzeba, chłopak wychował się w tych lasach. Poradzi sobie. Ale dziękuję uprzejmie za propozycję. Od tego momentu przejmuję sprawę.

– Biszkopt ruszył w stronę drzwi, jednak po chwili jakby przypomniał sobie o Sarze i uchylił przed nią kapelusza. – Uszanowanie.

Oboje zaniemówili, patrząc, jak szeryf delikatnie zamyka za sobą drzwi. Will skinieniem głowy zachęcił Sarę, by poszła za nim w róg werandy, ale przez chwilę jedynie się w siebie wpatrywali, bo żadne z nich nie było w stanie wyrazić swoich uczuć.

W końcu odezwał się Will:

– Chodź.

Sara przytuliła policzek do jego torsu, a on objął ją ramionami. Poczuła, jak z jej ciała częściowo ulatuje udręka, która trawiła ją od chwili, gdy opuścili brzeg jeziora. Chciała zapłakać nad losem Mercy, nakrzyczeć na jej rodzinę, znaleźć Dave'a i sprowadzić Jona z powrotem; poczuć, że zrobiła cokolwiek w imieniu martwej kobiety, której ciało leżało w starym opuszczonym domku.

– Przykro mi – powiedział Will. – Nie wygląda to na twój udany miesiąc miodowy.

– Nasz – poprawiła go, bo miał to być przecież wyjątkowy czas także dla niego. – Co możemy teraz zrobić? Powiedz mi, jak mogę pomóc. Willowi nie paliło się do kolejnego rozstania. Sara oparła się o jeden ze słupków, jako że późna pora nagle zaczęła dawać się jej we znaki. Oboje ponownie wymienili spojrzenia. Źródłem jedynych dźwięków były krople deszczu bębniące o dach i rozpryskujące się na twardej ziemi.

– Co się wydarzyło w domu? – zapytał Will.

– Zaproponowałam, że zaparzę kawę, żeby móc przeszukać kuchnię. Nawet jeśli brakuje jakiegoś noża, nie udało mi się tego stwierdzić. Chyba gromadzili sztućce od chwili otwarcia tego przybytku. Trzeba znaleźć rękojeść i sprawdzić, czy pasuje do ostrza.

– Jestem przekonany, że Biszkopt niezwłocznie się za to zabierze. – Położył zranioną dłoń na piersiach. Teraz, gdy adrenalina opadła, rana dawała mu się we znaki. – Kiedy Bitty rozmawiała z szeryfem? – zapytał.

Sara poczuła, że na jej twarzy maluje się zaskoczenie.

– Nie widziałam, żeby rozmawiała przez telefon. Może kiedy byłam w kuchni.

– I tak nie byłabyś w stanie nic na to poradzić. – Will przesunął dłoń wyżej, jakby mógł w ten sposób uciec nią przed piekącym bólem. – Muszę znaleźć Dave'a. Wciąż może przebywać na terenie kompleksu.

Ciarki przebiegły jej po plecach na samą myśl, że miałby ścigać Dave'a ze zranioną dłonią i bez wsparcia.

– Może mieć inną broń.

– Jeśli wciąż gdzieś się tu kręci, pewnie nawet chce zostać złapany.

– Ale nie przez ciebie.

– Co zawsze powtarzasz? Karma wraca?

Sarze ścisnęło się gardło.

– Szeryf...

– Nie pomoże – dokończył Will. – Twierdzi, że koroner powinien dotrzeć tu w ciągu pół godziny. Może chociaż on wykaże jakąś inicjatywę w kwestii tego morderstwa. Dowiedziałaś się czegoś od rodziny?

– Przejmowali się gośćmi, którzy wyjeżdżają, i tymi, którzy mają przybyć w czwartek. Czy będą mogli zatrzymać zadatki? Czy ludzie nie przestaną przyjeżdżać? Kto będzie zamawiał jedzenie; kto zajmie się obsługą gości i rezerwowaniem przewodników? – Sara wciąż nie mogła uwierzyć, że żadne z nich ani słowem nie zająknęło się o Mercy. – A potem, kiedy zaczęli rozmawiać o inwestorach, zrobiło się gorąco.

– Mówili coś o sprzedaży?

– Mimochodem poznałam garść szczegółów, kiedy przekrzykiwali się, kto dostanie głos jako pełnomocnik Jona, zwłaszcza jeśli Dave zostanie aresztowany. – Skrzyżowała ramiona. Ilekroć wczuwała się w położenie Mercy, ogarniała ją bezradność. – W trakcie tego zamieszania Jon zniknął na piętrze. Chciałam za nim pójść, ale Bitty uznała, że trzeba dać mu trochę czasu.

– Dokładnie to napisał w liściku. Że potrzebuje czasu.

– Połączyłam się z wi-fi – przypomniała sobie Sara. – Włącz telefon, to udostępnię ci sieć.

Will wstukał kod kciukiem. Na szczęście był leworęczny, więc zachował sporą część manualnej swobody. Sara upewniła się, że uzyskał połączenie, a potem zabrała jego koszulę z fotela bujanego i zaczęła rozpinać absurdalnie obcisły strój szefa kuchni.

– Przecież bym sobie poradził – powiedział Will.

– Wiem. – Sara pomogła mu się rozebrać. Rozpostarła koszulę, by mógł ją założyć, a on posłusznie poddawał się jej gestom. Niezdarnie manipulowała przy guzikach. Wyczuwał, że wydarzenia tej nocy mocno nią wstrząsnęły. Zapięła ostatni guzik, a potem przycisnęła dłoń do jego serca. Mogła powiedzieć wiele, by go zatrzymać, lecz rozumiała, że Will przede wszystkim chce zabrać się do pracy.

Podobnie jak ona.

Mało kto troszczył się o Mercy za jej życia, ale były co najmniej dwie osoby, które z wielką powagą potraktowały jej śmierć.

– Będziesz ich potrzebował. – Wyjęła ze spodni słuchawki i włożyła mu do kieszeni. Will umiał czytać, ale niezbyt szybko. Łatwiej było mu korzystać z aplikacji zamieniającej tekst na mowę. – Wysłałam ci listę nazwisk pracowników kuchni wraz z numerami telefonów. Spisałam je z kartki przyklejonej taśmą przy drzwiach kuchennych. Powinieneś ją zaraz dostać, razem z resztą oczekujących wiadomości.

Spojrzał w stronę parkingu. Był gotowy do akcji.

– Zacznę od chatek, a potem chciałbym się rozejrzeć wokół stosu drewna na opał. Delilah wspomniała, że wcześniej Christopher i Chuck kręcili się nieopodal. Może mają tam jakąś kryjówkę.

– Mogę pogadać z Gordonem i Landrym. Spróbuję się dowiedzieć, co oznacza ten tatuaż.

– Landry zareagował na imię Paul, więc uważam, że możesz z powodzeniem się tak do niego zwracać, chyba że udzieli jakichś wyjaśnień. – Will wskazał jeden z domków. Światła były zapalone. – Tam mieszkają Drew i Keisha, lecz nie chcą rozmawiać. Inna sprawa, że chyba nie mają wiele do powiedzenia. Wątpię, żeby cokolwiek słyszeli wewnątrz domku. Wiało w nim i szumiało jak w tunelu aerodynamicznym. Poza tym są wściekli, że kłamaliśmy w kwestii naszych zawodów.

Sarze zrobiło się przykro z powodu straconego tygodnia. Zauważyła, że Will polubił Drew, a ona z chęcią spędziłaby trochę czasu z Keishą.

– Zanim się wściekli i sobie poszli, Drew powiedział do Bitty coś dziwnego. Coś w rodzaju: „Zapomnijcie o tamtej sprawie. Róbcie, co wam się żywnie podoba".

– Może mieli jakieś zastrzeżenia co do swojego domku?

– Może. – Wrócił do opisywania sytuacji: – Monica i Frank mieszkają tam. Chuck wyszedł stamtąd. Max i Sydney byli tutaj. Już pojechali.

– Bosko – orzekła Sara. Miejsce zbrodni było właśnie spłukiwane do czysta, a świadkowie upłynniali się równie skutecznie. – Co za kanał. Czy kogokolwiek obchodzi, że Mercy nie żyje?

– Delilah. A przynajmniej tak mi się wydaje. – Spojrzał na ekran telefonu. Wiadomości zaczęły się już wczytywać. – Twierdzi, że Christopher miał kilka nieudanych związków. Jakaś dziewczyna zostawiła go po tym, jak zaszła w ciążę z innym facetem, następna ponoć odeszła. Nie wiem, czy to znaczy, że umarła, czy zniknęła i czy to w ogóle jest istotne. Ludzie mają swoje powody do ukrywania różnych spraw.

Sarze zapaliła się w głowie lampka, ale nie w kwestii miłosnych perypetii Christophera.

– Ta kłótnia projektantów na ścieżce przed naszym domem...

– Do czego zmierzasz?

– Paul oznajmił: „Wisi mi, co na ten temat myślisz. Robię, co trzeba", na co Gordon odparł: „Od kiedy zrobiłeś się taki akuratny?", a Paul na to: „Odkąd zobaczyłem, jak ona, do kurwy nędzy, żyje".

Will całkowicie skupił się na jej słowach.

– Ona, czyli Mercy?

– Mieszkały tu tylko dwie kobiety. Drugą jest Bitty.

Podrapał się po brodzie.

– Czy Gordon coś odpowiedział?

Sara zamknęła oczy, próbując odświeżyć pamięć. Mężczyźni kłócili się przed ich domkiem najwyżej piętnaście sekund, zanim ruszyli w dalszą drogę.

– O ile pamiętam, powiedział: „Musisz o tym zapomnieć". Potem Paul poszedł w stronę jeziora i nic już nie słyszałam.

– Dlaczego Paula miałoby obchodzić życie Mercy?

– Odniosłam wrażenie, że ma jej coś za złe.

Jaśniejący ekran telefonu przyciągnął uwagę Willa.

– Pół godziny temu Faith wysłała mi swoją lokalizację na mapie. Jest na drodze numer siedemdziesiąt pięć, tuż przed zjazdem na pięćset siedemdziesiąt pięć.

Sara pomyślała o przepaści, jaka dzieliła wczorajszą świeżo upieczoną mężatkę, jadącą tą samą drogą, od kobiety uwikłanej w śledztwo w sprawie morderstwa, którą była teraz.

– Wygląda na to, że dojedzie tu najwcześniej za dwie godziny.

– Do tego czasu zamierzam wsadzić Dave'a do aresztu, żeby mogła go przesłuchać.

– Wciąż jesteś przekonany, że to on?

– Możemy rozmawiać o tym, kto jeszcze wchodzi w rachubę, albo mogę go znaleźć i wyjaśnić tę sprawę raz na zawsze.

Sara pomyślała, że Will chce załatwić więcej spraw, niż wynikałoby to z jego słów.

– A szeryf? Powiedział wprost, że nie chce naszej pomocy.

– Amanda nie wysyłałaby Faith, gdyby nie miała planu. – Telefon wrócił do kieszeni Willa. – Wolałbym, żebyś poczekała u McAlpine'ów, gdy będę sprawdzał niezamieszkane domki.

Sara nie chciała wracać do przygnębiającego domostwa.

– Lepiej pogadam z Gordonem i Paulem. Może uda mi się coś wywęszyć. Pamiętasz cokolwiek na temat tego tatuażu?

– Dużo kwiatów, motyl i napis przypominający odręczne pismo, zdecydowanie jakieś jedno słowo. Biegnie łukiem wokół piersi, mniej więcej tu. – Położył rękę na sercu. – Paul założył koszulkę, zanim wyszedł. Nie wiem, czy nie chciał, żeby ktoś jeszcze zobaczył tatuaż, czy po prostu założył ją, bo tak się na ogół robi po wyjściu spod prysznica.

To był ten frustrujący aspekt śledztwa. Ludzie kłamią, ukrywają różne rzeczy. Niektóre tajemnice zachowują dla siebie, z innych się zwierzają. A czasami nie ma to nawet nic wspólnego z zagadką przestępstwa, którą próbujesz rozwiązać.

– Zobaczę, czego uda mi się dowiedzieć – powiedziała Sara.

Will skinął głową, ale nie odszedł. Zamierzał poczekać, aż Sara bezpiecznie znajdzie się w domku numer pięć.

Sara pożyczyła duży parasol, który znalazła oparty o ścianę domu. Miała buty z membraną, ale jej łydki były wystawione na pastwę deszczu. Kiedy dotarła do małej zadaszonej werandy, spodnie miała przemoczone od kolan w dół. To tyle, jeśli chodzi o ich ponoć wodoodporną powłokę. Złożyła parasol i zapukała do drzwi.

Monotonny szum ulewy utrudniał dosłyszenie jakichkolwiek odgłosów z wnętrza chatki. Na szczęście Sara nie musiała długo czekać, aż Gordon otworzy drzwi. Miał na sobie czarne slipy i puszyste kapcie.

Zamiast zapytać, po co tu przyszła i czego chce, otworzył drzwi szerzej ze słowami:

– Nieszczęście lubi towarzystwo.

– Witamy na naszej smętnej imprezie! – zawołał Paul ze swojego miejsca na kanapie. Był ubrany w bokserki i biały T-shirt. Bose stopy położył na stoliku kawowym. – Po prostu siedzimy sobie w majtkach i dajemy w palnik.

– Przypominają mi się studenckie czasy – odparła Sara, dostosowując się do jego tonu.

Gordon się roześmiał i wszedł do kuchni.

– Rozgość się.

Wybrała jeden z głębokich foteli klubowych. Ten domek był mniejszy od ich kwatery, ale umeblowany w tym samym stylu. Ze swojego miejsca widziała sypialnię. Na łóżku nie zauważyła walizek, co uznała za znak, że nie zamierzają wyjeżdżać. Chwilowo mogli też mieć inne priorytety niż pakowanie. Na stoliku kawowym stała otwarta butelka burbona, a obok dwie puste szklanki. Flaszka była w połowie pełna.

Gordon postawił na stoliku trzecią szklankę i powiedział:

– Co za pojebana noc. Czy też ranek. Kurwa, zaraz wzejdzie słońce.

Sara czuła, że Paul badawczo się jej przygląda.

– Żona gliniarza, co? – zagadnął.

– Zgadza się. – Nie zamierzała dłużej kłamać. – Ja też pracuję dla glin. Jestem lekarzem sądowym.

– Nie tknąłbym trupa. – Gordon zabrał butelkę ze stolika. – To coś kosztuje fortunę, a smakuje jak terpentyna.

Sara zwróciła uwagę na ekskluzywną etykietę trunku. Nie pamiętała, kiedy ostatnio piła coś mocnego. Ponieważ Will miał sięgającą dzieciństwa awersję do alkoholu, automatycznie też została abstynentką.

– Chodzi o wysokość nad poziomem morza, mam rację? – upewnił się Paul. – Wpływa na kubki smakowe.

– Kochanie, mówisz o locie samolotem. – Gordon nalał podwójną porcję burbona do wszystkich trzech szklanek. – Przecież nie jesteśmy teraz dziesięć kilometrów nad ziemią.

– A jak tu jest wysoko?

Pytając, patrzył na Sarę, odpowiedziała mu więc:

– Jakieś siedemset metrów.

– Dzięki Bogu nie rozbije się tutaj żaden samolot. To byłaby wisienka na tym gównianym torcie. – Gordon podał Sarze szklankę. – Co robi lekarz sądowy? Coś jak ta... jak jej tam, z tego serialu...

– Jakiego serialu? – zapytał Paul.

- Chodzi mi o tę laskę z długimi włosami. Słyszeliśmy, jak śpiewała w *Mountain Stage*. I grała w *Madam Secretary*.

Paul pstryknął palcami i zawołał:

- *Jordan w akcji!*

- O, właśnie. - Gordon opróżnił szklankę do połowy. - W tym serialu grała też Kathryn Hahn. Uwielbiamy ją.

Sara uznała, że zdążyli już zapomnieć o pytaniu, od którego zaczęła się ta rozmowa. Upiła łyk burbona, usiłując ukryć niesmak. Nazwanie tego terpentyną można by uznać za komplement.

- A nie mówiłem? - Paul zauważył jej reakcję. - Trzeba potrzymać go w ustach, żeby przezwyciężyć odruch wymiotny.

Dostrzegłszy dwuznaczność w jego słowach, Gordon parsknął śmiechem.

- Myślę, że akurat pod tym względem nasi nowożeńcy obejdą się dziś smakiem.

- Co porabia agent McSexy? - zapytał Paul. - Coś mi się widzi, że nikt nie jest zainteresowany składaniem zeznań.

Na myśl o Willu, który samotnie szukał Dave'a, Sarę oblało nieprzyjemne gorąco.

- Czy któryś z was widział Mercy dziś po kolacji?

- Oho, zaczyna się przesłuchanie - powiedział Gordon. - Nie powinnaś nam najpierw wyrecytować praw Mirandy?

Sara nie miała obowiązku niczego im recytować.

- Nie jestem policjantką. Nie mogę was aresztować.

Nie wspomniała, że może jako świadek uwzględnić w swoich zeznaniach wszystko, co powiedzą.

- Paul ją widział - wyrwał się Gordon.

Uznała to za ostateczny koniec kombinacji z fałszywym imieniem.

- Gdzie była?

- Tuż przed naszą kwaterą. Mniej więcej o dziesiątej trzydzieści. Akurat wyglądałem przez okno. - Paul uniósł szklankę do ust, ale się nie napił. - Przez chwilę się tu kręciła, a potem weszła po schodach na ganek do Franka i Moniki.

- Monica pewnie prosiła o dostawę alkoholu - dodał Gordon. - Frank wspominał, że zostawiła notatkę na ganku.

– Nie mam pojęcia, jak udało się jej utrzymać długopis – zauważył Paul. – Ta dziunia była kompletnie ululana.

– Za wątrobę Moniki! – Gordon wzniósł szkło w toaście.

Sara udała, że upija kolejny łyk. Zaintrygowało ją, że Paul wiedział, dokąd poszła Mercy. Z ich okien nie było widać domku Franka i Moniki. Trzeba było wyjść na ganek, co oznaczało, że obserwował jej ruchy.

– To... Jak wyglądała? – zapytał Gordon.

Sara potrząsnęła głową.

– Kto?

– Mercy – odparł. – Została zadźgana na śmierć, tak?

– Makabra – stwierdził Paul. – Założę się, że była przerażona.

Sara wbiła wzrok w szklankę. Obaj mężczyźni traktowali całą sytuację jak reality show.

– Orientujesz się, czy nasza jutrzejsza wycieczka w góry jest aktualna? – zainteresował się Paul.

– Kochanie – wtrącił Gordon. – Jesteś ociupinkę bezduszny.

– Ale to pytanie jest uzasadnione. Wydaliśmy pierdylion dolców na przyjazd tutaj. – Zerknął na Sarę. – Wiesz coś o wycieczce?

– Musisz zapytać McAlpine'ów. – Sara nie była w stanie dłużej udawać. Odstawiła szklankę na stół. – Paul, Will powiedział mi, że masz tatuaż na klatce piersiowej.

Śmiech Paula wydał się Sarze wymuszony.

– Nie przejmuj się tym, słonko. Jest w tobie zakochany na zabój.

Sara się nie przejmowała.

– Praca nauczyła mnie, że każdy tatuaż ma swoją historię. Twój też?

– Tak, ale jest głupia – odparł. – Ciut za dużo tequili z domieszką melancholii.

Sara spojrzała na Gordona. Wzruszył ramionami.

– Nie znam się na tatuażach. Nienawidzę igieł. A ty? Masz jakieś seksowne dziary, o których chcesz nam opowiedzieć?

– Ani jednej. – Postanowiła zacząć od innej strony. – Byliście tutaj już wcześniej?

– Nie, to nasz pierwszy raz – przyznał Gordon. – I wątpię, żebyśmy kiedyś wrócili.

– A ja nie wiem, jak będzie, kochanie. Gdybyśmy zaklepali termin już teraz, pewnie dostalibyśmy zniżkę. – Paul sięgnął po butelkę z burbonem i opadł na kanapę. Nalał sobie kolejnego podwójnego drinka i zapytał Sarę: – Chcesz więcej?

– Ledwie uszczknęła pierwszego – zauważył Gordon i wyciągnął rękę.

– Mogę?

Sara patrzyła, jak przelewa jej alkohol do swojej szklanki.

– Wróćmy do Mercy – zasugerowała.

Paul powoli odchylił się na oparcie.

– A w czym rzecz? – dopytał Gordon.

– Odniosłam wrażenie, że ją znacie. Albo przynajmniej o niej słyszeliście. – Sara zwróciła się do Paula: – A jeśli o ciebie chodzi, chyba nie byłeś zadowolony z tego, że wiodła tu spokojne życie.

Sara dostrzegła w jego oczach coś, co mogło być równie dobrze gniewem, jak i strachem.

– Nie wydaje ci się, że była dziwaczką? – zapytał Gordon. – Specyficzny typ.

– A ta blizna na jej twarzy? – dodał Paul. – Założę się, że też mogłaby niejedno powiedzieć.

– Chyba nie chciałbym tego słuchać – orzekł Gordon. – Jak dla mnie, cała ta rodzina wydaje się trochę podejrzana. Matka kojarzy mi się z dziewczyną z tego filmu... Chociaż tamta miała ciemne włosy, a nie siwe jak na cipce czarownicy.

– Chodzi ci o Samarę z *The Ring*? – upewnił się Paul.

– Tak, tylko z głosem demonicznego dziecka. – Gordon spojrzał na Sarę. – Oglądałaś?

Sara nie pozwoliła im zbić się z tropu.

– Czyli żaden z was nie znał Mercy przed przyjazdem tutaj?

– Mogę szczerze powiedzieć, że dziś widziałem tę nieszczęsną kobietę po raz pierwszy w życiu – oznajmił Gordon.

– To było wczoraj – zauważył Paul. – Bo jest już jutro.

Sara postanowiła trochę go docisnąć.

– Dlaczego podałeś fałszywe imię?

– Po prostu się wygłupiliśmy – odpowiedział za niego Gordon. – Trochę jak ty i Will. Wy też ściemniliście.

Sara nie mogła z tym polemizować. Był to jeden z wielu powodów, dla których nienawidziła kłamać.

– Wznieśmy toast. – Paul podniósł szklankę. – Za wszystkich kłamców na szczycie tej góry. Oby nie każdego spotkał taki sam los.

Sara nie uznała za stosowne zapytać, czy uwzględnił Mercy w swoim klubie kłamców. Patrzyła, jak grdyka Paula porusza się, gdy ten wlewa do gardła całą zawartość szklanki. Odstawił szkło na stolik z hukiem, jakby dla podkreślenia tego gestu. Dźwięk odbił się echem w ciszy. Nikt się nie odezwał. Sara słyszała dobiegające z zewnątrz kapanie. Deszcz ustawał. Chciała wierzyć, że Will nie przemoczył opatrunku. Poza tym żywiła głęboką nadzieję, że nie leży gdzieś z nożem wystającym z piersi.

Zbierała się do wyjścia, gdy Gordon rozładował napięcie głośnym ziewnięciem.

– Lepiej pójdę spać, zanim zaliczę zgon – stwierdził.

Sara wstała.

– Dzięki za drinka.

Nie było przyjaznych pożegnań. Wychodziła z chatki w atmosferze niemiłego milczenia. Spojrzała w górę. Tarcza księżyca przesunęła się w stronę grani. Na niebie pozostało tylko kilka chmur. Sara odłożyła parasol na ganek i zeszła po schodach. Rozejrzała się po okolicy w poszukiwaniu Willa. Włączone wciąż reflektory dawały mocne światło, ale nawet one miały ograniczony zasięg.

Jej uwagę przykuł jakiś ruch niedaleko parkingu. Tym razem wzrok nie mamił jej wizjami Wielkiej Stopy. Rozpoznała Willa po sylwetce. Stał do niej tyłem ze swobodnie opuszczonymi rękami. Domyśliła się, że opatrunek jest przemoczony do suchej nitki. Choć może nie powinno, ulżyło jej, że nigdzie nie było śladu Dave'a. Zanim zdążyła się zastanowić, czy Will zrobił obiecany rekonesans w pobliżu sterty drewna, o której wspominała Delilah, ciemność przecięły światła nadjeżdżającego samochodu.

Sara podniosła rękę, by osłonić oczy od blasku. Nie był to samochód osobowy, lecz ciemna furgonetka. Pozwoliła sobie założyć, że to koroner. Po cichu liczyła na to, że facet ucieszy się z obecności lekarza sądowego na miejscu zdarzenia, ale patrząc przez pryzmat zaskakujących reakcji, jakich była świadkiem tego wieczoru, niczego już nie brała za pewnik.

Miała nadzieję, że w najgorszym razie koroner będzie miał świadomość ograniczeń własnego zawodu.

Role lekarza sądowego i koronera często są mylone. Tylko to pierwsze stanowisko wymaga dyplomu ukończenia studiów medycznych. Tę drugą funkcję może w Stanach pełnić właściwie ktokolwiek i na ogół tak się właśnie dzieje, co jest o tyle niefortunne, że koronerzy okręgowi są stróżami śmierci. Do ich obowiązków należy nadzór nad zbieraniem materiału dowodowego i oficjalne rozstrzyganie, czy zgon jest na tyle podejrzany, że należy zwrócić się do lekarza sądowego z wnioskiem o przeprowadzenie sekcji zwłok.

Georgia jako pierwszy spośród stanów USA oficjalnie uznała urząd koronera przez wyszczególnienie go w swojej konstytucji z 1777 roku. Urząd ten jest wybieralny, a ubieganie się o niego wymaga spełnienia tylko kilku warunków: trzeba mieć ukończone dwadzieścia pięć lat, być zarejestrowanym elektorem w hrabstwie, w którym się kandyduje, nie mieć na koncie żadnych przestępstw i ukończyć szkołę średnią.

Na 159 hrabstw w stanie Georgia tylko jeden koroner był lekarzem z prawdziwego zdarzenia. Pozostali to dyrektorzy zakładów pogrzebowych, rolnicy, emeryci i pastorzy, a także jeden mechanik łodzi motorowych. Koroner musiał być pod telefonem przez 24 godziny na dobę, 7 dni w tygodniu, a wynagrodzenie wynosiło raptem 1200 dolarów rocznie. Czasami sprawdzało się powiedzenie, „jaka płaca, taka praca". Samobójstwo bywało uznane za morderstwo, a akt przemocy domowej za niefortunny upadek.

Sara ruszyła w stronę parkingu, a jej buty trekkingowe dzielnie wgryzały się w błoto. Gdy otworzyły się drzwi od strony kierowcy, zdziwiła się na widok wysiadającej kobiety. Z jeszcze większym zaskoczeniem odnotowała, że jest ona ubrana w kombinezon roboczy i czapkę z daszkiem. Widząc furgonetkę, Sara spodziewała się raczej właściciela zakładu pogrzebowego. Reflektory ośrodka wydobyły z ciemności logo umieszczone na boku pojazdu. Usługi klimatyzacyjne „Moushey Heating and Air". Sara poczuła ucisk w żołądku.

– Aha, wiem. – Kobieta już rozmawiała z Willem. – Biszkopt wspomniał, że próbujecie wmieszać się w tę sprawę.

Sara musiała przygryźć wargę, żeby się nie odezwać.

– Ale spokojnie – dodała, dostrzegając jej minę. – Liczne rany kłute, tak? Powiedziałabym w takim razie, że orzeczenie o zabójstwie stanowi w tym przypadku formalność. Ciało ostatecznie trafi do władz stanowych. Myślę, że bez przeszkód możemy zacząć z wami współpracować. Nazywam się Nadine Moushey, jestem koronerem w hrabstwie Dillon. Doktor Linton, prawda?

– Sara. – Kobieta miała nieprzyjemnie mocny uścisk dłoni. – Co ci przekazano?

– Mercy została zadźgana na śmierć, prawdopodobnie przez Dave'a. Słyszałam też, że to wasz miesiąc miodowy.

Sara wyczuła zaskoczenie Willa. Wciąż nie zdawał sobie sprawy z tego, jak działają małe miasteczka. O morderstwie wiedzieli już pewnie wszyscy w promieniu osiemdziesięciu kilometrów.

– To wam się nie ułożyło – skonstatowała Nadine. – Choć jak pomyślę o swoim miesiącu miodowym, mogłabym mówić o szczęściu, gdyby ktoś zgładził tego drania, z którym go spędzałam.

– Wygląda na to, że osobiście znasz ofiarę i głównego podejrzanego – powiedział Will.

– Mój młodszy brat chodził z Mercy do szkoły. A Dave'a kojarzę z przesiadywania w Tastee Freeze. Zawsze był agresywnym skurwielem. Mercy miała swoje przypały, ale wydawała się w porządku. Nie była tak wredna jak cała reszta, co pewnie zadziałało na jej niekorzyść. Nie chcesz zostać wrzucony do wężowiska, jeśli nie masz najostrzejszych kłów.

– Czy poza Dave'em jest ktoś jeszcze, kto mógłby chcieć jej śmierci?

– Myślałam o tym przez całą drogę – odparła Nadine. – Nie spotkałam Mercy od czasu wypadku Papy półtora roku temu i nawet wtedy widziałam ją tylko przelotnie, w szpitalu. Miasteczko jej nie służyło. Przebywała głównie tutaj, w górach, a to bardzo odosobnione miejsce. Tutejsi nie stanowią dobrego tematu do plotek, jeśli choć raz na jakiś czas nie wpadają do miasta.

– Skąd wzięła się blizna na jej twarzy? – zapytała Sara.

– Wypadek samochodowy. Prowadziła po pijaku i uderzyła w barierkę ochronną. Metal przebił się do wnętrza i na dobrą sprawę odciął jej połowę twarzy. Kryje się za tym długa i smutna historia, którą Biszkopt może wam opowiedzieć w najdrobniejszych szczegółach. Sprawą zajmował się jego ojciec, szeryf Hartshorne, ale on też był na miejscu zdarzenia. Ich rodziny zawsze utrzymywały bliskie kontakty.

Sara nie była zaskoczona tą informacją. To by tłumaczyło, dlaczego Biszkopt się nie śpieszył.

– Szeryf wspomniał, że Dave'owi odebrano prawo jazdy za prowadzenie pod wpływem – powiedział Will. – Podobno Dave'a podwozi do pracy i odwozi jakaś kobieta.

Nadine zaśmiała się tubalnie.

– To Bitty. Dave zraził do siebie bodaj każdą inną kobietę w promieniu trzech hrabstw. Nikomu nie chciałoby się dla niego wstawać z łóżka. Ani do niego kłaść, jeśli już o łóżku mowa. Ja na przykład wychowałam dwóch chłopców i nie zamierzałabym brać sobie na głowę kolejnego. Co ci się stało w rękę, jeśli mogę wiedzieć?

Will spojrzał na zabandażowaną dłoń i odparł:

– Nie słyszałaś o narzędziu zbrodni?

– Will podjął próbę reanimacji – wyjaśniła Sara. – Nie miał pojęcia, że w klatce piersiowej Mercy pozostało odłamane ostrze noża.

– Odnalezienie ułamanej rękojeści jest teraz absolutnym priorytetem – zauważył Will. – Szukając Dave'a w domkach, nie natknąłem się na nic takiego, ale warto rozejrzeć się dokładniej.

– Cholera, smutna sprawa. Chodźmy na dół, pogadamy po drodze. – Nadine wyjęła z furgonetki latarkę i skrzynkę z narzędziami. – Świt nadejdzie za dwie... no dobrze, prawie trzy godziny. Ponoć późnym rankiem znowu ma padać, ale nie zamierzam zabierać zwłok na zewnątrz, zanim nie zrobi się naprawdę widno. Na razie zobaczmy, na czym stoimy.

Nadine poszła przodem, oświetlając teren latarką. Skierowała snop światła na ziemię, żeby wszyscy widzieli ścieżkę na kilka metrów do przodu. Will zaczekał, aż znajdą się w dolnej części Pętli, i dopiero wtedy zaczął relacjonować koronerce wydarzenia wieczoru. Kłótnię podczas kolacji. Krzyki w nocy. Odnalezienie Mercy na brzegu jeziora w ostatnich chwilach jej życia.

Słuchając jego opowieści, Sara ponownie znalazła się myślami na miejscu zdarzenia. W milczeniu dopowiadała sobie detale ze swojej perspektywy. Bieg przez las. Rozpaczliwe próby dotarcia do Willa. Odnalezienie go, gdy klęczał nad Mercy. Wyraz udręki na jego twarzy. Był tak pogrążony w żalu, że nie zauważył ani Sary, ani nawet ostrza wystającego z własnej prawej dłoni.

Wspomnienia groziły kolejnym potokiem łez. Kiedy stali samotnie na werandzie u McAlpine'ów i Will objął ją ramionami, przetoczyła się przez nią ogromna fala ulgi, teraz jednak uświadomiła sobie, że on też najpewniej potrzebuje pocieszenia.

Idąc krętą ścieżką, wyciągnęła rękę i ujęła go za lewą dłoń. Choć Sara widziała wcześniej na mapie Szlak Zaginionej Wdowy, to gdy pędziła boso przez las spanikowana wołaniami Willa o pomoc, jej logicznie myślący mózg odmówił posłuszeństwa.

Teren zaczął gwałtownie opadać. Ścieżka wiła się to w jedną, to w drugą stronę, lecz przez cały czas prowadziła w dół. Nie była utrzymana tak dobrze jak Pętla. Nadine wymruczała pod nosem przekleństwo, gdy nisko wisząca gałąź strąciła jej czapkę. Podniosła latarkę trochę wyżej, żeby uniknąć kolejnych tego rodzaju incydentów. Maszerowali gęsiego zygzakiem, schodząc coraz niżej w głąb wąwozu rozciągającego się przed jadalnią. Sznury lampek oplecione wokół balustrady na werandzie były zgaszone. Sara domyśliła się, że personel opuścił obiekt wkrótce po kolacji. Starała się nie wracać myślami do chwili, gdy stała z Willem na tarasie widokowym. Miała wrażenie, że działo się to wieki temu.

Gdy szlak nieco się poszerzył, Will przyhamował. Sara także zwolniła kroku. Spodziewała się, że będzie chciał usłyszeć relację ze spotkania z facetami od aplikacji. Jeśli rzeczywiście projektowali jakieś aplikacje. Obaj udowodnili, że potrafią kłamać.

Ale jakkolwiek by na to patrzeć, Sara i Will także minęli się z prawdą.

– Paul widział Mercy, kiedy szła na ganek do Franka i Moniki mniej więcej o dziesiątej trzydzieści – szepnęła mu.

– Nie przyszło mu do głowy, żeby wspomnieć o tym wcześniej?

– Nie wspomniał o wielu sprawach – odparła. – Nie udało mi się dowiedzieć niczego o tatuażu, powodach podania fałszywego imienia, znajomości z Mercy ani przyczynach kłótni na ścieżce. Nie sądzę, żeby ich milczenie wynikało tylko z wypitego alkoholu. Sprawiali wrażenie kompletnie zblazowanych.

– To by się wpisywało w panującą tutaj atmosferę. – Gdy schodzili szczególnie stromym odcinkiem szlaku, Will ujął ją za łokieć. – Nie znalazłem ani Dave'a, ani niczego w pobliżu stosu drewna, ani w domkach. Nie natknąłem się na rękojeść, nie widziałem zakrwawionych ubrań. Minęły już trzy godziny. Przypuszczam, że Dave zdążył przekroczyć granicę stanu.

– Rozmawiałeś z Amandą?

– Nie odebrała.

Sara spojrzała na niego uważnie. Amanda zawsze odbierała telefony od Willa.

– A co z Faith?

– Utknęła w korku na międzystanowej. Wypadek. Minie co najmniej godzina, zanim uprzątną drogę i ponownie ją otworzą.

Sara przygryzła wargę tak mocno, że poczuła smak krwi. W tej sytuacji nie miała najmniejszych szans przekonać Willa, by zaczekał na Faith. Gdy tylko przekażą Nadine pieczę nad ciałem Mercy, zapewne znajdzie jakiś sposób, by zdobyć samochód, i pojedzie szukać Dave'a.

– Nadine! – zawołała Sara. Nie mogła wpłynąć na decyzje Willa, ale mogła przynajmniej wykonać swoją część zadania. – Od jak dawna jesteś koronerem?

– Od trzech lat – odparła Nadine. – Wcześniej robił to mój ojciec, ale dopadły go problemy wieku podeszłego. Zastoinowa niewydolność serca, niewydolność nerek, POChP.

Sara dobrze znała te trzy choroby współistniejące.

– Przykro mi.

– Nie ma powodu do żalu. Zapracował sobie na to, dobrze się bawiąc. – Nadine przystanęła i odwróciła się w ich stronę. – W Atlancie pewnie przywykliście do odrobiny anonimowości, ale tutaj, w górach, wszyscy wiedzą o sobie wszystko.

Ani Will, ani Sara nie wyjawili, że przynajmniej jedno z nich dobrze zna małomiasteczkowe klimaty.

– Najgorsze, że jest tu cholernie nudno, a kiedy jesteś młody, wkręcasz się w różne rzeczy. – Nadine oparła dłoń o drzewo. Jej słowa sprawiały wrażenie przemyślanych podczas wędrówki w dół. – Sęk w tym, że Mercy była bardziej zwariowana niż my wszyscy razem wzięci. Morze alkoholu. Prochy. Narkotyki. Drobne kradzieże. Wybijanie szyb samochodowych. Wygłupy w rodzaju owijania domów papierem toaletowym i obrzucania budynku szkoły jajkami. Pomyśl o dowolnym wykroczeniu, a znajdziesz je na jej liście.

Sara zestawiła wizerunek przybitej kobiety, z którą rozmawiała w łazience, z obrazem szaleństwa odmalowanym przez Nadine. Skojarzenia narzucały się jej same.

– Znacie te typowe teksty rodziców, że ich dziecko jest dobre, tylko ma złe towarzystwo? Cała Mercy. Była złym towarzystwem dla każdego dzieciaka w tym mieście. – Nadine wzruszyła ramionami. – W każdym razie wtedy, nie teraz. Ale problem z małymi miasteczkami polega na tym, że od urodzenia wszystko się do ciebie przykleja. Jaką reputację wyrobisz sobie za szczeniaka, tak ludzie będą o tobie myśleć przez resztę twojego życia. Mercy mogła wyjść na prostą, odzyskać Jona i wziąć na siebie doprowadzenie tego miejsca do ładu po tym, jak jej ojciec spadł z urwiska, ale to, co zdążyło do niej przylgnąć, trzymało się mocno. Nadążacie?

Sara pokiwała głową. Doskonale wiedziała, o czym mowa. W szkole średniej jej młodsza siostra, Tessa, prowadziła bogate życie seksualne, a choć od tamtej pory ustatkowała się, wyszła za mąż, urodziła śliczną córkę i była na misji dobroczynnej za granicą, przeszłość wciąż wracała do niej w postaci krzywych spojrzeń.

– Tak czy owak, pewnie o to ci chodziło, kiedy się zastanawiałaś, dlaczego ludzie nie są bardziej poruszeni jej śmiercią – dokończyła Nadine.

– Myślą, że Mercy dostała to, na co zasłużyła.

– Dokładnie takie wrażenie odniosłem po rozmowie z szeryfem – przyznał Will.

– Tak. Cóż, można by pomyśleć, że koleś, którego od prawie dwudziestu lat jego nędznego życia nazywają Biszkoptem, będzie rozumiał, że ludzie mogą się zmienić. – Wyglądało na to, że Nadine nie darzy szeryfa sympatią. – Dave nadał mu to przezwisko jeszcze w szkole średniej, bo nieszczęśnik wyglądał jak pulpet. Dave stwierdził, że zwał tłuszczu na jego brzuchu wystaje znad spodni jak paczka biszkoptów.

Nadine ruszyła w dalszą drogę. Sara patrzyła, jak promień latarki tańczy wśród drzew. Przez kolejne pięć minut szli w milczeniu, aż dotarli do miejsca, w którym teren zniżał się szerokimi płaskimi terasami. Nadine poszła pierwsza, a potem odwróciła się tak, by wszyscy mogli korzystać ze światła jej latarki.

– Patrzcie pod nogi, teren jest trudny – przestrzegła.

Pilnująca swoich kroków Sara poczuła dłoń Willa w zagłębieniu pleców. Wiatr się zmienił, niosąc swąd spalonego domku. Na skórze zaczęła osiadać wilgotna mgiełka. Deszcz ochłodził atmosferę. Zimniejsze powietrze było przesycone unoszącą się znad jeziora parą.

– Słyszałam, że Dave miał się zająć renowacją tych starych chatek – powiedziała Nadine. – Wygląda na to, że jak zwykle poszło mu zajebiście.

Snop światła latarki Nadine przemknął po kozłach do piłowania drewna, porzuconych narzędziach, puszkach po piwie, niedopałkach jointów i petach. Wiedząc już to i owo o Davie McAlpinie, Sara nie była zaskoczona, że zrobił ze swojego miejsca pracy pobojowisko. Tacy ludzie potrafią tylko brać. Nigdy się nie zastanawiają, co zostawią innym.

– Halo!? – rozległ się podenerwowany głos. – Kto idzie?

– Delilah – odezwał się Will. – Agent Trent. Przyszedłem z koronerem i...

– Nadine. – Delilah siedziała na stopniach przed drugim domkiem. Kiedy podeszli, wstała, otrzepując z piachu tył spodni od piżamy. – Przejęłaś robotę po Bubbie.

– I tak jeżdżę przez cały dzień i naprawiam uszkodzone sprężarki – odparła Nadine. – Bardzo mi przykro z powodu Mercy.

– Mnie także. – Delilah wytarła nos chusteczką. – Znalazłeś Dave'a? – zwróciła się do Willa.

– Przeszukałem niezamieszkane kwatery. Tam go nie ma. – Will rozejrzał się po okolicy. – Widziałaś Jona? Uciekł.

– O Boże – westchnęła Delilah. – A myślałam, że już nie może być gorzej. Dlaczego uciekł? Zostawił jakąś informację?

– Tak – odpowiedziała Sara. – Napisał, że potrzebuje czasu i mamy go nie szukać.

Delilah pokręciła głową.

– Nie mam pojęcia, dokąd mógł pójść. Czy Dave wciąż mieszka w przyczepie na kempingu?

– Aha – przytaknęła Nadine. – Naprzeciwko mojej babci. Prosiłam, żeby miała na niego oko. Daję głowę, że nawet teraz siedzi na krześle przy oknie i wpatruje się w to miejsce, jakby oglądała jeden ze swoich ulubionych programów w telewizji. Jeśli zauważy Jona, na pewno do mnie zadzwoni.

– Dziękuję. – Delilah miętosiła palcami kołnierzyk piżamy. – Miałam nadzieję, że Dave się tu pojawi. Z przyjemnością bym go utopiła.

– Nie byłaby to wielka strata, ale pewnie nie będziesz miała takiej okazji – stwierdziła Nadine. – Tego typu sukinsyny najpierw zabijają żony, a potem zazwyczaj popełniają samobójstwo. Mam rację, doktorko?

Sara nie mogła powiedzieć, że Nadine całkiem się myli.

– Zdarza się i tak.

Will nie wydawał się zachwycony perspektywą samobójstwa Dave'a. Zdecydowanie wolałby ujrzeć go w kajdankach. Może miał rację. Wszyscy uważali za pewnik, że Mercy zginęła z rąk Dave'a.

– Ech... – Nadine westchnęła. – Gadanie w obecności gliniarza, że chcesz zamordować kogoś, kto faktycznie może źle skończyć, chyba nie jest najlepszym pomysłem. Może weźmiemy się do roboty?

Will zaprowadził ją na brzeg. Sara została z Delilah, bo nie chciała tworzyć kolejnych śladów stóp na i tak już zadeptanym miejscu zbrodni. Próbowała sobie przypomnieć, jak wyglądała ta okolica, gdy zjawiła się tu wcześniej. Księżyc był częściowo zasłonięty przez chmury, lecz rzucał blade światło.

U podstawy schodów widniała duża kałuża krwi. Ślady krwi znajdowały się też w zagłębieniach wyglądających na ślady ciągnięcia ciała, które tworzyły linię prostą, biegnąc w kierunku brzegu. Uchodzące z Mercy życie zabarwiło wodę na czerwono. Miała opuszczone dżinsy i bieliznę. Sprawca prawdopodobnie podjął próbę gwałtu, zanim zaczął dźgać ją nożem. Ran było zbyt wiele, by je zliczyć.

Sara przygotowała się mentalnie do przeprowadzenia autopsji. Wcześniej tego dnia Mercy była duszona przez Dave'a. Podczas kolacji przypadkowo rozcięła kciuk kawałkiem szkła. Sara wyobrażała sobie, że odnajdzie na jej ciele wiele śladów po starych i świeżych urazach. Mercy powiedziała Sarze, że poślubiła własnego ojca. Zdaniem Sary oznaczało to, że Dave nie był pierwszym mężczyzną, który się na niej wyżywał. Odwróciła się i spojrzała na zamknięte drzwi chatki. Ciało zaczęło się już rozkładać. Wyczuwała znajomy odór wynikający z działalności bakterii gnilnych. Drzwi nadal były zablokowane kawałkiem deski, który Will zabrał ze sterty drewna stojącej pośród rozrzuconych narzędzi. Zwłoki Mercy położyli na środku pokoju. Poza zakrwawioną koszulą Willa nie mieli czym jej zakryć. Sara oparła się chęci doprowadzenia ciała do jako takiego porządku. Choćby ułożenia splątanych, mokrych włosów, zamknięcia powiek, wygładzenia ubrania, podciągnięcia rozdartej bielizny i dżinsów. Mercy McAlpine była kobietą skomplikowaną, barwną i miała swoje demony. Zasługiwała na szacunek, nawet jeśli miał być okazany dopiero po śmierci. Ale każdy centymetr jej skóry mógł udzielić informacji o człowieku, który ją zamordował.

– Powinnam była bardziej się starać, by pozostać w jej życiu – powiedziała Delilah.

Sara odwróciła się, by na nią spojrzeć. Delilah trzymała chusteczkę, a niepowstrzymywane łzy płynęły obfitym strumieniem.

– Kiedy odebrano mi prawo do opieki nad Jonem, postanowiłam, że rezygnuję z dalszej walki, bo chłopiec potrzebuje stabilności. Nie chciałam, żeby był obiektem przepychanki pomiędzy mną a Mercy. – Delilah popatrzyła na jezioro. – Ale tak naprawdę chodziło o moją dumę. Walka o opiekę nad nim nabrała bardzo osobistego wymiaru. Nie chodziło już o Jona, tylko o wygraną. Moje ego nie mogło się pogodzić z porażką. Nie z Mercy. Uważałam ją za bezwartościową ćpunkę. Gdybym dała jej więcej czasu na udowodnienie, że jest kimś więcej, mogłabym stać się dla niej spokojnym portem podczas sztormów. Mercy tego potrzebowała. Zawsze tego potrzebowała.

– Przykro mi, że tak źle się to skończyło. – Sara ostrożnie dobierała słowa, nie chcąc jątrzyć świeżej rany. – Wychowywanie cudzego dziecka to ogromna odpowiedzialność. Musiałaś być blisko związana z Mercy, gdy Jon przyszedł na świat.

– Byłam pierwszą osobą, która trzymała go na rękach – powiedziała Delilah. – Mercy wróciła za kratki nazajutrz po porodzie. Pielęgniarka podała mi noworodka, a ja... nie miałam pojęcia, co robić.

Sara nie doszukała się goryczy w jej ironicznym śmiechu.

– W drodze do domu musiałam zatrzymać się w Walmarcie. W jednej ręce trzymałam niemowlę, a drugą pchałam wózek. Dzięki Bogu jakaś kobieta zauważyła, że jestem zupełnie zagubiona, i podpowiedziała mi, czego mogę potrzebować. Pierwszą noc spędziłam, czytając fora dyskusyjne na temat opieki nad małym dzieckiem. Nigdy nie planowałam dzieci, nie chciałam być matką. Ale Jon był... jest darem. Nigdy i nikogo nie kochałam tak bardzo jak tego chłopca. Właściwie wciąż go kocham. Nie widziałam go od trzynastu lat, ale do dziś czuję w sercu wielką dziurę po rozłące z nim.

Sara wyczuwała ciążące na Delilah poczucie straty, lecz postanowiła zapytać:

– Dziadkowie Jona nie chcieli go zabrać?

Delilah roześmiała się ostro.

– Bitty oznajmiła, że powinnam go zostawić przed remizą. Niebagatelne słowa, biorąc pod uwagę fakt, że Dave został porzucony przez własną matkę właśnie przed remizą.

Sara na własne oczy widziała oziębłość Bitty względem córki, lecz taka sugestia w odniesieniu do niemowlęcia nie mieściła się jej w głowie.

– Dziwne, prawda? – zapytała Delilah. – Tyle się mówi o świętości macierzyństwa, ale Bitty zawsze nienawidziła dzieci. Zwłaszcza swoich. Mercy i Christopher mogli siedzieć we własnym gównie i szczynach. Próbowałam interweniować, ale Cecil jasno dał mi do zrozumienia, że mam się nie wtrącać.

Sara nie sądziła, że cokolwiek wzbudzi w niej jeszcze większą niechęć do rodziny Mercy.

– Mieszkałaś tu, kiedy Christopher i Mercy byli mali?

– Dopóki Cecil mnie nie przegonił – odpowiedziała Delilah. – Żałuję wielu rzeczy, między innymi tego, że nie zabrałam Mercy do siebie, gdy jeszcze miałam taką szansę. Bitty chętnie by ją oddała. Należy do tych, które twierdzą, że lepiej dogadują się z facetami, bo nie lubią innych kobiet, ale prawda jest taka, że te inne po prostu nie znoszą jej towarzystwa.

Sara doskonale znała ten typ, zawsze gotów pogrążyć inne kobiety, byle przypodobać się facetowi.

– Wydajesz się przekonana o winie Dave'a.

– Jak to ujął Drew? Że oglądał ten odcinek *Dateline*? To zawsze jest mąż. Albo były mąż. Albo chłopak. W przypadku Dave'a dziwi mnie jedynie to, że zajęło mu to tak dużo czasu. Zawsze był niegodziwym i agresywnym małym bandytą. Obwiniał Mercy o wszystko, co złe w jego życiu, choć w rzeczywistości była jedynym dobrem, które go spotkało. – Złożyła chusteczkę i ponownie wytarła nos. – Poza tym kto inny mógłby to zrobić?

Tego Sara nie wiedziała, zapytała jednak:

– Znasz któregoś z gości?

– Nie, ale naprawdę dawno mnie tu nie było – odparła Delilah. – Jeśli chcesz znać moje zdanie, cateringowcy byli mili, ale za mało wyluzowani jak na mój gust. Z facetami od aplikacji właściwie nie rozmawiałam. Nie mój typ geja. Z kolei ci inwestorzy to nie mój typ dupka. Ale Monica i Frank byli świetni. Rozmawialiśmy o podróżach, muzyce i winie.

Sara musiała wyglądać na zaskoczoną, bo Delilah się roześmiała.

– Myślę, że trzeba wybaczyć Monice pociąg do kieliszka. W ubiegłym roku stracili dziecko.

Sara poczuła ukłucie winy z powodu swoich wcześniejszych nieżyczliwych osądów.

– Straszne.

– Tak, strata dziecka jest bolesna – przyznała Delilah. – Może nie doświadczyłam tego samego, kiedy straciłam Jona, lecz odebranie ci czegoś tak cennego...

Delilah umilkła. Sara patrzyła, jak Will idzie z Nadine w stronę spalonego domku. Byli pogrążeni w rozmowie. Odetchnęła z ulgą, gdy się okazało, że przynajmniej koronerka podchodzi do śledztwa poważnie.

Delilah wróciła do przerwanego tematu:

– Ze stratą dziecka jest tak, że albo prowadzi do rozłamu między partnerami, albo ich do siebie zbliża. Kiedy odebrano mi Jona, zniszczyłam swój związek, który trwał od dwudziestu sześciu lat. Ta kobieta była miłością mojego życia. Oczywiście, że to moja wina, ale wierz mi, że bardzo chciałabym cofnąć czas i zrobić wszystko inaczej.

– Saro? – Will pomachał w jej stronę. – Chodź, musisz coś zobaczyć.

Nie miała pojęcia, jak powstrzymać Delilah, by nie poszła za nią, ale sama uznała, że lepiej trzymać się z tyłu. Nadine oświetliła latarką zwęglone resztki trzeciego domku. Jedna ściana wciąż stała, lecz większość dachu runęła. Z kawałków spalonego drewna, które spadły na to, co pozostało z podłogi, unosił się dym. Pomimo wcześniejszego ulewnego deszczu, Sara wciąż czuła bijące ze zgliszczy ciepło.

Will wskazał stertę gruzu w kącie z tyłu chatki.

– Widzisz to?

Widziała.

W sprzedaży dostępnych jest wiele typów plecaków, począwszy od tych, z którymi dzieci chodzą do szkoły, na przeznaczonych dla miłośników pieszych wędrówek skończywszy. Funkcjonalność tych ostatnich zwykle jest projektowana pod kątem wypraw terenowych. Niektóre są bardzo lekkie, pomyślane jako towarzysze jednodniowych wycieczek lub wspinaczki. Inne mają wewnętrzny stelaż, który zapewnia sztywność przy dużych obciążeniach. Jeszcze inne są wyposażone w zewnętrzne stalowe ramy i systemy mocowań, umożliwiające przenoszenie większych przedmiotów, takich jak maty czy namioty.

Większość plecaków jest szyta z nylonu, materiału, którego wytrzymałość określa się w denierach, jednostce gęstości bazującej na długości i ciężarze włókien. Pewną analogię może stanowić gęstość nici w tkaninach pościelowych. Im wyższa wartość w denierach, tym trwalszy materiał. Do tego dochodzą różne powłoki, dzięki którym plecak jest odporny na warunki atmosferyczne, wodoszczelny, a czasami – w przypadku warstwy silikonu i włókna szklanego – ognioodporny.

Najwyraźniej taką właśnie powłokę zastosowano w plecaku stojącym w rogu spalonej chatki.

ROZDZIAŁ DZIESIĄTY

Will udokumentował położenie i rodzaj plecaka, robiąc zdjęcia telefonem. Ekwipunek wyglądał na drogi i funkcjonalny, jakby był przeznaczony dla turystów z prawdziwego zdarzenia. Został wyposażony w trzy zamki błyskawiczne: jeden dla głównej komory, drugi dla mniejszej przegrody z przodu i trzeci, zamykający odrębną część na samym dole. Wszystkie zostały zaciągnięte. Tkanina była napięta do granic możliwości, a Will zwrócił uwagę na rysujące się pod nylonem dwa ostre rogi, które sugerowały, że wewnątrz może znajdować się jakaś skrzynka lub książka w twardej oprawie. Deszcz częściowo zmył z plecaka sadzę po pożarze. Tkanina była lawendowa, w kolorze niemal identycznym jak obuwie Mercy.

Delilah podeszła bliżej.

– Wcześniej widziałam ten tobół w domu.

– Gdzie konkretnie? – zapytał Will.

– Na piętrze – odparła. – Drzwi do pokoju Mercy były otwarte. Stał oparty o szuflady komody, tylko nie był tak nabity jak teraz. I wszystkie zamki błyskawiczne były rozpięte.

Will spojrzał na Sarę. Wiedzieli, co *należy* zrobić. Plecak stanowił cenny dowód, ale znajdował się pośród innych cennych dowodów. Ekspert od podpaleń powinien zrobić zdjęcia, przeczesać zgliszcza, pobrać próbki, przeprowadzić badania i poszukać śladów środka zapalającego, bo stan domku nie pozostawiał żadnych wątpliwości co do tego, że użyto substancji pozwalającej liczyć na jego doszczętne spalenie. Will był w środku, gdy pożar wciąż szalał. Ogień nie rozprzestrzenia się w ten sposób samoistnie.

Nadine podała Willowi latarkę.

– Mógłbyś mi poświecić? – poprosiła.

Skierował snop światła w dół, a Nadine otworzyła solidną skrzynkę z narzędziami, którą przyniosła na miejsce zdarzenia. Wyjęła parę rękawiczek. Następnie sięgnęła do tylnej kieszeni kombinezonu po szczypce z ostrymi końcówkami.

Will podążał światłem latarki za jej ruchami. Na szczęście nie zadeptała dopalających się resztek. Obeszła domek dookoła i sięgnęła szczypcami do lawendowego plecaka, po czym delikatnie i precyzyjnie złapała uchwyt zamka błyskawicznego i pociągnęła. Zamek ustąpił na jakieś pięć centymetrów, po czym się zaciął.

Will poświecił nieco wyżej, by ułatwić jej zajrzenie do środka.

– Widzę jakiś notes, trochę ubrań i damskie przybory toaletowe – stwierdziła Nadine. – Wybierała się gdzieś na dłużej.

– Jaki notes? – zapytała Sara.

– Wygląda jak zwykły szkolny zeszyt. – Przechyliła głowę, by obejrzeć go pod innym kątem. – Chyba w plastikowej okładce, bo stopiła się pod wpływem żaru. Dolna część jest całkowicie przemoczona. Deszcz musiał przedostać się przez zamek błyskawiczny. Kartki są posklejane.

– Widzisz jakieś słowa? – dopytał Will.

– Nie – odparła. – I nawet nie będę próbowała czytać. Żeby to zrobić, nie niszcząc stron, musiałby się tym zająć ktoś, kto zna się na takich rzeczach dużo lepiej ode mnie.

Will miewał już do czynienia z tego rodzaju dowodami. Laboratorium potrzebowałoby kilku dni na odczytanie zawartości. Co gorsza, światło latarki wyłowiło znajdujący się obok plecaka kawałek stopionego plastiku i metalową obudowę.

Nadine też to dostrzegła.

– Wygląda jak stary model iPhone'a. Nic z niego nie będzie. Poświeć jeszcze tutaj.

Will skierował światło we wskazane przez nią miejsce i zobaczył zwęglone pozostałości kanistra. Dave prawdopodobnie dolewał z niego paliwa do generatora, a potem wykorzystał benzynę do podpalenia miejsca zbrodni po zamordowaniu żony.

– Mercy wspominała coś o wyjeździe? – Sara zwróciła się do Delilah.

– Bitty dała jej czas do niedzieli na wyniesienie się stąd. Nie wiem, dokąd zamierzała iść, zwłaszcza w środku nocy. Mercy miała doświadczenie w chodzeniu po górach. O tej porze roku kręcą się tu młode samce baribali. Nie chciałabyś przypadkiem natknąć się na jednego z nich.

– Nie gniewaj się, Dee, ale Mercy nie słynęła z logicznego postępowania – zauważyła Nadine. – W połowie przypadków pakowała się w jakieś bagno. Po prostu puszczały jej nerwy i robiła coś głupiego.

Sara postanowiła się wtrącić:

– Mercy nie była wzburzona po kłótni z Jonem. Raczej zatroskana. Jeśli wierzyć Paulowi, zrobiła obchód o dziesiątej wieczorem i odebrała prośbę Moniki z ganku przed domkiem około dziesiątej trzydzieści. Paul nie powiedział nic, co mogłoby mnie skłonić do przypuszczenia, że Mercy zachowywała się dziwnie. A poza tym nie sądzę, żeby wybrała się dokądś w nocy, zostawiając niezałatwione sprawy z Jonem.

– Racja – przyznała Delilah. – Też mi się nie wydaje, że byłaby do tego zdolna. Tylko po co miałaby przychodzić tutaj? Na przykład nie ma tu kanalizacji... Równie dobrze mogła zostać w domu. Ci ludzie potrafią patrzeć na siebie w gniewnej ciszy.

Wszyscy spojrzeli na plecak tak, jakby mógł udzielić im wyjaśnień.

Nadine ubrała w słowa rzecz oczywistą:

– Ludzie, to jest pensjonat. Jeśli Mercy miałaby dość rodziny, zajęłaby któryś z domków gościnnych.

– Kiedy przeszukiwałem niezamieszkałe kwatery, zauważyłem, że niektóre łóżka nie były pościelone – powiedział Will. – Pomyślałem, że nie zostały uprzątnięte po poprzednich gościach.

– Za sprzątanie odpowiada Penny. Ta sama, która pracuje za barem. Może warto ją o to zapytać. – Nadine popatrzyła na Willa. – Szukałeś Dave'a w domkach?

– Gdybym wiedziała, powiedziałabym ci, że to strata czasu – stwierdziła Delilah. – Dave za bardzo bałby się chować po kwaterach. Mój brat skopałby mu tyłek.

Will nie nadmienił, że jej brat nie jest w stanie samodzielnie opuścić domu.

– Gdyby Dave chciał się stąd szybko i niepostrzeżenie wydostać, nie wracałby do głównego kompleksu. Poszedłby wzdłuż strumienia aż do Szlaku McAlpine'ów, prawda?

– Teoretycznie tak – zgodziła się Delilah. – W okolicach jeziora Strumień Zaginionej Wdowy robi się zbyt głęboki, żeby się przez niego przeprawić. Trzeba minąć duży wodospad, a potem wcale nie jest dużo łatwiej. Lepiej pokonać kolejne dwieście metrów i przejść przez kamienny mostek przy małym wodospadzie. To już żadna Niagara, tylko niewielki odcinek spienionej wody. Stamtąd można pójść prosto przez las i dostać się na Szlak McAlpine'ów. Zejście na sam dół to trzy, może cztery godziny marszu. O ile nie natkniesz się na niedźwiedzia.

– No nie wiem... – Nadine zadumała się na moment. – Nie wydaje mi się, by Dave poszedł pieszo, mając pod nosem rodzinnego pikapa. Już niejeden raz zdarzało mu się podwędzić auto, kiedy było mu potrzebne.

Will tak dobrze znał Dave'a w dzieciństwie, że nawet nie przyszło mu do głowy zapytać o jego nowszą kryminalną przeszłość.

– Siedział kiedyś?

– A bo to mało razy? – odparła Nadine. – Bywał w miejscowym areszcie za jazdę po pijaku, drobne kradzieże i inne tego typu sprawy. Ale, o ile wiem, nigdy nie wylądował w pierdlu z prawdziwego zdarzenia.

Will domyślał się, dlaczego Dave nie trafił do więzienia stanowego, lecz starał się ująć to ostrożnie:

– McAlpine'owie mają dobre układy z rodziną szeryfa.

– Bingo – potwierdziła Nadine. – Chcesz wiedzieć, co cię powinno najbardziej niepokoić? Specjalnością Dave'a są bójki w pubach. Najpierw daje w palnik, potem zaczyna podjudzać ludzi, a gdy już się wścieknią, w jego ręce pojawia się nóż sprężynowy.

– Nóż sprężynowy? – zapytała Sara podniesionym głosem. – Zadźgał już kogoś? – dodała wyraźnie zaniepokojona.

– Kiedyś ciachnął kogoś po nodze, pokaleczył kilka rąk. Jednemu facetowi wbił nóż w klatkę piersiową aż do kości – powiedziała Nadine. – Tutejsi niespecjalnie przejmują się knajpianymi awanturami, ale Dave naprawdę kilku poharatał. Sam też obrywał. Ale nikt nie umarł, nikt nie wniósł oskarżenia. Ot, kolejny sobotni wieczór.

– Myślałam, że Dave napada tylko na kobiety – odezwała się Delilah.

– Wciąż widzisz w nim małego zbłąkanego szczeniaka, który szuka domu – odparła Nadine. – Niegodziwość rosła razem z nim. Demony, które przywlókł tu z Atlanty, są starsze i okrutniejsze. Jeśli to was pocieszy, nie sądzę, żeby się z tego wywinął. Morderstwo to morderstwo. Dożywocie. Powinien dostać karę śmierci, tylko kto jak kto, ale ten człowiek umie grać biedną, skrzywdzoną przez los sierotkę.

– Uwierzę, że się nie wywinie, dopiero kiedy trafi za kratki – stwierdziła Delilah. – Zawsze był śliski jak wąż, przynajmniej od czasu, gdy przypełzł tu na górę. Cecil powinien był zostawić go w starym obozowisku, żeby zgnił.

Will wiedział, że wszystko, co mówią o Davie, jest prawdą, jednak na dźwięk słów o porzucaniu trzynastolatka odczuł wewnętrzny sprzeciw. Spojrzał na Sarę, lecz ona uważnie przyglądała się plecakowi.

– Boże, przecież on na pewno ukrywa się właśnie tam! – wykrzyknęła nagle Delilah. – W obozie Awinita. Sypiał tam czasami, kiedy w domu źle się działo. Jestem przekonana, że teraz tam jest.

Will nie pomyślał wcześniej o obozowisku i poczuł się jak idiota.

– Jak długo się tam idzie?

– Wyglądasz na sprawnego gościa. Mogłoby ci to zająć pięćdziesiąt minut, może godzinę. Obejdź Płyciznę, a potem zawróć po drugiej stronie jeziora, kierując się w stronę jego środkowej części. Obozowisko znajduje się pod kątem mniej więcej czterdziestu pięciu stopni od pływającego pomostu.

– Byliśmy w tej okolicy przed kolacją – zauważył Will. – Natknęliśmy się na kamienny krąg, który wyglądał jak stare miejsce na ognisko.

– To ślad po skautkach z dawnych czasów. Znajduje się z grubsza czterysta metrów od obozowiska. Wielu chłopaków zakradało się do ich ogniska pod osłoną nocy, więc przesunęły je dalej. Po prostu idź po skosie w odniesieniu do pływającego pomostu. Zobaczysz kilka starych baraków, bodaj z lat dwudziestych zeszłego stulecia. Jestem przekonana, że się ostały. A Dave zapewne zabunkrował się w którymś z nich. – Delilah stała z rękami na biodrach. – Jeśli dasz mi chwilę, przebiorę się i cię tam zaprowadzę.

– Nie ma takiej możliwości – zaprotestował Will.

– Pełna zgoda – wtrąciła Nadine. – Mamy już jedną kobietę zadźganą na śmierć.

– A tak właściwie... – Delilah zamyśliła się na chwilę. – Jak się nad tym zastanawiam, to szybciej dotarłbyś tam kajakiem.

Willowi spodobał się pomysł podejścia Dave'a od strony jeziora.

– O ile się nie mylę, do szopy ze sprzętem prowadzi stąd jakiś szlak.

– Szlak Starego Kawalera, który zaczyna się obok tych pił do drewna. Potem trzeba skręcić w lewo w Pętlę, a kawałek dalej na rozwidleniu jeszcze raz w lewo, w stronę jeziora. Szopa stoi wśród sosen.

– Pójdę z tobą – zaproponowała Sara.

Will już miał się sprzeciwić, gdy przypomniał sobie, że ma tylko jedną sprawną rękę.

– Ale musisz zostać w łodzi – oznajmił.

– Jasne.

Zamierzali odejść, gdy Nadine nieoczekiwanie zastąpiła mu drogę.

– Poczekaj, wielkoludzie. Do tej pory nie miałam nic przeciwko temu, żebyście mi towarzyszyli, ale Biszkopt wyraził się jasno, że nie zamierza przekazywać śledztwa nikomu innemu. Znaleźliście ciało, ale GBI nie jest upoważnione do ścigania podejrzanego o morderstwo w hrabstwie Dillon.

– Masz rację – przyznał Will. – Przekaż szeryfowi, że moja żona i ja jesteśmy gotowi złożyć zeznania, gdy tylko znajdzie czas nas wysłuchać. A na razie wracamy do siebie.

Nadine zdawała sobie sprawę z tego, że Will łże, ale miała dość rozsądku, by zejść mu z drogi. Odsunęła się, wzdychając ciężko.

– Powodzenia – powiedziała Delilah.

Will ruszył za Sarą. Zapaliła latarkę, żeby wspomóc kapryśny blask księżyca. Zamiast zgodnie ze wskazówkami Delilah pójść w kierunku szlaku, trzymała się brzegu jeziora – zapewne dlatego, że była to prostsza droga do szopy. Will snuł w myślach plany poradzenia sobie z kajakiem. Wydawało mu się, że jeśli użyje nadgarstka zranionej dłoni jako punktu podparcia, zdoła manewrować wiosłem tą zdrową. Oznaczało to, że za większość pracy będą odpowiadały jego bicepsy i ramiona. Skontrolował stan zabandażowanej ręki. Mógł poruszać palcami, ignorując piekący ból.

– Chcesz znać moje zdanie? – odezwała się Sara.

Will nie sądził, że w sposób zasadniczy różni się od jego zdania.

– Co się stało? – zapytał na wszelki wypadek.

– Nic się nie stało – odparła takim tonem, jakby stało się bardzo wiele. – Jeśli chcesz wiedzieć, co myślę, to powinieneś poczekać na Faith. Uważał, że czeka już wystarczająco długo.

– Mówiłem ci, że stoi w korku. Jeśli Dave jest w obozowisku...

– Jesteś nieuzbrojony. Jesteś ranny i przemoczony do suchej nitki. Twój bandaż jest brudny, rana aż się prosi o infekcję. Przypuszczam, że bardzo cię boli. Nie masz pozwolenia na prowadzenie śledztwa. I nigdy w życiu nie wiosłowałeś.

Will wybrał najprostszy do obalenia argument:

– Z wiosłowaniem chyba jakoś sobie poradzę.

Przyświecając latarką, Sara znalazła przejście nad skalisty brzeg. Dostrzegł jej poirytowaną minę. Była jeszcze bardziej wściekła, niż przypuszczał.

– Czego ode mnie oczekujesz, Saro?

Pokręciła głową, brnąc przez płytką wodę.

– Niczego.

Will nie umiał polemizować z *niczym*. Wiedział jednak, że Sara jest absolutnie i do bólu logiczna, i nigdy nie złości się bez powodu. W milczeniu wrócił myślami do rozmowy z miejsca zbrodni. Sara ucichła, kiedy Nadine powiedziała im, że Dave zwykł nosić ze sobą nóż sprężynowy i że zdarzało mu się go użyć w bójkach z innymi facetami.

Przyglądał się jej nienaturalnie usztywnionym plecom, gdy przemierzała skaliste zbocze. Poruszała się tak gorączkowo, jakby niepokój próbował znaleźć ujście z jej ciała.

– Saro – powiedział.

– Do wykonywania ruchów, które będą popychać kajak do przodu, potrzebujesz dwóch rąk – pouczyła go. – Dominująca ręka steruje. Łapiesz nią za początek wiosła, za uchwyt. Druga dłoń chwyta wiosło bliżej pióra. Jeśli chcesz, aby kajak płynął prosto, musisz płynnie przeciągać wiosłem w wodzie, wywierając nacisk i obracając je w odpowiednim momencie. Jesteś w stanie wykonać obrót i pociągnięcie obiema dłońmi?

– Zdecydowanie wolę, gdy ty to robisz.

Sara odwróciła się na pięcie.

- Ja też, kochanie. Wróćmy do kwatery i zaprezentuję ci to na przykładzie.

Uśmiechnął się szeroko.

- To jakaś sztuczka?

Wymruczała paskudne przekleństwo i nerwowo ruszyła przed siebie. Will nie należał do osób, które odzywają się pierwsze, żeby przerywać ciszę. Nie zamierzał się też kłócić. Milczał, gdy przedzierali się przez gęste zarośla. Nagły wybuch gniewu Sary nie był jedynym niesprzyjającym aspektem wędrówki. Will pocił się jak mysz, pęcherz na stopie dawał mu do wiwatu, dłoń pulsowała z każdym uderzeniem serca. Gdy spróbował zacisnąć bandaż, z opatrunku spłynęło trochę wody.

- Nie słuchasz mnie – powiedziała Sara.

- Słucham, ale nie wiem, co próbujesz mi przekazać.

- Próbuję ci przekazać, że będę musiała wiosłować sama, bo inaczej nigdy nie dopłyniemy na drugi brzeg, tylko do końca życia będziemy się kręcić w kółko.

- Przynajmniej na zawsze zostaniemy razem.

Zatrzymała się raz jeszcze i odwróciła do niego. Na jej ustach nie było nawet śladu uśmiechu.

- Ma nóż sprężynowy. Rozciął jakiemuś facetowi klatkę piersiową do kości. Mam ci przypomnieć, jakie narządy znajdują się w klatce piersiowej?

Uznał, że tym razem lepiej nie żartować.

- Nie.

- Wiem, co sobie teraz myślisz. Że Dave jest żałosny, że jest frajerem. I wszystko to zapewne jest prawdą. Ale jest też brutalnym przestępcą i z pewnością za nic nie chce wracać do więzienia. Według ciebie i większości pozostałych tutaj ma już jedno życie na sumieniu, więc kolejne zabójstwo nie zrobi na nim wielkiego wrażenia.

Will słyszał w jej głosie nagi strach. Wreszcie zrozumiał, skąd się brał. Jej pierwszy mąż był policjantem, który nie docenił podejrzanego i przypłacił to życiem. Will wiedział, że nie znajdzie takich słów, by ją przekonać, że nie spotka go ten sam los. A nie spotka, bo był inaczej skonstruowany. Przez pierwszych osiemnaście lat życia nauczył się nieustannie wypatrywać od ludzi brutalności i okrucieństwa, a przez kolejne lata robił wszystko, co w jego mocy, by takich ludzi powstrzymywać.

Sięgnęła do jego zdrowej dłoni i uścisnęła ją tak mocno, że poczuł napierające na siebie kości.

– Kochanie – powiedziała. – Wiem, na czym polega twoja praca i że każdego dnia dokonujesz wyborów decydujących o życiu lub śmierci, ale musisz zrozumieć, że nie chodzi już tylko o twoje życie i twoją śmierć. To *moje* życie. Chodzi także o *moją* śmierć.

Will przeciągnął kciukiem po jej obrączce. Musiał istnieć jakiś sposób, by oboje dostali to, czego pragnęli.

– Saro...

– Nie próbuję cię zmieniać. Mówię tylko, że się boję.

Will podjął próbę osiągnięcia konsensusu.

– A co powiesz na to, że kiedy już zawlokę Dave'a do aresztu, pojadę z tobą do szpitala? Tutaj, nie w Atlancie. Będziesz mogła zająć się moją dłonią, a Faith wyciągnie z niego zeznania. I na tym koniec.

– A pomożesz mi poszukać Jona, gdy już to wszystko zrobimy?

– Brzmi rozsądnie. – Will chętnie przyjął ofertę. Nie zapomniał o złożonym Mercy przyrzeczeniu. O pewnych sprawach Jon po prostu musi się dowiedzieć. – Co teraz?

Sara popatrzyła na wodę, a wzrok Willa podążył za jej spojrzeniem. Dotarli w pobliże szopy ze sprzętem. Trampolina na pływającym doku jaśniała w blasku księżyca.

– Nie jestem pewna, jak długo zajmie mi wiosłowanie na drugą stronę jeziora – stwierdziła. – Dwadzieścia minut? Pół godziny? Nie pływałam kajakiem od skautowskich czasów.

Will domyślił się, że wówczas nie musiała też transportować dorosłego faceta, który nie umie utrzymać wiosła. W drodze powrotnej miało to być już dwóch dorosłych facetów, a przynajmniej taką miał nadzieję. Co wiązało się z osobnymi problemami. Wizje Willa o ataku od strony wody kończyły się na obezwładnieniu Dave'a. Doszedł do wniosku, że będzie musiał wyprowadzić mordercę z obozowiska pieszo, a nie transportować go przez jezioro, bo zabranie Dave'a do kajaka z Sarą jednak nie wchodziło w rachubę.

– Chciałbym sprawdzić, czy w szopie jest jakaś solidna lina – powiedział.

Sara nie zapytała, do czego miałaby mu posłużyć. Gdy ruszyli dalej, pogrążyła się w milczeniu, co w jakiś sposób było nawet gorsze, niż gdyby na niego krzyczała. Próbował znaleźć słowa, którymi mógłby ją trochę uspokoić, lecz wiedział z doświadczenia, że mówienie kobiecie, by czegoś nie czuła, nie jest najlepszym sposobem na powstrzymanie jej od tego uczucia. Tak naprawdę był to raczej sposób na doprowadzenie jej do wściekłości potęgującej emocje, które już ją ogarniały.

Na szczęście wyprawa nie trwała zbyt długo. Latarka Sary wyłowiła z ciemności kajaki ustawione do góry dnem na stojaku. Szopa na sprzęt była mniej więcej wielkości garażu na dwa samochody. Podwójne drzwi chroniło solidne zabezpieczenie, co nie dziwiło, zważywszy na odosobnienie tego miejsca. Przypięty na łańcuchu rygiel sprężynowy był połączony z długą na dobre trzydzieści centymetrów stalową sztabą, którą trzeba było pociągnąć do siebie, aby dostać się do środka. Bolec rygla przechodził przez oczko na końcu sztaby i przez stalową klamrę na drugim skrzydle drzwi.

Jakby w ramach wyjaśnienia Sara powiedziała:

– Niedźwiedzie też potrafią otwierać drzwi.

Will pozwolił jej odsunąć rygiel, a potem pociągnął sztabę. Mechanizm pracował ciężko, więc musiał naprzeć ramieniem, ale w końcu drzwi się otworzyły. Owionęła go specyficzna mieszkanka woni dymu drzewnego i ryb.

Wchodząc do szopy, Sara zakaszlała i pomachała dłonią przed twarzą, gdy tylko zapach dotarł do jej nozdrzy. Znalazła włącznik na ścianie. W świetle jarzeniówek zobaczyli uporządkowany warsztat. Miejsca poszczególnych narzędzi na organizerze ściennym zostały oznaczone niebieską taśmą klejącą. Wędki wisiały na hakach. Całą jedną ścianę zajmowały siatki i kosze. Był tam też kamienny blat ze zlewem i wysłużoną deską do krojenia. Do uchwytu magnetycznego przymocowano dwie pary nożyczek i cztery noże o różnej długości. Wszystkie oprócz jednego były wąskie i nie miały ząbków.

Will znał się na broni palnej, ale specjalistą od noży nie był.

– Myślisz, że czegoś tu brakuje? – zapytał.

– Nic mi się nie rzuca w oczy. Wygląda jak standardowy zestaw do łowienia i oprawiania ryb. – Sara zaczęła wskazywać poszczególne noże i akcesoria. – Nóż do przynęt. Nóż do trybowania. Nóż do filetowania. Nóż do porcjowania. Nożyczki wędkarskie. Obcinacz do żyłek.

Will nie odnalazł wzrokiem żadnej solidnej liny, więc zaczął otwierać szuflady. Wszystko było posegregowane, nic nie leżało luzem. Poznawał niektóre zapięcia, bo sam używał podobnych w swoim warsztacie samochodowym, lecz zakładał, że tych nie używano do naprawy aut. To, czego szukał, znajdowało się w ostatniej szufladzie. Ktokolwiek był odpowiedzialny za szopę, doskonale wiedział, że taśma klejąca i wytrzymałe opaski zaciskowe to podstawa.

Opaski były starannie owinięte gumową taśmą z zapięciem. Will nie był w stanie ponownie jej zapiąć jedną ręką. Zrobiło mu się trochę głupio, że zostawia resztę opasek luzem w szufladzie, ale miał ważniejsze sprawy na głowie. Sześć dużych sztuk schował do tylnej kieszeni, a rolkę taśmy wcisnął do kieszeni bocznej w nogawce bojówek.

Zamykając szufladę, pomyślał o wiszących na ścianie nożach. Wziął ten najmniejszy, do cięcia przynęt, i wsunął go do buta. Nie sprawdził, czy jest ostry, lecz każdy nóż mógł uszkodzić płuco, jeśli wbiło się go w pierś z odpowiednią siłą.

– Co to jest? – Sara otoczyła oczy dłońmi, próbując coś dojrzeć przez szpary w tylnej ścianie. – Wygląda na jakieś urządzenie. Może generator?

– Zapytamy o to McAlpine'ów. – Pod wiszącymi metalowymi koszami Will natknął się na kłódkę. Pociągnął za zatrzask, ale była zamknięta. – Niedźwiedzie?

– Pewnie goście. Nie ma tu internetu ani telewizji. Przypuszczam, że wiele osób pije do późna w nocy. Pomóż mi z tym, proszę. – Sara zlokalizowała wiosła. Tkwiły jak strzelby na stojaku i prawie sięgały sufitu. – To niebieskie chyba ma odpowiednią wielkość.

Zdejmując wiosło z uchwytu, Will zdumiał się jego lekkością.

– Weźmy dwa, w razie gdyby jedno nam utonęło – zarządziła. – Zabiorę kapoki.

Will nie był zachwycony perspektywą zakładania jaskrawopomarańczowych kamizelek na wyprawę do obozowiska, lecz nie zamierzał się sprzeczać.

Po wyjściu z szopy pomógł Sarze zdjąć ze stojaka jeden z kajaków i obrócić go. Nie pozostało mu nic innego, jak tylko stać i patrzeć, gdy najpierw wkłada do środka wiosła, a potem kapoki. Pokazała mu uchwyty do noszenia umiejscowione przy krawędzi nadburcia, powiedziała, gdzie ma stanąć i jak podnieść kajak. A potem znów umilkła, gdy nieśli sprzęt w stronę jeziora. Will próbował nie zwracać uwagi na jej niepokój. Musiał skupić się na jednym celu: wymierzeniu sprawiedliwości Dave'owi.

Sara starała się jak najciszej brodzić w płytkiej wodzie. Will opuścił kajak, kiedy mu kazała. Ustawiła rufę tak, by ugrzęzła w błotnistym nabrzeżu. Już miał wchodzić do środka, ale Sara go powstrzymała.

– Stój spokojnie. – Pomogła mu założyć kapok i upewniła się, że zatrzaski są dobrze zapięte. Potem pochyliła się i przytrzymała kajak, aby mógł wejść.

Wydawało mu się, że Sara niepotrzebnie robi wokół tego wielkie halo, lecz zajęcie miejsca przy pomocy jednej sprawnej ręki okazało się trudniejsze, niż sądził. Usiadł na ławce z tyłu. Jego ciężar sprawił, że dziób trochę się uniósł. A potem tylko nieznacznie opadł, gdy Sara dociążyła go, wsiadając. Nie od razu zajęła miejsce na drugiej ławce; najpierw uklękła i używając wiosła, odepchnęła ich od brzegu. Zaczęła od płytkich, lekkich ruchów, aż trochę się od niego oddalili.

Gdy wypłynęli na otwartą wodę, złapała równy rytm. W momencie, w którym trzeba było opuścić Płyciznę i obrać kurs na szerszą część jeziora, przechyliła się z jednej burty na drugą, aby skręcić. Kiedy kajak miękko przecinał taflę wody, Will próbował się zorientować, gdzie znajduje się pływający pomost. Szopa na sprzęt wkrótce zniknęła mu z pola widzenia, a w ślad za nią linia brzegowa. Widział już tylko ciemność i słyszał pracę wiosła oraz oddech Sary.

Gdy byli na środku jeziora, księżyc wyjrzał spomiędzy chmur. Will skorzystał z tej okazji i przyjrzał się opatrunkowi. Sara miała rację – bandaż był brudny. I pewnie miała też rację co do infekcji. Gdyby ktoś powiedział mu, że pomiędzy jego palcem wskazującym a kciukiem znajduje się bryłka rozżarzonego węgla, uwierzyłby. Jednak pieczenie nieco osłabło, gdy uniósł dłoń na wysokość piersi i oparł ją o skraj kapoka. Sięgnął do buta i sprawdził, czy nóż jest na swoim miejscu. Rękojeść była na tyle gruba, że ostrze nie zsuwało się do kostki. Wyjął nóż i zważył go w dłoni. Miał cholerną nadzieję, że Dave nie śledzi ich ruchów na wodzie. Zdecydowanie wolał, aby nóż stanowił niespodziankę, na wypadek gdyby sprawy potoczyły się źle.

Wściekle pomarańczowe kamizelki zdawały się jarzyć własnym światłem. Badał horyzont w poszukiwaniu przeciwległego brzegu, który zaczął się powoli pojawiać. Najpierw było to zaledwie kilka jaśniejszych plam w ciemności, potem fragment skały, a w końcu coś, co wyglądało na piaszczystą plażę.

Sara odwróciła się, by na niego spojrzeć. Nie musiała nic mówić. Piaszczysta plaża oznaczała, że znaleźli obozowisko. Było w kiepskim stanie. Will dostrzegł przegniłe pozostałości pomostu i coś w rodzaju pochylni częściowo zanurzonej w wodzie. Z wysokiego dębu zwisała lina, lecz drewniane siedzisko, które przemieniało ją w huśtawkę, dawno temu wylądowało w jeziorze. To miejsce miało w sobie coś niepokojącego. Will nie wierzył w duchy, ale zawsze ufał swojej intuicji, ta zaś podpowiadała mu, że działy się tu złe rzeczy.

Kajak zwalniał. Gdy zbliżali się do plaży, Sara zaczęła łagodnie hamować, wiosłując w przeciwnym kierunku. Z bliska Will zauważył chwasty porastające łachy piasku, rozbite butelki, niedopałki papierosów. Gdy dno łodzi zaszorowało o brzeg, Will rozpiął kapok i strząsnął go z siebie. Znów pomyślał o tkwiącym w bucie nożu, lecz tym razem w innym kontekście. Chodziło o pozostawienie Sary zdanej tylko na siebie. Najlepszym wyjściem wydało mu się odesłanie jej z powrotem do szopy. On mógł dotrzeć do kompleksu pieszo, z Dave'em albo bez niego.

– Nie. – Miała fatalny nawyk czytania mu w myślach. – Poczekam na ciebie dziesięć metrów od brzegu.

Will wysiadł z kajaka, zanim zdążyła mu powiedzieć, że będzie nadzorowała poszukiwania. Jego wyjście na brzeg trudno byłoby nazwać zgrabnym. Starając się odzyskać równowagę i wejść na stabilny grunt, usiłował nie narobić hałasu pluskaniem. Potem wzmocnionym stalą noskiem buta mocno popchnął kajak z powrotem na wodę.

Poczekał, aż Sara zacznie wiosłować, i dopiero wtedy rozejrzał się po lesie. Świt jeszcze nie nadszedł, lecz teren był już nieco lepiej widoczny niż wtedy, gdy opuszczali szopę ze sprzętem. Raz jeszcze się odwrócił, by zerknąć na Sarę. Wiosłowała do tyłu, nie spuszczając z niego wzroku. Przypomniał sobie, jak zaledwie kilka godzin temu patrzył na nią, gdy płynęła na plecach w stronę pomostu na Płyciźnie. Zapraszała, by do niej dołączył. Był tak szczęśliwy, że jego serce trzepotało niczym motyl.

Tymczasem po drugiej stronie jeziora Dave zgwałcił, a potem zadźgał matkę własnego dziecka.

Will odwrócił się od kajaka i wszedł do lasu. Próbował zorientować się w przestrzeni. Nic nie przypominało mu okolicy, którą zwiedzili podczas wcześniejszych poszukiwań obozowiska. Wtedy jednak szli od innej strony Płycizny i zatrzymali się, gdy dotarli do kamiennego kręgu. Will wyjął z kieszeni telefon, włączył aplikację z kompasem i ruszył przed siebie z nadzieją, że obrał właściwy kierunek.

Las był bujny i gęściejszy niż ten porastający niezagospodarowane tereny wokół kompleksu. Włączenie latarki w telefonie byłoby równoznaczne z ogłoszeniem wszem wobec swojej obecności. Podążając za wskazaniami kompasu, zmniejszył jasność ekranu. Po chwili uświadomił sobie, że właściwie go nie potrzebuje. W powietrzu unosił się zapach dymu. Świeżego, jakby dobywającego się z płonącego ogniska, ale przemieszanego z odpychającym smrodem papierosów.

Dave.

Will nie od razu udał się w stronę celu. Przystanął i zamarł w absolutnym bezruchu, koncentrując się na uspokojeniu oddechu i wyciszeniu umysłu. Odepchnął na bok wszelkie troski dotyczące Sary, bólu dłoni, a nawet Dave'a. W owej chwili myślał jedynie o osobie, która liczyła się najbardziej.

Mercy McAlpine.

Zaledwie kilka godzin temu Will znalazł się przy niej, gdy kurczowo trzymała się ostatnich chwil życia. Wiedziała, że to koniec. Nie pozwoliła mu udać się po pomoc. Klęczał w wodzie i błagał ją, aby powiedziała, kto ją napadł, lecz ona tylko pokręciła głową, jakby to było nieistotne. Miała rację. W tych ostatnich chwilach naprawdę nie miało to żadnego znaczenia. Jedyną liczącą się dla niej osobą była ta, którą sprowadziła na ten świat.

Will powtórzył w myślach wiadomość przeznaczoną dla Jona. „Twoja matka chce, żebyś stąd wyjechał. Powiedziała, że nie możesz tu zostać. Chciała, żebyś wiedział, że wszystko jest w porządku. Że bardzo cię kocha i wybacza tamtą kłótnię. Prosiła, by ci przekazać, że wszystko będzie dobrze".

Will ostrożnie ruszył dalej, uważając, by nie nadeptywać na gałęzie i kupki liści, które mogłyby zasygnalizować Dave'owi jego nadejście. Zbliżając się do celu, usłyszał zakłócające ciszę lasu dźwięki utworu 1979 zespołu Smashing Pumpkins. Dźwięk był mocno stłumiony, lecz zapewniał wystarczające tło akustyczne, by Will mógł swobodniej iść w stronę jego źródła.

Zmienił drogę, by podejść do Dave'a z boku. Zobaczył kontury kilku baraków. Wszystkie były parterowe, zbudowane z grubo ciosanego drewna i stojące na półmetrowych palach o średnicy przypominającej słupy telefoniczne. Cztery takie chaty, ustawione stosunkowo blisko siebie, tworzyły półkole. Will zaglądał przez okna i omiatał wzrokiem wnętrza, chcąc się upewnić, że Dave jest sam. W ostatnim baraku zauważył śpiwór, kilka pudełek płatków śniadaniowych, kartony papierosów i skrzynki piwa. Dave zamierzał zostać tu przez jakiś czas. Will zastanawiał się, czy pomogłoby to w udowodnieniu działania z premedytacją. Istniała zasadnicza różnica między morderstwem popełnionym pod wpływem impulsu a takim, które zostało poprzedzone starannie zaplanowaną ucieczką.

Will ostrożnie zbliżał się do celu, trzymając się w cieniu. Rozpalone przez Dave'a ognisko nie było może wielkie, lecz dawało wystarczająco dużo światła, by wydobyć z mroku najbliższą okolicę. Dave mimowolnie wyświadczył też Willowi uprzejmość, zapalając lampę Colemana, która dawała światło o sile nawet ośmiuset lumenów, co w przybliżeniu odpowiada mocy sześćdziesięciowatowej żarówki.

Dave zawsze bał się ciemności.

Duża okrągła polana nie była tak gęsto zarośnięta jak reszta terenu. Miejsce na ognisko zostało otoczone kamieniami. Za prowizoryczne siedziska służyły pnie zwalonych drzew. Nad ogniskiem wisiał ruszt do grillowania. Will wiedział, że obozowisko składa się z kilku takich skupisk baraków i palenisk. W domu dziecka nasłuchał się opowieści o wieczornym pieczeniu pianek marshmallow, improwizowanym śpiewaniu i opowiadaniu strasznych historii. Jednak te czasy dawno minęły, obecnie krąg baraków otaczała upiorna atmosfera, kojarząca się raczej z miejscem składania ofiar niż oazą radości.

Will przykucnął za dużym dębem wodnym. Dave opierał się o leżącą kłodę, która miała mniej więcej półtora metra długości i niecałe pół średnicy. Will rozważał w myślach różne strategie. Zaskoczyć Dave'a od tyłu? Rzucić się na niego, zanim zdąży zareagować? Musiał lepiej zorientować się w sytuacji.

Na ugiętych nogach ruszył ostrożnie do przodu, napinając mięśnie, na wypadek gdyby Dave się odwrócił. Zapach dymu stał się intensywniejszy. Niedawny deszcz sprawił, że drewno kopciło mocniej. Kiedy podszedł bliżej, usłyszał znajomy metaliczny zgrzyt. Kciuk szybko obraca okrągłe stalowe krzesiwo, a ono pociera o kamień i ma wytworzyć iskrę zapalającą uwolniony butan, czyli paliwo dla płomienia, który służy do zapalenia papierosa.

Usłyszał metaliczny trzask po raz drugi, a potem jeszcze kilka razy w krótkich odstępach czasu.

Brzmiało to tak, jakby Dave próbował zmusić do działania zepsutą zapalniczkę. Ciągle przekręcał kółko z nadzieją, że jednak wydusi z niej iskrę.

Wreszcie się poddał, mrucząc ze złością:

– Kuźwa...

Fakt, że niecały metr przed sobą miał źródło ognia, nie nasunął mu żadnych skojarzeń nawet wtedy, gdy wrzucił plastikową zapalniczkę do ogniska. Z płomieni trysnęło kilka kropel rozpalonego tworzywa, zmuszając Dave'a do osłonięcia twarzy dłońmi. Will potraktował to jako szansę na zmniejszenie dystansu między nimi. Dave strzepnął stopiony plastik z przedramion. Wydawało się, że nie poczuł bólu. Nie trzeba było Sherlocka Holmesa, by domyślić się, dlaczego.

Po ziemi walały się puszki po piwie. Will przestał je liczyć, gdy doszedł do dziesięciu. Resztek jointów i niedopałków papierosów wypalonych do samego filtra nawet nie próbował ogarnąć wzrokiem. O przewróconą kłodę oparta była wędka. Grill stał odsunięty nieco od ogniska, a do rusztu przylgnęły kawałki zwęglonego mięsa. Płaski pień ściętego drzewa służył Dave'owi jako prowizoryczny stół do patroszenia. Odcięte ogony, głowy i ości gniły w kałuży ciemnej krwi. Obok sześciopaku piwa leżał długi smukły nóż do oprawiania ryb.

Will ocenił, że lekko zakrzywione, niemal dwudziestocentymetrowe ostrze, znajduje się w zasięgu ręki Dave'a. Gdyby usłyszał trzask gałązki, szelest liści, a nawet po prostu miał przeczucie, że ktoś się do niego skrada, wystarczyłoby sięgnąć do pnia, by uzbroić się w śmiercionośną broń. Pytanie brzmiało: Czy Will powinien rzucić się na niego z nożem? Miał przewagę w postaci elementu zaskoczenia, nie był też pijany ani naćpany. W zwykłej sytuacji mógłby być właściwie pewien, że przygwoździ Dave'a do ziemi, zanim ten zorientuje się, co się stało.

Ale w zwykłej sytuacji Will miał dwie sprawne dłonie.

Dźwięki 1979 umilkły i ustąpiły miejsca ostrym nutom gitary z kawałka Tales of a Scorched Earth. Will skorzystał z okazji, by ponownie zmienić pozycję. Postanowił, że nie będzie podkradał się do Dave'a. Zamierzał podejść do niego wprost, jakby trafił tu, idąc szlakiem wokół Płycizny. Miał nadzieję, że Dave urżnął się wystarczająco mocno, by uznać spotkanie za zupełnie przypadkowe.

Czas na skradanie się minął. Will zauważył leżącą na ziemi gałąź. Podniósł nogę i na nią nadepnął. Dźwięk, jaki wydała po gwałtownym spotkaniu ze wzmocnionym stalą butem, przypominał rozbijanie tykwy metalowym kijem. Na wszelki wypadek Will zaklął też szpetnie i głośno, potem zaś stuknął w telefon, żeby włączyć latarkę.

Gdy ponownie uniósł wzrok, Dave miał już w ręce nóż i sięgnął po telefon, żeby wyłączyć piosenkę. Wstał powoli i omiótł las świdrującym spojrzeniem.

Will zrobił jeszcze kilka hałaśliwych kroków, machając przy tym telefonem, jakby był jaskiniowcem, który nie ma bladego pojęcia, jak działa światło.

– Kto tam jest? – Dave zamierzył się nożem. Przebrał się od czasu, gdy Will widział go na Pętli. Miał na sobie wytarte, poplamione wybielaczem dżinsy. Na żółtym T-shircie widniały ślady pozostawione przez zakrwawioną dłoń. Raz jeszcze przeciął powietrze ostrym nożem, wołając: – Pokaż się!

– Kurwa – przeklął Will, nasączając to słowo obrzydzeniem. – Co ty tu robisz, Dave?

Dave uśmiechnął się złośliwie, ale nie opuścił noża.

– Co *ty* tu robisz, Śmieciuchu?

– Szukałem obozowiska. Ale to nie twoja pieprzona sprawa.

Dave parsknął śmiechem i w końcu opuścił nóż.

– Jesteś żałosny, chłopie.

Will wyszedł na polanę, żeby Dave mógł go zobaczyć.

– Powiedz mi tylko, jak się stąd wydostać, i już mnie nie ma.

– Wróć tą samą drogą, którą tu przyszedłeś, baranie.

– Myślisz, że nie próbowałem? – Will ruszył w jego stronę. – Kręcę się po tym pieprzonym lesie już ponad godzinę.

– Na twoim miejscu nie zostawiałbym tego seksownego rudzielca bez opieki. – Wilgotne wargi Dave'a wykrzywiły się w uśmiechu. – Czekaj, jak ona ma na imię?

– Jeśli kiedykolwiek usłyszę, jak je wypowiadasz, tak ci je wbiję z powrotem do mordy, że przywita się z czaszką.

– Kuźwa – mruknął, ale odpuścił. – Po prostu idź w lewo do kamiennego kręgu, potem łukiem w prawo wokół jeziora, a potem znowu w lewo w stronę Pętli.

Will o sekundę za późno zorientował się, że Dave wcale nie odpuścił. Wyjaśnienie dyslektykowi, żeby poszedł w lewo, a potem w prawo, było właściwie równoznaczne z powiedzeniem mu, żeby się pierdolił.

Dave zaczął chichotać i wrócił na swoje miejsce przy ognisku. Oparł się o kłodę i odłożył nóż na pień, tam, gdzie znajdował się wcześniej. Will domyślił się, że z jego perspektywy jest już po sprawie, ale ten człowiek był mistrzem w popełnianiu błędów. Will zaczął się zastanawiać, w którym momencie powinien mu oznajmić, że jest agentem specjalnym GBI. Warto bowiem zaznaczyć, że z formalnego punktu widzenia wszystko to, co Dave powiedziałby wcześniej, nawet gdyby otwarcie przyznał się do zabicia Mercy, mogłoby być negowane jako dowód, gdyby ktoś chciał wykorzystać to w sądzie przeciwko niemu. Tak więc jeśli Will miał wywiązać się z zadania, musiał zyskać jego zaufanie, a potem powoli doprowadzić do wyznania prawdy.

– Zostało ci jeszcze jakieś piwo? – zapytał.

Dave uniósł brwi ze zdziwienia. Will, którego znał od dzieciństwa, nie tykał alkoholu.

– Od kiedy masz włosy na jajach?

Will wiedział, jak grać w tę grę.

– Odkąd twoja matka opróżniła mi je do czysta.

Dave roześmiał się i sięgnął po sześciopak, by wyciągnąć z niego puszkę.

– Weź sobie krzesło.

Will chciał zachować między nimi jakiś dystans, dlatego zamiast siadać przed ogniskiem obok Dave'a, oparł się plecami o głaz. Położył telefon przy chorej dłoni i w taki sposób ugiął nogę, by tkwiący w bucie nóż znalazł się dostatecznie blisko zdrowej ręki. Musiał być przygotowany do walki, w razie gdyby Dave się na nią zdecydował.

Aktualnie Dave nie sprawiał jednak wrażenia kogoś, komu walka w głowie. Był za bardzo zajęty wychodzeniem na dupka. Mógłby zwyczajnie rzucić Willowi puszkę, ale podkręcił ją jak futbolówkę.

Will złapał ją jedną ręką. I tą samą ręką otworzył, kierując wylot w stronę ognia.

Dave pokiwał głową, będąc wyraźnie pod wrażeniem.

– Co ci się stało? Trochę za ostro zabawiałeś się ze swoją damą? Wygląda na taką, co potrafi ugryźć.

Will przełknął cisnącą mu się na usta odpowiedź. Musiał zepchnąć na bok wściekłość i poczucie zdrady, które wciąż było otwartą raną jątrzącą się od czasów dzieciństwa. Stłumić odrazę do człowieka, jakim okazał się Dave. Do bestialstwa, z jakim zamordował żonę. Faktu, że pozostawił syna na pastwę losu.

– Skaleczyłem się podczas kolacji kawałkiem szkła – odparł, unosząc zabandażowaną rękę.

– Kto cię połatał? Niech zgadnę: Papa! – Dave był wyraźnie rozbawiony okrucieństwem własnego żartu. Wpatrywał się w ogień z pełnym satysfakcji uśmiechem. Wsunął dłoń pod koszulę i podrapał się po brzuchu.

Will zdążył dostrzec szramy, wyglądające jak głębokie zadrapania. Kolejny sznyt widniał z boku jego szyi. Wszystko wskazywało na to, że niedawno brał udział w gwałtownej szamotaninie.

Will postawił puszkę z piwem na ziemi obok buta i tak ułożył dłoń, by mieć nóż w zasięgu ręki. W najlepszym przypadku broń pozostanie tam, gdzie jest, w skarpetce. Wielu gliniarzy uważa, że na przemoc należy odpowiadać przemocą, ale Will nie był jednym z nich. Nie pojawił się tu, by ukarać Dave'a osobiście. Zamierzał zrobić coś znacznie gorszego. Chciał go aresztować. Wsadzić za kratki. Sprawić, by cierpiał ze stresu i bezsilności jako oskarżony w procesie karnym. Pozwolić mu przez chwilę karmić się upajającą nadzieją, że może się wywinie, a potem zobaczyć jego zdruzgotaną minę, gdy już sobie uświadomi, że tak się nie stanie. Wiedzieć, że przez resztę życia będzie musiał bronić się kłami i pazurami, bo za murami więzienia ludzie tacy jak on zawsze są na końcu łańcucha pokarmowego.

A cały ten scenariusz w żadnym razie nie uwzględniał kary śmierci.

Dave westchnął boleśnie, chcąc przerwać ciszę. Podniósł patyk i pogrzebał w ognisku, by podsycić płomienie. Co rusz zerkał na Willa w oczekiwaniu, aż ten coś powie.

Ale Will nie zamierzał mówić.

Dave wytrzymał niecałą minutę, nim wydał z siebie kolejne zbolałe westchnienie, a potem spytał:

– Masz kontakt z kimś z tamtych czasów?

Will pokręcił głową, choć wiedział, że wielu spośród ich byłych współlokatorów skończyło w pierdlu albo gryzie ziemię.

– Co się stało z Angie?

– Nie wiem. – Will poczuł, że jego dłonie odruchowo próbują zacisnąć się w pięści, lecz zmusił je do pozostania na ziemi. – Byliśmy małżeństwem przez kilka lat. Nie wyszło.

– Puszczała się?

221

– A jak było z tobą i Mercy? – odbił piłeczkę, wiedząc, że Dave zna odpowiedź.

– Kuźwa. – Dave dźgnął patykiem żar, aż posypały się iskry. – Nigdy nie puściła mnie kantem. Miała za dobrze w domu.

Will zmusił się do śmiechu.

– Jasne.

– Wierz, w co chcesz, Śmieciuchu. To ja ją zostawiłem. Miałem dość jej pieprzonego ględzenia. W kółko narzekała na to miejsce, a gdy dostała szansę, żeby je opuścić...

Czekał, aż powie coś więcej, lecz Dave odrzucił patyk i sięgnął po kolejne piwo. Nie odezwał się, dopóki zgnieciona pusta puszka nie wylądowała na ziemi.

– Musieli zamknąć obozowisko. Zbyt wielu opiekunów bzykało się z dzieciakami.

Will nie powinien być zaskoczony. Nie pierwszy raz idylliczna sceneria, którą wyobrażał sobie jako dziecko, okazywała się w istocie zbrukana przez seksualnych drapieżców.

– Co cię tu sprowadziło, Śmieciuchu? – zapytał Dave. – Przecież kiedy byliśmy mali, nigdy nie chciałeś jechać na obóz. A byłeś lepszy w zapamiętywaniu biblijnych wersetów niż ja.

Will wzruszył ramionami. Nie zamierzał mówić Dave'owi prawdy, ale musiał wymyślić wiarygodną historię. Przypomniał sobie, co Delilah mówiła o kamiennym kręgu.

– Moja żona przyjeżdżała tu jako skautka. Chciała odświeżyć wspomnienia.

– Ożeniłeś się ze skautką? Wciąż ma swój mundurek? – Parsknął śmiechem. – Chryste Panie, jak to się, kuźwa, stało, że Śmieciuch żyje sobie jak w pornosie, a ja mam szczęście, jeśli znajdę cipkę, która nie jest rozciągnięta jak guma do majtek?

Will skierował rozmowę z powrotem na Mercy.

– Twoja eks dała ci syna. A to już coś. – Gdy Dave otworzył następne piwo, dodał: – Jon wydaje się w porządku. Mercy dobrze go wychowała.

– To nie tylko jej zasługa. – Dave siorbnął pianę, która zebrała się na wierzchu puszki. Tym razem nie wypił wszystkiego duszkiem jak poprzednio. Zaczął się pilnować. – Jon zawsze wie, gdzie mnie znaleźć. Pewnego dnia wyrośnie na świetnego faceta. I przystojnego. Pewnie będzie skakał z kwiatka na kwiatek, jak ojciec w jego wieku.

Will zignorował przytyk, który zapewne miał na celu przywołanie wspomnienia o Angie.

– Pomyślałbyś, że kiedyś się ożenisz?

– Kuźwa, no co ty. – W śmiechu Dave'a zabrzmiała nutka goryczy. – Szczerze mówiąc, myślałem, że nie dożyję tego wieku. Miałem kupę szczęścia, że dotarłem tu z Atlanty i nie nadziałem się na żadnego zboczeńca, który tylko czekał, żeby zgarnąć kogoś takiego jak ja z pobocza i przemycić na Florydę.

Will wiedział, że Dave chce się chełpić ucieczką.

– Dojechałeś tu stopem?

– Aha.

– W sumie to całkiem niezła kryjówka. – Will ostentacyjnie rozejrzał się po obozowisku. – Jak zwiałeś, mówiłem, że pewnie będziesz chciał dotrzeć właśnie tu.

– No cóż. – Dave oparł się łokciem o kłodę.

Will powstrzymał się od reakcji. Dave'owi udało się niepostrzeżenie zbliżyć dłoń do noża. Czy zrobił to celowo, czy nie, miało się wkrótce okazać.

– Kiedy po raz pierwszy przyjechałem tutaj tym kościelnym autobusem, zrozumiałem, co potrafię, wiesz? – zaczął Dave. – Umiałem łowić ryby i polować. Zorganizować sobie żarcie. Nie potrzebowałem nikogo, kto by się mną opiekował. Nie byłem stworzony do życia w mieście. Tam byłem szczurem. Tutaj jestem pumą. Robię, co chcę. Mówię, co chcę. Palę, co chcę. Piję, co chcę. Nikt mi nie podskoczy.

Brzmiało to świetnie, dopóki człowiek nie uświadomił sobie, że cenę za jego wolność płaciła Mercy.

– Miałeś szczęście, że McAlpine'owie cię przygarnęli.

– Były dobre i złe dni – odparł Dave, jak zwykle chcąc podkreślić negatywy. – Bitty to anioł wcielony, ale Papa? Kawał skurwysyna. Lał mnie skórzanym pasem.

Will bez zdziwienia przyjął informację, że Cecil McAlpine uciekał się do przemocy.

– W dupie miał, czy koniec paska wyślizgnie mu się z ręki i oberwę sprzączką. Na całym tyłku i nogach miałem wielkie sine pręgi. Nie nosiłem szortów, żeby nauczyciele tego nie widzieli. Ostatnie, czego mi było wtedy trzeba, to odesłanie z powrotem do Atlanty.

– Mogli umieścić cię tutaj, w obozie.

– Nie chciałem tego. Bitty potrzebowała zasiłku na mnie, żeby związać koniec z końcem. Nie mogłem jej zostawić, zwłaszcza z jego powodu.

Will dobrze znał tę potrzebę krzywdzonego dziecka, które chce pomagać wszystkim poza sobą.

– Nieważne. – Dave wzruszył ramionami wyćwiczonym gestem. – A jak było z tobą, Śmieciuchu? Co się stało, kiedy porzuciłem twój smętny tyłek?

– Wypadłem z systemu. Po skończeniu osiemnastki dostałem sto dolców i bilet na autobus. Wylądowałem w Armii Zbawienia.

Dave syknął przez zęby. Zapewne sądził, że wie o wszystkich złych rzeczach, jakie mogą spotkać nastolatka śpiącego bez opieki w schronisku dla bezdomnych.

O wszystkich nie wiedział.

– I co było potem? – zapytał.

Will pominął niewygodną prawdę, która przedstawiała się tak, że sypiał na ulicach, a potem w areszcie.

– Jakoś przetrwałem. Skończyłem studia. Znalazłem robotę.

– Studia?! – Dave się roześmiał. – Jak ci się to udało, skoro ledwie umiesz czytać?

– Ciężko na to pracowałem – odparł Will. – Trzeba sobie jakoś radzić.

– Pełna zgoda. Cały ten szajs, przez który przeszliśmy w dzieciństwie, nauczył nas, jak przetrwać.

Willowi nie spodobał się jego ton, który podkreślał wspólnotę ich przeżyć. Jednak Dave był podejrzany o morderstwo. Mógł mówić dowolnym tonem, pod warunkiem, że prowadziło to do przyznania się.

– McAlpine'owie nie mieli nic przeciwko temu, że spotykałeś się z Mercy?

– Pewnie, że mieli. Kiedy Papa dowiedział się, że Mercy jest w ciąży, ganiał mnie z łańcuchem. A potem wyrzucił z domu. Ją zresztą też. – Chrapliwy śmiech Dave'a przeszedł w kaszel. – Ale zająłem się nią. Pilnowałem, żeby była czysta, kiedy Jon przyszedł na świat. Pomogłem Delilah w zaopiekowaniu się nim. I dawałem jej tyle pieniędzy, ile tylko mogłem.

Will był święcie przekonany, że Dave kłamie.

– Nie chciałeś wychowywać go sam?

– Kuźwa. A co ja wiem o opiekowaniu się dzieckiem?

Will doszedł do wniosku, że skoro facet ma jaja, żeby spłodzić dziecko, powinien też mieć jaja, by dowiedzieć się, jak się nim zająć.

– Masz dzieci? – zapytał Dave.

– Nie. – Sara była bezpłodna, a Will naoglądał się zbyt wiele zła, jakie może przytrafić się dzieciom. – Mam wrażenie, że między Mercy a jej rodziną nadal jest sporo kwasu.

– Nie gadaj. – Dave dopił piwo. Zgniótł puszkę i dorzucił do pozostałych. – Tutaj, wysoko w górach, bywa ciężko. Jesteś odcięty od świata i nie masz nic ciekawego do roboty. Musisz obsługiwać nadęte dziane suki, które oczekują, że będziesz podcierać ich wymuskane dupcie. Papa traktuje cię jak popychadło. Ciągnie cię do stodoły, żeby stłuc na kwaśne jabłko, bo nie położyłeś ręczników tam, gdzie trzeba.

Nie było to zwyczajne dawanie upustu emocjom i Will doskonale zdawał sobie z tego sprawę. Dave chciał dostać złoty medal na Olimpiadzie Dzieci Skrzywdzonych.

– Marnie to wygląda.

– Bo i było marnie – przyznał Dave. – Tak samo jak ja przekonałeś się na własnej skórze, że trzeba po prostu odliczać chwile do końca. Wreszcie się zmęczą.

Will spojrzał w ogień. Dave jechał po bandzie odrobinę za ostro.

– Właśnie dlatego kłamiemy – stwierdził Dave. – Bo żadnemu normalnemu człowiekowi takie rzeczy nie mieszczą się w głowie.

Will nie spuszczał wzroku z płomieni. Nie umiał znaleźć słów, by zmienić temat.

– Powiedziałeś żonie o wszystkim, co przeszedłeś?

Will skinął głową, choć nie była to do końca prawda. Mówił Sarze o niektórych sprawach, ale nigdy nie zamierzał opowiadać jej wszystkiego.

– I jak? – Dave poczekał, aż Will podniesie wzrok. – Ta twoja baba wydaje się całkiem normalna. Jak to jest być z kimś takim?

Will nie chciał w tej rozmowie poruszać kwestii Sary.

– Nie sądzę, że wytrzymałbym z normalną kobietą – przyznał Dave. – Mercy już na wstępie była skaleczona. Wiedziałem, jak postępować w takich przypadkach. Ale, do kurwy nędzy, skautka? I nauczycielka? Jakim cudem to u was zadziałało?

Will tylko pokręcił głową. Szczerze mówiąc, początki z Sarą były trudne. Nieustannie czekał na zakulisowe gierki, na manipulacje emocjonalne. Nie mieściło mu się w głowie, że może go po prostu słuchać i próbować zrozumieć, zamiast gromadzić jego sekrety jak żyletki, którymi później poharata go do krwi.

– Jest zajebista, to akurat muszę przyznać – ciągnął Dave. – Ale za cholerę nie mógłbym być z takim chodzącym ideałem. Czy ona w ogóle pierdzi?

Will nie mógł powstrzymać się od śmiechu, ale nie odpowiedział.

– Jasne, jasne, trzeba być dżentelmenem. – Dave sięgnął po papierosy. – Ale to nie moja bajka. Potrzebuję dziewczyny, która wie, jak jęczeć, kiedy łapię ją za włosy.

Will udał, że pije piwo. Słowa Dave'a sprawiły, że znalazł się z powrotem na brzegu jeziora przy domkach kawalerskich. Przypomniał sobie unoszące się na wodzie włosy Mercy. Krew snującą się smugami wokół jej ciała jak barwnik. Dłoń zaciśniętą na kołnierzyku jego koszuli, gdy chciała zatrzymać go przy sobie, zamiast pozwolić mu poszukać pomocy.

Jon.

Oparł się obiema rękami o ziemię, by się uspokoić.

– Dlaczego wczoraj odszukałeś mnie na szlaku?

Dave wzruszył ramionami, szukając w kieszeni innej zapalniczki.

– Pojęcia nie mam, chłopie. Robię różne głupoty, a potem nawet nie wiem dlaczego.

– Zapytałeś mnie, czy wciąż mam do ciebie żal.

– No i?

– Jeśli mam być szczery, to nie myślałem o tobie, odkąd uciekłeś.

– To dobrze, Śmieciuchu, bo ja też nigdy o tobie nie myślałem.

– I bardzo chętnie znów całkiem bym o tobie zapomniał. – Will zaczął badać teren. – Gdyby nie to, co zrobiłeś Mercy.

W pierwszej chwili Dave nie zareagował. Potrząsnął zapalniczką. Udało mu się wydobyć z niej płomień. Dotknął nim czubka papierosa. Wypuścił chmurę w stronę Willa.

– Poszedłeś za mną? – zapytał.

Przed śmiercią Mercy Will widział Dave'a tylko raz, kiedy spotkali się na Pętli. Will dał mu wtedy czas, licząc do dziesięciu.

– Pytasz, czy poszedłem za tobą po tym, jak zwiałeś z podkulonym ogonem?

– Nie uciekłem, idioto. Po prostu postanowiłem odejść.

Will nie skomentował tego, choć uznał za logiczne, że gdy Dave czmychnął, odnalazł Mercy, na której wyładował swój gniew.

– Kuźwa, śledziłeś mnie, żałosny palancie – powiedział Dave. – Bo daję głowę, że Mercy nie powiedziałaby o tym nikomu. Ma wiele wad, ale nie jest kapusiem.

Will zauważył, że Dave mówi o Mercy w czasie teraźniejszym.

– Jesteś pewien?

– Jak jasna cholera. – Dave się zaciągnął. Był zdenerwowany. – Uważasz, że co widziałeś?

Will uznał, że Dave podpytuje o kwestię duszenia.

– Widziałem, jak ją dusisz.

– Nie zemdlała – odparł, jakby go to tłumaczyło. – Oparła się o drzewo, a potem walnęła tyłkiem o ziemię. Nie miałem z tym nic wspólnego. Ugięły się pod nią nogi i tyle. – Gdy Will milczał, wpatrując się w niego ze skrajnie łatwowierną miną, Dave dodał szybko: – Posłuchaj, stary. Cokolwiek sobie wyobrażasz, to sprawa między mną a nią. – Gwałtownie uniósł rękę, a potem położył ją na kolanie i strząsnął popiół z papierosa. – Dlaczego w ogóle o to pytasz? Mówisz, jakbyś był pieprzonym gliniarzem.

Will stwierdził, że to dobry moment na potwierdzenie tej informacji.

– Bo jestem.

– Jesteś *kim*?!

– Agentem specjalnym Biura Śledczego stanu Georgia.

Dave parsknął dymem, zanosząc się od śmiechu. Ale szybko umilkł.

– Serio?

– Tak – przytaknął Will. – Właśnie po to skończyłem studia. Chciałem pomagać ludziom. Dzieciakom takim jak my. Kobietom takim jak Mercy.

– Pieprzysz głupoty, chłopie. – Dave wycelował w niego papierosem.

– Żaden gliniarz nigdy nie pomógł dzieciakom takim jak my. A teraz co niby dobrego robisz, wypytując mnie o prywatne historie sprzed kilku godzin? Nie ma mowy, żeby Mercy to zgłosiła. Po prostu wtykasz nos w nie swoje sprawy, bo to domena takich skurwieli jak ty.

Will powoli przesunął zranioną dłoń po ziemi, aż wyczuł palcami krawędź telefonu.

– Masz rację. Mercy niczego nie zgłosiła. Nie mogę cię aresztować za duszenie jej.

– Oczywiście, kuźwa, że nie możesz.

– Ale gdybyś chciał przyznać się do stosowania przemocy względem żony, z przyjemnością przyjmę zeznania.

Dave najpierw się zaśmiał, a potem rzucił w tym samym tonie:

– Pewnie, stary, daj z siebie wszystko.

Will zmusił oporny kciuk do dwukrotnego naciśnięcia przycisku z boku telefonu, aby włączyć aplikację do nagrywania.

– Davie McAlpine, masz prawo zachować milczenie. Wszystko, co powiesz lub zrobisz od tej pory, może zostać w sądzie użyte przeciwko tobie.

Dave znów parsknął śmiechem.

– Jasne, będę milczał.

– Masz prawo do adwokata.

– Nie stać mnie na adwokata.

– Jeśli nie stać cię na adwokata, przysługuje ci obrońca z urzędu.

– Urząd może mi obciągnąć.

– Mając na uwadze te prawa, czy chcesz ze mną porozmawiać?

– Jasne, chłopie, porozmawiajmy. Na przykład o pogodzie. Deszcz minął szybko, ale jeszcze popada. Pogadajmy o starych dobrych czasach w domu dziecka. Pogadajmy o tej ciasnej szparce, którą masz w swoim domku. I o tym, dlaczego zawracasz sobie dupę starym Dave'em, skoro mógłbyś teraz dymać ją aż miło.

– Wiem, że dziś po południu dusiłeś Mercy na szlaku.

– I co z tego? Mercy lubi, żeby raz na jakiś czas ją trochę wytarmosić. I nie ma bata, żeby mnie z tego powodu wydała. – Dave brzmiał jak ktoś bardzo pewny siebie. – Trzymaj się, kuźwa, z dala od moich spraw, bo inaczej szybciutko przekonasz się, na jakiego człowieka wyrosłem.

Will nie był usatysfakcjonowany wydobyciem z Dave'a przyznania się do przemocy. Chciał czegoś więcej.

– Powiedz mi, co wydarzyło się dziś wieczorem.

– A co się wydarzyło?

– Gdzie byłeś?

W nastawieniu Dave'a coś się zmieniło. Zapalił następnego papierosa. Miał wystarczająco duże doświadczenie w rozmowach z policją, by wiedzieć, kiedy pyta się go o alibi.

– Gdzie byłeś, Dave?

– O co pytasz? I co się stało?

– Ty mi powiedz.

– Kuźwa. – Zaciągnął się mocno. – Stało się coś bardzo złego, mam rację? W przeciwnym razie nie włóczyłbyś się tu jak idiota. O czym mówisz? Przestępczość zorganizowana? Jakaś akcja z handlarzami narkotyków? Handel ludźmi?

Will milczał.

– Dlatego jesteś tu ty, a nie pieprzony Biszkopt. – Dave spalił papierosa po sam filtr. – Co to za gówno, stary?

Will uparcie nie puszczał pary z ust.

– I co teraz? – zapytał Dave. – Myślisz, że uda ci się mnie stąd zabrać, skurwielu? Z jedną sprawną ręką i wydumaną historyjką o duszeniu żony?

– Mercy nie jest już twoją żoną.

– Jest moja, jebany kutasino. Należy do mnie i mogę z nią robić, co mi się, kuźwa, podoba.

– Co jej zrobiłeś, Dave?

– Nie twój zasrany interes. O czym ty pieprzysz? – Cisnął niedopałek do ognia. Nie wziął kolejnej puszki piwa. Nie położył ręki na kolanie. Odchylił się ponownie, opierając łokieć na kłodzie, by mieć nóż w zasięgu ręki.

Tym razem ruch był bezsprzecznie zamierzony.

Dave próbował udawać, że nie był.

– Spieprzaj stąd i odpuść sobie tę swoją durną gadkę.

– Może pójdziemy razem?

Dave ponownie parsknął. Otarł nos ramieniem, ale był to tylko pretekst, by zbliżyć rękę do noża.

Ignorując piekący ból w zranionej dłoni, Will zacisnął ją w pięść. Zdrową dłonią uniósł nogawkę spodni, by odsłonić rękojeść noża do przynęt. Dave nie skomentował tego, co zobaczył. Oblizał wargi gotowy do akcji. Dokładnie tego chciał od momentu, gdy spostrzegł Willa idącego Pętlą. Prawdę mówiąc, Will chyba chciał tego samego.

Wstali jednocześnie.

Pierwszy błąd, jaki popełniają ludzie podczas walki na noże, polega na tym, że za bardzo skupiają się na nożu. Trudno się dziwić. Rana kłuta boli jak diabli. Po ciosie w brzuch możesz wylądować w grobie. Po ciosie prosto w serce trafisz tam z całą pewnością.

Drugi błąd, jaki popełniają ludzie podczas walki na noże, jest taki sam, jak w przypadku dowolnego rodzaju potyczki. Zakładają, że pojedynek będzie uczciwy... albo przynajmniej oczekują uczciwości od adwersarza.

Dave miał za sobą niejedną walkę na noże. Doskonale wiedział o obu tych błędach. Trzymał przed sobą nóż do oprawiania ryb, ale drugą ręką sięgnął do tylnej kieszeni po inny. Jego plan był sprytny: odwrócić uwagę Willa jednym nożem, a cios zadać drugim.

Na szczęście Will miał własny sprytny plan. Wiedział, że głównym zmartwieniem Dave'a będzie nóż do przynęt. Że nie pomyśli o jego zranionej dłoni. Że nie zauważy, jak nabiera garść ziemi. I dlatego był tak zaskoczony, gdy Will cisnął mu nią w twarz.

– Kuźwa! – Dave cofnął się gwałtownie. Rzucił nóż do trybowania, ale pamięć mięśniowa sprawiła, że dominująca ręka zadziałała odruchowo.

Nadine myliła się, mówiąc o nożu sprężynowym, który wymagałby jedynie naciśnięcia przycisku, by uwolnić ostrze. Dave miał nóż motylkowy, sprawdzający się zarówno jako śmiercionośna broń, jak i narzędzie do odwracania uwagi. Dwie części metalowej rękojeści obejmują wąskie ostrze niczym muszla. Otwarcie takiego noża jedną ręką wymaga szybkiego kolistego ruchu nadgarstka. Trzeba schwycić bezpieczny element rękojeści kciukiem i palcami, w taki sposób przerzucając drugi jej fragment, by wylądował na kostkach. Potem wystarczy ponownie obrócić i przerzucić rękojeść, by dzierżyć nóż mający dwadzieścia pięć centymetrów długości.

Will miał to gdzieś.

Cofnął nogę i wzmocnionym stalą czubkiem buta z całej siły kopnął Dave'a w krocze.

Drogi Jonie!

Odkąd Cię odzyskałam, minęły już trzy lata, co oznacza, że za chwilę będziemy razem dłużej, niż trwała nasza rozłąka. Wiem, że od poprzedniego listu minęło dużo czasu, lecz może łatwiej będzie mi się z tym pogodzić, jeśli powiem sobie, że piszę tylko raz do roku, bo wygląda na to, że w styczniu moje życie zawsze wywraca się do góry nogami. Wybrałam szesnasty stycznia, bo nazywam go „dniem mam cię". Szczerze mówiąc, zapożyczyłam to określenie od cioci Delilah. Ma mnóstwo psów i nikt nie wie, kiedy dokładnie się urodziły, lecz dzień, w którym z nią zamieszkały, nazywa „dniem mam cię". Trzy lata temu był mój „dzień mam cię", bo właśnie wtedy przywiozłam Cię tutaj, na górę, żebyś ze mną zamieszkał, a ja stałam się dla Ciebie matką z prawdziwego zdarzenia.

Nie to, żebym traktowała Cię jak bezdomnego psiaka, ale przyszło mi to na myśl dziś rano, bo o dziwo zatęskniłam za Delilah. Wiem, może to głupie, bo przecież odebrała mi Ciebie na samym początku i musiałam zawzięcie walczyć, by Cię odzyskać, lecz kiedyś często do niej uciekałam, gdy sprawy przybierały marny obrót. A teraz jest naprawdę źle.

Prawda jest taka, że nie ma dnia, żeby nie ciągnęło mnie do picia i narkotyków, ale potem wracam myślami do Ciebie, do naszego wspólnego życia i biorę się w garść. Rzecz w tym, że podczas wakacji z Twoim tatą stało się coś złego i zanim się zorientowałam, trafiłam do monopolowego i kupowałam butelkę Jacka. Nie mogłam się doczekać powrotu do domu. Odkorkowałam ją już na parkingu i wlałam w siebie większość trunku kilkoma wielkimi łykami. Zabawne, że po paru chwilach nawet nie czuje się już smaku. Jest tylko pieczenie w gardle, potem zaczyna kręcić się w głowie... a ja nie piłam od tak dawna, że no cóż, nie będę się tego wstydzić, zwymiotowałam.

Był czas, w którym działo się tyle złego, że w taki czy inny sposób zawsze uciekałam w alkohol, ale to nie był ten moment. Wyrzuciłam butelkę do kosza, a potem długo siedziałam w samochodzie i myślałam, co mnie tu sprowadziło. Nie owijając w bawełnę, Twój tato prawie mnie zabił. W sylwestra urządził wielką imprezę i zaprawił się potężną porcją metamfetaminy. Robił tak już wcześniej, ale to musiała być jakaś trefna partia. Zachowywał się jak

opętany, a ja cholernie się bałam. Miotał się, niszcząc przyczepę. Wrzeszcza-
łam na niego, czego pewnie nie powinnam była robić, ale kochanie, byłam
tym wszystkim taka zmęczona.

Choć Twój tato nie jest złym człowiekiem, potrafi robić złe rzeczy. Ilekroć
dostanie parę groszy, przepuści je na hazard albo będzie imprezował cały ty-
dzień, aż pieniądze się skończą. Potem wini mnie za to, że nie powstrzyma-
łam go od roztrwonienia wszystkiego. A jeszcze później dręczy mnie, dopóki
nie oddam mu jakichś zaskórniaków, nawet jeśli oznacza to, że nie będziemy
mieli pieniędzy na jedzenie albo prąd. Ale nawet to nie jest najgorsze; naj-
gorsze, że mnie zdradza.

Zdradzał mnie już wcześniej, tylko tym razem wybrał sobie dziewczynę,
z którą pracuję. Osobę, którą uważałam za przyjaciółkę. Może nie taką jak
Gabbie, ale kogoś, z kim mogę pogadać i miło spędzić czas. Obojgu się wy-
dawało, że są cholernie sprytni, bo udaje się im ukradkiem spotykać, ale ja
wiedziałam, że coś się dzieje. Po prostu trzymałam język za zębami, bo Twój
tato robił to celowo, żeby mnie zranić, a Bóg jeden wie, że zdarzało się to już
wcześniej i nie miałam ochoty znowu przechodzić przez to samo – najpierw
zdrada, potem błagania, żebym wróciła, a potem kolejna zdrada.

Tym razem zorganizował wszystko tak, by pieprzyć się z nią w motelu,
w jednym z pokojów, które miałam sprzątać. Harmonogram wisi na naszej
lodówce, więc widzi go za każdym razem, gdy wyjmuje z niej piwo, musiał
więc o tym wiedzieć. I ona też wiedziała, bo jej nazwisko widnieje w tym sa-
mym cholernym harmonogramie. Kiedy weszłam z naręczem prześcieradeł
i ręczników, pieprzyli się, aż grzmiało. Twój tato spodziewał się, że wybuch-
nę, ale nic takiego się nie stało. Po prostu nie miałam siły, by cokolwiek po-
wiedzieć. Nigdy wcześniej nie widziałam go w takim szoku jak wtedy, gdy
wyszłam z pokoju i cicho zamknęłam za sobą drzwi, jakby to nie miało żad-
nego znaczenia.

Bo szczerze mówiąc, nie miało.

Powiedziałam Ci, że zdradzał mnie już wcześniej, ale dopiero wtedy za-
uważyłam, że coś się zmieniło. A gdy mówię o zmianie, mam na myśli coś,
co zaszło we mnie. Kiedy dorośniesz, przekonasz się, że patrząc wstecz, do-
strzega się różne schematy. W przypadku Twojego taty schemat był taki,
że najpierw on zdradza, potem, kiedy się dowiaduję, jest wybuch gniewu

i bicie, a potem od razu staje się słodki, w razie gdybym postanowiła odejść. Tym razem nie było ani wybuchu, ani bicia, tylko od razu przeszedł do bycia słodkim. Wynoszenie śmieci, sprzątanie ubrań z podłogi; ba, nawet odpalanie rano samochodu, żeby rozgrzać silnik. Któregoś dnia usłyszałam, że dla Ciebie śpiewa. To było miłe, lecz przestał, gdy tylko wyszłam z pokoju.

Nie zareagowałam zgodnie z jego oczekiwaniami, czyli nie rzuciłam mu się do stóp z błaganiem, by został. Nie wiem, co takiego jest w Twoim tacie i co do tego stopnia wewnętrznie go skrzywdziło, trudno mi więc to wyjaśnić, lecz najbardziej na świecie chce, żeby ludzie rozpaczliwie do niego lgnęli.

A kiedy lgną, zaczyna ich nienawidzić.

Tym razem motywowała mnie obietnica, którą sama sobie złożyłam – że do końca stycznia uciekniemy z tej przeklętej przyczepy. Ale nie zamierzałam się z tym ukrywać. Ukrywanie się to domena Twojego taty. Długo o tym myślałam i utwierdziłam się w przekonaniu, że najlepiej będzie po prostu powiedzieć mu, że wyjeżdżamy, zamiast po kryjomu spakować rzeczy i wyprowadzić się, gdy go nie będzie. Tak czy inaczej, nie mogłam po prostu od niego uciec, skoro mieszkamy w tym samym cholernym mieście. Poza tym jesteś Ty. Nie mogę już znieść obcowania z nim, lecz nadal jest Twoim tatą i nie zamierzam mu Cię odbierać bez względu na krzywdy, jakie mi wyrządza.

Pewnie Ci powie, że zostawiając go, zachowałam się jak suka, ale ja nie zamierzałam być suką i chcę, żebyś o tym wiedział. Chciałam to zrobić kulturalnie. Przyniosłam mu piwo, kazałam usiąść na kanapie i powiedziałam, że musi mnie wysłuchać, bo mam mu coś ważnego do przekazania.

Milczał jak grób, dopóki nie wspomniałam o mieszkaniu w mieście. Może dopiero wtedy uświadomił sobie, że nie żartuję, a z perspektywy czasu myślę też, że doszedł do wniosku, że nie powiedziałam mu o wszystkich pieniądzach, które mam. Zapytał, ile wynosi kaucja, czy mieszkanie jest umeblowane, gdzie będę parkować, czy będziesz mieć swój pokój i o inne tego typu sprawy. Sprawy, które w swojej naiwności uznałam za chęć upewnienia się, że Ty i ja będziemy bezpieczni. Obiecałam mu, że będzie mógł Cię odwiedzać, kiedy tylko zechce. Ze trzy razy podkreśliłam, jak bardzo jest dla Ciebie ważny, a ja chcę, żeby jako ojciec zawsze był obecny w Twoim życiu. Nie kłamałam; to samo piszę Ci w tym liście.

Potem zapytał mnie o alimenty i tak dalej, o czym, szczerze mówiąc, nawet nie pomyślałam. Nie ma na świecie takiego sędziego, który zdołałby wyciągnąć pieniądze z kieszeni Dave'a. Wolałby iść za kratki albo zgnić w grobie, niż rozstać się z groszem, nawet jeśli miałby dać go komuś, kogo kocha. Nawet Tobie. Przez cały ten czas był bardzo spokojny. Palił, kiwał głową, pił piwo i nie mówił wiele, jeśli nie liczyć tamtych pytań, a kiedy umilkłam, zapytał, czy skończyłam. Powiedziałam, że tak. Wtedy zgasił papierosa. A potem dostał kompletnego pierdolca.

Co tu kryć, spodziewałam się, że mnie ukarze, więc przygotowałam się wewnętrznie na bicie. Twój tato nie jest kreatywny, jeśli chodzi o krzywdzenie mnie, lecz tamtego wieczoru dopuścił się rzeczy, których nigdy wcześniej nie robił. Po pierwsze, wyciągnął nóż. A po drugie, zaczął mnie dusić.

Napisałam to tak, jakby zamierzał zrobić mi coś tym nożem. Ale to nieprawda. Chciał nim zrobić coś sobie. A choć jestem absolutnie przekonana, że nie chcę już być jego żoną, to nie życzę mu śmierci, zwłaszcza zadanej własną ręką. Bóg odwrócił się ode mnie już dawno, ale wiem, że nie przebacza ludziom, którzy odbierają sobie życie, a ja nie chciałabym, aby Twój tato był skazany na wieczne potępienie.

Dlatego prawie oszalałam ze strachu na widok krwi, która zaczęła płynąć, gdy przeciął skórę na szyi. Uklękłam i błagałam, żeby tego nie robił. Powtarzał, że mnie kocha, że jestem jedyną osobą, przy której czuje, że ma jakieś miejsce na ziemi; że w domu dziecka stracił bardzo wiele i tylko ja mogę mu to wynagrodzić.

Nie mam pojęcia, czy cokolwiek z tego było prawdą. Wiem tylko, że oboje długo płakaliśmy, zanim wreszcie odłożył nóż na stolik. A potem przytulaliśmy się przez dłuższy czas, nie mając siły na nic innego. Powiedziałabym wszystko, byle powstrzymać go przed odebraniem sobie życia. Powtarzałam więc, że go kocham, że nigdy go nie opuszczę, że zawsze będziemy rodziną.

A gdy ta część dobiegła końca, usiedliśmy na kanapie, wpatrując się w ścianę, wyczerpani własnymi emocjami. Wtedy powiedział: „Cieszę się, że nie odchodzisz". Z tym nie mogłam się pogodzić, bo po całym tym emocjonalnym cyrku zyskałam jeszcze większą pewność co do tego, że powinnam odejść. Powiedziałam więc tylko, że zawsze będę przy nim, zawsze będę go kochać i chcę, aby był szczęśliwy.

Wtedy pewnie popełniłam błąd, bo powinnam była po prostu zakończyć rozmowę, ale mnie zachciało się otworzyć durną jadaczkę jeszcze raz i powiedzieć, że ja też chcę być szczęśliwa, a żadne z nas nigdy nie poczuje się naprawdę szczęśliwe, dopóki będziemy razem.

Nigdy wcześniej nie widziałam, by Twój tato tak szybko się poruszał. Obie jego dłonie w jednej chwili znalazły się na moim gardle. Przerażające było to, że nawet nie krzyczał. Dawniej nie bywał tak cichy. Teraz tylko patrzył na mnie wyłupiastymi oczami, zaciskając ręce na mojej szyi. Wyglądało na to, że chce mnie zabić. I może nawet pomyślał, że mnie zabił. Nie chcę pleść bzdur, bo nie mam zdolności paranormalnych ani niczego w tym rodzaju, ale jestem gotowa przysiąc na stos Biblii, że wiedziałam, co się wokół mnie dzieje, nawet gdy już straciłam przytomność.

Trudno to opisać, ale miałam wrażenie, że unoszę się pod sufitem, patrzę w dół i widzę siebie leżącą na tym brzydkim zielonym dywanie, którego nigdy nie udało mi się doczyścić. Pamiętam, że było mi wstyd, bo miałam mokre spodnie, zupełnie jakbym się posiusiała, co nie zdarzało mi się już od dawna, odkąd rzuciłam alkohol i narkotyki. Tak czy owak, Twój tato wciąż mnie dusił, kiedy patrzyłam na to z góry. Na koniec odepchnął mnie i wstał. Tylko zamiast wyjść, po prostu na mnie patrzył.

Patrzył. I patrzył.

Najbardziej uderzył mnie widok jego twarzy, zupełnie pozbawionej wyrazu. Zaledwie kilka minut wcześniej rozkleił się i płakał, grożąc, że się zabije, a potem zobojętniał. Całkowicie. Wtedy dotarło do mnie, że być może po raz pierwszy widzę go takim, jaki jest naprawdę; że płaczący Dave, śmiejący się Dave, Dave na haju albo wściekły, a nawet Dave, który udaje, że mnie kocha, wcale nie jest prawdziwym Dave'em.

Ten prawdziwy jest pusty w środku.

Nie wiem, co odebrali mu rodzice zastępczy albo nauczyciel wychowania fizycznego, który go molestował, lecz wniknęli w jego duszę tak głęboko, że nie pozostało w niej miejsca na nic innego. Z pewnością nie zostało w niej już nic dla mnie. A szczerze mówiąc, nie wiem nawet, czy zostało coś dla Ciebie.

Mówiąc wprost, ujrzenie go w tym stanie poruszyło mną do głębi. Bardziej niż utrata tchu, czego bałam się od dzieciństwa. Przez to zaczęłam się zastanawiać, co jeszcze ukrywa Dave.

Kocha Twoją babcię Bitty miłością absolutną, ale czy kiedykolwiek kochał mnie? Czy w ogóle go obchodziłam? Na swój sposób dał mi czas na przemyślenie tej kwestii. Siedzi teraz w areszcie, bo kiedy ze mną skończył, wdał się w kolejną bójkę w pubie. Zasłużył sobie na to, ale i tak się o niego martwię. Więzienie to trudne miejsce dla takich ludzi jak Twój tato. Ma w zwyczaju wkurzanie innych. A jeśli chcesz znać całą prawdę, boję się, co będzie, gdy stamtąd wyjdzie. Boję się tego wyzutego z uczuć człowieka, który patrzył na mnie z góry jak na muchę, której właśnie wyrwał skrzydła.

Przez to wszystko martwię się o Ciebie, słonko. Tobie wybaczyłabym wszystko, ale Twojemu tacie... Wiem, że nie jest szczęśliwy, będąc takim, jaki jest. Nikt na jego miejscu nie byłby szczęśliwy. Jest tak pusty, że jedynym, co go kręci, jest wywoływanie emocji u innych ludzi. Czasami tych dobrych emocji, gdy stawia wszystkim jeszcze jedną kolejkę i czuje się jak szycha. Czasami złych, gdy pali metę i niszczy swoją przyczepę. A czasami najgorszych ze wszystkich, gdy dusi mnie tak mocno, że jestem o włos od śmierci. Patrząc wtedy na jego twarz, uzmysłowiłam sobie, że jedynym, co go kiedykolwiek cieszyło, jest obarczanie ludzi swoim nieszczęściem.

Boże, jaki to jest mroczny człowiek. Być może nigdy nie poznasz go od tej strony. Mam taką nadzieję, bo to jak spojrzeć w otchłań piekieł. Twój tato może zrobić ze mną, co chce, ale nigdy, przenigdy nie wolno mu podnieść ręki na Ciebie. Ale nie zamierzam też być tą eksżoną, która nastawia dziecko przeciwko ojcu. Jeśli kiedyś uznasz go za złego człowieka, to dlatego, że przekonałeś się o tym sam.

Zakończę więc ten list, pisząc o trzech pozytywach Twojego taty.

Po pierwsze, choć to może dziwne i od początku powtarzałam sobie, że to nieprawda, ale Twój tato jest dla mnie trochę jak brat. Nie w takim znaczeniu, jak Twój wujek Fish, który jest moim rodzonym bratem, ale kimś w tym rodzaju, a ja nie zamierzam w tej sprawie kłamać, zwłaszcza Tobie.

Po drugie, nadal potrafi mnie rozśmieszyć. Może nie wydaje się, że to coś ważnego, ale nie zaznałam w życiu wiele radości i dlatego tak trudno mi go zostawić. Na początku między mną a Dave'em działo się inaczej. Kiedyś był dla mnie wszystkim. To do niego uciekałam, gdy Papa mnie prześladował. To jemu się zwierzałam. Jego chciałam zadowalać. Był ode mnie znacznie starszy i doświadczył tyle zła, że wydawało mi się, iż mnie rozumie. Tak naprawdę chciałam nie tyle jego samego, co poczuć się chcianą. Ale niech Ci nie będzie przykro z jego powodu. Wiedział, na co się pisze, i pogodził się z tym. Może nawet był z tego zadowolony. Mam nadzieję, że nigdy nie znajdziesz się w sytuacji, w której będziesz wolał być tolerowany niż kochany. Ale dość już pisania na ten temat.

Po trzecie, Twój tato uratował mi życie po wypadku samochodowym. Może przesadzam, ale w jakimś sensie rzeczywiście mnie ocalił. Odwiedzał mnie w szpitalu. Trzymał za rękę. Powtarzał, że nadal jestem ładna, choć oboje wiedzieliśmy, że to już nigdy nie będzie prawdą. Powiedział, że nie ja zawiniłam, choć i to było kłamstwem. Jeszcze tylko jedną osobę umiał traktować równie delikatnie, jak mnie wtedy, a była to Bitty. Wydaje mi się, że od tego czasu marzę o powrocie tamtej wersji Dave'a. Ale nieważne; nie chcę rozgrzebywać tej smutnej starej sprawy, powiem jedynie, że wtedy Twój tato stanął na wysokości zadania.

Chciałabym, żebyś to o nim wiedział. Zwłaszcza to trzecie. Zapewne dlatego zawsze będę go kochać jakąś częścią siebie, choć jestem przekonana, że któregoś dnia mnie zabije.

Kocham Cię,
Mama

ROZDZIAŁ JEDENASTY

Faith Mitchell wpatrywała się w wiszący na ścianie zegar.

Była 5.54 rano.

Czuła się tak pogruchotana ze zmęczenia, jakby zderzyła się z czołgiem. Napędzana powagą sprawy, przebijała się przez korki uliczne, żeby tu dotrzeć, lecz gdy już utknęła w poczekalni biura szeryfa hrabstwa Dillon, wszelki pośpiech wyhamował z piskiem opon.

Drzwi wejściowe były otwarte, lecz w recepcji nie zastała nikogo. Nikt nie odpowiedział na pukanie w szklaną przegrodę ani nie pojawił się, gdy zadzwoniła. Na parkingu nie było ani jednego radiowozu. Telefon nie odpowiadał.

Po raz enty spojrzała na swój zegarek, który śpieszył się względem ściennego o dwadzieścia dwie sekundy. Faith weszła na krzesło i popchnęła sekundnik wiszącego zegara. Miała nadzieję, że jeśli ktoś obserwuje ją przez zamontowaną w rogu kamerę bezpieczeństwa, wezwie policję.

Nadzieja okazała się płonna.

Douglas „Biszkopt" Hartshorne powiedział jej, że spotkają się na posterunku, lecz to było dwadzieścia trzy minuty temu. Kolejne telefony i wysyłane do niego esemesy trafiały w pustkę. Telefon Willa był poza zasięgiem albo rozładowała mu się bateria. U Sary od razu włączała się poczta głosowa. W ośrodku McAlpine'ów nikt nie odbierał. Zgodnie z informacjami podanymi na stronie internetowej pensjonatu, jedyna droga do niego prowadziła szlakiem na górę, co wyglądało jak kara wymierzona dzieciom Von Trappów, zanim pojawiła się Maria ze swoją gitarą.

Faith chodziła tam i z powrotem po pomieszczeniu. Nie wiedziała nawet, na czym w tej sytuacji polega jej zadanie. Podczas jedynej rozmowy telefonicznej, pośród zakłóceń wywołanych potężną ulewą, Will zdążył przekazać jej tyle, że jakiś niedobry człowiek zrobił coś złego. Podczas ciągnącej się jak flaki z olejem jazdy w góry Faith odsłuchała pliki audio, które jej przesłał. Z tego, co udało się jej na ich podstawie wywnioskować, Will właściwie zamknął sprawę.

Pierwsze nagranie mogło posłużyć za scenariusz najgorszego odcinka *Pełnej chaty*. Delilah pokrótce przedstawiła toksycznych ludzi, jacy otaczali Mercy McAlpine, począwszy od agresywnego ojca, przez zimną matkę i dziwnego brata, a na jego jeszcze dziwniejszym przyjacielu skończywszy. Do tego doszły obrzydliwe historie na temat związku Dave'a i Mercy, który może nie do końca był kazirodztwem, ale też nie do końca nim *nie był*. Po przerwie na reklamę na scenę wkroczył szeryf Biszkopt, który miał centralnie w dupie kwestię brutalnie zamordowanej kobiety oraz zaginięcia jej nastoletniego syna. Jedynym istotnym dla Faith fragmentem tej rozmowy był bardzo szczegółowy opis Willa dotyczący okoliczności natknięcia się na ciało Mercy McAlpine. Dowiedziała się także tego, jak to się stało, że w nagrodę za swoje starania skończył z ostrzem noża w dłoni.

Kolejne nagranie przypominało odcinek serialu *24 godziny*, w którym Jack Bauer jest zobowiązany do przestrzegania konstytucji, na którą przysięgał. Zaczęło się od tego, że Will wygłosił Dave'owi McAlpine'owi przysługujące mu prawa Mirandy, po czym Dave przyznał się, że wcześniej tego samego dnia dusił żonę. Potem doszło do impasu i bójki, w trakcie której – na ile Faith znała swojego partnera z zespołu – Will kopnął Dave'a w jaja tak mocno, że facet rzygał dalej, niż widział.

Byłoby miło, gdyby ta część została poprzedzona jakimś ostrzeżeniem. Faith wysłuchała jej w systemie dolby surround, z głośników w swoim mini cooperze. Tkwiła w korku na jakimś odludziu w egipskich ciemnościach, a pomimo ulewy musiała otworzyć drzwi, bo sama była o włos od porzygania się.

Ponownie spojrzała na zegarek.

5.55.

Minęła minuta. Przecież nie mogło ich już zostać dużo więcej. Pogrzebała w torebce w poszukiwaniu mieszanki studenckiej. Głowa bolała ją jak na lekkim kacu, co było całkiem logiczne, biorąc pod uwagę fakt, że jeszcze kilka godzin temu wiodła błogie życie kobiety, od której w najbliższym czasie nikt nie miał oczekiwać dorosłego zachowania.

Konkretnie to delektowała się zimnym piwem pod prysznicem, gdy jej telefon wydał dziwny dźwięk. Potrójne ćwierknięcie brzmiało tak, jakby na umywalce w łazience zagościła jakaś ptaszyna. W pierwszej chwili Faith pomyślała, że jej dwudziestodwuletni syn jest już jednak trochę zbyt dojrzały, żeby bawić się dzwonkami w telefonie mamy. W drugiej zaś oblała się potem, mimo że stała pod strumieniem wody. Bo może to jej dwulatka wymyśliła, jak zmieniać ustawienia telefonu? Cyfrowe życie Faith już nigdy nie byłoby bezpieczne. Przed oczami przemknęły jej obrazy z wirtualnego świata, przyprawiające o całkiem niewirtualny wstyd: selfie, esemesy z podtekstami seksualnymi, tudzież zdjęcia kutasów, o które sama prosiła. Faith wybiegła zza zasłonki tak szybko, że prawie upuściła piwo.

Wiadomość wyglądała tak obco, że Faith zaczęła wpatrywać się w ekran ze zdziwieniem właściwym człowiekowi, który pierwszy raz zetknął się ze słowem pisanym.

KOMUNIKAT SOS
Przestępstwo
STATUS KOMUNIKATU: DOSTARCZONO
Kwestionariusz sytuacyjny
Bieżąca lokalizacja

Kołowrotek w głowie rozkręcił się na nowo: najpierw pomyślała o Jeremym, który wybrał się w nierozsądną podróż do Waszyngtonu, przy czym *nierozsądność* oznaczała, że jego matka nie chciała, by to robił. Potem pomyślała o Emmie, która po raz pierwszy nocowała u swojej przyjaciółki. Przewijając raport z przekazania informacji z systemu satelitarnego, snuła tak czarne scenariusze, że serce podjechało jej do gardła. Spodziewała się przeczytać o wszystkim, od masowej strzelaniny, przez tragiczny wypadek po atak terrorystyczny, lecz wiadomość, która ukazała się jej oczom, była tak nieoczekiwana, że zaczęła się zastanawiać, czy to aby nie jakieś internetowe oszustwo.

Agent specjalny GBI Will Trent prosi o natychmiastową pomoc w śledztwie w sprawie morderstwa.

Faith spojrzała na siebie w lustrze, aby się upewnić, czy nie śni się jej kolejny koszmar związany z pracą. Dwa dni temu wytańczyła się za wszystkie czasy na weselu Willa i Sary. Oboje powinni być teraz w podróży poślubnej. Tam zaś nie powinno dojść do morderstwa; nie powinno być żadnego śledztwa, a już z całą pewnością nie powinien stamtąd dotrzeć satelitarny komunikat z prośbą o pomoc. Faith była tak wytrącona z równowagi, że dosłownie podskoczyła, gdy telefon zaczął dzwonić. Osłupiała jeszcze bardziej na widok identyfikatora swojej szefowej, czyli dokładnie tej osoby, z którą chcesz porozmawiać, kiedy kwadrans po pierwszej w nocy oglądasz w łazienkowym lustrze swoje nagie ciało, trzymając w ręce puszkę piwa.

Amanda nie zadała sobie trudu, by zacząć od czegoś w rodzaju: „Wybacz, że zawracam ci dupę w wolny dzień", jak zrobiłby każdy normalny człowiek, któremu zależy na innych ludziach. Ograniczyła się do wydania polecenia:

– Chcę cię widzieć na zewnątrz za dziesięć minut.

Faith otworzyła usta, żeby coś powiedzieć, ale Amanda zdążyła się już rozłączyć. Nie pozostało jej nic innego, jak tylko opłukać się z resztek piany i gorączkowo przetrząsnąć Mount Everest piętrzących się wokół pralki brudnych ciuchów w poszukiwaniu czegoś, co może jeszcze posłużyć jako ubranie robocze.

Od tamtej pory minęło pięć godzin i teraz tkwiła właśnie tu, zajmując się dokładnie niczym.

Kolejne zerknięcie na zegar. Minęła następna minuta.

Pomyślała o wszystkim, co mogłaby teraz robić. Na przykład o praniu, bo jej koszula nie pachniała najlepiej. O piciu kolejnego piwa pod prysznicem. O porządkowaniu szafki z przyprawami i jednoczesnym słuchaniu N Sync tak głośno, jak dusza zapragnie. O graniu w Grand Theft Auto bez tłumaczenia się, dlaczego morduje wszystkich na lewo i prawo. Mogłaby też nie martwić się tym, że Emma śpi poza domem. Ani tym, że Emmie bardzo się to spanie poza domem podoba. Nie martwić się, że Jeremy pojechał do Quantico z nadzieją na znalezienie się w szeregach FBI. Nie martwić się, że agent FBI, który go tam wiózł, był mężczyzną, z którym Faith sypiała, a raczej nie tyle sypiała, co od ośmiu miesięcy uprawiała z nim dziki seks, ale wciąż nie mogła zdobyć się na to, by nazywać go inaczej niż „mężczyzną, z którym sypia".

A to były tylko jej aktualne dylematy. Poza tym zamierzała wykorzystać tygodniowy urlop, aby odciążyć swoją świętą matkę od opieki nad Emmą i przy okazji przypomnieć córce, że ma rodzicielkę. W związku z powyższym Faith opracowała harmonogram napięty jak u studentki zabierającej się za naukę na ostatnią chwilę przed egzaminem. Zarezerwowała podwieczorek w restauracji Four Seasons, zapisała małą na warsztaty malowania twarzy i kurs ozdabiania ceramiki, kupiła bilety do teatru lalek, ściągnęła multimedialną wycieczkę dla dzieci po ogrodzie botanicznym, zastanawiała się nad lekcją gimnastyki na trapezie, próbowała znaleźć...

Jej telefon zaczął dzwonić.

– Dzięki Bogu! – zawołała Faith do czterech ścian. To nie był dobry czas na szamotanie się we własnych myślach. – Mitchell.

– Co robisz w biurze szeryfa? – zapytała Amanda.

Faith zdusiła w ustach przekleństwo. Nie była zachwycona faktem, że Amanda może namierzyć jej telefon.

– Szeryf prosił, żebym spotkała się z nim na posterunku.

– Jest w szpitalu z podejrzanym. – Amanda powiedziała to takim tonem, jakby obwieszczała prawdę oczywistą. – Po drugiej stronie ulicy. Rusz tyłek.

Po raz kolejny Faith zdążyła jedynie otworzyć usta, nim Amanda zakończyła połączenie.

Zabrała torebkę i wyszła z ciasnej poczekalni. Chmury na niebie zdążyły zabarwić się na różowo. Wreszcie nadszedł świt. Latarnie uliczne przygasły. Głęboko odetchnęła porannym powietrzem, przechodząc przez tory kolejowe przecinające małe centrum na pół. Miasteczko Ridgeville nie wyróżniało się niczym szczególnym. Rozciągające się między dwiema przecznicami jednopiętrowe centrum handlowe z lat pięćdziesiątych było pełne sklepów z antykami i świecami oraz innych przybytków dla turystów.

Szpital Ridgeville Medical, dwupiętrowy, przeszklony betonowy klocek, był najwyższym budynkiem jak okiem sięgnąć. Na parkingu stało mnóstwo pikapów i samochodów wyglądających na starsze od syna Faith. Niedaleko głównego wejścia zauważyła radiowóz szeryfa.

– Faith.

– Kurwa! – Faith podskoczyła tak gwałtownie, że prawie upuściła torebkę.

Szefowa pojawiła się znikąd i natychmiast ją skarciła:

– Nie przeklinaj mi tutaj. To nieprofesjonalne.

Faith doszła do wniosku, że będzie nieprofesjonalnie kurwić przez resztę życia.

– Dlaczego zajęło ci to aż tyle czasu?

– Wypadek na drodze. Utknęłam w korku na dwie godziny. Jakim cudem udało ci się przejechać?

– A jakim cudem tobie się nie udało?

Telefon Amandy zawibrował. Pochyliła się nad ekranem, pokazując Faith czubek głowy. Jej przyprószone siwizną włosy były jak zwykle idealnie splecione i ułożone. Na spódnicy i pasującej do niej marynarce nie było ani jednego zagniecenia. Odpowiadając na esemesa – zapewne jednego z tysiąca, które tego dnia dostała – operowała kciukami w zawrotnym tempie. Amanda była zastępczynią dyrektora GBI, odpowiedzialną za setki pracowników, piętnaście biur regionalnych, sześć oddziałów ds. zwalczania narkotyków i kilka wyspecjalizowanych jednostek działających we wszystkich 159 hrabstwach Georgii.

Wiedząc o tym, Faith nie mogła się powstrzymać od pytania:

– Co tutaj robisz? Przecież wiesz, że dałabym sobie radę.

Telefon Amandy powędrował do kieszeni marynarki.

– Miejscowy szeryf nazywa się Douglas Hartshorne. Jego ojciec pełnił tę funkcję przez pół wieku, aż wreszcie cztery lata temu udar zmusił go do przejścia na emeryturę. Z braku kontrkandydatów urząd po nim objął syn. Wygląda na to, że wraz ze stołkiem odziedziczył też niechęć do naszej agencji. Kiedy zaproponowałam, że przejmę sprawę, usłyszałam stanowcze „nie”.

– Nazywają go „Biszkopt” – powiedziała Faith. – Może to i dobrze, bo aż mnie korci, by przekręcać jego imię na Douglath, w stylu pana Dinka.

– Czy wyglądam na osobę, którą interesują takie porównania?

Amanda wyglądała na osobę, którą interesuje wejście do szpitala. Faith ruszyła za nią do poczekalni, która zdawała się krainą tysiąca nieszczęść.

Wszystkie krzesła były zajęte. Ludzie podpierali ściany i w milczeniu modlili się, by wreszcie ich wywołano. Faith przypomniała sobie poranne wizyty z dziećmi na izbie przyjęć. Jeremy był typem dzieciaka, który potrafi dostać gorączkę od długotrwałego płaczu. Na szczęście Emma przyszła na świat mniej więcej w tym samym czasie, gdy Will poznał Sarę. Posiadanie pediatry w gronie serdecznych przyjaciół miało istotne zalety. Nasunęło to Faith stosowne skojarzenie:

– Gdzie jest Sara?

– Nie odstępuje Willa na krok, jak zwykle.

Nie była to wiele mówiąca odpowiedź, ale Faith miała już dość kopania się z koniem. Poza tym Amanda właśnie otwierała drzwi prowadzące na tyły budynku, choć napis informował o wstępie tylko dla pracowników.

Natknęły się na kolejny obraz nędzy i rozpaczy. Pacjenci leżeli na szpitalnych łóżkach ustawionych wzdłuż korytarza, ale Faith nie zauważyła żadnych pielęgniarek ani lekarzy. Zapewne znajdowali się za zaciągniętymi zasłonkami, które odgradzały niewielkie fragmenty przestrzeni tworzące namiastkę pokoi. Stukot niewysokich obcasów Amandy o kafelki przebijał się przez staccato kardiomonitorów i respiratorów. Faith po cichu próbowała zrozumieć, dlaczego Amanda wsiadła za kółko o jakiejś chorej nocnej porze, by po dwóch godzinach drogi dotrzeć do obskurnego miasteczka w związku z właściwie rozwiązaną już sprawą morderstwa, która zdecydowanie nie wymagała udziału osoby na takim stanowisku. Do licha, ta sprawa nie wymagała nawet kogoś takiego jak Faith. GBI wkraczało do akcji dopiero wtedy, gdy dochodzenie natrafiało na poważne problemy, a nawet wówczas o udział agencji należało wnioskować. Tymczasem Biszkopt wyraził się jasno, że nie jest tym zainteresowany.

Amanda zatrzymała się przy pustym stanowisku dla pielęgniarek i stuknęła w dzwonek. Jego dźwięk ledwie przebił się przez jęki pacjentów i odgłosy aparatury.

– Dlaczego naprawdę tu przyjechałaś? – zapytała Faith.

Amanda znów sięgnęła po telefon.

– Will miał mieć miesiąc miodowy. Nie pozwolę, by ta sprawa wyssała z niego życie.

Faith zdusiła w ustach marudne: „A co ze mną?". Amanda od początku miała specyficzną więź z Willem. Kiedy był maleńkim dzieckiem, znalazła go w koszu na śmieci. Działo się to w czasach, gdy pracowała w departamencie policji w Atlancie. Do niedawna Faith nie miała pojęcia, że Amanda niewidzialną ręką prowadziła go przez całe życie. Dałaby wszystko, by dowiedzieć się czegoś ponad strzępki informacji, które znała, lecz żadne z nich nie miało skłonności do dzielenia się głębokimi, mrocznymi sekretami, a Sara była irytująco lojalna względem męża.

Amanda uniosła wzrok znad telefonu i spytała:

– Jak ci się widzi Dave w roli mordercy?

Faith nawet nie zastanawiała się nad tą kwestią, uznając ją za oczywistość.

– Przyznał się do duszenia Mercy. Nie przedstawił alibi. Ciotka wyrecytowała długą litanię aktów przemocy, jakich się dopuszczał. Ukrywał się w lesie. Stawiał opór przy aresztowaniu. Pod warunkiem, że dziesięć sekund kozakowania i pół minuty rzygania można nazwać oporem.

– Rodzina wydaje się dziwnie nieporuszona stratą.

Faith domyśliła się, że Amanda zdążyła się już zapoznać z materiałami przesłanymi przez Willa. Ona sama przesłuchała pliki w samochodzie tyle razy, że niektóre spostrzeżenia Delilah mocno zapadły jej w pamięć.

– Ciotka wspominała o silnym motywie finansowym. Brata Mercy opisała jako odludka i seryjnego mordercę, który kolekcjonuje kobiecą bieliznę. A własnego brata nazwała agresywnym dupkiem. Powiedziała, że jej szwagierka to zimna ryba i że Bitty groziła Mercy wbiciem noża w plecy kilka godzin przed tym, zanim ofiarę rzeczywiście znaleziono ze złamanym nożem w plecach.

– Mówiła też coś o ekshibicjonistach z domku numer pięć.

Faith także korciło, by dowiedzieć się czegoś więcej na ten temat, ale tylko dlatego, że dorównywała wścibstwem Delilah.

– Wygląda na to, że warto byłoby porozmawiać z Chuckiem. Ma bliski kontakt z bratem Mercy. Może zna jakieś tajemnice. Są też ci bogacze, którzy zamierzali kupić ośrodek.

– Do nich nie uda się nam dotrzeć. Są otoczeni armią prawników – zauważyła Amanda. – Ilu gości przebywa w ośrodku?

– Nie jestem pewna. Z informacji na stronie internetowej wynika, że kompleks może gościć jednocześnie najwyżej dwadzieścia osób. Jeśli lubisz się pocić i przebywać na świeżym powietrzu, to miejsce wygląda obłędnie. Nie udało mi się ustalić, ile kosztuje pobyt, ale pewnie pierdyliard dolarów. Will musiał wydać na ten pobyt całą roczną pensję.

– To kolejny powód, by trzymać go z dala od tej sprawy – orzekła Amanda. – Chcę, żebyś porozmawiała z Dave'em. Został tu przywieziony karetką. Sara chciała wykluczyć skręt jąder.

Faith wiedziała, że nie ma się z czego śmiać, a jednak trochę ją to rozbawiło.

– I co ja mam niby napisać w raporcie, bo zbuk mi świadkiem, że nie wiem? Przecież to są jakieś jaja!

Amanda wyminęła ją bez słowa. Dostrzegła Sarę na końcu korytarza. Faith po raz kolejny przyłapała się na tym, że musi niemal truchtać, żeby dogonić szefową. Sara miała na sobie T-shirt z krótkim rękawem i bojówki. Włosy spięła na czubku głowy. Gdy ściskała ramię Faith, sprawiała wrażenie wykończonej.

– Przepraszam, że zostałaś w to wciągnięta. Wiem, że miałaś zaplanowany tydzień z Emmą.

– Małej nic się nie stanie – stwierdziła Amanda, ponieważ jak wiadomo wszystkie małe dzieci biorą nieoczekiwane zmiany na klatę ze stoickim spokojem. – Gdzie jest Will?

– Doprowadza się do porządku w łazience. Przed założeniem szwów musiałam wymoczyć mu dłoń w rozcieńczonym roztworze betadyny. Ostrze ominęło nerwy, ale kwestia infekcji nadal mnie niepokoi.

– A jak się ma Dave? – zainteresowała się Amanda.

– Najbardziej oberwało jego najądrze. To taka kręta rurka umocowana do tylnej części jąder, przez którą przechodzą plemniki podczas wytrysku.

Amanda zrobiła poirytowaną minę. Nienawidziła medycznego żargonu.

– Prostymi słowami proszę, doktor Linton.

– Jego jaja oberwały od tyłu. Potrzebuje leżenia z podparciem pod tyłek i zimnych kompresów, ale za tydzień powinien dojść do siebie.

Ponieważ Faith miała przesłuchać Dave'a, zapytała:

– Dostał jakieś leki przeciwbólowe?

– Lekarz dał mu paracetamol. Gdyby to ode mnie zależało, dostałby tramadol, porcję ibuprofenu na obrzęk i coś na nudności. Powrózek nasienny biegnie od jąder przez kanał pachwinowy do jamy brzusznej, a potem wraca za pęcherzem, by znaleźć ujście w cewce moczowej przy gruczole krokowym, a cewka uchodzi do prącia. Co jest przydługim opisem tego, że Dave potwornie oberwał. Ale z mojej perspektywy... – Sara wzruszyła ramionami. – To słuszna kara za grożenie Willowi nożem motylkowym.

Faith zwęszyła okazję do postawienia kolejnego zarzutu karnego:

– Gdzie jest ten nóż?

– Will przekazał go szeryfowi. – Mówiąc to, Sara domyślała się, co sądzi o tym Faith. – Ostrze ma mniej niż trzydzieści centymetrów, jego posiadanie jest legalne.

– Niekoniecznie, jeśli nosi się je w ukryciu z zamiarem wykorzystania do napaści – sprostowała Amanda.

– To tylko wykroczenie – sprzeciwiła się Faith. – Ale gdyby udało się powiązać je z morderstwem...?

– Doktor Linton – przerwała jej Amanda. – Gdzie jest Dave?

– Został przyjęty na nocną obserwację. Szeryf jest z nim na sali. Dodam, że Dave miał na sobie koszulę z zakrwawionym odciskiem dłoni z przodu. Szeryf dołączył ubrania i rzeczy osobiste do dowodów. Powinien też zrobić zdjęcia szram na tułowiu i szyi Dave'a. Miejscowa koronerka nazywa się Nadine Moushey. Złożyła już oficjalny wniosek do GBI o przeprowadzenie sekcji zwłok Mercy. – Sara spojrzała na zegarek. – Wkrótce powinna zabrać z domku jej ciało. Umówiła się ze mną w kostnicy na dole o ósmej.

– Powiadomiłam agentów specjalnych z regionu ósmego o konieczności nadzorowania transportu ciała do naszej centrali – oznajmiła Amanda.

– Czy to znaczy, że nie powinnam się tym zajmować?

– A czy twój udział jest absolutnie konieczny?

– Chcesz przez to powiedzieć, że certyfikowany lekarz sądowy, który widział ofiarę na miejscu zdarzenia, nie powinien przedstawić opinii na podstawie wstępnego badania fizykalnego?

– Nabrałaś nawyku zadawania pytań zamiast udzielania odpowiedzi.

– Naprawdę?

Amanda miała nieprzenikniony wyraz twarzy. Formalnie była szefową Sary, lecz ta zawsze traktowała ją bardziej jak koleżankę. A teraz, ze względu na Willa, Amanda była w jakimś sensie teściową Sary... choć niezupełnie.

Faith zażegnała wiszący w powietrzu konflikt:

– Czy jest coś jeszcze, co powinnyśmy wiedzieć?

– Na miejscu zbrodni znaleźliśmy plecak – odparła Sara. – Zdaniem Delilah należał do Mercy. Na szczęście nylonowa tkanina została pokryta ognioodporną powłoką. Zawartość plecaka może się okazać interesująca. Mercy zapakowała do niego trochę kosmetyków i ubrań oraz notes.

Faith nabrała wiatru w żagle.

– Jaki notes?

– Właściwie to zwykły szkolny zeszyt.

– Czytałaś go?

– Strony zamokły, więc trzeba będzie przesłać go do ekspertyzy laboratoryjnej. Bardziej mnie interesuje, dokąd wybierała się Mercy. Był środek nocy, a wcześniej tego wieczoru miała publiczną awanturę z synem. Dlaczego zdecydowała się zniknąć? I gdzie zamierzała się udać? Jak znalazła się nad jeziorem? Nadine zauważyła, że gdyby Mercy potrzebowała chwili oddechu od swojej rodziny, mogła skorzystać z któregoś z kilku pustych domków.

– Ilu konkretnie? – chciała wiedzieć Faith.

– Ich liczba jest nieistotna – stwierdziła Amanda. – Skup się na wyciągnięciu zeznań od Dave'a. W ten sposób powinniśmy szybko zamknąć sprawę. Mam rację, doktor Linton?

– Przynajmniej jeśli chodzi o rolę Dave'a. – Sara zerknęła na zegarek. – Delilah powinna być już na zewnątrz. Chcemy poszukać Jona.

– Czy to dobry sposób na spędzenie miesiąca miodowego? – zapytała Amanda.

– Tak.

Amanda przez chwilę nie spuszczała wzroku z Sary, a potem odwróciła się i odeszła, rzucając zza pleców:

– Faith?

Faith uznała to za sygnał do wyjścia. Uniosła w górę pięść na znak solidarności z Sarą i po raz nie wiedzieć który ruszyła truchtem za szefową, by ją dogonić.

– Wiedz, że Sara nie pozwoli, by nastolatek, który właśnie stracił matkę, tak po prostu zniknął – powiedziała.

– W wieku szesnastu lat twój Jeremy był samowystarczalny.

Któregoś razu, będąc w tym wieku, Jeremy objadł się serem do tego stopnia, że Faith była zmuszona szukać pomocy medycznej.

– Nastoletni chłopcy nie są tak odporni, jak ci się wydaje.

Amanda minęła windy i skierowała się w stronę schodów. Usta miała zaciśnięte w wąską kreskę. Faith zastanawiała się, czy myśli o nastoletnim Willu, ale po chwili doszła do wniosku, że próby wniknięcia do jej umysłu nie mają sensu. Zamiast tego skupiła się na czekającej ją rozmowie z Dave'em.

Część czasu spędzonego w korku na autostradzie międzystanowej Faith przeznaczyła na sprawdzenie przeszłości kryminalnej niejakiego Davida Harolda McAlpine'a. Jego akta z czasów sprzed osiągnięcia pełnoletności były utajnione, lecz w późniejszych papierach widniało aż nadto zarzutów związanych z przestępstwami, jakich można spodziewać się po bijącym żonę nałogowcu. Dave trafiał do aresztu za różne występki, od bójek w barach, przez kradzież samochodów i mleka dla niemowląt, jazdę po pijaku aż po przemoc domową. Bardzo niewiele zarzutów zostało faktycznie rozpatrzonych, co wzbudzało podejrzenia, ale nie było zaskakujące.

Faith, podobnie jak jej matka i Amanda, zaczynała policyjną karierę jako posterunkowa w Atlancie i przez lata nauczyła się czytać między wierszami w policyjnych kartotekach. Wyjaśnienie nieskuteczności postępowania w sprawie zarzutów o przemoc domową uznała za oczywiste: Mercy odmawiała składania zeznań. Natomiast podejrzany brak poważnych konsekwencji w przypadku pozostałych przestępstw sugerował, że miała do czynienia z człowiekiem, który bez pardonu donosił na współwięźniów, by wydostać się z aresztu lub uniknąć trafienia do zakładu penitencjarnego z prawdziwego zdarzenia.

Właśnie dlatego nie była szczególnie zaskoczona. Wielu mężczyzn bijących swoje żony to podli tchórze.

Amanda dotarła do końca schodów i otworzyła znajdujące się przed nimi drzwi. Faith dołączyła do niej chwilę później. Światła na korytarzu były przyćmione, a przy stanowisku dla pielęgniarek naprzeciwko windy nie było nikogo. Faith spojrzała na tablicę z nazwiskami pacjentów i przydziałem opiekunów. Było dziesięć sal, wszystkie zajęte, ale tylko jedna pielęgniarka.

– Dave McAlpine – przeczytała Faith. – Sala numer osiem. No bez jaj.

Obie odwróciły się na dźwięk otwierających się drzwi windy. Will miał na sobie zapinaną na guziki kraciastą koszulę oraz fartuch, który był zbyt kusy na jego długie nogi. Faith zerknęła na czarne skarpetki wystające znad cholewek. Przyciskał do piersi zabandażowaną prawą dłoń, na szyi i twarzy widniały drobne zadrapania.

Amanda jak zwykle powitała go ciepło:

– Wyglądasz jak chirurg na koncercie punkowym. Skąd pomysł na ten odważny styl?

– Dave zarzygał mi całe spodnie – wyjaśnił Will.

– Tak było! – Faith postanowiła odłożyć przybicie piątki z Willem na później. – Sara powiedziała, że wbiłeś mu jaja w pęcherz.

Amanda cicho westchnęła i obwieściła:

– Pójdę powiadomić szeryfa, że z radością przyjmie naszą pomoc w tym dochodzeniu.

– Powodzenia – mruknął Will. – Bardzo nie chce oddać tej sprawy.

– Zakładam, że z równą mocą nie chce prześwietlenia każdej firmy w jego hrabstwie pod kątem zatrudniania nielegalnych pracowników i naruszeń związanych z pracą nieletnich.

Faith patrzyła na odchodzącą Amandę, co zdawało jej się motywem przewodnim tego poranka, i spytała Willa:

– Mam przeprowadzić przesłuchanie. Jest coś, co powinnam wiedzieć?

– Aresztowałem go za napaść i stawianie oporu. Biszkopt zgodził się milczeć w kwestii morderstwa, więc, o ile mi wiadomo, Dave nie ma pojęcia, że znaleźliśmy ciało. Najbardziej niepokoi go fakt, że ponoć widziałem, jak wczoraj dusił Mercy na szlaku.

– Ten koleś myśli, że stałbyś jak kołek i tylko się przyglądał, jak on dusi bezbronną kobietę? – Faith lubiła naiwnych podejrzanych. – Wygląda na to, że wrócę do domu na czas, żeby zawieźć Emmę do cyrku.

– Nie liczyłbym na to – odparł Will. – Nie lekceważ Dave'a. On tylko udaje durnego kmiotka. Potrafi manipulować ludźmi, jest przebiegły i okrutny.

Faith nie bardzo rozumiała, co Will próbuje jej przekazać.

– Ma w papierach mnóstwo idiotycznych przestępstw. Najgorszy wyrok, jaki kiedykolwiek dostał, to dwie doby w areszcie za kradzież samochodu. Sędzia wypuścił go pod warunkiem podjęcia pracy.

– To kapuś.

– Bingo. Tacy zwykle nie są geniuszami zła. Jak na człowieka, którego nazywasz przebiegłym, przyskrzyniano go całkiem często. O czym nie wiem?

– O tym, że go znam. – Will spojrzał na swoją zabandażowaną dłoń.

– Dave mieszkał ze mną w domu dziecka. Uciekł w wieku trzynastu lat i dotarł tutaj. Na terenie ośrodka jest stare obozowisko. To długa historia, ale Dave zapewne przywoła naszą wspólną przeszłość, więc powinnaś być na to gotowa.

Faith odniosła wrażenie, że brwi znikną jej pod włosami. Teraz wszystko nabrało sensu.

– Coś jeszcze?

– Prześladował mnie – wyznał Will. – Nie fizycznie, ale zachowywał się jak ostatni palant. Nazywaliśmy go Szakalem.

Faith nie umiała sobie wyobrazić Willa jako ofiary prześladowań. Pomijając jego wzrost, dzieliła ich różnica wieku.

– Dave jest o cztery lata młodszy od ciebie. Jak mógł się nad tobą znęcać?

– Nie jest o cztery lata młodszy. Skąd wzięłaś tę informację?

– Z jego kartoteki policyjnej. Co rusz natrafiałam na datę urodzenia.

Will jakby z obrzydzeniem pokręcił głową.

– Jest ode mnie młodszy o dwa lata. McAlpine'owie musieli ująć mu lat.

– Co to oznacza?

– Teraz to nie takie proste, bo wszystko jest w elektronicznej dokumentacji, ale w tamtych czasach nie każde dziecko miało autentyczny akt urodzenia. Rodzice zastępczy mogli wystąpić do sądu o nadanie dziecku innej daty przyjścia na świat. Jeśli dzieciak był gnidą, postarzali go, żeby szybciej wypadł z państwowego systemu opieki. A jeśli był w porządku albo przysługiwały mu większe zasiłki, odmładzali go, żeby przedłużyć okres dopływu gotówki.

Faith zemdliło.

– Skąd się brały większe zasiłki?

– Więcej problemów oznaczało większą kasę. Dzieciak mógł mieć trudności emocjonalne albo doświadczyć przemocy na tle seksualnym, a wtedy potrzebował terapii, co oznaczało wożenie go na spotkania z psychologiem. Mógł też sprawiać różne kłopoty w domu, więc państwo łożyło na niego więcej pieniędzy, żeby wynagrodzić rodzicom zastępczym ich starania.

– Chryste Panie... – Kolejne słowa uwięzły Faith w gardle. Nie miała pojęcia, czy coś podobnego przydarzyło się Willowi, lecz na samą myśl zrobiło się jej potwornie przykro. – Mam przez to rozumieć, że Dave był dzieckiem z problemami?

– W szkole podstawowej był molestowany seksualnie przez nauczyciela wychowania fizycznego. Trwało to kilka lat. – Will zbył to wzruszeniem ramion, choć skala czynu rodziła przerażenie. – Będzie chciał to wykorzystać, żeby wzbudzić twoją litość. Pozwól mu się wygadać, ale pamiętaj, że z jednej strony wie, jak to jest być bezradnym, a z drugiej wyrósł na człowieka, który latami znęcał się nad żoną, by wreszcie zgwałcić ją i zamordować.

Faith usłyszała gniew w jego głosie. Will nienawidził Dave'a całym sercem.

– Czy Amanda wie, że go znasz?

Will zacisnął zęby, co w tym przypadku było jego sposobem na powiedzenie „tak", a zarazem w dużym stopniu tłumaczyło, dlaczego Amanda zdecydowała się na dwugodzinną jazdę, by zjawić się tutaj. I dlaczego chciała odsunąć go od tej sprawy jak najdalej.

Niemniej Faith miała więcej pytań.

– Dave jest teraz dorosłym człowiekiem. Dlaczego został z McAlpine'ami, skoro wykorzystywali jego trudne dzieciństwo dla zdobycia pieniędzy?

Ponownie wzruszył ramionami.

– Zanim uciekł, Dave podjął próbę samobójczą, po której został zatrzymany na obserwacji psychiatrycznej. A gdy już raz trafisz do czubków, trudno się stamtąd wydostać. Z perspektywy placówki zatrzymanie dzieciaka na leczeniu wiąże się z korzyściami finansowymi. A z perspektywy dziecka oznacza to złość i kolejne myśli samobójcze związane z pobytem na oddziale psychiatrycznym. I tak błędne koło się zamyka. Trzymali Dave'a w zamknięciu przez pół roku. Po powrocie do domu dziecka wytrwał tam niecały tydzień, potem uciekł. McAlpine'owie mieli swoje problemy, ale mogę zrozumieć, że w pewnym sensie go uratowali. Gdyby nie został adoptowany, z pewnością trafiłby z powrotem do Atlanty.

Faith zachowała to wszystko w sercu, by móc się wypłakać później.

– Trzynastoletni chłopiec wie, że nie ma jedenastu lat. Przecież sędzia by go o to zapytał.

– Mówiłem ci, że jest podstępny – przypomniał Will. – Dave zawsze kłamał w głupich sprawach. Kradł rzeczy albo niszczył cudzą własność, bo był zazdrosny, że masz coś, czego sam nie ma. Był jednym z tych dzieciaków, które zawsze wszystko skrzętnie liczą. Wiesz, na takiej zasadzie, że gdybyś dostała na obiad kilka pieczonych ziemniaków ekstra, ja upomniałbym się o to samo przy kolacji.

Faith znała ten typ człowieka. Domyślała się też, jak trudno jest Willowi mówić o swoim dzieciństwie.

– Pieczone ziemniaki są pyszne.

– A ja jestem bardzo głodny.

Poszperawszy w torebce, Faith wyciągnęła batonik.

– To może coś na osłodę?

Will uśmiechnął się szeroko, gdy podała mu snickersa.

– Swoją drogą, Sara nie jest stuprocentowo przekonana o winie Dave'a.

Tego się nie spodziewała.

– Rozumiem. A ty?

– Ja nie mam żadnych wątpliwości. Ale Sara na ogół ma dobrą intuicję, więc... – Will rozerwał zębami opakowanie batona. – Ostatni świadek, który widział Mercy przed śmiercią, mieszka w domku numer siedem. To było około dwudziestej drugiej trzydzieści.

Faith wyjęła notes i długopis.

– Przedstaw mi oś czasu.

Will zdążył wepchnąć do ust połowę snickersa. Przeżuł go dwa razy, przełknął i zaczął mówić:

– Byliśmy z Sarą nad jeziorem. Zanim wszedłem do wody, spojrzałem na zegarek. Była dwudziesta trzecia sześć. Przypuszczam, że pierwszy krzyk usłyszeliśmy pół godziny przed północą.

– Coś jak wycie?

– Zgadza się – potwierdził. – Nie umieliśmy określić, skąd pochodzi, ale wydawało nam się, że z okolic kompleksu. Tam znajduje się dom McAlpine'ów i większość kwater. Sara i ja szliśmy przez jakiś czas razem, a potem się rozdzieliliśmy, bo chciałem się udać bezpośrednio w stronę głównego budynku. Pognałem przez las. Potem się zatrzymałem, bo pomyślałem, że to głupie. Usłyszeliśmy w górach wycie i pobiegliśmy do lasu... Postanowiłem odszukać Sarę. Wtedy usłyszałem drugi krzyk. Odstęp czasu między tym pierwszym a drugim szacuję na jakieś dziesięć minut.

Faith wróciła do notowania, mówiąc przy tym:

– Mercy krzyknęła: „Pomocy!".

– Tak, a zaraz potem: „Proszę!". Przerwa między drugim a trzecim krzykiem była znacznie krótsza, trwała sekundę, może dwie. Ale tym razem już nie miałem wątpliwości, że krzyk dochodzi od strony domków kawalerskich nad jeziorem.

– Domków kawalerskich... – Faith zanotowała nazwę. – Tam pływaliście?

– Nie, byliśmy po drugiej stronie. Ten fragment jeziora nazywają Płycizną. Jest całkiem spory. Powinnaś zapoznać się z mapą. Płycizna jest po jednej stronie, a domki kawalerskie po drugiej. Główna część kompleksu wznosi się znacznie wyżej nad nimi, więc żeby dotrzeć na miejsce przez ośrodek, najpierw musiałem się wspiąć, a potem zejść.

Faith rzeczywiście musiała zapoznać się z mapą.

– Ile czasu po drugim i trzecim krzyku zajęło ci dotarcie do Mercy?

Will potrząsnął głową i wzruszył ramionami.

– Trudno powiedzieć. Byłem podenerwowany, otoczony drzewami, w samym środku nocy. Próbowałem nie oberwać gałęzią w twarz. Nie zwracałem uwagi na czas. Może kolejne dziesięć minut?

– Jak długo idzie się z głównego kompleksu do domków kawalerskich?

– Szliśmy tam razem z koronerką jednym ze szlaków, żeby zobaczyła miejsce zbrodni. Trwało to jakieś dwadzieścia minut, ale maszerowaliśmy w grupie i trzymaliśmy się ścieżki. – Znów wzruszył ramionami. – Dziesięć minut?

– Chcesz powiedzieć, że przejście każdej z tych tras zajmuje dziesięć minut?

Will wzruszył ramionami po raz trzeci.

– Kiedy Sara stwierdziła zgon Mercy, spojrzała na mój zegarek. Była dokładnie północ.

Faith zapisała tę informację.

– Czyli, z grubsza licząc, od wycia dobiegającego z ośrodka do znalezienia Mercy w wodzie minęło dwadzieścia minut, ale Mercy potrzebowała dziesięciu minut, by przejść od miejsca wycia do okolicy, w której krzyczała i umarła.

– Dziesięć minut to aż nadto, żeby zamordować kobietę, a potem podpalić domek. Zwłaszcza jeśli wszystko zostało wcześniej zaplanowane – stwierdził Will. – A potem sprawca mógł pójść wokół jeziora do starego obozowiska i poczekać, aż miejscowy szeryf zawali sprawę.

– Jesteś pewien, że wycie i krzyk pochodziły od tej samej osoby?

Will zastanowił się nad tym przez chwilę, po czym orzekł:

– Tak. To samo brzmienie głosu. Poza tym kto inny mógłby to być?

– Zgaduję, że będziemy biegać po całym kompleksie ze stoperami...

– Też tak sądzę.

Sprawiał wrażenie ucieszonego tą perspektywą znacznie bardziej niż Faith.

– Dlaczego zatem Sara uważa, że to nie Dave?

– Ostatni raz widziałem go mniej więcej o piętnastej. Sara rozmawiała z Mercy jakieś cztery godziny później i zobaczyła siniaki na jej szyi. Mercy wyznała, że Dave ją poddusił, ale wydawała się bardziej zaniepokojona potencjalną zemstą ze strony rodziny, chyba w związku z zablokowaniem przez nią sprzedaży ośrodka. Mercy nie przejmowała się zbytnio Dave'em. Co więcej, powiedziała, że wszyscy na tej górze chcą jej śmierci.

– Włącznie z gośćmi? – Gdy Will tylko westchnął, Faith zaczęła ostro:

– To znaczy, że... – Zdołała się pohamować. Zawsze chciała pracować nad sprawą rodem z pokoju zagadek. – Mamy ograniczoną liczbę podejrzanych przebywających na odciętym od świata odludziu. Prawie jak w cholernych bajkach ze Scooby Doo.

– Na kolacji było sześciu członków rodziny. Papa i Bitty, Mercy, Christopher, i Delilah, do których, jak sądzę, można dorzucić Chucka. Jon pojawił się, zanim podano pierwsze danie. Był pijany w sztok i zaczął krzyczeć na Mercy. Poza tym byli goście. Ja i Sara, Landry i Gordon, Drew i Keisha, Frank i Monica. A oprócz tego inwestorzy, Sydney i Max. Wszyscy byliśmy stłoczeni wokół jednego długiego stołu.

Faith podniosła wzrok znad notesu.

– Czy na stole stały świeczniki? – zainteresowała się nagle.

Will przytaknął.

– Dodaj do tego szefa kuchni, barmankę i dwóch kelnerów.

– *I nie było już nikogo.*

Wetknął do ust resztę snickersa i rzucił szybko:

– Uwaga.

W ich stronę szła Amanda, a za nią z niejakim trudem podążał szeryf. Biszkopt wyglądał dokładnie tak, jak wyobraziła go sobie Faith, gdy tylko usłyszała jego głos na nagraniu. Trochę pulchny, miał co najmniej dziesięć lat więcej od niej i o tyleż mniejszy iloraz inteligencji. Z wyrazu jego bladej twarzy mogła wywnioskować, że dotarł do trzeciego etapu konfrontacji z Amandą: po złości i akceptacji przeszedł do dąsania się.

– Agentka specjalna Faith Mitchell – przedstawiła ją Amanda. – Szeryf Douglas Hartshorne, który łaskawie zgodził się przekazać nam śledztwo.

Mina Biszkopta nie wyglądała na łaskawą. Łaskawie można było ją nazwać wkurzoną. Zwrócił się do Faith:

– Będę ci towarzyszył podczas rozmowy z Dave'em.

Faith nie chciała towarzystwa, ale z milczenia Amandy wywnioskowała, że nie ma wyboru.

– Szeryfie, czy podejrzany powiedział coś na temat zbrodni?

– Nie puścił pary z ust. – Biszkopt pokręcił głową.

– Poprosił o prawnika?

– Nie. On ci nic nie powie, ale w sumie nie potrzebujemy jego zeznań. Mamy już dowody, które pozwolą go zapuszkować. Krew na koszuli.

Zadrapania. Dawne akty przemocy. Dave lubi posługiwać się nożami. Z jednym nigdy się nie rozstaje, nosi go w tylnej kieszeni.

– Robi coś jeszcze oprócz noszenia noży? – zapytała Faith.

Biszkoptowi najwyraźniej nie spodobało się to pytanie.

– To sprawy między miejscowymi, które moim zdaniem też trzeba załatwić na miejscu.

Faith się uśmiechnęła.

– Rozumiem, że zamierzasz dołączyć do mnie w sali numer osiem?

Biszkopt zrobił obszerny gest ręką, który zapewne miał oznaczać coś w rodzaju: „Panie przodem", a potem ruszył korytarzem za Faith tak blisko niej, że czuła zapach jego potu i wody po goleniu.

– Posłuchaj, słonko, wiem, że po prostu wykonujesz rozkazy, ale powinnaś o czymś wiedzieć – oznajmił.

Faith zatrzymała się i odwróciła do niego.

– O czym?

– Wy, agenci GBI, przechodzicie prosto z zajęć na studiach do sali konferencyjnej. Nie macie pojęcia o pilnowaniu porządku na ulicach. Dla prawdziwego gliny morderstwo takie jak to jest chlebem powszednim. Już dwadzieścia lat temu wiedziałem, że jedno z tej pary skończy w grobie, a drugie na tylnym siedzeniu radiowozu.

Faith udała, że nie spędziła dziesięciu lat jako krawężnik, zanim dostała się do wydziału zabójstw w Atlancie, i odparła:

– Chętnie się dokształcę.

– McAlpine'owie to dobra rodzina, ale Mercy od początku była ich utrapieniem. Raz po raz wpadała w tarapaty i z nich wychodziła. Alkohol i narkotyki. Sypianie z kim popadnie. Zaszła w ciążę, mając piętnaście lat.

Faith zaszła w ciążę w tym samym wieku, ale powiedziała tylko:

– Wow.

– „Wow" to właściwe słowo. Na dobrą sprawę zniszczyła Dave'owi życie – powiedział Biszkopt. – Biedak nigdy nie zdołał dojść do siebie po narodzinach Jona. Wpadał w konflikty z prawem i ciągle trafiał za kratki. Zmagał się z własnymi demonami, zanim jeszcze Mercy zaciążyła. Miał pecha do rodzin zastępczych. Był molestowany przez nauczyciela. To, że jeszcze nie palnął sobie w łeb, zakrawa na cud.

– Na to wygląda – odparła Faith. – To co, idziemy pogadać z nim o morderstwie?

Nie czekała na odpowiedź, tylko otworzyła drzwi prowadzące do krótkiego przedsionka. Łazienka po prawej stronie. Zlew i szafka po lewej. Przygaszone światła. Słyszała ciche brzęczenie telewizora. W powietrzu unosił się stęchły zapach nałogowego palacza. W zlewie leżało parę ubrań. Na blacie dostrzegła pustą papierową torbę z napisem „DOWODY". Szeryf zdobył się nawet na przygotowanie gumowych rękawiczek, lecz nie oznaczył ani nie spakował przedmiotów osobistych podejrzanego: paczki papierosów, pękatego portfela zapinanego na rzep, tubki balsamu do ust i smartfona.

Gdy Faith podkręciła oświetlenie, Dave wyciszył telewizor. Nie wyglądał na zaniepokojonego aresztowaniem ani obecnością pary gliniarzy. Leżał na łóżku z jedną ręką za głową, a lewy nadgarstek był przykuty kajdankami do poręczy. Szpitalna koszula zsunęła mu się z ramienia. Dolna część ciała była przykryta, lecz prawdopodobnie miał włożoną pod pośladki poduszkę, bo wypchnięta do góry miednica przyciągała wzrok niczym Magic Mike.

O ile Biszkopt wyglądał dokładnie tak, jak sobie go wyobraziła na podstawie nagrań Willa, o tyle Dave McAlpine stanowił całkowite przeciwieństwo jej wizji. Faith zmajstrowała w myślach wizerunek będący czymś pomiędzy Moriartym z Sherlocka Holmesa a Wilusiem E. Kojotem z kreskówek. Okazało się, że Dave jest dość przystojny, ale zaniedbany; trochę jak były król balu maturalnego, który swoje najlepsze lata ma już dawno za sobą. Przyszło jej na myśl, że spał z każdą kobietą w tym mieście i miał w swojej przyczepie zestaw do gier wideo za dwadzieścia tysięcy dolarów. Co oznaczało, że był dokładnie w jej typie.

– Kto to? – zapytał Dave Biszkopta.

– Agentka specjalna Faith Mitchell. – Otworzyła portfel, żeby pokazać legitymację. – Pracuję w Biurze Śledczym stanu Georgia. Przyszłam tu, żeby...

– Na żywo jesteś ładniejsza. – Ruchem głowy wskazał zdjęcie w dokumencie. – Dobrze ci w dłuższych włosach.

– Racja. – Biszkopt wyciągnął szyję, żeby zerknąć na fotografię.

Faith zamknęła portfel, walcząc z wewnętrzną pokusą ogolenia się na łyso.

– Panie McAlpine, wiem, że mój partner odczytał już pańskie prawa.

– Śmieciuch powiedział ci, że znamy się od dawna?

Faith przygryzła czubek języka. Już kiedyś słyszała przezwisko Willa, ale od powtórzenia wcale nie stało się sympatyczniejsze.

– Agent specjalny Trent powiedział mi, że obaj mieszkaliście w domu dziecka – odparła.

Dave wypchnął językiem policzek, przyglądając się jej uważnie.

– Dlaczego GBI babrze się w czymś takim?

Faith odbiła piłeczkę:

– Chcę usłyszeć od ciebie, co oznacza *coś takiego*.

Zaśmiał się ochrypłym śmiechem palacza.

– Rozmawialiście już z Mercy? Bo nie ma mowy, żeby mnie wsypała.

Faith pozwoliła mu poprowadzić rozmowę.

– Przyznałeś się do tego, że ją dusiłeś.

– Udowodnij to – zażądał. – Ze Śmieciucha gówno jest, nie świadek. Zawsze szukał na mnie haków. Poczekaj, aż mój obrońca weźmie go w obroty.

Faith oparła się o ścianę.

– Opowiedz mi o Mercy.

– O czym konkretnie?

– Zaszła w ciążę jako piętnastolatka. Ile miałeś wtedy lat?

Dave zerknął z ukosa na Biszkopta, a potem ponownie spojrzał na Faith.

– Osiemnaście. Możesz to sprawdzić w moim akcie urodzenia.

– W którym? – zapytała Faith, bo w kwestii jego wieku matematyka wywieszała białą flagę. Dave miał dwadzieścia lat, kiedy zapłodnił piętnastoletnią dziewczynę, co oznaczało, że w świetle prawa dopuścił się gwałtu. – Jak pewnie wiesz, wszystko jest teraz przechowywane w elektronicznych rejestrach. Stare dane trafiły do cyfrowej chmury.

Dave nerwowo podrapał się po klatce piersiowej i koszula zsunęła mu się z ramienia jeszcze niżej. Faith zauważyła blizny po głębokich zadrapaniach.

– Biszkopt, sprowadź pielęgniarkę – powiedział Dave. – Powiedz, że potrzebuję jakiegoś cholernego leku przeciwbólowego. Jaja mi płoną żywym ogniem.

Biszkopt zrobił zdezorientowaną minę.

– Myślałem, że chcesz, żebym tu został.

– Teraz już nie chcę.

Biszkopt wydał z siebie poirytowane prychnięcie i wyszedł.

Faith poczekała, aż zamkną się za nim drzwi.

– Pewnie miło mieć miejscowego szeryfa na smyczy.

– Owszem. – Dave sięgnął pod pościel. Syknął przez zęby, wyciągnął lodowy kompres i położył go na stoliku. – Co konkretnie chcesz wiedzieć?

– Ty mi to powiedz.

– Nie mam pojęcia, co się odwaliło wczoraj wieczorem. – Podciągnął koszulę na ramię. – Jak mnie stąd wypuścicie, mogę popytać. Znam wielu ludzi. Cokolwiek się stało i jest na tyle ważne, że zainteresowało się tym GBI, dowiem się o tym... Myślę, że moje informacje mogą być coś warte.

– Czego na przykład?

– Po pierwsze, zdjęcia tych pieprzonych kajdanek. – Zagrzechotał łańcuchem o poręcz łóżka. – A po drugie, może jakiejś forsy? Tak z tysiaka na dobry początek. A więcej, jeśli uda mi się doprowadzić do aresztowania sprawcy.

– A co z Mercy? – zapytała Faith.

– Kuźwa. Mercy nie ma pojęcia o niczym, co dzieje się poza ośrodkiem, a poza tym i tak nie będzie chciała z wami rozmawiać.

Faith dostrzegła zmianę w sposobie, w jaki się wypowiadał. Akcent tępego wieśniaka gdzieś zniknął.

– Duszonej kobiecie trudno mówić.

– Naprawdę o to wam chodzi? Mercy jest w szpitalu?

– Dlaczego miałaby być w szpitalu?

Wciągnął powietrze przez zęby.

– Dlatego tu jesteś? Śmieciuch pewnie dostał amoku po tym, jak zobaczył mnie na szlaku. Wiedz, że zostawiłem Mercy dokładnie tam, gdzie osunęła się na ziemię. To było jakoś koło piętnastej. Pogadaj z nim. Może to potwierdzić.

– Co się stało po tym, jak ją dusiłeś?

– Jej? Nic – odparł. – Nic się nie stało. Nawet kazała mi się pieprzyć. Bo zwykle tak się do mnie odnosi, zawsze próbuje grać mi na nerwach. Ale zostawiłem ją w spokoju. Nie wróciłem. Cokolwiek zadziało się później, sama jest temu winna.

– Jak sądzisz, co mogło jej się stać?

– Pojęcia nie mam. Może potknęła się i upadła, kiedy wracała na szlak. To się już zdarzało. Przewracała się i lądowała twarzą w ściółce. Raz wyrżnęła szyją o leżący pień tak mocno, że zmiażdżyła sobie przełyk. Po kilku godzinach gardło tak jej spuchło, że w końcu zdecydowała się pojechać na izbę przyjęć. Powiedziała, że nie może oddychać. Zapytaj lekarzy. Pewnie mają to w papierach.

Faith zaskoczyło jedynie to, że nie wymyślił lepszej bajeczki.

– Kiedy to było?

– Dawno temu, Jon był jeszcze mały. Tuż przed naszym rozwodem. Mercy sama przyzna, że wtedy przesadziła. Mogła normalnie oddychać, po prostu wpadła w panikę. Lekarze faktycznie stwierdzili jakiś obrzęk w gardle. Tak jak powiedziałem, przyłożyła w ten pieniek dość mocno. Ale to był wypadek. Nie mam z tym nic wspólnego. – Dave wzruszył ramionami. – Jeśli znowu stało się coś podobnego, to wina Mercy. Pogadaj z nią. Jestem pewien, że powie ci to samo.

Faith poczuła się zagubiona. Will ostrzegł ją, żeby nie lekceważyła Dave'a, ale ten człowiek nie wydawał się jej ani przebiegły, ani sprytny.

– Powiedz, dokąd poszedłeś po tym, jak zostawiłeś Mercy na szlaku.

– Bitty nie miała czasu odwieźć mnie do miasta, więc poszedłem do starego obozowiska i tam piłem piwo.

Faith w milczeniu rozważała dostępne wyjścia. Rozmowa w tej formie prowadziła donikąd. Musiała zmienić taktykę.

– Mercy nie żyje.

– Aha! – Roześmiał się. – Jasne.

– Nie kłamię – zapewniła go Faith. – Nie żyje. – Dave wytrzymał jej spojrzenie przez dłuższą chwilę, zanim odwrócił wzrok. Faith patrzyła, jak łzy napływają mu do oczu. Jego dłoń powędrowała do ust. – Dave?

– Kie... – Słowo uwięzło mu w gardle. – Kiedy?

– Mniej więcej o północy.

– Czy... – Dave przełknął ślinę. – Czy ona się udusiła?

Faith przestudiowała wyraz jego twarzy i zorientowała się, że jego przebiegłość polega na aktorstwie. Był w tym naprawdę dobry.

– Wiedziała, co się dzieje? – zapytał. – Wiedziała, że umiera?

– Tak – odparła. – Co jej zrobiłeś?

– Ja... – Głos mu się załamał. – Dusiłem ją. To moja wina. Poddusiłem ją za mocno. Miała tylko zemdleć i myślałem, że cofnąłem się w odpowiednim momencie, ale... Boże. O Boże.

Faith wyciągnęła z pudełka kilka chusteczek i podała mu je.

Wydmuchnął nos i spytał:

– Czy ona... cierpiała?

Faith skrzyżowała ramiona.

– Wiedziała, co się dzieje.

– Kurwa! Kurwa mać! Co jest ze mną nie tak? – Dave zasłonił twarz dłonią; kajdanki zadzwoniły o poręcz, gdy krzyczał. – Mercy Mac! Co ja ci zrobiłem?! Bardzo bała się uduszenia. Odkąd byliśmy dziećmi, zawsze miała takie koszmary. Śniło jej się, że nie może oddychać.

Faith zastanawiała się, jak dalej pokierować tą rozmową. Przywykła do długich negocjacji z podejrzanymi, którzy dawkowali prawdę po trochu. Czasami mówili, że znajdowali się w pobliżu miejsca zdarzenia, ale nie brali w nim udziału, albo przyznawali się do jakiejś części przestępstwa, a do innej nie.

Z tym człowiekiem sprawa przedstawiała się zupełnie inaczej.

– Jon... – Dave spojrzał na Faith. – Czy on wie, co zrobiłem?

W odpowiedzi Faith twierdząco kiwnęła głowę.

– Kurwa. Nigdy mi tego nie wybaczy. – Dave znów zakrył ręką głowę.

– Próbowała się do mnie dodzwonić. Nie widziałem połączeń, bo byłem poza zasięgiem. Mogłem ją uratować. Bitty już wie? Muszę się z nią zobaczyć. Muszę jej wyjaśnić...

– Poczekaj – przerwała mu Faith. – Wróć. O której godzinie Mercy do ciebie dzwoniła?

– Nie wiem. Widziałem kątem oka komunikaty o nieodebranych połączeniach, ale Biszkopt zabrał mi telefon. Pewnie dotarły, gdy zszedłem ze wzgórza.

Faith znalazła telefon Dave'a na szafce ze zlewem przy drzwiach i włączyła ekran rogiem notesu. Widniało na nim co najmniej pół tuzina powiadomień z sygnaturami czasu. Wszystkie, oprócz jednego, wyglądały identycznie:

NIEODEBRANE POŁĄCZENIE 22.47 – Mercy Mac
NIEODEBRANE POŁĄCZENIE 23.10 – Mercy Mac
NIEODEBRANE POŁĄCZENIE 23.12 – Mercy Mac
NIEODEBRANE POŁĄCZENIE 23.14 – Mercy Mac
NIEODEBRANE POŁĄCZENIE 23.19 – Mercy Mac
NIEODEBRANE POŁĄCZENIE 23.22 – Mercy Mac
Faith przewinęła listę do ostatniego komunikatu.
POCZTA GŁOSOWA 23.28 – Mercy Mac
Otworzyła notes i spojrzała na oś czasu.

Według szacunków Willa, Mercy zawyła o 23.30, czyli dwie minuty po tym, jak nagrała się na pocztę głosową Dave'a. Faith wsunęła notatnik z powrotem do kieszeni. Nałożyła rękawiczki szeryfa, wzięła do ręki telefon Dave'a i wróciła do jego łóżka.

– Jak to się stało, że ty nie miałeś zasięgu, a Mercy tak?

– W głównym budynku i w jadalni jest wi-fi, ale zasięg sieci komórkowej zaczyna się dopiero w połowie wzgórza. – Otarł oczy. – Mogę to odsłuchać? Chcę usłyszeć jej głos.

Faith przez chwilę zastanawiała się nad koniecznością zdobycia nakazu umożliwiającego włamanie się do telefonu, lecz zapytała po prostu:

– Jaki masz pin?

– Dzień, w którym zostałem adoptowany – odparł. – Zero, osiem, zero, cztery, dziewięć, dwa.

Wstukała podane cyfry. Smartfon się odblokował. Poczuła nieprzyjemne drżenie rąk, gdy jej palec zawisł nad ikoną poczty głosowej. Zanim jej dotknęła, wyjęła własny telefon, by nagrać treść wiadomości. Gdy w końcu uruchomiła odtwarzanie, jej dłoń w rękawiczce ociekała potem.

– *Dave!* – niemal histerycznie krzyczała Mercy. – *Dave! Boże, gdzie jesteś! Oddzwoń, proszę, proszę! Nie mogę uwierzyć... Boże, nie mogę... Proszę, zadzwoń. Proszę. Potrzebuję cię. Wiem, że nigdy mi nie pomagałeś, ale teraz bardzo cię potrzebuję. Potrzebuję twojej pomocy, kochanie. Proszę, zadz...*

Rozległ się stłumiony dźwięk, jakby Mercy przycisnęła telefon do piersi. W jej głosie brzmiała czysta desperacja. Faith poczuła gulę w gardle. Kobieta sprawiała wrażenie rozpaczliwie samotnej.

– Zawiodłem ją – szepnął Dave. – Potrzebowała mnie, a ja ją zawiodłem.

Faith spojrzała na pasek postępu pod wiadomością. Zostało siedem sekund. Słuchała cichych szlochów Mercy, a pasek topniał z każdą chwilą.

– *Co tutaj robisz?!*

Tym razem głos Mercy brzmiał inaczej, był podszyty złością i strachem.

– *Przestań!* – krzyknęła. – *Dave zaraz tu będzie. Powiedziałam mu, co się stało. Jest już...*

Cisza. Pasek dotarł do końca.

– Co się stało? – zapytał Dave. – Czy Mercy powiedziała, co się stało? Jest jeszcze jakaś wiadomość głosowa? Esemes?

Faith wpatrywała się w telefon. Nie było innej wiadomości. Ani innego esemesa. Tylko oznaczone godziną powiadomienia i ostatnie nagranie słów Mercy.

– Proszę – powiedział błagalnym tonem Dave. – Powiedz mi, co to oznacza.

Faith pomyślała o informacjach, które Delilah przekazała Willowi. Motyw finansowy. Brat Delilah, kawał drania. Paskudna szwagierka. Brat Mercy, sprawiający wrażenie seryjnego mordercy. Jego obmierzły przyjaciel. Goście. Szef kuchni. Barmanka. Dwóch kelnerów. Tajemnica zamkniętego pokoju.

– To oznacza, że jej nie zabiłeś – odparła.

ROZDZIAŁ DWUNASTY

Sara stała na skraju rampy załadunkowej ulokowanej głęboko w trzewiach szpitala i patrzyła na padający deszcz. Poszukiwania Jona spełzły na niczym. Sprawdziły jego szkołę, przyczepę kempingową Dave'a i kilka popularnych miejsc spotkań nastolatków, które Delilah pamiętała z czasów własnej młodości. Zamierzały wrócić na górę, żeby przetrząsnąć kompleks i stare baraki, gdy zaczęły nadciągać czarne chmury. Sara miała nadzieję, że zanim znowu lunie, Jon zdąży znaleźć ciepłe i suche schronienie. Zarówno ona, jak i Delilah nie zamierzały pozwolić, by pogoda przeszkodziła im w poszukiwaniach, ale widoczność bardzo się pogorszyła, a gdy powietrze przeszył dudniący grzmot, zgodnie postanowiły wrócić do miasta, bo gdyby którąś z nich – albo obie – trafił piorun, Jonowi nic dobrego by z tego nie przyszło.

Według aplikacji pogodowej zainstalowanej w telefonie Sary deszcz miał padać jeszcze przez dwie godziny. Lało nieubłaganie. Strumienie występowały z koryt, woda tryskała z rynien, a droga przecinająca środek miasteczka przemieniła się w rwącą rzekę. Delilah udała się do domu, żeby nakarmić zwierzęta, i nie było pewne, czy uda się jej szybko znaleźć z powrotem w mieście.

Sara spojrzała na zegarek. Wkrótce będzie mogła zająć się Mercy. Szpitalny technik rentgenowski powiedział, że uporanie się z kolejką żywych pacjentów potrwa co najmniej godzinę. Nadine wisiała na telefonie, prowadząc rozmowę w sprawie naprawy klimatyzacji, a Biszkopt siedział przy ciele. Proponowała, że go zastąpi, ale nie zgodził się, co przyjęła z ulgą. Potrzebowała czasu, żeby przygotować się psychicznie do badania. Myśl o ujrzeniu Mercy McAlpine leżącej na stole napełniła ją znajomą grozą.

W poprzednim życiu Sara była koronerem okręgowym w swoim rodzinnym miasteczku. Kostnica znajdowała się w piwnicy miejscowego szpitala, podobnie jak ta, z której korzystała koronerka hrabstwa Dillon. W tamtych czasach Sara znała badane ofiary, a przynajmniej kojarzyła je z widzenia. Tak to już jest w małych mieścinach. Wszyscy się znają, jeśli nie osobiście, to za pośrednictwem znajomych. Praca koronera wiązała się z wielką odpowiedzialnością, a zarazem rodziła czarną rozpacz. Wykonując ją, Sara musiała odkładać na bok poczucie osobistej więzi z ofiarami.

Kilkanaście godzin temu zszywała zraniony kciuk Mercy w łazience na tyłach kuchni. Kobieta wyglądała na wyczerpaną i umęczoną. Przejmowała się kłótnią z synem. Niepokoił ją rozwój zdarzeń na łonie rodziny. Ostatnią osobą, o jakiej myślała, był jej eksmąż, co – biorąc pod uwagę ustalenia Faith – wydawało się całkiem logiczne. Sara zastanawiała się, co pomyślałaby Mercy, wiedząc, że jedną z ostatnich rzeczy, jakie zrobiła na tym świecie, było zapewnienie alibi agresywnemu byłemu.

– Miałaś rację.

– Miałam. – Sara odwróciła się, by spojrzeć na Willa. Z wyrazu jego twarzy wyczytała, że zadręcza się popełnionym błędem. Nie zamierzała go dodatkowo gnębić. – Niczego to nie zmieniło. I tak należało odszukać Dave'a. Był najbardziej oczywistym podejrzanym. Prawie wszystko pasowało.

– Ujęłaś to znacznie delikatniej niż Amanda – odparł. – Droga dojazdowa do kompleksu jest zalana. Dopóki strumienie nie wrócą do koryt, żaden zwykły samochód tamtędy nie przejedzie ani w jedną, ani w drugą stronę. Potrzeba terenówki, która poradzi sobie z błotem.

Sara usłyszała irytację w jego głosie. Will nienawidził siedzieć bezczynnie. Ostry zarys jego żuchwy podpowiadał, że zaciska zęby ze złości. Położył świeżo zabandażowaną rękę na klatce piersiowej. Uniesienie jej powyżej serca łagodziło nieprzyjemne pulsowanie, ale nie miało wielkiego wpływu na ból, a Will nie chciał brać niczego silniejszego od paracetamolu.

– Jak ręka? – zapytała.

– Lepiej – odparł, choć napięcie widoczne w jego ramionach sugerowało coś całkiem innego. – Faith dała mi snickersa.

Gdy Sara objęła go ramieniem, jej dłoń natknęła się na ukryty pod koszulą rewolwer. Will wrócił do pracy duszą i ciałem. Domyślała się, co będzie dalej.

– Jak zamierzasz dostać się do ośrodka?

– Czekamy, aż biuro terenowe dostarczy quady. To jedyny sensowny sposób.

Sara starała się nie myśleć o wszystkich swoich pacjentach z urazami mózgu spowodowanymi wywrotkami na quadach.

– Czy w ośrodku nadal działają telefony i internet?

– Na razie tak – odparł. – Ale na wszelki wypadek zamówiliśmy telefony satelitarne. Właściwie to dobrze, że wszyscy są tam odcięci od świata. Nikt nie wie, że Dave ma alibi. Ktokolwiek zabił Mercy, uważa, że ujdzie mu to na sucho.

– Kto wciąż jest w ośrodku?

– Na pewno Frank. Nie wiem dlaczego, ale to właśnie on odebrał telefon w restauracyjnej kuchni. Drew i Keishy nie udało się wydostać przed burzą i coś mi się widzi, że nie są z tego powodu zadowoleni. Faceci od aplikacji raczej nie zamierzają wyjeżdżać. Monica chyba odsypia wieczór. Na miejscu są też Chuck i cała rodzina... z wyjątkiem Delilah. Szef kuchni i dwaj kelnerzy dojechali do ośrodka o piątej rano, czyli jak zwykle. Barmanka zazwyczaj zjawia się dopiero w południe. Ponieważ jest też sprzątaczką, chcę porozmawiać z nią o nieposłanych łóżkach w pustych kwaterach. Faith pojechała ją namierzyć, wykorzystując moment przestoju w oczekiwaniu na quady. Mieszka na przedmieściach.

Sara nie była zaskoczona, że Faith postanowiła się ulotnić. Nienawidziła sekcji zwłok.

– Dlaczego z nią nie pojechałeś?

– Amanda prosiła, żebym został i zajął się prześwietlaniem przeszłości poszczególnych ludzi.

– I jak się z tym czujesz?

– Mniej więcej tak, jak myślisz. – Wzruszył ramionami, ale był wyraźnie poirytowany. Nie należał do osób, które lubią siedzieć z założonymi rękami, gdy inni zajmują się swoją robotą. – Mamy wyniki badań kryminalistycznych dotyczących Dave'a?

– Wstępna analiza plamy z przodu jego koszuli wykazała, że nie jest to ludzka krew. Po zapachu domyślam się, że Dave wytarł o nią dłoń podczas oprawiania ryb. Zadrapania na jego klatce piersiowej mogą być wynikiem wcześniejszej napaści na Mercy. Przyznał się, że ją dusił. Mogła walczyć. Twierdzi, że ślad na szyi zrobił sobie sam. Ponoć ukąsił go komar. Nie da się zweryfikować tej informacji, więc chwilowo trzeba uwierzyć w komara. – Przerwała na moment i spytała: – Jesteś w stanie postawić mu jakieś zarzuty?

– Stawianie oporu przy aresztowaniu i grożenie mi nożem. On z kolei może oskarżyć mnie o nadmierne użycie siły i prześladowanie ze względu na naszą przeszłość. To byłby klincz, który skończyłby się źle dla nas obu. Na dobrą sprawę może stąd wyjść, kiedy zechce. – Will zbył to westchnieniem, lecz Sara widziała, jak bardzo nie jest mu w smak taki obrót sprawy. – Kolejna śmierdząca chryja, z której Dave wychodzi bez szwanku.

– Jeśli cię to pocieszy, chodzenie jest teraz dla niego wyjątkowo uciążliwe.

Will nie wyglądał na pocieszonego. Wpatrywał się w padający deszcz. Nie musiała czekać długo, by wyznał, co go naprawdę dręczy.

– Amanda nie jest zadowolona z powodu naszego uwikłania w tę sprawę.

– Ja też nie jestem – stwierdziła Sara. – Ale nie mieliśmy wielkiego wyboru.

– Mogliśmy wrócić do domu.

Zauważyła, że uważnie się jej przygląda, doszukując się przejawów wahania, i odparła:

– Nie znaleźliśmy Jona, a ty obiecałeś Mercy, że przekażesz jej synowi słowa przebaczenia.

– To prawda, ale przypuszczam, że wcześniej czy później Jon się pojawi, a Faith już wgryzła się w tę sprawę.

– Zawsze chciała rozwiązać zagadkę zamkniętego pokoju.

Will kiwnął głową, ale już się nie odezwał. Czekał, aż Sara podejmie decyzję.

Ona zaś odniosła przemożne wrażenie, że ta chwila może mieć istotny wpływ na kształt ich małżeństwa. Mąż oddał jej właśnie wielką władzę. Nie chciała być jedną z tych żon, które wykorzystują tego rodzaju sytuacje.

– Przetrwajmy ten dzień, a potem razem podejmiemy decyzję, co robić dalej.

Zgodził się z nią, po czym zapytał:

– Dlaczego ci się wydawało, że to jednak nie Dave?

Sara nie była pewna, czy jej przeczucia były podyktowane wyłącznie jedną okolicznością.

– Właściwie nie wiem... może przez to, jak rodzina Mercy potraktowała ją podczas kolacji. Wydaje mi się, że wszyscy się na nią uwzięli. A już na pewno nie wyglądali na zmartwionych tym, że została zamordowana. Jest też coś, co powiedziała sama Mercy o niektórych gościach. Że mogą mieć z nią na pieńku.

– Jak sądzisz, o kim mówiła?

– Dziwi mnie, że Landry podał fałszywe imię, ale nie wiemy, czy zrobił to w złej wierze – odparła Sara. – My też skłamaliśmy w kwestii naszych zawodów. Czasami ludzie kłamią, bo chcą kłamać.

– Nie kojarzysz nazwiska Chucka, prawda? – dociekał Will, a ona przecząco pokręciła głową. Wiedział, że unikała rozmów z Chuckiem jak ognia. – Pamiętam też słowa Drew, zanim on i Keisha zaczęli się zasłaniać prawnikami – mówił dalej. – Rozmawiał z Bitty i Cecilem i powiedział coś w rodzaju: „Zapomnijcie o tamtej sprawie. Róbcie, co wam się żywnie podoba".

– Jakiej sprawie?

– Nie mam pojęcia. Poza tym jasno dał mi do zrozumienia, że nie zwraca się do mnie.

Sara nie wyobrażała sobie, by Keisha czy Drew mogli kogoś zabić. Ale tak to już bywa z mordercami. Nie opowiadają wszystkim o swoich zamiarach.

– Mercy nie została dźgnięta tylko raz. Ona odniosła wiele ran, a stan jej ciała jest klasycznym przykładem zbrodni dokonanej w amoku. Zakładam, że sprawca musiał ją świetnie znać.

– Drew i Keisha gościli wcześniej w ośrodku dwa razy – przypomniał Will obojętnym tonem. – Keisha wkurzyła Mercy podczas kolacji, prosząc o nową szklankę.

– Nie wygląda to na powód do zamordowania kogoś – zauważyła Sara.

– Z drugiej strony jest wiele filmów dokumentalnych o zbrodniach popełnionych przez kobiety, którym puściły nerwy.

– Uznam to za ostrzeżenie – zażartował Will, lecz szybko spoważniał.

– Dave jako podejrzany wydawał się najlogiczniejszym wyborem. Musiało być coś, co skłoniło cię do patrzenia w innych kierunkach.

– Nie umiem tego wyjaśnić inaczej, jak tylko podszeptem intuicji. Z mojego doświadczenia wynika, że osoba, która doświadczała przemocy przez dłuższy czas, dobrze wie, kiedy jej życie jest najbardziej zagrożone. A kiedy rozmawiałam z Mercy, Dave w sumie jej nie obchodził.

– Jego raport kredytowy nie zawiera zbyt wielu niespodzianek. Stan konta bankowego przekroczony o sześćdziesiąt dolarów, dwie karty kredytowe zablokowane, a zaległość rozłożona na raty. Ciężarówkę przejął komornik. Poza tym Dave tonie w długach medycznych.

– Jestem przekonana, że wszyscy tutaj tkwią w długach medycznych.

– W odróżnieniu od Mercy – odparł. – O ile mi wiadomo, nigdy nie miała karty kredytowej ani nawet konta bankowego. Nie brała pożyczki na zakup samochodu. Nie ma żadnej wzmianki o tym, by kiedykolwiek składała zeznanie podatkowe. Nie ma prawa jazdy. Nigdy nie głosowała. Na jej nazwisko nie jest zarejestrowany żaden telefon komórkowy. Nie ma kont na Facebooku, Instagramie, TikToku ani żadnym innym serwisie społecznościowym. Nie została nawet wymieniona na stronie internetowej ośrodka. Widziałem już różne dziwne wyniki prześwietlania czyjejś przeszłości, ale takiego jeszcze nie. Jest cyfrowym duchem.

– Delilah powiedziała, że Mercy miała poważny wypadek samochodowy. Stąd ta szrama na twarzy.

– Jej kartoteka kryminalna jest czysta. Zgaduję, że warto mieć szeryfa wśród przyjaciół rodziny – stwierdził Will. – Co prowadzi nas do rodziców Mercy, czyli Cecila i Imogene McAlpine'ów. Po wypadku rowerowym Cecila firma ubezpieczeniowa wypłaciła mu ogromną kwotę. Oboje dostają emerytury. Mają mniej więcej milion dolarów w prywatnym funduszu emerytalnym, kolejne pół miliona ulokowane na rynkach finansowych i ćwierć miliona w indeksowanych funduszach inwestycyjnych. Karty kredytowe spłacane jak w zegarku. Brak długów. Christopher też jest w dobrej kondycji finansowej. Rok temu spłacił pożyczkę studencką. Ma uprawnienia wędkarskie, prawo jazdy, dwie karty kredytowe i ponad dwieście kawałków na koncie bankowym.

– Mój Boże. A jest tylko o kilka lat starszy od Mercy.

– Zapewne łatwiej jest oszczędzać pieniądze, gdy nie trzeba płacić za dach nad głową i wyżywienie, ale Mercy jechała na tym samym wózku, więc dlaczego była biedna jak mysz kościelna?

– Myślę, że to zamierzone. Może trzymali ją w szachu pieniędzmi. – Sara nawet nie chciała się zastanawiać nad tym, jak bezradna musiała czuć się Mercy. – Miała w plecaku jakąś gotówkę?

– Tylko ciuchy i notes – odparł Will. – Wiem tyle, że teraz ekspert pożarnictwa bada plecak pod kątem dowodów, a potem całość trafi do laboratorium. Plastikowa okładka zeszytu stopiła się, a strony nasiąkły wodą. Jeśli nie będą ostrożni, niczego się z tych notatek nie dowiemy. Musimy poczekać, choć bardzo chciałbym się już dowiedzieć, o czym pisała Mercy.

Sara podzielała jego ciekawość. Mercy nie bez powodu zapakowała notes do plecaka.

– A jej telefon?

– Został strawiony przez ogień, ale oczywiście mamy numer z bazy kontaktów Dave'a. Używała dostawcy usług VoIP. Czekamy na pozwolenie na skontrolowanie jej rachunków. Przypuszczalnie uiszczała je, używając przedpłaconej karty. Jeśli zdobędziemy jej numer, może się dowiemy, czy płaciła nią także za inne rzeczy.

Każdy nowy detal klaustrofobicznego życia Mercy przygnębiał Sarę coraz bardziej.

– Dowiedziałeś się czegoś o Delilah?

– Ma dom na własność. Wygląda na to, że głównym źródłem jej dochodów jest internetowa sprzedaż mydła, które sama robi. Do tego dochodzą wypłaty z rodzinnego funduszu. Raport kredytowy nie budzi większych zastrzeżeń. Samochód jest prawie spłacony i ma około trzydziestu tysięcy dolarów na koncie oszczędnościowym. Nieźle, choć nie jest tak zamożna jak reszta rodziny.

– Z pewnością jest w lepszym położeniu, niż była Mercy.

– Owszem. – Will potarł szczękę, patrząc, jak jakiś samochód powoli przejeżdża przez dość głęboką i zamuloną kałużę. Zdenerwowanie Willa było wyraźnie wyczuwalne; był napięty jak struna. Wyglądało na to, że jeśli wkrótce nie pojawią się quady, ruszy górskim szlakiem pieszo. – Szef kuchni jest czysty. Kelnerzy to młodziaki.

– Jaki masz plan? – zapytała Sara.

– Musimy znaleźć złamaną rękojeść noża, ale to jak szukanie igły w stogu siana. A raczej w lesie. Chcę porozmawiać z każdym, kto poprzedniego wieczoru był w ośrodku. Sprawca zgwałcił Mercy, zanim ją zamordował.

– Nie mamy pewności, czy została zgwałcona. Spodnie mogły zostać ściągnięte podczas szamotaniny. – Sara też miała zadanie do wykonania. I kierowała się tylko nauką. – Zwrócę szczególną uwagę na wszelkie oznaki napaści seksualnej i zrobię wymazy. Jestem pewna, że osoba, która przeprowadzi właściwą sekcję, bardzo dokładnie skontroluje stan pochwy, ale jak wiesz, gwałt nie zawsze jest łatwy do stwierdzenia *post mortem*.

– Nie mów tego Amandzie. Nie cierpi, kiedy używasz tej medycznej terminologii.

– A jak sądzisz, dlaczego to przy niej robię? – Sara wiedziała, że rozbawi go tym pytaniem.

Niestety, także i tym razem uśmiech nie zagościł długo na twarzy Willa.

– Gdzie oni się podziewają? – Spojrzał na zegarek. – Muszę wrócić do ośrodka i zacząć zadawać pytania. Mieli aż nadto czasu, żeby uzgodnić wersje zdarzeń. Byłoby dobrze, gdyby Faith pomogła mi je rozdzielić. Potrzebuję dostępu do rejestru gości, żeby zweryfikować nazwiska.

– Myślisz, że McAlpine'owie zmuszą cię do zdobycia nakazu rewizji?

Will uśmiechnął się chytrze.

– Napomknąłem Frankowi, że przydałoby się trochę poszperać w biurze.

– Zanim ta sprawa się skończy, będzie się widział z odznaką policyjną na piersi – stwierdziła Sara. – Biedna Mercy, właściwie była więźniem we własnym domu. Bez samochodu. Bez pieniędzy. Bez wsparcia. Zupełnie sama.

– Szef kuchni jest na pierwszym miejscu mojej listy osób do przesłuchania. Spośród nich wszystkich miał z Mercy najlepszy kontakt.

Sara pamiętała, jak w kuchni powiódł spojrzeniem za Mercy.

– Myślisz, że wcale nie była taka samotna?

– Niewykluczone – odparł. – Ale najpierw porozmawiam z kelnerami, może coś zauważyli. Barmanka ma cztery mandaty za jazdę pod wpływem alkoholu, ale wszystkie z lat dziewięćdziesiątych. Dlaczego tylu ludzi wsiada tutaj za kółko po pijaku?

– Mała mieścina. Nie ma tu wielu zajęć, więc piją i pakują się w kłopoty.

– Dorastałaś w małym miasteczku.

– Dlatego coś o tym wiem.

Will ponownie spojrzał na parking. Tym razem odetchnął z ulgą. Przez szum deszczu przedarło się niskie dudnienie wysokoprężnego silnika pikapa F-350. Na platformie stały dwa quady kawasaki mule z oponami terenowymi i oznaczeniami GBI. Sara poczuła nieprzyjemne ukłucie w żołądku na myśl o tym, że Will ma wracać na górę. Ktoś z ośrodka brutalnie zamordował Mercy McAlpine. Wszyscy mieszkańcy kompleksu zapewne czuli się teraz bezkarnie. A Will zamierzał to zmienić.

Sara postanowiła zająć myśli czymś innym niż troskami. Pocałowała Willa w policzek.

– Idę. Nadine pewnie już na mnie czeka.

– Zadzwoń do mnie, gdyby coś się działo.

Patrzyła, jak Will zeskakuje z rampy i biegnie w stronę pikapa przez strugi deszczu, ze zwieszoną zranioną ręką, z bandażem, który znów moknie.

Wchodząc do budynku, Sara zanotowała w pamięci, by poszukać jakichś antybiotyków. Ciężkie metalowe drzwi odcięły dźwięki ulewy. Nagła cisza sprawiła, że zaczęło dzwonić jej w uszach. Poszła długim korytarzem prowadzącym do kostnicy. Górne światła migotały. Spod paneli podłogowych wyzierała wilgoć. Wzdłuż ścian stała aparatura z niedawno zlikwidowanego oddziału położniczego.

Doszła do wniosku, że ten szpital podzieli los wielu prowincjonalnych placówek i zostanie zamknięty jeszcze przed końcem roku. Brakowało personelu. Na całym oddziale ratunkowym pracowali tylko jeden lekarz i dwie pielęgniarki. Nawet dwukrotnie liczniejsza kadra byłaby niewystarczająca. Po ukończeniu studiów medycznych Sara czuła ogromną dumę ze służenia lokalnej społeczności, jednak obecnie małomiasteczkowe szpitale nie mogły znaleźć pracowników, a z zatrzymaniem ich na dłużej były jeszcze większe kłopoty. Nadmiar polityki i deficyt zdrowego rozsądku przyczyniały się do masowych odejść.

– Doktor Linton? – Przed zamkniętymi drzwiami kostnicy czekała na nią Amanda. Miała nieprzyjemny wyraz twarzy, w dłoni trzymała telefon. – Musimy porozmawiać.

Sara przygotowała się na kolejną batalię.

– Jeśli szukasz we mnie sojusznika, który pomoże ci odciągnąć Willa od tej sprawy, to marnujesz czas.

– Jak na miesiąc miodowy nie wydajesz się szczególnie słodka.

Sara wybrała milczenie zamiast odpowiedzi.

– Cóż, dobrze – powiedziała Amanda. – Opisz mi ofiarę.

Sara potrzebowała chwili na przestawienie mózgu w tryb zawodowy.

– Mercy McAlpine, biała kobieta, lat trzydzieści dwa. Znaleziono ją na terenie rodzinnej posiadłości z wieloma ranami kłutymi w klatce piersiowej, plecach, ramionach i szyi. Miała opuszczone spodnie, co może wskazywać na napaść na tle seksualnym. Odłamane ostrze narzędzia zbrodni tkwiło w górnej części tułowia. Żyła jeszcze, gdy ją odnaleziono, lecz nie podała żadnych informacji, które pozwoliłyby zidentyfikować sprawcę. Zmarła około północy.

– Miała na sobie to samo ubranie, w którym widziałaś ją podczas kolacji? – Sara nie zastanawiała się nad tym wcześniej, lecz teraz potwierdziła, natomiast Amanda zadała kolejne pytanie: – A pozostali? Jak byli ubrani, gdy zobaczyłaś ich już po znalezieniu Mercy?

Dopiero po dłuższej chwili do Sary dotarło, że Amanda przesłuchuje ją w charakterze świadka.

– Cecil był w samych bokserkach, bez koszulki. Bitty miała na sobie ciemnoczerwony szlafrok frotté. Christopher był w szlafroku łazienkowym w rybki. Chuck w podobnym, tylko z wzorkiem gumowych kaczek. Delilah miała na sobie zieloną dwuczęściową piżamę; spodnie i zapinaną koszulę. Frank był w bokserkach i podkoszulku. Monica miała na sobie czarną halkę do kolan. Nie widziałam Drew, Keishy, Sydney ani Maxa. Faceci od aplikacji byli w bieliźnie. Will trafił na Paula, kiedy ten wychodził spod prysznica.

– Czyli to Paul brał prysznic o pierwszej w nocy?

– Zgadza się – odparła Sara. – Jeśli ma to jakiekolwiek znaczenie, ci faceci nie wyglądają na takich, którzy lubią wcześnie kłaść się spać.

– Zauważyłaś cokolwiek podejrzanego? Ktoś się wyróżniał?

– Nie, poza tym, że nie nazwałabym reakcji rodziny Mercy normalną.

– Opowiedz mi o tym.

– Pierwsze, co mi się kojarzy, to oziębłość, ale nie mogę powiedzieć, żeby wywarli na mnie dobre wrażenie wcześniej, zanim jeszcze dowiedzieli się o śmierci Mercy. – Sara starała się przypomnieć sobie szczegóły kolacji. – Matka jest bardzo drobnej postury i wydaje się silnie podporządkowana mężowi. Gdy córka została publicznie upokorzona, jeszcze dolała oliwy do ognia. Brat Mercy jest dziwny w ten szczególny sposób, w jaki bywają dziwni niektórzy mężczyźni. Ojciec robił show dla gości, ale jeśli chodzi o mnie, zgaduję, że zostałabym potraktowana zupełnie inaczej, gdyby wiedział, że jestem lekarzem, a nie nauczycielką chemii. Sprawia wrażenie człowieka, który akceptuje kobiety wyłącznie w tradycyjnych rolach z ubiegłego stulecia.

– Podobnie jak kiedyś mój ojciec – zauważyła Amanda. – Był ze mnie bardzo dumny, kiedy wstąpiłam do policji, ale gdy tylko przewyższyłam go stopniem, zaczął mnie niszczyć.

Sara z pewnością przeoczyłaby ulotny grymas smutku, gdyby akurat nie patrzyła Amandzie prosto w oczy.

– Przykro mi. To musiało być trudne.

– Cóż, teraz już nie żyje – skwitowała Amanda. – Spisz wszystkie swoje spostrzeżenia i prześlij mi mailem. Jaki masz plan w kwestii ciała?

– Hmm... – Będąc z Willem, Sara trochę przywykła do nagłych zmian tematu, ale Amanda była w tym mistrzynią. – Nadine pomoże mi przeprowadzić badanie fizykalne. Sprawdzimy zadrapania pod kątem drobin paznokci, poszukamy włókien i włosów, śladów krwi, moczu i ewentualnie nasienia. Wszystko zostanie przekazane do laboratorium do natychmiastowej analizy. Pełna sekcja zwłok odbędzie się jutro po południu w centrali. Przełożyli ją na późniejszą godzinę, kiedy powiadomiłam ich, że nie mamy już podejrzanego w areszcie.

– Znajdź jakiekolwiek dowody pozwalające przywrócić wcześniejszy termin. – Amanda otworzyła drzwi.

Jaskrawe światło jarzeniówek zapiekło Sarę w oczy. Tutejsza kostnica wyglądała jak wszystkie inne, które budowano po drugiej wojnie światowej przy szpitalach w małych miasteczkach. Niski sufit. Wszystko wyłożone żółtymi i brązowymi kafelkami. Panele świetlne na ścianach. Regulowane oświetlenie zawieszone nad ceramicznym stołem do autopsji. Zlew ze stali nierdzewnej zamontowany w długim blacie. Komputer i klawiatura na drewnianym szkolnym biurku. Stolik na kółkach i tace z instrumentami do badań. Chłodnia na dwanaście ciał z komorami ułożonymi w cztery kolumny po trzy. Sara sprawdziła, czy ma wszystko, czego potrzebuje do badania: sprzęt ochronny, aparat fotograficzny, probówki i torebki na próbki, skrobak do paznokci, pęsety, nożyczki, skalpele, szkiełka laboratoryjne, zestaw do badań ofiar gwałtu.

– Nie udało się znaleźć Jona? – zapytała Amanda.

Sara pokręciła głową.

– Pewnie odsypia ciężkiego kaca. Po badaniu zamierzam ponownie spotkać się z jego ciotką, by go poszukać.

– Powiedz mu, że w pewnym momencie będzie musiał złożyć oświadczenie. Może okazać się bardzo pomocny do uściślenia osi czasu i ustalenia, kto jako ostatni widział Mercy żywą – powiedziała Amanda. – O ile pamiętam, Jon był z tobą, kiedy usłyszałaś drugi i trzeci krzyk.

– Zgadza się – potwierdziła Sara. – Zobaczyłam, jak wychodzi z domu z plecakiem. Wydaje mi się, że planował uciec. Zatarg z Mercy przy kolacji był bardzo emocjonalny.

– Podczas tych poszukiwań sprawdź, co uda ci się wyciągnąć od ciotki – poleciła Amanda. – Delilah coś wie.

– O morderstwie?

– O rodzinie. Nie jesteś jedyną osobą w zespole, która kieruje się intuicją.

Zanim Sara zdążyła dopytać o coś więcej, przekładnie windy towarowej wydały złowieszczy zgrzyt. Spod drzwi przesączyła się woda.

– Gdybyś miała teraz zgadywać, kto byłby twoim głównym podejrzanym? – zapytała Amanda.

– Ktoś z rodziny – rzuciła Sara bez namysłu. – Mercy stała im na drodze do pieniędzy ze sprzedaży obiektu.

– Mówisz jak Will. Uwielbia motywy finansowe.

– Nie bez powodu. Spoza rodziny obstawiałabym Chucka. Budzi skrajną niechęć. Podobnie zresztą jak brat Mercy, jeśli już o tym mowa.

Amanda kiwnęła głową i spojrzała na telefon.

Sara uzmysłowiła sobie, że znów nie nadąża za rozwojem wydarzeń. Dopiero teraz przyszło jej do głowy, że to bardzo dziwne, by zastępca dyrektora brał udział we wstępnym badaniu zwłok. Pełna autopsja, wiążąca się z otwarciem ciała, miała odbyć się w centrali i zostać wykonana przez inną osobę z zespołu. Podczas badania fizykalnego Sara zapewne nie znajdzie żadnych cennych dowodów. Robiła to głównie po to, by zyskać na czasie i jak najszybciej wysłać do laboratorium próbki krwi, moczu i zbadać inne ślady. W chwili odnalezienia Mercy była częściowo zanurzona w wodzie. Prawdopodobieństwo, że Sara natknie się tego ranka na jakiekolwiek wskazówki wymagające natychmiastowego działania, było bliskie zeru.

Co w takim razie robiła tutaj jej szefowa?

Zanim zdążyła o to zapytać, drzwi windy otworzyły się z jękiem i polało się jeszcze więcej wody. Po jednej stronie szpitalnego łóżka stała Nadine, po drugiej Biszkopt. Wzrok Sary spoczął na worku ze zwłokami. Biały winyl, zgrzewane krawędzie, wzmocniony zamek błyskawiczny z grubymi plastikowymi zębami. Zarys ciała Mercy był subtelny, jakby po śmierci udało się jej zrobić to, do czego zmuszano ją przez całe życie: zniknąć.

Sara odsunęła na bok inne sprawy. Pomyślała o ostatnim razie, gdy widziała ją żywą. Mercy była zawstydzona, lecz dumna. Przywykła do samodzielności. Wtedy pozwoliła Sarze opatrzyć skaleczony kciuk. Teraz Sara miała zająć się jej ciałem.

– Szeryfie Hartshorne, dziękuję, że zechciał pan do nas dołączyć – powiedziała Amanda.

Udawana wdzięczność w jej głosie nie rozbroiła go całkowicie.

– Mam prawo tutaj być.

– Oczywiście może pan skorzystać z tego prawa.

Sara zignorowała osłupiałą minę szeryfa. Podniosła stopkę wózka do transportu zwłok i pomogła Nadine wjechać nim do kostnicy. W milczeniu przeniosły worek z Mercy na stół i odsunęły wózek. Następnie założyły fartuchy, maski oddechowe, przyłbice, okulary ochronne i rękawice. Wprawdzie Sara nie miała w planach pełnej autopsji, lecz ciało Mercy przez kilka godzin leżało w upale i wilgoci, przemieniając się w toksyczną miksturę lotnych patogenów.

– Może my też powinniśmy założyć maski – zasugerował Biszkopt. – Mnóstwo fentanylu. Mercy przez wiele lat była silnie uzależniona. Odwalimy tutaj kitę od samego wdychania oparów.

Sara obrzuciła go wzrokiem.

– Fentanyl tak nie działa.

Szeryf zmrużył oczy.

– Widziałem dorosłych mężczyzn, których powalił.

– A ja widziałam pielęgniarki, które przypadkiem wylały go sobie na ręce i śmiały się z własnej niezdarności. – Sara spojrzała na Nadine.

– Gotowa?

Nadine skinęła głową i zaczęła rozpinać zamek.

W pierwszych latach pracy Sary w zawodzie koronera worki na zwłoki miały konstrukcję podobną do śpiworów, z klinem w dolnej części. Wytwarzano je z czarnej folii i wyposażano w metalowe zamki. Teraz worki były białe, produkowane z różnych materiałów i w różnych kształtach, w zależności od zastosowania. W odróżnieniu od tych starszych, ich przemysłowe zapięcia zapewniały pełną szczelność. Ulepszenia były warte swojej ceny. Biel ułatwiała wizualną identyfikację dowodów. Wodoodporność zapobiegała przeciekom. W przypadku zwłok Mercy McAlpine potrzebne było jedno i drugie. Wielokrotnie dźgnięto ją nożem. Miała przebite jelita. Niektóre z jej narządów zostały otwarte. Rozpoczął się proces gnilny, wskutek czego ze wszystkich otworów zaczęły wyciekać płyny.

– Kurwa! – Biszkopt zakrył nos i usta obiema dłońmi, chroniąc się przed odorem. – Chryste Panie.

Sara pomogła Nadine uporać się z górną częścią worka. Biszkopt otworzył drzwi i stanął w progu. Amanda nawet nie drgnęła, jeśli nie liczyć tego, że zaczęła coś zapisywać w telefonie.

Przed przystąpieniem do pracy Sara przywołała konieczny spokój.

Podczas prześwietlenia rentgenowskiego Mercy znajdowała się w worku i nie zdjęto jej odzieży. Obchodzenie się ze zwłokami może być niebezpieczne. Ubrania mogą skrywać broń, igły i inne ostre przedmioty. Mercy zaś miała nóż tkwiący w klatce piersiowej.

Górna część ciała wciąż była osłonięta koszulą Willa. Tkanina owinęła się wokół czubka złamanego ostrza, które sterczało z piersi Mercy niczym płetwa rekina. Krew i ścięgna zaschły wokół ząbkowanej krawędzi. Sara domyślała się, że na obrazach rentgenowskich wyjdzie na jaw dokładne ułożenie ostrza, które przeniknęło ciało od łopatki do okolic mostka. Zabójca prawdopodobnie był praworęczny. Miała nadzieję, że gdy odnajdzie się rękojeść, uda się zebrać z niej odciski palców.

Sara powiodła wzrokiem po ciele od góry do dołu. Oczy Mercy były szeroko otwarte, rogówki zmętniałe. Miała rozchylone usta, bladą skórę plamiły zaschnięta krew i ziemia. Na szyi widniały ślady kilku płytkich ran kłutych. Tam, gdzie ostrze rozcięło skórę, widniała biel prawego obojczyka. Rany w części brzusznej i na górze ud znikały w końcówce worka na zwłoki. Każdy centymetr odsłoniętej skóry ukazywał brutalność mordu.

– Niech Bóg pobłogosławi jej duszę – szepnęła Nadine. – Nikt nie zasługuje na taki kres.

– To prawda. – Sara nie mogła poddać się poczuciu bezsilności. – Wolisz nagrywać czy pisać? – zapytała.

– Zawsze czuję się trochę głupio, mówiąc do dyktafonu – odparła Nadine. – Zwykle po prostu wszystko zapisuję.

Sara dla odmiany na ogół nagrywała, lecz pamiętała, że to teren Nadine.

– Mogłabyś sporządzić notatki?

– Jasne. – Nadine sięgnęła po notes i długopis. Nie czekała na sygnał Sary, by zacząć. Sara przez chwilę czytała do góry nogami wyraźne, drukowane litery. Nadine zanotowała datę, godzinę i miejsce, a potem dopisała personalia Sary, Hartshorne'a i własne. Zapytała Amandę: – Przepraszam, ale czy możesz mi przypomnieć, jak się nazywasz?

Patrząc na poturbowane ciało Mercy, Sara prawie nie zarejestrowała odpowiedzi Amandy. Dżinsy ofiary wciąż były opuszczone do kostek, ale ciemnofioletowa bielizna w stylu bikini pozostała opięta na biodrach. Pod gumką zgromadziła się ziemia. Jej smugi ciągnęły się też po nogach i wżarły w dżinsy. Na lewym udzie Mercy miała skupisko okrągłych blizn.

Sara rozpoznała w nich oparzenia od gaszenia papierosów. Will miał podobne ślady na piersiach.

Na myśl o mężu poczuła ucisk w gardle. Jej umysł przywołał scenę, gdy trącała go nosem w ramię na ławeczce widokowej. Wtedy jeszcze myślała, że najgorszą rzeczą, jaka przydarzy się jej w czasie miesiąca miodowego, będzie patrzenie na wewnętrzne rozterki Willa myślącego o nieżyjącej matce.

Mercy też była nieżyjącą matką. Miała szesnastoletniego syna, który zasługiwał na to, by wiedzieć, kto mu ją odebrał.

– W porządku – odezwała się Nadine, przewracając kartkę w notesie. – Działajmy.

Sara przystąpiła do badania i opisywania spostrzeżeń. Ciało Mercy przekroczyło już szczytowe stadium stężenia pośmiertnego, lecz kończyny nadal były sztywne. Mięśnie twarzy zastygły w wyrazie potwornego bólu. Jej górna część ciała nie leżała w jeziorze zbyt długo, lecz skóra na karku i ramionach była luźna i naznaczona plamami od wody. Mercy miała splątane włosy. Jej blada skóra zabarwiła się na różowo od krwi unoszącej się w wodzie.

Błysnął flesz. To Nadine zaczęła robić zdjęcia. Sara pomogła jej ułożyć miarki, ułatwiające oszacowanie wielkości obiektów. Pod paznokciami Mercy zgromadził się brud. Wzdłuż tylnej części prawego ramienia biegło długie zadrapanie. Prawy kciuk wciąż był zabandażowany po tym, jak Sara zaszyła skaleczenie od potłuczonej szklanki. Ciemne plamy krwi na opatrunku wskazywały na to, że szwy puściły, prawdopodobnie podczas napaści. Czerwone ślady duszenia, które Sara dostrzegła na szyi Mercy w łazience, stały się wyraźniejsze, lecz do chwili śmierci nie upłynęło wystarczająco dużo czasu, by przemieniły się w siniaki.

Sara uniosła prawą rękę Mercy, aby zajrzeć pod spód. Potem tak samo sprawdziła lewą. Palce i kciuki były podkurczone, lecz nie do tego stopnia, by nie było widać wnętrza dłoni. Żadnych cięć od noża. Brak obrzęków. Nie było nawet draśnięcia.

– Wydaje się nie mieć żadnych ran wskazujących na bronienie się.

– Po prostu ich jeszcze nie znalazłyśmy – odparła Nadine. – Mercy była waleczna. Nie ma mowy, żeby tak po prostu stała i przyjmowała na siebie ciosy.

Sara nie próbowała wyperswadować jej tego poglądu. Prawda jest jednak taka, że nikt nie wie, jak zareaguje na fizyczną napaść, dopóki nie zostanie napadnięty.

– Stan jej obuwia pozwala domyślić się części historii. Przez jakiś czas w trakcie ataku Mercy prawdopodobnie stała. Widoczne na butach rozpryski pochodzą z krwi tętniczej. Mogą być skutkiem wbijania i wyciągania noża. Na czubkach zgromadziła się ziemia. Widzieliśmy ślady ciągnięcia ciała z domku w stronę jeziora. Gdy to się działo, Mercy była zwrócona twarzą w dół. Ziemia osadziła się też za gumką bielizny, na kolanach i w fałdach dżinsów.

– Ziemia wygląda tak samo jak ta, co na brzegu jeziora – zauważyła Nadine. – Pójdę tam później i pobiorę próbki do porównania.

Sara kiwnęła głową, a Nadine wróciła do fotografowania śladów. Przez kilka minut słyszała jedynie szum kompresora w komorach na zwłoki, trzask lampy błyskowej aparatu i ciche stukanie Amandy w ekran telefonu.

Kiedy Nadine skończyła, Sara pomogła jej rozłożyć pod stołem gruby biały papier. Następnie wzięła z tacy szkło powiększające. Pracowały ręka w rękę, przeglądając każdy skrawek ubrania Mercy w poszukiwaniu śladów. Sara znalazła kosmyki włosów, okruchy ziemi i inne drobiny, które trafiły do woreczków na dowody. Nadine działała spokojnie i systematycznie; oznaczała każdy dowód i sporządzała notatki z informacjami, gdzie został znaleziony.

Następny krok był niepomiernie trudniejszy niż poprzednie. Musiały zdjąć z Mercy ubranie. Nadine rozłożyła na podłodze świeży papier. Wyłożyła nim też długi blat przy zlewie z myślą o ponownym przeszukaniu odzieży po jej zdjęciu.

Rozbieranie zwłok okazało się czasochłonne i żmudne, zwłaszcza że ciało wciąż było sztywne. Liczba drobnoustrojów w organizmie przeciętnego człowieka jest porównywalna do liczby jego komórek. Większość bakterii bytuje w jelitach i wykonuje pożyteczną pracę, polegającą na przetwarzaniu substancji odżywczych. Za życia układ odpornościowy utrzymuje ich populację pod kontrolą. Ale po śmierci bakterie przejmują ciało we władanie, żerując na tkankach i uwalniając metan i amoniak. Gazy te powodują opuchnięcie ciała, a tym samym rozciągnięcie skóry.

Koszulka Mercy była tak opięta, że trzeba było ją rozciąć. Fiszbiny stanika, po oderwaniu od klatki piersiowej, pozostawiły pod biustem wgłębienie półcentymetrowej głębokości. Sara odnalazła szew bielizny i przecięła ją. Gumka także pozostawiła ślad. Cienką tkaninę trzeba było ostrożnie usunąć. W niektórych miejscach odchodziła z kawałkami skóry. Sara delikatnie umieszczała poszczególne części na papierze, niczym elementy układanki.

Aby zdjąć dżinsy Mercy, należało zacząć od butów. Nadine rozwiązała sznurowadła, a Sara pomogła ściągnąć obuwie. Ściągacze bawełnianych sportowych skarpet były luźne, co ułatwiło ich zdjęcie. Mimo to dzianina pozostawiła na skórze gruby pleciony wzór. Zdejmowanie dżinsów okazało się znacznie większym wyzwaniem. Tkanina była gruba i sztywna od krwi i innych zaschniętych płynów. Sara ostrożnie przecięła ją najpierw z jednej, a potem z drugiej strony, by rozpołowić spodnie na podobieństwo muszli małża. Nadine zaniosła dżinsy na blat. Owinęła obie połówki w papier, aby zapobiec przenoszeniu się zanieczyszczeń.

Wszyscy w milczeniu pozwalali Nadine działać. Nikt nie patrzył na ciało. Sara dostrzegła ponury wyraz twarzy Amandy wpatrującej się w telefon. Biszkopt wciąż stał w drzwiach, tylko w pewnej chwili odwrócił głowę w stronę końca korytarza, jakby dobiegł go stamtąd jakiś dźwięk.

Gdy Sara ponownie przyjrzała się ciału, poczuła ucisk w gardle. Naliczyła co najmniej dwadzieścia ran kłutych. Większość ciosów przyjął na siebie tułów, lecz dostrzegła też rozcięcie na lewym udzie. Jedna rana znajdowała się na prawym ramieniu. W niektórych miejscach ostrze zostało wbite do samego końca, pozostawiając na skórze zarys zaginionej rękojeści.

Świeże rany nie były jedynymi oznakami obrażeń cielesnych.

Ciało Mercy zdradzało całe życie w cieniu przemocy. Blizna na twarzy straciła kolor, lecz nawet ona nie mogła się równać z innymi szramami, znaczącymi jej skórę. Głębokie ciemne linie owijały się wokół jej brzucha i świadczyły o uderzeniach czymś ciężkim i o wyraźnej fakturze, prawdopodobnie grubym sznurem. Sara z łatwością rozpoznała ślad po klamrze paska na biodrze Mercy. Lewe udo było poparzone żelazkiem. Wokół brodawki na prawej piersi widniały liczne oparzenia po papierosach. Przez lewy nadgarstek biegła cienka prosta kreska.

– Wiesz o jakichś jej próbach samobójczych? – zapytała Sara.

– Było ich kilka – za Nadine odpowiedział Biszkopt. – Kilkakrotnie przedawkowała. A blizna, na którą teraz patrzysz, pochodzi jeszcze z czasów szkoły średniej. Wdała się w kolejną bójkę z Dave'em. Rozciął jej nadgarstek w magazynku obok sali gimnastycznej. Miała szczęście, że znalazł ją trener. Inaczej by się wykrwawiła.

Sara spojrzała na Nadine, oczekując potwierdzenia tych informacji. Kobieta miała łzy w oczach. Skinęła głową, po czym sięgnęła po aparat, by udokumentować obrażenia.

Także i tym razem Sara ustawiła miarki w odpowiednich miejscach. Robiąc to, zastanawiała się, ile czasu zajmuje dźgnięcie człowieka tyle razy. Dwadzieścia sekund? Trzydzieści? Na plecach i nogach były kolejne rany kłute. Ktokolwiek zamordował Mercy McAlpine, desperacko pragnął jej śmierci.

To, że nie do końca mu się to powiodło, a Mercy wciąż żyła po podpaleniu domku i po eskapadzie Willa przez las, było świadectwem jej niezwykłej wytrzymałości.

W końcu Nadine odłożyła aparat i kolejny raz głęboko odetchnęła, by przygotować się na to, co czekało je obie za chwilę.

Badanie pod kątem gwałtu.

Nadine rozpieczętowała kartonowe pudełko, w którym znajdowało się wszystko, co niezbędne do zebrania dowodów napaści na tle seksualnym: sterylne pojemniki, waciki, strzykawki, szkiełka laboratoryjne, gotowe do zaklejenia koperty, narzędzia do pobierania próbek spod paznokci, etykiety, sterylna woda i sól fizjologiczna, plastikowy wziernik oraz grzebień. Gdy Nadine rozkładała poszczególne akcesoria na tacy, Sara zauważyła, że drżą jej ręce. Odsunęła przyłbicę i okulary ochronne i otarła łzy wierzchem ramienia. Współczuła jej z całego serca. Wiele razy była na jej miejscu.

– Chcesz zrobić przerwę? – zapytała.

Nadine pokręciła głową.

– Tym razem jej nie zawiodę.

Sara także miała poczucie winy z powodu Mercy. Nieustannie wracała myślami do sceny w łazience przy kuchni. Mercy powiedziała jej wtedy, że prawie wszyscy na tej górze chcą ją zabić. Sara zbyt łatwo odpuściła dalszą indagację, gdy Mercy nabrała wody w usta.

– W takim razie zaczynajmy – zwróciła się do Nadine.

Ze względu na *rigor mortis* musiały siłą rozchylić uda Mercy. Sara ujęła ją za jedną nogę, Nadine za drugą. Ciągnęły, aż stawy biodrowe ustąpiły z potwornym trzaskiem.

Stojący w drzwiach Biszkopt odkaszlnął.

Sara ułożyła kwadratową białą tekturkę pod łonem Mercy. Najpierw użyła grzebienia, ostrożnie wyczesując włosy łonowe. Na tekturkę spadały luźne włosy, drobiny ziemi i inne zanieczyszczenia. Nie bez satysfakcji zauważyła cebulki na końcach niektórych włosów. Cebulki dawały możliwość wykonania badań DNA.

Przekazała tekturkę i grzebień Nadine, aby mogła umieścić oba przedmioty w torebkach na dowody.

Następnie przy użyciu wymazówek o różnej długości Sara wykonała badanie mające na celu sprawdzenie obecności nasienia po wewnętrznej stronie ud Mercy. Potem odbytu. I ust. Nadine pomogła jej siłą otworzyć usta. Znów rozległ się głośny trzask ustępujących stawów. Sara skorygowała położenie lampy oświetlającej stół sekcyjny. Nie zauważyła żadnych obrażeń wewnątrz jamy ustnej. Potarła wymazówką policzki, język i tył gardła.

Plastikowy wziernik znajdował się w hermetycznym opakowaniu. Nadine rozerwała je i wręczyła instrument Sarze, która ponownie poprawiła górną lampę. Musiała siłą wcisnąć wziernik do kanału rodnego. Nadine podała jej wymazówki.

– Wygląda na to, że w pochwie są śladowe ilości nasienia – zauważyła Sara.

Biszkopt ponownie odkaszlnął.

– Czyli została zgwałcona.

– Obecność nasienia sugeruje odbycie stosunku seksualnego. Nie widzę żadnych obrzęków ani urazów.

Sara podała Nadine do opisania ostatnią wymazówkę i założyła świeże rękawiczki. Pomyślała o wszystkich mężczyznach, którzy byli w ośrodku poprzedniego wieczoru. Szef kuchni. Dwóch młodych kelnerów. Chuck. Frank. Drew. Gordon i Paul. Inwestor Max. Wzięła pod uwagę nawet brata

Mercy, Christophera. Sara siedziała z nimi przy stole. Każdy z nich mógł być zabójcą.

Nadine wróciła do stołu sekcyjnego. Sara pobrała krew z serca za pomocą dużej strzykawki. Następną strzykawką pobrała mocz z pęcherza. Wręczyła Nadine narzędzia do oznakowania, a potem, trzymając małą białą tekturkę pod palcami Mercy, drewnianą wykałaczką oczyściła miejsca pod paznokciami.

– Niewykluczone, że mam tu drobiny skóry – orzekła Sara. – Mogła zadrapać napastnika.

– Dzielna dziewczyna – powiedziała Nadine jakby z ulgą. – Mam nadzieję, że do krwi.

Sara też na to liczyła. Byłaby większa szansa na odizolowanie DNA.

Zamierzała właśnie poprosić Nadine o pomoc w odwróceniu ciała, gdy zabrzęczał czyjś telefon.

– To mój – oznajmiła Nadine. – Chyba mamy wyniki prześwietlenia.

Sara uznała, że wszystkim przyda się chwila przerwy.

– Przyjrzyjmy się im.

Nadine odetchnęła. Idąc w stronę biurka, opuściła maskę i ściągnęła rękawiczki. Sara zaczekała, aż zaloguje się do komputera, dopiero wtedy stanęła za nią. Po kilku kliknięciach na ekranie pojawiły się zdjęcia rentgenowskie Mercy. Choć były niewiele większe od miniatur, dobitnie świadczyły o historii przemocy.

Sara była zaskoczona nie tyle obecnością śladów starych złamań, co ich liczbą. Prawa kość udowa Mercy została złamana w dwóch miejscach, ale nie w tym samym czasie. Niektóre kości lewej dłoni wyglądały, jakby złamano je celowo. W wielu innych miejscach pęknięcia były mocowane śrubami i płytkami. Zauważyła też urazy w górnej części czaszki i w kości potylicznej. W okolicach nosa. W miednicy. Nawet kość gnykowa nosiła ślady dawnych krzywd.

Nadine dostrzegła to ostatnie. Powiększyła zdjęcie.

– Pęknięta kość gnykowa jest oznaką duszenia. Nie wiedziałam, że można żyć z takim urazem.

– Faktycznie, potencjalnie zagraża on życiu – przyznała Sara. Kość gnykowa łączy się z krtanią i bierze udział w wielu funkcjach dróg oddechowych, od wydawania dźwięków, przez kaszel aż po oddychanie. – Uraz wygląda na odizolowane złamanie rogu większego kości gnykowej. Mogła zostać zaintubowana albo przyjęta na dłuższy pobyt w szpitalu, w zależności od skali problemu.

– Dave podczas rozmowy z Faith zeznał, że Mercy sama pojechała do szpitala po epizodzie duszenia – wtrąciła Amanda. – Miała trudności z oddychaniem i została przyjęta na oddział.

– Sam przyjmowałem raport! – zawołał Biszkopt z progu. – To było co najmniej dziesięć lat temu. Mercy nie wspominała mi nic o duszeniu. Powiedziała, że potknęła się o jakąś kłodę i uderzyła w szyję.

Amanda posłała Biszkoptowi znaczące spojrzenie.

– Dlaczego w takim razie wezwano cię do sporządzenia raportu?

Na to pytanie Biszkopt nie znalazł odpowiedzi.

Sara wróciła do oglądania prześwietleń, a po chwili poprosiła:

– Możesz powiększyć miniaturę przedstawiającą to złamanie?

Nadine zaznaczyła zdjęcie kości udowej.

– Wolałabym, żeby wypowiedział się na ten temat radiolog sądowy, ale wydaje mi się, że do tego urazu doszło kilkadziesiąt lat temu. – Wskazała bladą kreskę biegnącą w dolnej połowie kości. – Złamanie u osoby dorosłej zazwyczaj ma ostre krawędzie, ale jeśli jest starsze, powiedzmy z czasów dzieciństwa, kość przebudowuje się i wyobla.

– Mamy do czynienia z czymś nietypowym? – zapytała Amanda.

– Pęknięcia kości udowej u dzieci zazwyczaj dotyczą jej trzonu. Ponieważ jest to najmocniejsza kość w organizmie człowieka, do jej złamania potrzeba dużej siły. – Sara wskazała na zdjęcie. – Mercy doznała złamania części przynasadowej. Toczyły się liczne dyskusje, które miały wyjaśnić, czy taki uraz wskazuje na znęcanie się nad dzieckiem, lecz nawet najnowsze badania nie dostarczyły jednoznacznej odpowiedzi.

– Co to oznacza? – zapytał Biszkopt.

– Cecil złamał jej nogę, kiedy była mała – odparła Nadine.

– Nie mówiła, kto jej to zrobił – zaoponował. – Nie wygaduj bzdur, których nie możesz poprzeć dowodami.

Nadine westchnęła ciężko i wyświetliła dwie kolejne miniatury.

– Ta metalowa płytka w ramieniu została założona po wypadku samochodowym, o którym ci mówiłam. A to... Widzisz miejsce, w którym musieli zrekonstruować jej miednicę? Tyle dobrego, że miała już wtedy Jona.

Sara wpatrywała się w zdjęcie rentgenowskie tułowia. Kości miednicy były jaskrawobiałe na tle czerni; kolejne kręgi wędrowały w górę, aż do klatki piersiowej. Organy wewnętrzne rysowały się w mdłych odcieniach szarości. Słaby zarys jelita cienkiego i grubego. Wątroba. Śledziona. Żołądek. I niewielki niewyraźny kształt, mający może pięć centymetrów, w którym można było dostrzec zaczątki tworzenia się kości.

Sara musiała odkaszlnąć, zanim się odezwała:

– Nadine, czy mogłabyś pomóc mi dokończyć testy pod kątem gwałtu, zanim ją odwrócimy?

Zdezorientowana Nadine sięgnęła po nową parę rękawiczek i dołączyła do Sary przy stole.

– Co mam zrobić?

Tak naprawdę Sara nie potrzebowała od niej niczego oprócz zatopienia się w jej kojącym spokoju. Na korytarzu stał ultrasonograf, lecz biorąc poprawkę na obecność Biszkopta, Sara nie zamierzała prosić o sprowadzenie aparatu do kostnicy. Podczas marszu Starym Szlakiem Kawalerskim Nadine zrobiła jej wykład o kleju, który przywiera do ludzi w małym miasteczku, i udzieliła jednej ważnej lekcji: tu nie ma czegoś takiego, jak tajemnica.

Sara musiała przeprowadzić badanie miednicy, aby potwierdzić to, co zobaczyła na zdjęciu rentgenowskim.

Mercy była w ciąży.

ROZDZIAŁ TRZYNASTY

– Kurwa, ja pierdolę... – Faith z całych sił starała się powstrzymać od walenia głową o kierownicę mini coopera. Ulewa w końcu minęła, lecz żwirowa droga przemieniła się w błotnisty koszmar. Kamienie bębniły o progi. Auto zdawało się ślizgać. Spojrzała w niebo. Słońce prażyło niemiłosiernie, jakby chciało wessać jak najwięcej wody z powrotem do chmur.

Może i strzeliła sobie w stopę, zgłaszając się na ochotnika do przesłuchania Penny Danvers, sprzątaczki i barmanki z ośrodka, ale zrobiła to, ponieważ nienawidziła sekcji zwłok. Uczestniczyła w nich, bo wymagała tego jej praca, lecz każdy aspekt badania budził w niej głębokie obrzydzenie. Nie udało się jej przywyknąć do obcowania z martwymi ciałami W rezultacie zamiast tańczyć taniec zwycięstwa po znakomitej robocie detektywistycznej, jaką okazało się przesłuchanie Dave'a McAlpine'a, tłukła się po zadupiach północnej Georgii.

Po cichu skarciła samą siebie. Przesłuchanie byłoby bardziej owocne, gdyby zwieńczyło je przyznanie się do winy lub wskazanie tropu jednoznacznie demaskującego zabójcę. Dzięki temu Jon mógłby zyskać jakieś poczucie zamknięcia sprawy. Ta gra nie toczyła się między dobrymi a złymi facetami. Mercy była matką. W dodatku nie matką jak każda inna, ale taką jak Faith. Obie urodziły synów, gdy same ledwie wyrosły z dzieciństwa. Faith miała to szczęście, że pomagała jej rodzina. Gdyby nie bliscy i ich niezawodne wsparcie, równie dobrze mogłaby skończyć jak Mercy McAlpine, a może nawet trwać w pułapce paskudnego związku z nieprawnym łotrem pokroju Dave'a. Gówniani faceci są jak okres. Po pierwszym w życiu zaczynasz ze strachem wypatrywać kolejnego.

Faith zerknęła na otwarty notes leżący na siedzeniu pasażera. Zanim wyjechała ze szpitala, wspólnie z Willem powiązali pory telefonów Mercy do Dave'a z tym, co Will słyszał, skąd to słyszał i z grubsza o jakiej godzinie. Udało się im opracować coś, co prawdopodobnie dobrze opisywało ostatnie półtorej godziny życia Mercy McAlpine.

22.30. *Widziana na obchodzie (świadek: Paul).*
22.47, 23.10, 23.12, 23.14, 23.19, 23.22. *Nieodebrane telefony do Dave'a.*
23.28. *Wiadomość na poczcie głosowej Dave'a.*
23.30. *Pierwszy krzyk, z okolic kompleksu (wycie).*
23.40. *Drugi krzyk, z okolic domków kawalerskich („pomocy").*
23.40. *Trzeci krzyk, z okolic domków kawalerskich („proszę").*
23.50. *Odkrycie ciała.*
Północ. Stwierdzenie zgonu (Sara).

Faith nie była zachwycona okrągłymi wartościami minut. Musiała dostać się do pensjonatu i zdobyć mapę. Przede wszystkim chciała ustalić zasięg wi-fi, aby określić, gdzie była Mercy, gdy dzwoniła do Dave'a. Na tej podstawie dałoby się wytyczyć trasy, którymi Mercy mogła dotrzeć do domków kawalerskich. Will mógł się pomylić o pięć minut w obie strony, co może nie wydaje się znaczącym błędem, lecz w dochodzeniu w sprawie morderstwa takiego jak to liczy się każda chwila.

Mercy wyświadczyła im tę przysługę, że dzwoniła wiele razy. Nagranie z poczty głosowej zostało już przekazane do laboratorium w celu przeprowadzenia analizy dźwięku, lecz na rezultaty musieli poczekać co najmniej tydzień. Faith wyjęła telefon z uchwytu i stuknęła nagranie z ostatnią wiadomością Mercy do Dave'a. W odbijającym się echem w aucie głosie kobiety brzmiała czysta rozpacz:

„Dave! Dave! Boże, gdzie jesteś! Oddzwoń, proszę, proszę! Nie mogę uwierzyć... Boże, nie mogę... Proszę, zadzwoń. Proszę. Potrzebuję cię. Wiem, że nigdy mi nie pomagałeś, ale teraz bardzo cię potrzebuję. Potrzebuję twojej pomocy, kochanie. Proszę, zadz...".

Wcześniej Faith nie zwróciła na to uwagi, lecz gdy Mercy stłumiła nagranie, zaczęła płakać. Siedząc w samochodzie, Faith w milczeniu odliczała kolejne z siedmiu sekund cichego szlochu.

„Co tutaj robisz?! Przestań! Dave zaraz tu będzie. Powiedziałam mu, co się stało. Jest już...".

Faith spojrzała na oś czasu. Trzydzieści dwie minuty później Mercy już nie żyła.

– Co ci się przydarzyło, Mercy? – zapytała Faith wnętrze samochodu.

– W co nie mogłaś uwierzyć?

Zobaczyła lub usłyszała coś, co przeraziło ją do tego stopnia, że wrzuciła ubrania oraz notes do plecaka i uciekła. Nie zabrała Jona, co oznaczało, że cokolwiek się wydarzyło, stanowiło zagrożenie jedynie dla niej. Sytuacja była wystarczająco poważna, by wezwać na pomoc Dave'a po latach jego nieobecności w jej życiu. Wystarczająco poważna, że nie zwróciła się do własnej rodziny.

Faith założyła, że najgorsze rozegrało się podczas trwającej 23 minuty przerwy między początkowym telefonem do Dave'a a pięcioma rozpaczliwymi próbami połączenia, z których pierwsza miała miejsce o 23.10. W pewnym momencie Mercy musiała też zahaczyć o dom, żeby spakować plecak. Faith nie była pewna, co zabrałaby ze sobą, gdyby musiała wyjechać na zawsze, lecz najważniejszą z tych rzeczy byłby list, który napisał do niej ojciec wkrótce przed śmiercią na raka trzustki. Nie było mowy, by Mercy zabrała notes, gdyby nie miał on dla niej wyjątkowego znaczenia.

Nie było też mowy, że laboratorium ukończy jego analizę przed upływem tygodnia.

„Dave zaraz tu będzie. Powiedziałam mu, co się stało".

Faith przypomniała sobie liczne sytuacje, w których mówiła jednemu mężczyźnie, że inny mężczyzna jest w drodze. Zwykle chciała wtedy po prostu spławić kogoś i spędzić wieczór samotnie. Bo przecież zawsze znalazł się jakiś koleś skory do flirtowania. Jedyny sposób na pozbycie się amanta polegał na poinformowaniu go, że inny samiec obsikał już hydrant, który ten właśnie wąchał.

Skojarzenia te skłoniły Faith do ponownego rozważenia zagadki zamkniętego pokoju. W powieściach należących do tego gatunku sprawcą czynu zazwyczaj jest osoba, którą najmniej by się o to posądzało. Dave był tak oczywistym podejrzanym, że równie dobrze mogłaby wskazywać go świecąca neonowa strzałka. Najniebezpieczniejszym momentem dla ofiary przemocy domowej jest ten, w którym opuszcza ona sprawcę. Duszenie jest podręcznikowym przejawem eskalacji przemocy. Ale nawet to, że się jest niepoprawnym skurwielem, nie czyni jeszcze człowieka mordercą. Faith ciągle wracała myślami do poczty głosowej. Przecież Mercy nie powiedziałaby Dave'owi, że Dave jest w drodze. A w pensjonacie było tylko kilku mężczyzn, których obecność mogła skłonić Mercy do przywołania jego imienia.

Chuck. Frank. Drew. Inwestor Max. Szef kuchni Alejandro. Gregg i Ezra, kelnerzy z miasta. Gordon i Paul, bo przecież nigdy nie wiadomo. Christopher też, bo wszak razem z Mercy na dobrą sprawę wychowali się w warunkach żywcem wyjętych z powieści Virginii Cleo Andrews, w górach północnej Georgii.

Faith ciężko westchnęła. Potrzebowała więcej informacji. Miała nadzieję, że Penny Danvers, barmanka i sprzątaczka z pensjonatu, okaże się równie spostrzegawcza i rozmowna jak Delilah na nagraniu Willa. Sprzątaczki w hotelach widują gości od najgorszej strony, a Bóg jeden wiedział, że swego czasu Faith też zdarzało się wylać niejeden kubeł prawdy na niczego niespodziewających się barmanów. Nie była to jednak ta królicza nora, do której powinna teraz wskoczyć. Postanowiła skupić się na niekończącej się szutrowej drodze. Spojrzała w lusterko wsteczne. Przed siebie. I na boki. Krajobraz wszędzie wyglądał tak samo.

– Ja pierdolę.

Czuła się całkowicie i nieodwołalnie zagubiona.

Zwolniła w poszukiwaniu oznak cywilizacji. Przez ostatni kwadrans widziała tylko pola, krowy i kilka nisko przelatujących ptaków. Nawigacja kazała jej skręcić w lewo na rozwidleniu, ale Faith zaczęła podejrzewać ją o zdradę. Spojrzała na komunikaty w telefonie. Brak sygnału. Zawróciła na trzy i ruszyła w stronę, z której przyjechała.

Dziwnym trafem w drodze powrotnej pola, krowy i nieliczne ptaki wyglądały jakoś inaczej. Opuściła obie boczne szyby i zaczęła nasłuchiwać odgłosów aut, traktorów tudzież wszelkich innych wskazówek, które pozwoliłyby jej się upewnić, że nie jest ostatnią żyjącą osobą na ziemi. Jedyne, co usłyszała, to jakieś głupie ptasie krakanie. Włączyła radio, spodziewając się odgłosów pozaziemskich cywilizacji albo wiadomości rolniczych, lecz została nagrodzona głosem Dolly Parton śpiewającej *Purple Rain*.

– Dzięki Bogu – mruknęła pod nosem. Przez wnętrze auta przetoczył się podmuch wiatru, susząc jej spocone plecy. Telefon zasygnalizował nadejście esemesa. Faith spojrzała na ekran. Złapała zasięg. Miała dwie nieodebrane wiadomości.

Wstukała PIN, powtarzając sobie, że może obsługiwać telefon i prowadzić, ponieważ jedyną osobą, jaką może zabić w tej okolicy, jest ona sama. Co też prawie uczyniła, gdy zobaczyła wiadomość od syna.

Dotarł do Quantico. I był zachwycony.

W głębi duszy Faith żywiła nadzieję, że Jeremy'emu się tam cholernie nie spodoba. Nie chciała, żeby jej syn został gliną. Nie chciała, żeby został agentem FBI. Nie chciała, żeby został agentem GBI. Wolała, żeby wykorzystał potencjał dyplomu obronionego w Georgia Tech, znalazł pracę biurową, nosił garnitur i zarabiał dużo pieniędzy. Na tyle dużo, żeby jego matka, która niechybnie doprowadzi do wypadku, pisząc esemesy w trakcie jazdy, trafiła do jakiejś znośnej placówki penitencjarnej.

Drugi esemes był niewiele lepszy. Matka wysłała jej zdjęcie Emmy z buzią pomalowaną na wzór Pennywise'a, klauna z powieści To. Faith zamierzała zapytać później, czy hołd dla horroru był zamierzony. Odesłała matce kilka serduszek, a potem wetknęła telefon z powrotem w uchwyt.

– Kurwa! – wrzasnęła.

Jakiś ptak prawie uderzył w przednią szybę. Faith szarpnęła kierownicą i zjechała na pobocze, ale zareagowała zbyt gwałtownie, bo samochód wpadł w poślizg. Czas dziwnie zwolnił. Wiedziała, co robić, gdy wpadnie się w poślizg na lodzie, ale czy tak samo jest w przypadku błota? Trzeba skręcić kierownicę w przeciwną stronę? Czy raczej wyląduje się wtedy w rowie?

Odpowiedź przyszła bardzo szybko. Mini cooper przemienił się w łyżwiarkę Kristi Yamaguchi, zrobił piruet wokół własnej osi i uniósł się na dwóch kołach, po czym sunął tak przez jakiś czas, dopóki nie wylądował w przeciwległym rowie.

Autem targnęły siły raptownego hamowania. Faith zabrakło powietrza, by puścić wiązankę, lecz obiecała sobie, że zrobi to od razu, gdy tylko rozluźni pośladki. Nie przychodziło jej na myśl wiele powodów, dla których ten dzień mógłby okazać się jeszcze gorszy.

Przynajmniej dopóki nie wysiadła i nie zobaczyła tylnego koła zakopanego w błocie.

– Jasna kur...

Przyłożyła pięść do ust. Pomyślała, że jakoś sobie poradzi. W końcu niejeden raz patrolowała miasto i widziała na swoich zmianach wielu kretynów, którym trzeba było pomóc wyciągnąć auto z rowu. Wydobyła z bagażnika zestaw ratunkowy, w którym znajdowały się koce, jedzenie, woda, krótkofalówka, latarka i składana saperka.

Purple Rain osiągnęło crescendo. Przyszło jej na myśl, że Dolly Parton doceniłaby zirytowaną matkę dwójki dzieci, która próbuje wygrzebać się z błota na odludziu, słuchając sztandarowego kawałka Prince'a. Od kopania rozbolały ją ręce. Oczyszczając miejsca pod kołami, przecierpiała całą piosenkę zespołu Nickelback. Na wszelki wypadek nabrała w garść trochę żwiru i podsypała pod tylną oponę. Kiedy skończyła, była cała umorusana. Zanim wróciła do auta, wytarła ręce w spodnie.

Wcisnęła gaz, modląc się o przyczepność. Samochód drgnął, a potem się cofnął. Powtarzała manewr, stopniowo bujając autem do przodu i do tyłu, aż koła złapały twardą nawierzchnię.

– Królowa szos jak chuj! – powiedziała do siebie.

– Trudno się nie zgodzić.

– Kurwa! – Faith podskoczyła, uderzając głową w szyberdach.

Po drugiej stronie rowu stała jakaś kobieta. Miała wychudzoną twarz, zmęczoną palącym słońcem i ciężkim życiem. Obok niej siedział pies rasy bluetick. Miała przerzuconą przez ramię strzelbę, która wisiała prawie poziomo niczym patykowata kończyna morderczego stracha na wróble. Ręce swobodnie opuściła po bokach.

– Nie sądziłam, że ci się uda – powiedziała nieznajoma. – Jeszcze nie spotkałam miastowego, któremu udałoby się wyjechać z takiego mokrego grajdołka.

Faith kupiła sobie chwilę na ostudzenie paniki, gmerając przy wyłączniku radia. Zastanawiała się, jak długo miała nieproszoną widownię. Zapewne wystarczająco długo, by kobieta dostrzegła tablice rejestracyjne z hrabstwa Fulton, które identyfikowały Faith jako mieszkankę Atlanty.

– Jestem z... – zaczęła.

– GBI – przerwała jej nieznajoma. – Jesteś partnerką tego wysokiego kolesia, Willa. Dobrze zgaduję? Tego od Sary.

Faith wydedukowała, że niechybnie ma rendez-vous z czarownicą.

– Nie usłyszałam twojego nazwiska.

– Bo go nie podałam. – Dumnie uniosła podbródek. – Kogo szukasz?

– Ciebie – domyślnie rzuciła Faith. – Penny Danvers.

Skinęła głową.

– Jesteś bystrzejsza, niż się wydajesz.

Faith przeciągnęła językiem po tylnej stronie zębów.

– Podrzucić cię do domu?

– A weźmiesz też psa?

Faith wątpiła, by w jej samochodzie mogło się zrobić brudniej.

– Mam nadzieję, że lubi cheeriosy. Córka często rzuca mi chrupkami w głowę.

Pies poczekał, aż Penny cmoknie, po czym zgrabnie przeskoczył odstęp między przednimi siedzeniami, omijając je ubłoconymi łapami, a potem raźno przystąpił do odkurzania podłogi z chrupek, co Faith uznała za jedyną dobrą rzecz, która się jej dziś przytrafiła. Penny usiadła z przodu. Trzasnęły drzwi. Postawiła strzelbę między nogami z lufą skierowaną w dach. Kolejna dobra rzecz. Mogłaby wycelować w Faith.

– Mieszkam trzy kilometry stąd, po lewej stronie drogi. Trzymaj się, bo będzie trochę wyboiście – powiedziała dysponująca nabitą strzelbą kobieta, która nie zamierzała zapinać pasów. – Najpierw zobaczysz stodołę, potem dom.

Faith wrzuciła bieg. Obie szyby wciąż były opuszczone. Nie przekraczała pięćdziesiątki, żeby nie udusiły się od oparów unoszących się ze żwirowej drogi. A poza tym pies pachniał jak pies.

– Wybrałaś się na polowanie? – zapytała Faith.

– Kojot gwizdnął mi kurę. – Penny skinęła głową w stronę radia. – Słyszałaś jej cover *Stairway to Heaven*?

Dolly Parton. Uniwersalny temat na przełamywanie lodów. I wyraźna wskazówka, że Penny stała przy rowie o wiele dłużej, niż wydawało się Faith.

– Ten z *Halos and Horns* czy z *Rockstar*? – zapytała, starając się nie okazywać niepokoju.

Penny zachichotała.

– A jak myślisz?

Faith nie umiała zgadnąć, a Penny nie zdawała się zainteresowana podpowiadaniem. Wyciągnęła z kieszeni kawałek bekonu i podała psu. Zauważyła spojrzenie Faith i ją także poczęstowała bekonem, ona jednak odparła:

– Dzięki, nie jestem głodna.

– Jak uważasz. – Penny wzięła kęs i żując go w milczeniu, wpatrywała się w drogę.

Faith usiłowała przypomnieć sobie jakieś ciekawostki dotyczące Dolly Parton, by popracować nad dalszym przełamywaniem lodów, lecz uznała, że czasami lepiej trzymać gębę na kłódkę. W ciszy mijały puste pola. Krowy. I nisko przelatujące zabójcze ptaki.

Zgodnie z obietnicą droga stała się wyboista, dlatego Faith musiała mocno ściskać kierownicę, żeby znów nie wjechać do rowu. W mieście też były dziury w drogach, ale w porównaniu z tym, co działo się tutaj, przypominały raczej wgłębienia. Dopiero widok stodoły na horyzoncie natchnął ją otuchą. Budynek był wielki, pomalowany na czerwono i prawdopodobnie dość nowy, bo nie widziała go w Google Earth. Na ścianie zwróconej w stronę drogi wymalowano amerykańską flagę. Dwa konie uniosły łby, żeby spojrzeć na przejeżdżającego mini.

– Jesteśmy patriotami – odezwała się Penny. – Mój ojciec walczył w Wietnamie.

Brat Faith aktualnie służył w siłach powietrznych, lecz nie przywołała tego faktu, tylko powiedziała:

– Jestem wdzięczna za jego służbę.

– Nie lubimy, kiedy mieszkańcy Atlanty wtrącają się w nasze sprawy – ciągnęła Penny. – Żyjemy po swojemu. Wy nie wtykacie nosa w nasze życie, a my w wasze.

Faith domyślała się, że Penny Danvers ją sprawdza. Była też w pełni świadoma, że gdyby nie podatki z metropolitalnej Atlanty, reszta Georgii przypominałaby Missisipi. Ludzie mają skłonność do idealizowania wiejskiego życia, dopóki nie potrzebują internetu i opieki zdrowotnej.

– To tutaj. – Penny wskazała jedyny zjazd z drogi w promieniu pięćdziesięciu kilometrów, jakby łatwo go było przeoczyć. – Po lewej.

Faith zwolniła, żeby skręcić w długi podjazd. Kiedy dostrzegła nazwisko na skrzynce pocztowej, plemienność Penny nabrała dla niej o wiele więcej sensu.

– D. Hartshorne... Czy to nie szeryf?

– Był nim dawniej – potwierdziła. – To mój ojciec. Mieszka w przyczepie na tyłach. Przenieśliśmy go tam po udarze, bo nie radzi sobie ze schodami. Biszkopt jest moim bratem.

Faith po sekundzie namysłu spytała ostrożnie:

– Macie bliski kontakt?

– Pytasz, czy powiedział mi o tym, że to nie Dave zabił Mercy?

Faith uznała to za wyczerpującą odpowiedź.

– Jeśli cię to interesuje, Biszkopt próbował dodzwonić się do pensjonatu, żeby im to przekazać, ale nie mógł się przebić. Telefon i internet w końcu im też padły. – Posłała Faith znaczące spojrzenie. – Teraz pomaga patrolowi w usuwaniu przewróconej ciężarówki z drobiem w Ellijay. Poprosił mnie, żebym powiadomiła rodzinę, kiedy dotrę do pracy.

– Zrobisz to?

– Jeszcze nie wiem.

Faith nie miała wpływu na to, jak postąpi Penny, mogła jednak spróbować wydobyć z niej jak najwięcej informacji.

– Biszkopt wspomniał mojemu partnerowi, że widywałaś, jak Mercy i Dave darli koty w szkole średniej.

– Niezbyt to były uczciwe bójki. – Penny zacisnęła zęby tak mocno, że jej wargi ledwie poruszały się podczas mówienia. – Powiem tak, Mercy umiała przyjmować ciosy.

– Aż przestała umieć.

Penny mocniej ujęła strzelbę, ale nie dlatego, że chciała jej użyć. Kiedy podjeżdżały pod wiejski dom, miała spuszczoną głowę. Po raz pierwszy od chwili, gdy pojawiła się na drodze, sprawiała wrażenie nieobojętnej.

Faith żałowała jak jasna cholera, że nie ma z nią Willa. Potrafił wytrzymać krępujące milczenie dłużej niż ktokolwiek inny. Musiała przygryźć wargę, by powstrzymać się od zadawania kolejnych pytań. Gdy były już pod samym domem, jej trud się opłacił.

– Mercy była dobrym człowiekiem – powiedziała Penny. – Mimo tego, że często schodziła na złą drogę.

Faith zaparkowała obok zardzewiałego chevroleta. Dom był równie sterany życiem, jak Penny; z bielonych desek łuszczyła się farba, ganek był przegniły, a w zapadniętym dachu brakowało gontów. Po drugiej stronie budynku stał kolejny koń. Był przywiązany do słupka. Pił wodę z koryta, lecz nie spuszczał wzroku z samochodu. Faith stłumiła dreszcz. Bała się koni.

– Powinnaś wiedzieć jedno – ciągnęła Penny. – Dziewczyny tutaj bardzo szybko dowiadują się, że dostają to, na co zasługują.

Faith nie uważała, by to przesłanie miało jakiś konkretny zasięg terytorialny.

– Kiedy w liceum Mercy zaszła w ciążę, zrobił się wielki smród. Telefony, konsultacje. Wtrącił się pastor. Nie zrozum mnie źle. To nie tak, że była przykładną uczennicą, ale nie pozwolili jej zostać w szkole, choć moim zdaniem miała do tego pełne prawo. Powiedzieli, że daje zły przykład. Może i tak, ale mimo to potraktowali ją nieuczciwie.

Faith przygryzła dolną wargę. Jej wprawdzie nie zablokowano przejścia do dziewiątej klasy, gdy urodziła Jeremy'ego, ale wszyscy w szkole bardzo dobitnie dawali do zrozumienia, że jest niemile widziana. Musiała jeść lunch w bibliotece.

– Mercy zawsze jechała po bandzie, ale sposób, w jaki ciotka ukradła jej dziecko, też był nieuczciwy. Jest lesbijką. Słyszałaś?

– Słyszałam.

– Delilah to podstępna sucz. Nie mam na myśli tego, co robi w łóżku. Po prostu jest podła. – Penny ponownie ścisnęła strzelbę. – Mercy musiała tańczyć, jak jej zagra, żeby móc odwiedzić własne dziecko, i to było cholernie złe. Nikt nie stawał w obronie Mercy. Wszyscy położyli na niej krzyżyk, choć zupełnie odstawiła chlanie i heroinę, żeby odzyskać Jona. A to wymagało nielichego wysiłku. Podziwiam ją za walkę z demonami. Zwłaszcza że znikąd nie dostała pomocy.

– A Dave?

– Daj spokój – mruknęła Penny. – Pracował w szwalni dżinsów. Robota była niezła, aż wreszcie przenieśli cały zakład do Meksyku. Dopóki pracował, tarzał się w forsie, stawiał drinki na prawo i lewo, żył jak król.

– Co wtedy robiła Mercy?

– Obciągała facetom w zaułkach, żeby zarobić na prawnika, który pomoże jej wywalczyć opiekę nad Jonem. – Penny uważnie przyglądała się Faith, doszukując się jakiejś reakcji.

Ale ona zachowała kamienną twarz. Nie było takiej rzeczy, której nie zrobiłaby dla własnych dzieci.

– Udało jej się dostać robotę w motelu, ale tylko dlatego, że właściciel chciał dopiec Papie. Nikt inny by jej tu nie zatrudnił. Wszyscy uważali ją za toksyczną. Już Papa o to zadbał.

– Masz na myśli Cecila?

– Aha, jej pieprzonego tatusia. Karał ją przez całe cholerne życie. Napatrzyłam się na to. Sprzątam kwatery w pensjonacie, odkąd skończyłam szesnaście lat. I powiem ci jedno. – Penny wyciągnęła palec w stronę Faith, jakby chciała podkreślić słowa, które za chwilę padną. – Mercy przejęła to miejsce po wypadku Papy. Wiem, że zanim zaczęła kierować ośrodkiem, ledwie wiązali koniec z końcem. Tymczasem odkąd ona się za to wzięła, nagle ściągnęli jakiegoś profesjonalnego kucharza z Atlanty i drugiego kelnera z miasteczka. Potem zaproponowała mi zatrudnienie na pełny etat, bo potrzebowali barmana na godzinę koktajlową przed kolacją. Co o tym sądzisz?

– Ty mi powiedz.

– Papa nigdy nie rozumiał, że ludzie na wakacjach chcą się napić. Podawał po kieliszku taniego morwowego sikacza, a jeśli goście chcieli więcej, musieli od ręki wyskoczyć z pięciu dolców. – Parsknęła śmiechem. – Mercy sprowadziła alkohole z najwyższej półki, zaczęła reklamować specjalne koktajle, pozwoliła ludziom pić na kreskę. Kolesie, którzy przyjeżdżali tu na korporacyjne spotkania, woleli płacić gotówką, bo nie chcieli, żeby na podstawie rachunku ten czy inny szef przekonał się, że na dobrą sprawę są alkoholikami. Policz sobie. Przy pełnej chacie dwudziestu dorosłych ludzi zamawiało każdego wieczoru taką ilość gorzały, że wystarczyło na barmankę.

Jeśli chodzi o liczenie, Faith była niezrównana. Restauracje zwykle sprzedają alkohol w cenie dwukrotnie wyższej niż sklepy, ale kupują po cenach hurtowych. Dwa koktajle na wieczór przy dwudziestu osobach w obiekcie mogły przynieść od czterystu do sześciuset dolarów dziennie czystego dochodu. A to nie obejmowało sprzedaży wina ani trunków, które zamawiali do swoich domków.

– Mercy podniosła stawkę za wynajem o dwadzieścia procent i nikt nawet nie mrugnął okiem. Wyremontowała łazienki, żeby nikt nie podłapał grzyba, biorąc prysznic. Ściągnęła zamożnych gości z Atlanty. Papa nie mógł tego ścierpieć. – Penny spojrzała na dom. – Każdy inny ojciec byłby dumny, ale Papa ją za to nienawidził.

Faith przyszło na myśl, czy Penny aby nie wskazuje innego podejrzanego.

– O ile wiem, Cecil został ciężko ranny w wypadku rowerowym.

– Zgadza się, nie może się poruszać o własnych siłach, ale pluje nienawiścią. – Złość Penny trochę opadła. Oparła strzelbę o deskę rozdzielczą.

– Będę z tobą szczera, głównie dlatego, że pewnie mnie już prześwietliłaś i wiesz, że zabrano mi prawo jazdy na stałe.

Faith domyśliła się, co tak naprawdę Penny chce jej przekazać. Po którejś z kolei jeździe na podwójnym gazie dostała dożywotni zakaz prowadzenia pojazdów mechanicznych.

– Wiem, co sobie teraz myślisz. Że praca barmanki pasuje do starej ochlapuski. Ale odpuść sobie, od dwunastu lat nie powąchałam korka.

– Akurat nie o tym myślałam – zaoponowała Faith. – Dwanaście lat temu twój ojciec wciąż był szeryfem, więc miał tu sporą władzę. Musiało być mu ciężko nie pociągnąć za sznurki, żeby ci pomóc.

– Wydaje się logiczne, nie? Ale jemu się to bardzo spodobało. Nie puszczał mnie nigdzie bez pozwolenia. Musiałam go błagać, żeby podrzucił mnie do roboty. Do sklepu. Albo do lekarza. Cholera, jeszcze pewnie powinnam mu podziękować, bo przez to nauczyłam się jeździć konno.

Faith ponownie przeczytała to i owo między wierszami.

– Pensjonat stał się jedynym miejscem, w którym mogłaś dostać pracę.

– Jakbyś zgadła – przytaknęła Penny. – Umieszczając mnie tam, ojciec chciał mnie kontrolować.

– Przyjaźni się z Cecilem?

– Ci dwaj dranie są ulepieni z tej samej gliny – podsumowała z goryczą. – Władza była jedynym, na czym mu zależało, tak samo jak temu skurwielowi Cecilowi. Wszyscy myślą, że obaj byli tacy wspaniali, po prostu filary społeczności. Ale kiedy taki człowiek dostanie cię w swoje ręce...

Faith cierpliwie poczekała na ciąg dalszy.

– Zwłaszcza kiedy widzą kobietę z jajami, bo może lubi się napić, może lubi się trochę zabawić, to niszczą ją bez litości. Ojciec tłamsił moją matkę do tego stopnia, że przedwcześnie wpędził ją do grobu. Mnie też próbował złamać. Może mu się nawet udało, bo wciąż tu mieszkam. Tkwię na tym zadupiu, gotuję mu obiady i podcieram kościsty tyłek.

Faith dostrzegła udręczony wzrok Penny, która wpatrywała się w dom. Pies poruszył się na tylnym siedzeniu. Oparł pysk o środkową konsolę.

Penny wyciągnęła rękę, żeby go pogłaskać, i wróciła do przerwanego monologu:

– Chcesz wiedzieć, dlaczego starzy faceci w tym mieście są tacy wściekli? Bo kiedyś trzymali łapę na wszystkim. Decydowali o tym, która ma rozłożyć nogi, a która nie. Kto dostanie dobrą robotę, a kto nie może uczciwie zarabiać na życie. Kto mieszka w dobrej części miasta, a kto zostaje po złej stronie torów. Kto może bić swoją żonę. Kto trafi do pierdla za jazdę po pijaku, a u kogo skończy się połajanką od burmistrza.

– A jak jest teraz?

Parsknęła śmiechem.

– Teraz ich życie sprowadza się do Food Network i pieluch dla dorosłych.

Faith przyjrzała się umęczonej twarzy Penny. Pod maską hardości krył się człowiek przygnębiająco pokonany.

– Cholera – mruknęła Penny. – Bez względu na to, co robiłam, kończyło się jak zwykle. Tak samo było z Mercy. Ojciec napisał pierwszy rozdział jej życia, zanim zdążyła wymyślić własną historię.

Faith pozwoliła jej narzekać. Zazwyczaj ochoczo wysłuchiwała opowieści pod hasłem „wszyscy faceci to szuje", ale teraz musiała znaleźć jakiś sposób, by ponownie przekierować rozmowę na kwestie związane ze śledztwem. Po wykluczeniu Dave'a w pensjonacie pozostała tylko garstka podejrzanych, którzy mogli zgwałcić i zamordować Mercy.

Poczekała, aż Penny trochę się wyciszy, i zapytała:

– Wiesz, czy Mercy się z kimś spotykała?

– Prawie w ogóle nie opuszczała tych gór. Nie pamiętam, kiedy ostatni raz widziałam ją na dole. Nie miała prawa jazdy. Nie lubiła się pokazywać publicznie, zwłaszcza po wszystkim, co musiała zrobić, by odzyskać Jona. Ta stara suka, która prowadzi sklep z mydłami, naplulа jej kiedyś w twarz i nazwała ją dziwką. A ludzie tutaj mają dobrą pamięć.

– Czyli Mercy nie umawiała się z nikim w mieście?

– Co ty, to by trafiło na nagłówki gazet. Tutaj, na dole, nie ma czegoś takiego jak prywatność. Wszyscy wtykają nos w sprawy innych. Najlepiej jest być radosnym jak Happy Meal, który zawsze zawiera zabawkę.

– A personel w pensjonacie? Myślisz, że Mercy mogła się spotykać z którymś z nich?

– Nie jedz tam, gdzie srasz. Alejandro to sztywniak, a tych dwóch kelnerów wciąż ma mleko pod nosem. – Penny wzruszyła ramionami. – Raz na jakiś czas mogła zakręcić się wokół któregoś z gości.

Faith nie udało się opanować zaskoczenia, na co Penny się roześmiała.

– Wiele par uważa, że kilka dni odosobnienia w luksusowym kurorcie naprawi ich małżeństwo. W praktyce okazuje się jednak, że facet najpierw posyła znaczące spojrzenie, potem rzuca jakiś żarcik, a ty już wiesz, że jest chętny do zabawy.

Faith pomyślała o Franku i Drew. Z nich dwóch, Frank wydawał się bardziej zainteresowany szybkim numerkiem w górach.

– Dokąd wtedy idą?

– Dokądkolwiek, gdzie mogą pobyć sami przez pięć minut. – Penny wydęła wargi. – Przy odrobinie szczęścia dziesięć. A potem pakują się z powrotem do łóżek swoich żon.

Faith uznała, że Penny mówi to z własnego doświadczenia.

– Myślisz, że Mercy miała kiedyś coś wspólnego z Chuckiem?

– Chyba żartujesz. Ten nieszczęsny dziwak zabujał się w niej, kiedy Fish przywiózł go do domu z college'u podczas przerwy świątecznej – powiedziała, a potem dodała gwoli wyjaśnienia: – Nazywają Christophera „Fishtopher", bo ma świra na punkcie ryb. On i Chuck poszli razem na Uniwersytet Georgii. Dobrali się jak w korcu maku. Dwóch dziwaków. Nie mają szczęścia do dziewczyn.

– Wczoraj wieczorem Mercy podobno nakrzyczała na Chucka podczas cocktail party.

– Była zła i tyle. Mercy nie wspominała mi, co się dzieje, ale widziałam, że cały ten rodzinny szajs wkurzył ją bardziej niż zwykle. Chuck znalazł się w niewłaściwym miejscu o niewłaściwej porze, co zresztą stanowi jego specjalność. Zawsze podkrada się do ludzi, zwłaszcza do kobiet. – Penny przeszła do odpowiedzi na oczywiste pytanie: – Gdyby Chuck był gwałcicielem, zgwałciłby Mercy już dawno temu. A ona poderżnęłaby mu gardło. Gwarantuję.

Faith miała do czynienia z wieloma sprawami o gwałt. W takich sytuacjach nigdy nie wiadomo, jak zareaguje kobieta. Sama uważała, że wszystko, co ofiara zrobiła, by przeżyć, było dokładnie tym, co zrobić należało.

– Powiem ci, kto martwił Mercy najbardziej. Ta kobieta, Monica, była nieźle ululana już w chwili, gdy przyszła na koktajle. Dała mi dwadzieścia dolców za pierwszego drinka. Prosiła, żebym dbała o jej pełne szkło, ale jeśli mam być szczera, rozcieńczałam to gówno. A potem Mercy kazała mi rozcieńczać je jeszcze bardziej.

– Co piła?

– Klasyczne old fashioned, tylko z whisky marki Uncle Nearest. Dwadzieścia dwa dolce za drinka.

– Jasna dupa. – Faith musiała skorygować swoje obliczenia dotyczące zysków ze sprzedaży alkoholu. W niektóre wieczory ośrodek mógł zarobić nawet tysiąc dolarów. – Ktoś jeszcze pił?

– Tak, ale normalne ilości. Za to mąż Moniki nie wziął nawet łyka.

– Frank – podsunęła Faith. – Rozmawiał z Mercy?

– Nic takiego nie zauważyłam. Wierz mi, po tym, co się wydarzyło, powiedziałabym Biszkoptowi o każdym kolesiu, który próbowałby z nią coś kombinować.

Faith nie pozostało nic innego, jak zapytać o drugą osobę z kart powieści Virginii Andrews. Starała się podejść do tematu ostrożnie.

– Czy Fish kiedykolwiek podrywał kogoś z gości?

Penny parsknęła śmiechem.

– Jedyne, co podrywa Fish, to pstrągi.

Faith przypomniała sobie szczegół z nagrania Willa.

– A co wiesz o smutnej historii z Christopherem i Gabbie?

– Gabbie? Cholera, to dawne dzieje. Sporo wody w strumieniach upłynęło. Kiedy umarła, wciąż piłam. Mercy zresztą też, niech jej ziemia lekką będzie.

Faith poczuła, jak jeżą jej się włoski na karku. W ustach Delilah ta sprawa brzmiała jak kolejny nieudany związek Christophera.

– Pamiętasz nazwisko Gabbie?

– Kurczę, to było lata temu. – Penny bezgłośnie cmoknęła. – Nie mogę sobie przypomnieć. Ta dziewczyna była doskonałym przykładem tego, o czym mówiłam wcześniej. Przyjechała z Atlanty do pensjonatu na lato. Śliczna jak diabli, pełna życia. Podkochiwał się w niej każdy facet na tej górze.

– Nie wyłączając Christophera?

– Zwłaszcza jego. – Pokręciła głową. – Jej śmierć go dobiła. Nie wiem, czy do tej pory udało mu się z tym pogodzić. Tygodniami nie ruszał się z łóżka. Nie chciał jeść. Nie mógł spać.

Faith bardzo chciała zasypać ją pytaniami, ale ugryzła się w język.

– Problem polegał na tym, że Gabbie go dostrzegła – mówiła dalej Penny. – A to już coś, bo Fish żyje jak duch. Jest niewidoczny, zwłaszcza dla kobiet. Aż tu nagle pojawia się Gabbie i z uśmiechem udaje, że interesuje się regulowaniem dróg wodnych i innymi bzdetami, które Fish wygaduje przy stole. Oczywiście to nie jego wina, że nie potrafi czytać ludzi. Gabbie po prostu była miła, a jak pewnie wiesz, niektórzy faceci biorą życzliwość za głębsze zainteresowanie.

Faith wiedziała.

– Tymczasem osobą, z którą Gabbie zaprzyjaźniła się najbliżej, była Mercy. Prawie nie różniły się wiekiem. Można powiedzieć, że zakumplowały się od pierwszego wejrzenia, takie papużki nierozłączki. Muszę przyznać, że byłam zazdrosna, bo nigdy nie miałam nikogo aż tak bliskiego. Pod koniec lata wspólnie snuły rozmaite plany. Ponieważ ojciec Gabbie miał restaurację w Buckhead, Mercy chciała się przeprowadzić do Atlanty i zatrudnić jako kelnerka. Zamierzały z Gabbie kupić mieszkanie, zarobić mnóstwo pieniędzy i używać życia. – Nutki zazdrości w głosie

Penny nadal były żywe. – Razem wymykały się z kompleksu prawie każdej nocy. To było jeszcze za czasów, gdy w starym kamieniołomie odbywały się imprezy. Najgłupsze miejsce w całym hrabstwie, żeby się ululać. Droga stamtąd jest ciasna i kręta jak cipka zakonnicy, po obu stronach przepaść, żadnych barierek ochronnych. Ostatnią milę nazywają Diabelskim Zakrętem, bo zjeżdżasz z góry i wchodzisz w ostry zakręt jak na kolejce górskiej. Czasami z nimi imprezowałam, ale coś mi mówiło, że jeśli jeszcze trochę to potrwa, wszyscy skończymy pod ziemią. Tak zresztą zaczęła się moja przygoda z trzeźwością, zwłaszcza po tym, co się stało.

– A co się stało?

Penny westchnęła ciężko, posykując przez zęby.

– Mercy zjechała z Diabelskiego Zakrętu prosto do wąwozu. Impet upadku wyrzucił ją przez przednią szybę i zerwał skórę z połowy twarzy. Miała pogruchotane wszystkie kości. Gabbie została zmiażdżona. Ojciec powiedział mi, że w chwili wypadku trzymała stopy na desce rozdzielczej i zdaniem koronera kości nóg zmasakrowały jej czaszkę. Identyfikacja zwłok wymagała sięgnięcia do dokumentacji dentystycznej. Ponoć wyglądała, jakby ktoś uderzył ją młotem kowalskim w twarz.

Żołądek Faith zaczął się buntować. Miała do czynienia z ofiarami tego rodzaju wypadków.

– Można mówić o Cecilu, co się chce, ale trzeba mu oddać, że nie pozwolił wtedy wsadzić Mercy do więzienia – dodała Penny. – Zgodnie z prawem w najlepszym przypadku powinna zostać oskarżona o nieumyślne spowodowanie śmierci. Badania krwi wykazały, że w trakcie kraksy była kompletnie naćpana. Gdy Biszkopt jechał z nią karetką do szpitala, zachowywała się jak wariatka. Sanitariusze musieli ją unieruchomić. Biszkopt wspominał, że połowa jej twarzy zwisała z czaszki, a ona śmiała się jak hiena.

– Śmiała się?

– Nie inaczej – potwierdziła Penny. – Myślała, że Biszkopt robi sobie z niej jaja. Wydawało się jej, że wciąż jest w pensjonacie. Że przedawkowała i odwiózł ją do domu. Sanitariusze oczywiście też słyszeli jej śmiech, więc wiadomość o całym zajściu rozeszła się lotem błyskawicy. Nie było w mieście takiego człowieka, który nie opowiedziałby się przeciwko niej, gdyby zasiadł w ławie przysięgłych, ale nie było rozprawy. Mówiąc wprost, Mercy się wywinęła. To kolejny powód, dla którego ludzie z miasta jej nienawidzą. Mówili, że morderstwo uszło jej na sucho.

Faith nie mogła pojąć, jak to się stało.

– Poszła na ugodę?

– Nie słuchasz mnie. Nie było żadnej ugody. Mercy nie postawiono zarzutów, nie dostała nawet mandatu, tylko dobrowolnie zrezygnowała z prawa jazdy. O ile wiem, nigdy więcej nie wsiadła za kółko, ale to był jej wybór, a nie decyzja sędziego. – Penny pokiwała głową, jakby na potwierdzenie zdumienia Faith. – Pytasz o nadużycie władzy? Właśnie tego dopuścił się mój ojciec, umieszczając Mercy pod ścisłą kontrolą Cecila do końca jej dni.

Faith osłupiała.

– Po prostu się wywinęła? Bez żadnych konsekwencji?

– Jedyną konsekwencją był jej wygląd. Mówiła mi, że ilekroć patrzy w lustro, blizna przypomina o całym złu, które wyrządziła. Prześladowało ją to. Nigdy sobie nie wybaczyła. I może nie powinna.

Przedstawiony tok zdarzeń nie mieścił się Faith w głowie. Aby Mercy mogła uniknąć postępowania karnego za zabójstwo drogowe, trzeba było pociągnąć za bardzo wiele sznurków, i to nie tylko po stronie organów ścigania. Przecież w hrabstwie istniała jakaś prokuratura. Był sędzia okręgowy. Burmistrz. Komisarze.

Tyradę Penny na temat złych mężczyzn, którzy kiedyś rządzili tym miastem, ostatecznie uznała za użyteczną. Mercy nie została ukarana, ponieważ ci ludzie się zebrali i właśnie taką podjęli decyzję.

– Myślę, że jedyny pozytyw z tego był taki, że Mercy zaczęła trzeźwieć – stwierdziła Penny. – Wymagało to kilku prób, ale kiedy już odzyskała jasność umysłu, zaczęła myśleć tylko o Jonie. Powiedziała mi, że gdyby nie on, weszłaby do jeziora i nigdy nie wypłynęła.

Faith nie umiała sobie wyobrazić, jakim cudem Mercy powstrzymała się od tego czynu. Poczucie winy z powodu zabicia najlepszej przyjaciółki musiało być druzgocące.

– Ale jeśli mam być szczera, czasami wydaje mi się, że odsiedzenie wyroku wyszłoby Mercy na dobre. Cecil i Bitty traktowali ją gorzej niż ludzie, których mogła spotkać za kratkami. Jest wystarczająco źle, gdy każdego dnia pozbawia cię godności obcy człowiek, a jak jest wtedy, gdy robią to twoi rodzice?

Faith z zaskoczeniem zauważyła, że jej także jest przykro z powodu Mercy McAlpine. Ciągle wracała myślami do wcześniejszych słów Penny: „Ojciec napisał pierwszy rozdział jej życia, zanim zdążyła wymyślić własną historię". To nie była do końca prawda. Cecil mógł faktycznie zacząć, ale to nie kto inny jak Dave dopisał ciąg dalszy tej samej przemocowej narracji, zakończył ją zaś jeszcze inny mężczyzna. Faith nie wierzyła w przeznaczenie, lecz wyglądało na to, że ta kobieta nie miała szans w starciu z losem.

Zadzwonił jej telefon. Na ekranie wyświetliła się informacja: „GBI SAT".

– Wybacz, muszę odebrać – przeprosiła.

Penny kiwnęła głową, ale nie wysiadła z auta.

Faith otworzyła drzwi. Podeszwa jej buta ugrzęzła w błocie. Stuknęła ekran telefonu i powiedziała:

– Mitchell.

– Faith. – Głos Willa przez połączenie satelitarne brzmiał niezbyt wyraźnie. – Możesz rozmawiać?

– Daj mi chwilę. – Brnąc przez błoto, odeszła kilka kroków od samochodu. Penny obserwowała jej niezdarny marsz, zupełnie się z tym nie kryjąc. Na widok przechodzącej obok Faith, koń podniósł łeb i podążył za nią wzrokiem niczym seryjny morderca. Pokonała jeszcze kilka metrów i rzuciła do Willa: – Gadaj.

– Mercy była w ciąży.

Serce zamarło Faith w piersiach. Myśli o Mercy osaczyły ją z całą mocą. Życie nie dało tej kobiecie ani chwili wytchnienia. Dopiero po jakimś czasie detektywistyczny umysł Faith przejął kontrolę nad sytuacją, bo ta informacja zmieniała wszystko. Nie ma dla kobiety bardziej niebezpiecznego czasu niż ciąża. Zabójstwo jest główną przyczyną śmierci matek w Stanach Zjednoczonych.

– Faith?

Usłyszała trzask drzwi samochodu. Penny wysiadła. Pies siedział u jej stóp. Zniżyła głos i zapytała Willa:

– Jak zaawansowanej?

– Według szacunków Sary, dwunasty tydzień.

Zapadło milczenie, w którym słychać było tylko szum kiepskiego połączenia. Odwróciła się tyłem do auta.

– Mercy o tym wiedziała?

– Trudno zgadnąć – odparł Will. – Jeśli ma to jakiekolwiek znaczenie, nie wspomniała o tym Sarze.

– Penny powiedziała, że Mercy umawiała się wcześniej z gośćmi pensjonatu.

Will pozwolił ciszy wybrzmieć jeszcze przez kilka chwil.

– Droga jest całkowicie zalana. Zostawiliśmy dla ciebie pod szpitalem drugiego quada. Znajdź Sarę i zabierz ją ze sobą. Może uda jej się namówić Drew i Keishę na rozmowę.

– Myślisz, że Drew...

– Byli w pensjonacie już dwa razy – przypomniał jej. – Tamtej nocy Drew powiedział Bitty coś dziwnego. Sara zda ci relację.

– W takim razie wracam do szpitala.

Faith zakończyła rozmowę. Koń parsknął w jej stronę, choć ominęła go szerokim łukiem. Penny przewiesiła strzelbę przez ramię tak jak poprzednio. Wpatrywała się w coś na ziemi.

Faith podążyła za jej wzrokiem. Z tylnej opony mini coopera uszło powietrze.

– Kurwa...

– Masz zapas? – zapytała Penny.

– W garażu... Syn wyjął koło zapasowe, gdy przewoził sprzęt muzyczny swojego zespołu. – Faith miała nadzieję, że FBI uzna Jeremy'ego za idiotę. Kiwnęła głową w stronę chevroleta. – Możesz mnie podrzucić do szpitala? Mój partner potrzebuje mnie na górze, w pensjonacie.

– Nie prowadzę, a ten pikap od dawna jest zepsuty. Za to Rascal jest zatankowany pod korek.

– Rascal?

Penny wskazała konia.

ROZDZIAŁ CZTERNASTY

Wędrując Pętlą w stronę siedziby McAlpine'ów, Will uważnie rozglądał się po lesie. Jego zraniona dłoń pulsowała, choć trzymał ją przy piersi, jakby składał permanentną przysięgę wierności. Bandaż znów przemókł. Will ochlapał się i przebrał w świeże spodnie, podczas gdy Kevin Rayman, agent ściągnięty z biura terenowego GBI w północnej Georgii, badał i opisywał dowody z sypialni Mercy.

Nie to, żeby było dużo do oglądania. Dobytek Mercy okazał się niewiele bogatszy niż jej zasoby finansowe. Nieduża szafa mieściła same najpotrzebniejsze rzeczy. Wieszaki były puste, jedynie na półkach znajdowały się złożone koszule, dżinsy i odzież outdoorowa. Miała dwie pary znoszonych tenisówek i drogie, ale stare buty turystyczne. Will znał to z własnego doświadczenia. Każda rzecz, jaką miał w dzieciństwie, została mu przez kogoś podarowana. Ubrania Mercy były wyblakłe, podniszczone i w różnych rozmiarach. Mógłby się założyć, że nie kupowała ich jako nowych.

Tak naprawdę nic tutaj nie wydawało się nowe. Na ścianach wisiały spłowiałe plakaty O-Town, New Kids on the Block i Jonas Brothers. Obok drzwi przyklejono taśmą kilka rysunków Jona z dzieciństwa. Były też zdjęcia dokumentujące różne zdarzenia z szesnastu lat jego życia, a wśród nich fotografie szkolne i kilka niepozowanych fotek: Jon rozpakowujący pluszową żyrafę podczas Bożego Narodzenia; Jon stojący z Dave'em przy przyczepie; Jon śpiący na kanapie z telefonem opartym o brodę.

W pokoju Mercy znajdowała się chyba jedyna biblioteczka w całym domu. Stała w niej kula śnieżna z Gatlinburga w stanie Tennessee i co najmniej pięćdziesiąt podniszczonych tanich romansów. Wszystko było odkurzone i ułożone, co w jakiś sposób czyniło ten skromny dobytek w dwójnasób wzruszającym. Pod materacem nie kryły się żadne sekretne dokumenty. Zawartość szuflady w nocnej szafce wyglądała dokładnie tak, jak można się tego spodziewać po kobiecie. Lokum nie miało osobnej łazienki. Mercy dzieliła z rodziną toaletę znajdującą się na końcu korytarza. Pakując się przed wyjściem, nie zabrała iPada, a ekran był zablokowany. Należało wysłać go do laboratorium, by podjąć próbę złamania hasła. Sara powiedziała, że Mercy nie miała wkładki domacicznej. Nie wiedzieli, czy była świadoma ciąży. Jeśli stosowała doustne środki antykoncepcyjne, zapewne były w plecaku. Prezerwatywy nie należały do tych rzeczy, które zabrałaby pakująca się w pośpiechu kobieta. Najważniejsze pytania pozostawały bez odpowiedzi: „Co skłoniło ją do opuszczenia ośrodka? Dokąd zamierzała się udać? Dlaczego zadzwoniła do Dave'a?".

Will przystanął na szlaku i wyjął z kieszeni iPhone'a. Palcami zranionej dłoni stuknął w ekran i otworzył nagranie z poczty głosowej Dave'a. Do jednego fragmentu wracał raz po raz:

„Nie mogę uwierzyć... Boże, nie mogę... Proszę, zadzwoń. Proszę. Potrzebuję cię".

Kiedy wołała „potrzebuję cię", Mercy miała w głosie nadzieję przemieszaną z desperacją, jakby modliła się, aby Dave nie zawiódł jej choć ten jeden, jedyny raz.

Will schował telefon do kieszeni i wznowił wędrówkę. W milczeniu odtwarzał w myślach komunikat. Nie miał pojęcia, jak Dave'owi udało się tutaj osiąść. Żadnemu z nich nie dano wyboru co do gównianego dzieciństwa, ale obaj mogli zadecydować, jakimi staną się mężczyznami. Will nie oceniał Dave'a za zmagania z wewnętrznymi demonami. Picie i ćpanie nie budziło w nim większego zdziwienia. Ale Dave bił żonę, dusił ją, terroryzował i nieustannie rozczarowywał.

Za to niewątpliwie ponosił pełną odpowiedzialność.

W głębi duszy Will zganił się za obranie na celownik niewłaściwego człowieka. Musiał przestać wściekać się na Dave'a, bezwartościowy były mąż Mercy został zepchnięty na margines śledztwa. Teraz należało skupić się na dwóch sprawach: identyfikacji zabójcy i odnalezieniu Jona.

Gdy wszedł na teren głównej części kompleksu, światło słoneczne skąpało mu twarz. Will poprawił ciężki telefon satelitarny przypięty z tyłu do paska spodni. U boku miał klasyczną kaburę z pożyczoną od Amandy zapasową bronią – pięciostrzałowym krótkolufowym rewolwerem marki

Smith & Wesson, który był starszy od Willa. Czuł się trochę jak rzezimieszek przemierzający miasteczko w starym westernie.

Zasłona w domku Drew i Keishy drgnęła. Siedzący na wózku inwalidzkim Cecil spojrzał na niego gniewnie z wysokości werandy. Oba koty obrzuciły go leniwymi spojrzeniami ze swoich miejsc na schodach. Paul leżał w hamaku przed swoim domkiem. Na jego piersiach spoczywała rozłożona książka, a na stoliku obok stała butelka alkoholu. Na widok Willa uśmiechnął się krzywo, sięgnął po flaszkę i pociągnął łyk.

Will zamierzał pozwolić mu jeszcze przez pewien czas kisić się we własnym sosie. Paul znajdował się na liście osób, z którymi chciał porozmawiać, ale nie na samym początku. Przesłuchania zasadniczo dzielą się na dwa rodzaje: konfrontacyjne i informacyjne. Dwaj kelnerzy, Gregg i Ezra, byli nastolatkami. Mogli okazać się źródłem cennych informacji. Will nie był pewien, jak zaklasyfikować Alejandra, skoro Mercy była w dwunastym tygodniu ciąży. Goście przyjeżdżali do pensjonatu i wyjeżdżali, a głównym celem Willa byli mężczyźni, którzy często przebywali w pobliżu Mercy.

Nie oznaczało to, że pozostałych mężczyzn przebywających w kompleksie miał ominąć ogień pytań. McAlpine'owie zawiesili wszystkie zaplanowane zajęcia dla gości, co nie przeszkodziło Chuckowi i Christopherowi pójść na ryby, gdy tylko minęła burza. Drew i Keisha nie wytykali nosa z domku numer trzy. Gordon wydawał się zadowolony, mogąc przez cały dzień sączyć z Paulem alkohol. Frank udawał porucznika Columbo, ale w stylu Braci Hardy.

Will czekał, aż Amanda zdobędzie nakaz umożliwiający mu przeszukanie posiadłości pod kątem zakrwawionych ubrań i brakującej rękojeści noża. W skrytce quada była mała drukarka termiczna, którą Will miał nadzieję podłączyć do telefonu satelitarnego, by wydrukować nakaz, który mógłby fizycznie przedstawić. Wprawdzie McAlpine'owie udzielili jemu i Kevinowi dostępu do pokoju Mercy, lecz przeczuwał, że nie będą chcieli wpuścić ich do innych miejsc, zwłaszcza że na terenie obiektu wciąż przebywali goście.

Bitty stanowczo oświadczyła Willowi, że ona i jej mąż są zbyt pogrążeni w żalu, by udzielać odpowiedzi na jakiekolwiek pytania. Nie byłoby w tym nic dziwnego, gdyby nie fakt, że matka zamordowanego dziecka wydawała się pogrążona przede wszystkim w złości. Wcześniej Sara sprawdziła już kuchnię w poszukiwaniu złamanej rękojeści noża, dom McAlpine'ów nie był więc głównym celem Willa pod tym akurat względem. Na pewnym etapie być może trzeba będzie przeczesać jezioro, lecz tę decyzję musiał podjąć ktoś starszy stopniem. Najlepsze, na co mógł teraz spożytkować czas, to rozmowy z ludźmi i próby określenia, kto mógł mieć motyw, by zamordować Mercy.

Will rozejrzał się wśród drzew, próbując ustalić, w którą stronę powinien się udać. Idąc poprzedniego wieczoru na kolację, wybrali dolną część Pętli. Sara poprowadziła ich do jadalni innym szlakiem, lecz wtedy Will bardziej skupiał się na niej niż na trasie.

Kątem oka dostrzegł, jak uchylają się drzwi domku Franka. Zza nich wysunęła się ręka i gestem zaprosiła Willa do środka. Dostrzegł Franka, który ukrywał się w cieniu, i w innych okolicznościach uznałby całą tę scenę za komiczną. Will znajdował się na widoku, i to dosłownie. Każdy mógł zobaczyć, jak zmierza w stronę domku numer siedem. Stwierdził, że jeśli chodzi o przesłuchanie Franka, moment jest dobry jak każdy inny. Poprzedniego wieczoru Monica spiła się w sztok i jej mąż bez trudu mógł wymknąć się na schadzkę. Równie łatwo mógł zmyć z siebie krew Mercy i bez wiedzy żony wślizgnąć się z powrotem do łóżka.

Gdy Will wchodził po schodkach, Frank nadal udawał postać z filmu płaszcza i szpady. Drzwi otworzyły się szerzej. Oczy Willa potrzebowały chwili, by zaadaptować się do panującej wewnątrz ciemności. Zasłonki w oknach i przed przeszklonymi tylnymi drzwiami były zaciągnięte, a drzwi do sypialni zamknięte. W powietrzu unosił się odór wymiocin.

– Mam nazwiska, o które prosiłeś. – Frank podał Willowi złożoną kartkę. – Znalazłem rejestr gości w biurze na tyłach kuchni.

Will rozpostarł papier. Na szczęście Frank pisał drukowanymi literami, co ułatwiało Willowi czytanie. Schował na później notatkę do kieszeni koszuli. Na razie w centrum jego uwagi był sam Frank.

– Dzięki za pomoc. Jak ominąłeś personel?

– Jak przystało na bogatego białego faceta, zrobiłem raban i zażądałem dostępu do telefonu. Nikt mi nie powiedział, że nie działa. – W jego głosie wibrowała czysta ekscytacja. – Jakieś kolejne zlecenia, szefie?

– Poniekąd. – Will postanowił spuścić z niego trochę pary. – Słyszałeś coś wczoraj wieczorem?

– Nic, co mnie trochę dziwi, bo mam znakomity słuch. I niezbyt dobrze spałem. Całą noc tkwiłem przy Monice. Gdyby ktoś w tej okolicy krzyczał, usłyszałbym to.

W zadaniu kolejnego pytania przeszkodziły Willowi odgłosy wymiotowania dochodzące zza zamkniętych drzwi sypialni. Frank zesztywniał i obaj zaczęli nasłuchiwać. Odgłosy ucichły. Dobiegły ich dźwięki wody w spłukiwanej muszli. Zapadła cisza.

– Dojdzie do siebie. – W głosie Franka wyczuwało się rutynę człowieka przywykłego do usprawiedliwiania żony-alkoholiczki. – Siadaj.

Will z zadowoleniem uznał, że Frank nie utrudnia mu sprawy. Meble były w tym samym stylu, co kanapa i fotele w domku Willa i Sary, lecz wyglądały na bardziej podniszczone. Mokra plama na dywanie została przykryta papierowym ręcznikiem, który wchłonął ciemną ciecz. To stąd dolatywał nieprzyjemny zapach. Will zajął miejsce na fotelu, który znajdował się najdalej od plamy.

– Co za dzień... – Frank potarł twarz dłońmi i ciężko opadł na kanapę. Sprawiał wrażenie zawstydzonego i wyczerpanego. Był nieogolony i potargany. Najwyraźniej miał ciężką noc, zanim jeszcze Will obudził wszystkich w ośrodku. – Jak twoja ręka?

Dłoń Willa pulsowała z każdym uderzeniem serca.

– Lepiej, dziękuję.

– Ciągle myślę o Mercy i o tym, co stało się podczas wczorajszej kolacji. Żałuję, że jej nie pomogłem, ale nie wiedziałem, jak zareagować.

– Żadne z nas nie mogło wiele zdziałać.

– Może jednak? – zastanowił się Frank. – Mogłem na przykład zrobić to samo, co ty. Pomóc w posprzątaniu potłuczonej szklanki. Tymczasem ja zacząłem ględzić o jedzeniu. Żałuję, że się tak zachowałem, bo wydaje mi się, że w ten sposób dałem innym pozwolenie na zignorowanie tego, co się wydarzyło.

Tym razem w jego głosie nie wyczuwało się rutyny, Will domyślił się jednak, że potrzeba ciągłego łagodzenia sytuacji była u niego na porządku dziennym.

– Dlatego chciałbym teraz coś zrobić – powiedział Frank. – Mercy nie żyje i chyba nikogo to nie obchodzi. Szkoda, że nie widziałeś ich wszystkich przy śniadaniu. Gordon i Paul tryskali czarnym humorem. Drew i Keisha ledwie zamienili słowo. A Christopher i Chuck... ci dwaj równie dobrze mogliby zamknąć się w szklanej skrzynce. Próbowałem pogadać z Bitty i Cecilem, ale... Czy ty też wyczuwasz bijącą od nich niechęć?

Will nie zamierzał zwierzać się z tego, co wyczuwa i od kogo. Frank zdecydowanie nie należał do głównych podejrzanych, lecz wciąż znajdował się na liście.

– Czy to ty mówiłeś mi, że już kiedyś tu byłeś?

– Nie, to Drew i Keisha. Uwierzysz, że są tu trzeci raz? Choć wątpię, by jeszcze kiedyś zdecydowali się wrócić.

– Ty i Monica sporo podróżujecie. Gdzie byliście ostatnio i kiedy to było?

– O Boże, chyba we Włoszech. Tak, trzy miesiące temu polecieliśmy do Florencji. Byliśmy tam dwa tygodnie. Lało się sporo wina... Może to błąd z mojej strony, ale trzeba jakoś żyć, prawda?

– Racja. – Will zapamiętał, by sprawdzić te informacje, lecz nawet jeśli nie miały one związku ze śmiercią Mercy, mogłyby oznaczać, że Frank nie jest odpowiedzialny za jej ciążę. – Jakie wrażenie zrobiła na tobie Mercy?

Frank odchylił się na oparcie kanapy z ciężkim westchnieniem. Przez chwilę wyglądał na osobę bez reszty pogrążoną w myślach.

– Moi rodzice byli alkoholikami. Nie wiem, czym to wytłumaczyć, ale potrafię wyczuć, gdy ktoś ma poważne kłopoty. To jak szósty zmysł.

Will dobrze go rozumiał. Dorastał w otoczeniu nałogowców, a jego pierwsza żona miała ciągoty do opioidów. Był przeczulony na punkcie ludzi przejawiających tego rodzaju zachowania.

– Tak czy inaczej, moje pajęcze zmysły Spider-Mana podpowiedziały mi, że Mercy jest w tarapatach.

Monica zakasłała w sypialni. Frank zwrócił się w tamtą stronę i nadstawił ucha. Willowi zrobiło się go żal. Musiał żyć w ciągłym stresie. On sam nadal w niewytłumaczalny sposób robił się nerwowy, gdy Sara tylko umoczyła usta w winie.

– Może dlatego obchodziłem ją szerokim łukiem – ciągnął Frank. – Mam na myśli Mercy. Nie chciałem się wplątać w jej problemy. Wydaje mi się, że mam dość własnych. Wiesz, za życia naszego syna Monica nie zachowywała się tak jak teraz. Była pogodna, wyluzowana i wytrzymywała ze mną, a to już niemało. Sam wiem, że bywam trudny. Nicholas był naszą radością. A potem zabrała go białaczka i... Nasza terapeutka twierdzi, że każdy radzi sobie z żałobą na swój sposób. Naprawdę myślałem, że przyjazd tutaj będzie dla nas małym resetem. Może trudno w to uwierzyć, ale przed śmiercią Nicholasa Monica rzadko piła. Jasne, lubiła od czasu do czasu skosztować margarity, ale wiedziała o moich rodzicach, więc...

Will wiedział, że najlepiej okaże współczucie, gdy po prostu pozwoli Frankowi mówić. Facet najwyraźniej był zupełnie sam w zmaganiach z uzależnieniem żony. Ale to było śledztwo w sprawie morderstwa, a nie sesja psychoterapii. Frank może i wykonał powierzone mu zadanie, lecz nie skreślało go to z listy podejrzanych.

– Przepraszam. – Pajęczy zmysł Franka wyczuł zniecierpliwienie Willa. – Wiem, za dużo gadam. Dzięki, że zechciałeś mnie wysłuchać. Daj znać, jeśli będę mógł coś...

W sypialni ponownie rozległ się kaszel Moniki. Will dostrzegł niepokój na twarzy Franka. Ten człowiek bez wątpienia niejeden raz widział objawy kaca, lecz coś mówiło Willowi, że tym razem jest inaczej.

– Co się dzieje, Frank?

Zapytany spojrzał na drzwi sypialni i odparł cicho:

– Wierz mi lub nie, ale poprzedni wieczór nie był taki zły. Wypiła dużo, ale nie tyle, co zazwyczaj.

– Tak?

– Nie sądzę, żeby to był jakiś nagły wypadek, ale... – Frank wzruszył ramionami. – Ciągle rzyga. Dałem jej całą colę z lodówki, przyniosłem tosty z kuchni, ale nie może nic utrzymać w żołądku.

Will żałował, że ta rozmowa nie odbyła się dwadzieścia minut temu. Mógłby podpowiedzieć coś Sarze, która zdążyła już wyjechać spod szpitala drugim quadem.

– Moja żona jest lekarzem. Dopilnuję, żeby zbadała Monikę, gdy tylko tu dotrze.

– Będę bardzo wdzięczny. – Franka przepełniła taka ulga, że nawet nie zapytał, jakim cudem Sara przeobraziła się z nauczycielki chemii w lekarkę. – Ale tak jak powiedziałem, to chyba nie jest nic poważnego. Jego próby minimalizowania zagrożenia poruszyły w Willu czułe struny. Położył mu dłoń na ramieniu.

– Zapewnimy jej pomoc. Obiecuję.

– Dziękuję. – Frank posłał mu niezręczny uśmiech. – Wiem, że to głupie, ale może zrozumiesz. Powinieneś zrozumieć. Patrzyłem na ciebie i Sarę razem i... I wiem, że warto walczyć o moją żonę. Naprawdę bardzo ją kocham.

Oczy Franka napełniły się łzami. Przed koniecznością ubrania swoich odczuć w życzliwe słowa uchronił Willa kolejny napad kaszlu Moniki. Jej kroki zadudniły po podłodze, gdy biegła do toalety.

– Wybacz. – Frank zniknął w sypialni.

Will nie wyszedł od razu, tylko rozejrzał się po domku. Kanapa i krzesła. Stolik kawowy. Frank posprzątał wnętrze, nic nie sprawiało wrażenia, jakby leżało nie na swoim miejscu. Will szybko przeszukał zakamarki, zaglądając pod poduszki, na półki i do szuflad w maleńkiej kuchni. Frank wydawał się miłym facetem, lecz był też pozostawionym samemu sobie, pogrążonym w żałobie mężem, który próbował ratować swoje małżeństwo – czyli dokładnie takim typem, z którymi Mercy pewnie spotykała się wcześniej.

Frank zostawił uchylone drzwi sypialni. Will pchnął je czubkiem buta. Pomieszczenie było puste; małżonkowie poszli do toalety. Will wszedł do środka. Ich ubrania nadal leżały złożone w otwartych walizkach. Znalazł stos książek, głównie thrillerów. Typowe urządzenia cyfrowe. Niepościelone łóżko. Prześcieradło wyglądało na przesiąknięte potem. Na podłodze przy łóżku stał przepełniony kosz na śmieci.

Żadnych zakrwawionych ubrań ani rękojeści noża z ułamanym ostrzem.

Will rakiem wycofał się z sypialni i spojrzał na zegarek. Nie zazna spokoju, dopóki nie zobaczy Sary. W najgorszym razie żona pośle mu spojrzenie zarezerwowane dla ostatnich głupców, bo przecież znowu nie wziął środków przeciwbólowych.

Byłoby to spojrzenie ze wszech miar słuszne, ale nie zmieniłoby sytuacji.

Cecil wciąż patrzył na Willa gniewnie, gdy ten wyszedł z domku. Will zauważył tabliczkę z talerzem i sztućcami oraz strzałką. Zapewne wskazywała Szlak Wyżerki. Will przypomniał sobie z poprzedniego wieczoru jego zygzakowaty kształt. W żwirze widoczne były dwa równoległe rowki wyżłobione przez wózek inwalidzki Cecila.

Will oddalił się od głównej siedziby na odległość jednego zakrętu, zanim spojrzał na listę, którą dostał od Franka. Niektóre imiona rozpoznał bez trudu, lecz tylko dlatego, że już je znał. Nazwiska stanowiły większe wyzwanie. Usiadł na pniu ściętego drzewa, rozłożył kartkę na kolanach i włożył słuchawki do uszu. Zeskanował kartkę aparatem telefonu, a potem wczytał obraz do aplikacji zamieniającej tekst na mowę.

Frank i Monica Johnsonowie
Drew Conklin i Keisha Murray
Gordon Wylie i Landry Peterson
Sydney Flynn i Max Brouwer

Will skonfigurował punkt dostępowy dla telefonu satelitarnego i przesłał listę gości Amandzie, aby mogła prześwietlić poszczególne osoby i sprawdzić ich kryminalną przeszłość. Transfer danych trwał prawie minutę. Poczekał, aż odeśle w wiadomości ikonkę potwierdzającą odbiór informacji. A potem odczekał jeszcze chwilę, aby się przekonać, czy wyśle coś jeszcze. Odetchnął z ulgą, gdy trzy tańczące kropki pod ich chatem zniknęły.

Aktualnie Amanda była na niego skrajnie wściekła. Bardziej niż zwykle, a to wiele mówiło. Próbowała odebrać mu sprawę, on zaś się uparł, że i tak będzie się nią zajmował. Zrobiła się z tego chryja. Pozostawało mu wypatrywanie nieodległej chwili, gdy wbije mu ostre jak brzytwa pazury w gardło, a potem wyrwie wnętrzności.

Zanim jednak miało to nastąpić, musiał przesłuchać szefa kuchni i dwóch kelnerów. Złożył listę i wsunął ją z powrotem do kieszeni koszuli, a komórkę i słuchawki wcisnął do kieszeni spodni. Przypiął telefon satelitarny do paska, przycisnął zranioną dłoń do piersi i ruszył przed siebie.

Szlak Wyżerki wił się płynnymi łukami w stronę jadalni. Biorąc pod uwagę wózek inwalidzki Cecila, który trudno byłoby bezpiecznie sprowadzić prostą drogą po stosunkowo ostro nachylonym zboczu, wytyczenie drogi łagodnymi trawersami było logiczne, lecz Will musiał poinformować Faith, by skorygowała oś czasu. Mercy nie zawracałaby sobie głowy pokonywaniem takich zakrętów, zwłaszcza gdyby ratowała skórę. Will dotarł do platformy widokowej i odwrócił się, by spojrzeć na szlak wstecz. Wydawało mu się, że dostrzega dach domu McAlpine'ów. Podszedł do krawędzi tarasu z widokiem na jezioro. Wierzchołki drzew zasłaniały brzeg, lecz gdzieś tam znajdowały się domki kawalerskie. Przechylił się przez balustradę i spojrzał prosto w dół. Urwisko było dość strome, lecz wyobrażał sobie, że ktoś wychowany tu od dziecka umiałby szybko i bezpiecznie dostać się na dół. Coś mówiło Willowi, że to on będzie tym ześlizgującym się po zboczu, a Faith tą, która zmierzy mu czas.

Obszedł budynek od tyłu, kierując się w stronę kuchni i zerkając po drodze przez okno. Kucharz obsługiwał przemysłowy mikser, a dwaj kelnerzy wynosili właśnie przez tylne drzwi duże czarne foliowe worki ze śmieciami.

Will już miał wejść do środka, gdy telefon satelitarny na jego pasku zawibrował.

Zanim odebrał, odszedł kilka kroków od budynku.

– Trent.

– Mam rozumieć, że nadal w tym siedzisz? – zapytała Amanda.

Wyczuł ostrzeżenie w uszczypliwym tonie jej głosu.

– Tak, szanowna pani.

– Doskonale – odparła. – Próbowałam skontaktować się z sędzią okręgowym, z którym mogłabym dograć sprawę przez telefon, ale okazało się, że burza uszkodziła główne transformatory obsługujące północno-zachodnią część stanu. Załatwię nakaz tak czy inaczej. Zespół nurków szuka obecnie jakiegoś ciała w jeziorze Rayburn. Potraktujmy ściągnięcie ich jako ostatnią deskę ratunku. Jak wiesz, przeszukiwanie jeziora, zwłaszcza tak głębokiego, jest bardzo kosztowne, więc lepiej znajdź tę rękojeść na lądzie.

– Zrozumiano.

– Namierzyłam akt małżeństwa Gordona Wyliego. Jest w związku z niejakim Paulem Ponticellem.

– Znalazłaś coś w ich papierach?

– Nic. Wylie prowadzi firmę, która opracowała aplikację do obsługi transakcji giełdowych. Ponticello jest chirurgiem plastycznym, ma gabinet w Buckhead.

– A pozostali? – Pomyślał, że tacy faceci raczej nie zabijają dla pieniędzy.

– Monica Johnson pół roku temu została złapana podczas jazdy pod wpływem.

– Jakoś mnie to nie dziwi. A Frank?

– Znalazłam akt zgonu ich syna, miał dwadzieścia lat. Białaczka. Oboje są w dobrej sytuacji finansowej – zrelacjonowała Amanda. – To samo można powiedzieć o pozostałych. W większości są zamożnymi, wykształconymi profesjonalistami w swoich fachach. Jedynym wyjątkiem jest Drew Conklin. Wisi na nim zarzut napaści z użyciem przemocy sprzed piętnastu lat.

Informacja była zaskakująca.

– Znasz jakieś szczegóły?

– Poznam więcej konkretów, gdy dotrę do raportu z aresztowania. Conklin nie odsiedział kary, więc zapewne poszedł na ugodę.

– Myślisz, że to był napad z bronią w ręku?

– Jeśli tak, to nie z bronią palną – powiedziała Amanda. – Wtedy nie wywinąłby się ugodą.

– Mógł to być nóż.

– Słyszę, że już ci się podoba.

Will próbował odłożyć na bok własne emocje, lecz przychodziło mu to z trudem. Musiał się dowiedzieć, o jakiej konkretnej sprawie Drew chciał porozmawiać z Bitty.

– Powędrował mocno w górę mojej listy, ale trudno mi w tej chwili cokolwiek powiedzieć.

– Kevin Rayman jest ceniony i zaprawiony w bojach.

Mówiła o agencie terenowym GBI.

– Wykonuje tu świetną robotę.

– Faith jest zajadła jak pies gończy.

– Nie wiem, czy to brzmi jak komplement.

– Wilburze, powinieneś delektować się swoim miesiącem miodowym. Spraw morderstw do rozwiązania ci nie zabraknie, nie możesz zajmować się każdą. A ja nie chciałabym, żeby ta jedna zawładnęła twoim życiem.

Miał dość słuchania tego samego wykładu za każdym razem.

– Amando, nikogo tutaj nie obchodzi, że Mercy nie żyje. Wszyscy ją opuścili. Jej rodzice nie zadali ani jednego pytania, a brat poszedł na ryby. Dosłownie.

– Ma kochającego syna.

– Z moją matką też tak było.

Amanda, zupełnie nie w swoim stylu, nie znalazła żadnej ciętej riposty.

Will w milczeniu obserwował jednego z kelnerów, który pchał taczkę wypełnioną workami na śmieci jeszcze inną ścieżką. Założył, że to skrót prowadzący do głównego budynku. Faith z pewnością będzie potrzebowała mapy, a także butów do biegania. Ponieważ Will stawiał kroki dwa razy dłuższe niż Mercy, to raczej Faith będzie musiała pobiegać po lesie.

– W porządku – odezwała się wreszcie Amanda. – Załatwmy to szybko, Wilburze. I nie oczekuj, że oddam ci dni urlopu. Dałeś mi jasno do zrozumienia, że właśnie tak zamierzasz go spędzić.

– Tak, proszę pani. – Will zakończył rozmowę i przypiął telefon do paska.

Zajrzał przez kuchenne okno. Szef kuchni właśnie robił coś przy piecu. Will obszedł ośmiokątny budynek. Przedłużenie szlaku wiodącego do siedziby prowadziło w stronę potoku, który zasilał jezioro. Zanim ten dzień dobiegnie końca, Will spodziewał się usłyszeć od Faith wiele barwnych słów.

Pod przybudówką po drugiej stronie szlaku znajdowała się wolno stojąca zamrażarka. Drzwi do kuchni były zamknięte. Drugi kelner wciąż pracował na zewnątrz. Wkładał jakieś puszki do papierowej torby na zakupy. Włosy opadały mu na oczy. Wyglądał na młodszego od Jona; miał może czternaście lat.

– Cholera! – Na widok Willa chłopak upuścił torbę i puszki potoczyły się we wszystkie strony. Rzucił się, by je zebrać, posyłając Willowi ukradkowe spojrzenia niczym przestępca schwytany na gorącym uczynku, co było skądinąd słuszne. – Proszę pana, ja nie...

– Nic się nie stało. – Will pomógł mu z puszkami. Dzieciak nie zabrał dużo. Fasolka szparagowa, mleko skondensowane, kukurydza, groszek. Will wiedział, jak to jest być głodnym i zdesperowanym. Nigdy nie zatrzymywał ludzi za kradzież jedzenia.

– Aresztuje mnie pan? – zapytał chłopak.

Zastanowił się, kto powiedział temu młodemu człowiekowi, że jest policjantem. Pewnie wszyscy.

– Nie, nie zamierzam tego robić.

Dzieciak nie wyglądał na przekonanego, ale wrócił do pakowania konserw.

– Masz tu całkiem dobre rzeczy – dodał Will.

– Mleko jest dla mojej młodszej siostry – wyjaśnił. – Lubi słodkości.

– Masz na imię Ezra czy Gregg?

– Gregg, proszę pana.

– Gregg. – Will podał mu ostatnią puszkę. – Widziałeś Jona?

– Nie, proszę pana. Słyszałem, że uciekł. Delilah już mnie pytała, czy znam jakieś miejsca, do których mógłby pójść. Rozmawiałem o tym z Ezrą i żaden z nas nie ma pojęcia, dokąd zwiał. Powiedziałbym, gdybym czegoś się domyślał. Jon jest spoko. Pewnie załamał się z powodu mamy.

Will przyglądał się, jak chłopak przyciska torbę z prowiantem do piersi. Bardziej martwił się możliwością utraty jedzenia niż tym, że rozmawia z policjantem.

– Zatrzymaj to – powiedział Will. – Nikomu nie powiem.

Dzieciak odetchnął z ulgą. Obszedł zamrażarkę, przyklęknął i wcisnął torbę w zakamarek, który najwyraźniej był często wykorzystywaną w tym celu skrytką. Will dostrzegł ciemną plamę oleju na drewnianym tarasie. Nigdzie nie zauważył zbiorników na przepracowany tłuszcz, co oznaczało, że prawdopodobnie wylewano go do miejscowej oczyszczalni, skąd mógł przedostawać się do wód gruntowych, a Agencja Ochrony Środowiska nie przymykała oczu na takie rzeczy. Will postanowił to zapamiętać, na wypadek gdyby potrzebował argumentów pozwalających mu przycisnąć Bitty i Cecila do muru.

– Dziękuję, proszę pana. – Gregg wstał i wytarł dłonie o fartuch. – Muszę wracać do roboty.

– Poczekaj chwilę.

Gregg znów zrobił wystraszoną minę. Jego wzrok powędrował do ukrytego jedzenia.

– Nic ci nie grozi. Chcę tylko zapytać, jak twoim zdaniem wyglądało życie Mercy przed śmiercią. Możesz mi coś o niej powiedzieć?

– Co na przykład?

– Cokolwiek przychodzi ci do głowy. Wszystko.

– Była uczciwa? – Ujął to w formę pytania, jakby chciał zbadać grunt. – To znaczy czasami potrafiła ochrzanić, ale nigdy bez powodu. Wiedziałem, na czym stoję. Nie tak jak z całą resztą.

– A jaka jest ta reszta?

– Cecil jest jak żmija, kąsa bez ostrzeżenia. Co prawda teraz już się nie rusza, ale przed wypadkiem było się czego bać. – Gregg oparł się o zamrażarkę. – Fish nie gada wiele. Chyba jest okej, ale zachowuje się dziwnie. Na Bitty mocno się zawiodłem. Udawała przyjaźń, a potem, gdy nie zrobiłem wystarczająco szybko czegoś, o co prosiła, wściekła się i kompletnie się ode mnie odwróciła.

– W jakim sensie?

– Traktuje mnie jak powietrze – odparł. – Czasami pomagała mnie i Ezrze. Jak zrobiliśmy dla niej coś miłego, dawała nam po dziesięć albo i dwadzieścia dolców. Ale teraz, kiedy przechodzę obok, nawet nie patrzy mi w oczy. Szczerze mówiąc, teraz, kiedy Mercy nie żyje, spróbuję poszukać pracy w mieście. Już zapowiedzieli, że obetną nam pensje, bo nie wiedzą, co będzie dalej.

Informacja pokrywała się z tym, czego Will dowiedział się o McAlpine'ach i ich podejściu do pieniędzy.

– Widziałeś kiedyś, żeby Mercy rozmawiała z którymś z gości, znaczy się z facetem?

Parsknął śmiechem.

– To dziwne pytanie.

– A jak sądzisz, o co pytam? – Gdy chłopak zaczerwienił się, Will dodał: – Spokojnie, sprawa zostaje tylko między tobą a mną. Widziałeś kiedyś Mercy z którymś z gości?

– Jeśli rozmawiała z gościem, to zwykle dlatego, że o coś prosił albo się skarżył. – Wzruszył ramionami. – Zjawiamy się tu codziennie o szóstej rano, a wracamy o dziewiątej wieczorem. Między posiłkami jest mnóstwo roboty. Mycie naczyń, przygotowywanie jedzenia, sprzątanie. Nie mamy zbyt wiele czasu na patrzenie, co robią inni ludzie.

Will nie zapytał, jakim cudem znajduje czas na szkołę. Chłopak prawdopodobnie pomagał w utrzymaniu rodziny.

– Kiedy ostatni raz widziałeś Mercy?

– Chyba jakoś koło ósmej trzydzieści wieczorem. Pozwoliła nam skończyć wcześniej. Powiedziała, że zajmie się resztą.

– Czy w kuchni był ktoś jeszcze, kiedy wychodziłeś?

– Nie, proszę pana. Była sama.

– A szef?

– Alejandro wyszedł razem z nami.

Will nie zauważył na parkingu auta, które mogłoby do niego należeć.

– Czym jeździ?

– Wszyscy jeździmy konno na górę i na dół. Za parkingiem jest padok. Ja i Ezra korzystamy z uprzejmości Alejandra, jadąc na jednym z jego koni, a on wraca drugim i inną drogą, bo mieszka po drugiej stronie góry.

Sprawdzenie kwestii padoku Will odłożył na później.

– Co sądzisz o Alejandrze?

– Jest w porządku. Bardzo poważnie traktuje swoją pracę. Rzadko kiedy żartuje. – Jeszcze raz wzruszył ramionami. – W każdym razie jest lepszy niż jego poprzednik. Tamten jakoś dziwnie na nas patrzył.

– Czy Alejandro spędzał czas z Mercy?

– Pewnie, często musiała z nim omawiać różne sprawy, bo goście mają swoje upodobania co do jedzenia.

– Czy Mercy i Alejandro prowadzili te rozmowy przy tobie?

Brwi Gregga uniosły się, jakby dopiero teraz dodał dwa do dwóch.

– Wchodzili do biura Mercy i zamykali drzwi. Nigdy nie myślałem o nich jak o parze. Mercy była trochę stara.

Will uznał, że z perspektywy czternastolatka osoba mająca trzydzieści dwa lata to chodzący zabytek.

– Przepraszam pana, ale czy to już wszystko? Muszę odpalić zmywarkę, bo mnie prześwięcą.

– To wszystko, dzięki.

Will podszedł do zamrażarki, ale dopiero wtedy gdy zamknęły się drzwi. Zamek urządzenia był zwolniony, więc zajrzał do środka. Samo mięso. Przyjrzał się skrytce Gregga pod ścianą przybudówki. Kosze na śmieci były puste. Teren czysty.

Żadnych zakrwawionych ubrań ani odłamanej rękojeści.

Will przyklęknął, włączył latarkę w telefonie i zerknął pod zamrażarkę. W tej samej chwili usłyszał dochodzące z lasu głosy i szybko schował się za zamrażarką. Konstrukcja przybudówki zapewniała mu dodatkową osłonę. Dołem szlaku, poniżej jadalni, szli Christopher i Chuck. Nieśli wędki i pudełka ze sprzętem wędkarskim. Chuck miał ze sobą tę samą wielką butlę z wodą, z którą nie rozstawał się podczas wczorajszej kolacji. Przyssał się do przezroczystego plastikowego pojemnika i pił tak głośno, że Will słyszał to z odległości prawie dwudziestu metrów.

– Kurczę – powiedział zły na siebie Christopher. – Zapomniałem osęki.

Chuck otarł wargi rękawem koszuli.

– Oparłeś ją o drzewo.

– Szlag. – Christopher spojrzał na zegarek. – Zaraz powinienem być na spotkaniu rodzinnym. Czy możesz...

– A w jakiej sprawie to spotkanie?

– Guzik wiem na ten temat. Pewnie chodzi o sprzedaż.

– Myślisz, że ci inwestorzy nadal są zainteresowani?

– Daj mi swoje rzeczy. – Christopher położył skrzynkę i wędkę Chucka obok swoich akcesoriów. – Są czy nie są, dla mnie to koniec. Spadam stąd. Po pierwsze, nigdy nie chciałem tu pracować. A po drugie, bez Mercy to nie ma szans działać. Potrzebowaliśmy jej.

– Fish, nie mów tak. Jakoś to będzie. Nie możemy zrezygnować. – Chuck rozłożył ręce, obszernym gestem wskazując otoczenie. – Przestań, stary. Robimy tu dobre rzeczy. Mnóstwo ludzi na nas polega.

– Mogą sobie polegać na kimś innym. – Christopher odwrócił się i ruszył szlakiem z powrotem. – Postanowione.

– Fish!

Will pochylił się, aby przechodzący nieopodal Christopher go nie zauważył.

– Fishtopherze McAlpine. Wracaj. Nie możesz mnie tak zostawić! – zawołał Chuck. Odczekał na odpowiedź za długo, zanim się zorientował, że Christopher nie ma zamiaru wracać. – Cholera.

Will wysunął głowę zza zamrażarki i zobaczył, że Christopher zmierza w stronę rodzinnego domu. Chuck udał się w kierunku strumienia. Nadszedł czas decyzji.

Alejandro prawdopodobnie spędzi resztę dnia w kuchni. W przeciwieństwie do pozostałych mężczyzn znajdujących się na terenie obiektu, Chuck stanowił dla Willa nieprzeniknioną tajemnicę. Nie znali jego nazwiska, nie byli w stanie zbadać jego przeszłości. Co więcej, Mercy zawstydziła go w obecności innych ludzi. Mniej więcej osiemdziesiąt procent badanych przez Willa morderstw na kobietach popełniali mężczyźni, którzy wściekli się, gdyż nie byli w stanie ich zdominować.

Will podążył w dół szlakiem. Jeśli można to było nazwać szlakiem. Wąska ścieżka prowadząca do potoku nie została wysypana żwirem jak pozostałe. Domyślał się, dlaczego nie była to droga przeznaczona dla gości. Spacer niebezpiecznie stromą trasą mógł skończyć się wypadkiem i pozwem sądowym. Will musiał skupić się na utrzymaniu równowagi, by przebrnąć przez najtrudniejszy fragment. Chuckowi szło to jakoś lepiej. Nieśpiesznie wędrował przez las, machając butlą z wodą. Miał specyficzny sposób chodzenia – stawiał stopy pod kątem na zewnątrz, jakby kopał nieistniejącą piłkę nożną. Przypominał Jasia Fasolę. Był przygarbiony, miał na sobie czapkę rybacką i kamizelkę wędkarską. Brązowe bojówki sięgały mu nieco poniżej kolan. Czarne skarpety wywinął wokół cholewek żółtych butów turystycznych.

Szlak zrobił się jeszcze bardziej stromy. Will chwycił gałąź, by nie wylądować na tyłku. Potem złapał linę przywiązaną do drzew w charakterze poręczy i usłyszał strumień, zanim go zobaczył. Dźwięk był cichy i przypominał biały szum. Musiało to być miejsce, które Delilah nazwała wodospadem, a które w rzeczywistości nim nie było. Na odcinku kilkunastu kroków teren obniżył się o dobre trzy metry. U szczytu malutkiej kaskady wodnej ułożono kilka płaskich kamieni, tworząc prowizoryczną przeprawę przez strumień.

Will przypomniał sobie zrobione w tej okolicy zdjęcie, które znalazł na stronie internetowej pensjonatu. Przedstawiało Christophera McAlpine'a, który stał pośrodku strumienia i zarzucał wędkę. Woda sięgała mu do pasa. Domyślił się, że wskutek niedawnych deszczy strumień jest teraz prawie dwa razy głębszy. W wielu miejscach po przeciwnej stronie potoku woda wystąpiła na brzeg. Korony drzew nad głową Willa zgęstniały. Widział dość wyraźnie, ale nie tak wyraźnie, jak by sobie tego życzył.

Chuck miał przed sobą tę samą scenerię, tylko podziwiał ją z punktu położonego nieco niżej. Patrzył na strumień, ugniatając plecy zaciśniętą dłonią. Will zaczął się zastanawiać, w jaki sposób Chuck mógłby mu zagrozić, gdyby doszło do potyczki. Haczyki i metalowe przynęty przypięte do kamizelki wyglądały na kąśliwe. Will pocieszał się, że została mu już tylko jedna ręka do pokaleczenia. Nie był pewien, jak wygląda osęka, lecz z tego, co widział wcześniej, wywnioskował, że wielu akcesoriów wędkarskich można użyć w charakterze broni. Plastikowa butelka była już tylko w połowie pełna, lecz jeśli Chuck zamachnąłby się nią z odpowiednią siłą, mogła zadziałać jak młotek.

– Chuck? – zawołał z bezpiecznej odległości, a on raptownie się odwrócił.

Był całkowicie zaskoczony. Szkła jego okularów zaparowały przy brzegach, lecz bez trudu odnalazł wzrokiem rewolwer na biodrze Willa.

– Ty jesteś Will, prawda?

– Zgadza się. – Will ruszył w dół ostatnim odcinkiem ścieżki.

– Wilgotność daje się dziś we znaki. – Chuck przetarł okulary skrajem koszuli. – Ledwie uszliśmy przed następną burzą.

Will zachował mniej więcej trzymetrowy dystans.

– Wybacz, że nie znalazłem okazji, żeby porozmawiać wczoraj przy kolacji.

Chuck wetknął okulary na nos.

– Wierz mi, że gdybym miał taką seksowną żonę, też z nikim bym nie rozmawiał.

– Dzięki. – Will zmusił się do uśmiechu. – Nie zapamiętałem twojego imienia...

– Bryce Weller. – Podszedł i wyciągnął rękę, żeby uścisnąć Willowi dłoń, lecz na widok opatrunku cofnął ją i tylko pomachał. – Mówią na mnie Chuck.

Will starał się, by jego odpowiedź zabrzmiała neutralnie.

– Ciekawy pseudonim.

– Musiałbyś zapytać o niego Dave'a, bo to jego pomysł. Nikt już nie pamięta, skąd wzięła się ta ksywa. – Chuck się uśmiechał, ale nie wyglądał na zadowolonego. – Trzynaście lat temu przylazłem tu, mając na imię Bryce, a zlazłem już jako Chuck.

Zaczął mówić z miejscowym akcentem. Zaintrygowało to Willa, ale postanowił nie drążyć tematu.

– Powinieneś wiedzieć, że jestem tu w celach zawodowych. Nie miałbyś nic przeciwko temu, by porozmawiać ze mną o Davie?

– Nie przyznał się?

Will przytaknął ruchem głowy, zadowolony, że wieści z miasta jeszcze tu nie dotarły.

– Nie dziwi mnie to, inspektorze – odparł Chuck, po raz kolejny zmieniając sposób wypowiedzi. – To podstępny szkodnik. Nie pozwólcie mu się wywinąć. Powinien skończyć na krześle elektrycznym.

Kara śmierci w USA jest obecnie wykonywana poprzez podanie trucizny, lecz Will przemilczał tę kwestię.

– Co jeszcze możesz o nim powiedzieć?

Chuck nie odparł od razu. Odkręcił butlę z wodą i łapczywie wypił połowę tego, co zostało. Oblizał wargi i zakręcił pojemnik, a potem beknął tak toksycznie, że stęchły odór dotarł do Willa pomimo dzielącej ich odległości.

– Dave to typowy samiec alfa. – Żartobliwy ton głosu Chucka zniknął. – Nie pytaj mnie dlaczego, ale kobiety lecą do niego jak ćmy do świecy. Im jest gorszy, tym bardziej go pragną. Nie ma prawdziwej pracy. Żyje z ochłapów, które rzuca mu Bitty. Pali jak lokomotywa. Ćpa. Kłamie, oszukuje i kradnie. Mieszka w przyczepie. Nie ma samochodu. Chodzący ideał, prawda? A jak ktoś jest miłym facetem, może liczyć w porywach na przyjaźń.

Will nie był zaskoczony, że Chuck jest incelem; bardziej zdziwiło go to, że mówi o tym tak otwarcie.

– Twoja znajomość z Mercy też sprowadzała się tylko do przyjaźni?

– Sam tak postanowiłem, mój drogi. – Chuck zdawał się naprawdę w to wierzyć. – Kilka razy pozwoliłem jej się wypłakać na moim ramieniu, ale potem zdałem sobie sprawę z tego, że nic się nie zmieni. Dave mógł krzywdzić ją, ile chciał, a i tak zawsze do niego wracała.

– Wiedziałeś, że ją krzywdzi?

– Wszyscy wiedzieli. – Chuck na chwilę zdjął czapkę i otarł pot z czoła. – Dave się z tym nie krył, zdarzało mu się uderzyć Mercy na naszych oczach. Otwartą dłonią, nigdy pięścią, ale wszyscy to widzieliśmy.

Will powstrzymał się z wydawaniem sądów.

– Chyba trudno patrzy się na takie rzeczy obojętnie.

– Na początku próbowałem zająć stanowisko w tej sprawie, ale Bitty odciągnęła mnie na bok i powiedziała mi wprost, że dżentelmen nie wtrąca się w małżeństwo innego dżentelmena. – Miejscowy akcent wrócił. Chuck pochylił się w stronę Willa, udając pewność siebie. – Nawet największy łobuz nie odmówi prośbie tak drobnej i delikatnej istoty.

Do Willa wreszcie dotarło znaczenie słów Sary o dziwaczności Chucka.

– Mercy rozwiodła się z nim ponad dziesięć lat temu. Dlaczego Dave wciąż tu przebywa?

– Ze względu na Bitty.

Zamiast wyjaśnić, Chuck zdecydował się pociągnąć kolejny łyk z butelki. Will zaczął się zastanawiać, czy jej zawartość sprowadza się wyłącznie do wody. Chuck opróżnił pojemnik do sucha, a z jego gardła wydobyły się odgłosy przypominające powolne bulgotanie w muszli klozetowej.

Beknął raz jeszcze.

– Na dobrą sprawę Bitty jest matką Dave'a. Ma prawo się z nią widywać. A Bitty oczywiście ma prawo zapraszać go na każde święta. Gwiazdka, Święto Dziękczynienia, Czwarty Lipca, Dzień Matki, Kwanzaa. Dave zjawia się tu z najróżniejszych okazji. Przychodzi na każde jej pstryknięcie.

Will wywnioskował z tego, że Chuck także kręci się tu bez przerwy.

– Co Mercy sądziła o zapraszaniu Dave'a na każde rodzinne wydarzenie?

Chuck machnął pustą butelką.

– Czasami była zadowolona, kiedy indziej mniej. Myślę, że chciała jak najlepiej dla Jona.

– Była dobrą matką?

– Tak. – Chuck krótko skinął głową. – Była dobrą matką – powtórzył jak echo.

Oklapł, jakby to wyznanie kosztowało go wiele wysiłku. Ponownie zdjął czapkę, tym razem jednak cisnął ją na ziemię obok opartego o drzewo czarnego pręta z włókna szklanego.

W ten oto sposób Will dowiedział się, że osęka to w zasadzie mierzący solidnie ponad metr kij z dużym paskudnym hakiem na końcu.

– Posiadłość jest wielka – powiedział Chuck. – Mercy mogła bez trudu unikać Dave'a, zamykać się w swoim pokoju, schodzić mu z drogi. Ale tego nie robiła. Siadała z nim do stołu przy każdym posiłku. Była na każdym rodzinnym spotkaniu. I zawsze kończyło się tak, że krzyczeli na siebie albo się bili. Szczerze mówiąc, po jakimś czasie zrobiło się to nudne.

– Domyślam się – odparł Will.

Chuck położył pustą butlę obok czapki. Obserwując go, Will miał wrażenie déjà vu: oczami wyobraźni widział Dave'a i jego nóż do trybowania. Czy Chuck celowo chciał uwolnić ręce, czy po prostu zmęczyło go noszenie różnych rzeczy?

– Najgorsze było patrzenie, jak to wszystko wpływa na Fishtophera. – Chuck znów zaczął ugniatać plecy pięścią. – Wściekał się na Dave'a za jego stosunek do Mercy i często powtarzał, że któregoś dnia coś z tym zrobi. Przetnie mu przewody hamulcowe albo pośle na dno Płycizny. Dave bardzo słabo pływa, aż cud, że się tu jeszcze nie utopił. Ale ostatecznie Fish nic nie zrobił, a teraz Mercy nie żyje. Widać, że to na nim ciąży.

Will niczego takiego nie dostrzegł.

– Z zachowania Christophera trudno coś wyczytać.

– Jest zdruzgotany – odparł Chuck. – Kochał Mercy. Naprawdę.

Will pomyślał, że w takim razie miał intrygujący sposób okazywania miłości.

– Wczoraj wieczorem po kolacji wróciłeś do swojej kwatery?

– Chlapnęliśmy z Fishem po drinku przed snem, a potem poszedłem do siebie poczytać.

– Słyszałeś coś między dwudziestą drugą a północą?

– Zasnąłem z książką. To dlatego teraz bolą mnie plecy. Czuję się, jakby ktoś przywalił mi w nerki.

– Słyszałeś krzyki, wycie lub coś w tym rodzaju? – Gdy Chuck przecząco pokręcił głową, spytał o coś innego: – Kiedy ostatni raz widziałeś Mercy żywą?

– Podczas kolacji – odparł poirytowanym głosem. – Przecież byłeś świadkiem i doskonale wiesz, co wydarzyło się między nami podczas cocktail party. To doskonały przykład tego, jak Mercy mnie traktowała. Chciałem tylko zapytać, czy wszystko gra, a ona wrzasnęła, jakbym próbował ją zgwałcić.

Will dostrzegł zmianę wyrazu jego twarzy, jakby pożałował, że porównał sytuację do *gwałtu*. Zanim zdążył dopytać o coś więcej, Chuck schylił się po czapkę i syknął przez zęby:

– Jezu, moje plecy. – Zostawił czapkę na ziemi i powoli się wyprostował. – Ciało wie najlepiej, kiedy człowiek powinien zrobić sobie przerwę.

– Racja. – Will przypomniał sobie, że Mercy nie miała żadnych obrażeń świadczących o tym, że się broniła. Może dostała kilka ciosów, zanim nóż dokończył dzieła. – Chcesz, żebym rzucił na to okiem?

– Na moje plecy? – W głosie Chucka pojawiło się zaniepokojenie. – A co chcesz zobaczyć?

Siniaki. Ślady po ugryzieniu. Zadrapania.

– Na studiach pracowałem jako fizjoterapeuta – skłamał. – Mógłbym...

– Nic mi nie jest – przerwał mu Chuck. – Przykro mi, że niewiele mogę pomóc, ale nie mam nic więcej do powiedzenia.

Will wyczuł, że Chuck chce go spławić, co tylko utwierdziło go w przekonaniu, że powinien zostać.

– Jeśli przypomni ci się cokolwiek...

– Będziesz pierwszą osobą, której o tym powiem. – Chuck wskazał wzgórze. – Ten szlak zaprowadzi cię z powrotem do domu. Idąc w górę, miniesz jadalnię po lewej stronie.

– Dzięki – odparł Will, ale nie odszedł. Jeszcze nie skończył sprawiać Chuckowi dyskomfortu. – Moja partnerka skontaktuje się z tobą później.

– Po co?

– Jesteś świadkiem. Musimy spisać twoje zeznania. – Will umilkł na chwilę, po czym dodał: – Masz coś przeciwko temu?

– Skądże znowu. Nie mam żadnych obiekcji. Chętnie pomogę, choć właściwie nic nie widziałem ani nie słyszałem.

– Dziękuję. – Will skinął głową w stronę szlaku. – Wracasz do domu?

– Myślę, że posiedzę tu przez chwilę. – Chuck znów zaczął masować sobie plecy, ale potem jakby zmienił zdanie. – Potrzebuję trochę czasu do namysłu. Staram się nadrabiać humorem, ale właśnie zdałem sobie sprawę, jak bardzo poruszyła mnie jej śmierć.

Will zastanawiał się, czy mózg Chucka dostarczył tę informację do jego twarzy, ponieważ facet wcale nie wyglądał tak, jakby potrzebował czasu do namysłu. Poza tym obficie się pocił. Jego skóra była trupioblada.

– Na pewno nie potrzebujesz towarzystwa? – zapytał Will. – Jestem dobrym słuchaczem.

Krtań Chucka pracowała nerwowo. Nie otarł potu, choć zalewał mu oczy.

– Nie, dziękuję.

– Jasne. Dzięki za rozmowę.

Chuck stał z zaciśniętą szczęką.

Will też nie ruszał się z miejsca.

– Będę w domu McAlpine'ów, gdybyś mnie potrzebował.

Chuck nic nie odpowiedział, ale każdą częścią ciała dawał Willowi do zrozumienia, że desperacko pragnie jego zniknięcia.

Willowi nie pozostało nic innego, jak spełnić jego niemą prośbę, i zaczął iść w górę szlaku. Kilka pierwszych kroków było dość trudnych, choć nie miało to nic wspólnego z trudnością w utrzymaniu równowagi. Po prostu kalkulował, jak daleko może sięgnąć osęka, potem uważnie nasłuchiwał potencjalnych odgłosów kroków biegnącego Chucka. Aż wreszcie zaczął się zastanawiać, czy nie popada w paranoję, co teoretycznie mogło wchodzić w grę, lecz teorie nieszczególnie biorą poprawkę na groźne zachowania innych ludzi.

Trzymał zdrową rękę luźno przy boku, blisko rewolweru na biodrze. Dwadzieścia metrów przed sobą zauważył powalone drzewo. Dostrzegł też koniec drugiego fragmentu poręczy linowej, przywiązany do dużej śruby oczkowej. W duchu postanowił, że gdy dotrze do leżącego drzewa, odwróci się i zobaczy, co porabia Chuck. Uszy aż piekły go od prób nasłuchiwania jakichkolwiek innych dźwięków niż szum obmywającej kamienie wody. Wchodzenie okazało się trudniejsze niż schodzenie. Poślizgnął się. Zaklął, gdy podparł się zranioną ręką, po czym się wyprostował. Sądził, że kiedy dotrze do pnia, Chucka już nie będzie.

Mylił się.

Chuck leżał twarzą w dół na środku strumienia.

– Chuck! – Will puścił się biegiem w jego stronę. – Chuck!

Ręka Chucka uwięzła między dwiema skałami. Woda opłukiwała jego ciało. Nie próbował podnosić głowy. Nawet się nie ruszał. Will w biegu odpiął kaburę i telefon satelitarny, a potem opróżnił kieszenie, wiedząc, że będzie musiał wejść do potoku. Jego buty ślizgały się po błocie. Ostatni fragment zbocza zjechał na tyłku, lecz i tak spóźnił się o sekundę.

Prąd wyrwał dłoń Chucka spomiędzy kamieni, ciało obróciło się i popłynęło w dół strumienia. Will nie miał innego wyboru, jak tylko ruszyć za nim. Zanurkował płytko, a potem się wynurzył, pracując jedną ręką. Woda była tak zimna, że odniósł wrażenie, jakby brnął przez lód. Zmusił się do dalszego ruchu. Z trudem walczył z nurtem. Zaczął mocniej pracować zdrową ręką. Chuck był pięć metrów dalej, potem trzy, a potem Will sięgnął po jego ramię.

Minął się z nim o włos.

Prąd stał się silniejszy. Na zakręcie strumienia woda pieniła się i burzyła. Zderzył się z ciałem Chucka, którego głowa gwałtownie odskoczyła do tyłu. Will ponownie wyciągnął rękę, lecz w tej samej chwili nurt ich rozdzielił. Will podjął próbę dotarcia do brzegu, ale woda miotała nim zbyt mocno. Na próżno starał się odnaleźć grunt pod stopami. Usłyszał donośny grzmot. Miotając się, usiłował zobaczyć, co znajduje się przed nim, lecz głowę co rusz zalewała mu woda. W pewnej chwili zdołał unieść wzrok i zmartwiał na widok tego, co znajdowało się pięćdziesiąt metrów przed nim. Turbulencje osłabły, a strumień płynnie wtapiał się w niebo.

Cholera.

Zbliżał się do prawdziwego wodospadu, o którym mówiła Delilah.

Czterdzieści metrów.

Trzydzieści.

Podjął ostatnią desperacką próbę schwytania Chucka i palce zahaczyły o kamizelkę. Wierzgał nogami, próbując znaleźć jakikolwiek punkt podparcia. Prąd wił się wokół jego nóg niczym gigantyczna kałamarnica i ciągnął go w dół rzeki. Głowa Willa znów zniknęła pod wodą. Uświadomił sobie, że musi puścić Chucka. Spróbował uwolnić rękę, ale coś zahaczyło o kamizelkę. Płuca błagały o powietrze. Z najwyższym trudem szarpnął się w tył.

Jego stopa wylądowała na czymś twardym.

Ze wszystkich sił, jakie mu pozostały, Will odepchnął się nogą od przypadkowo napotkanego oparcia i podążył w poprzek strumienia, na oślep wyciągając rękę. Palce znalazły jakiś uchwyt. Powierzchnia była względnie chropawa i stabilna. Uświadomił sobie, że udało mu się złapać za skraj jakiegoś głazu. Dopiero po trzech próbach zdołał się podciągnąć i wyprostować. Zaparł się biodrem o głaz, żeby dać sobie odrobinę czasu na nabranie powietrza. Piekły go oczy, płuca paliły. Kaszląc, wypluł z siebie wodę wymieszaną z żółcią.

Chuck wciąż był uwiązany do Willa kamizelką, lecz nie ciągnął go już w stronę wodospadu. Unosił się na plecach w płytkim zagłębieniu strumienia. Nogi miał wyprostowane, ręce rozrzucone niemal prostopadle na boki. Will spojrzał na jego twarz. Na szeroko otwarte oczy. Na wodę swobodnie przepływającą przez usta. Chuck niezaprzeczalnie był martwy.

Will wczołgał się na skałę i schował głowę między kolanami. Poczekał, aż wyostrzy mu się wzrok, a żołądek przestanie robić fikołki. Minęło kilka minut, zanim doszedł do siebie na tyle, by ocenić sytuację. Kamizelka wędkarska zwisała Chuckowi z jednego ramienia. Jej drugi koniec był ciasno owinięty wokół nadgarstka i dłoni Willa. Tej samej dłoni, którą zranił dwanaście godzin temu. Tej samej, która teraz pulsowała, jakby miała wybuchnąć.

Nie pozostało mu nic innego, jak się wyswobodzić. Kawałek po kawałku zaczął uwalniać się od ciężkiego, mokrego płótna, które poskręcało się w zagadkowy sposób. Zadanie okazało się czasochłonne. Tkanina była w wielu miejscach poprzebijana haczykami wędkarskimi, które miały najróżniejsze kształty i rozmiary, a ich wielobarwne końce przypominały owady. Will miał wrażenie, że minęły całe wieki, nim dotarł do własnej skóry.

Popatrzył z niedowierzaniem.

Opatrunek go uratował. W grubą warstwę bandaża wbiło się sześć haczyków. Jeden z nich owinął się wokół nasady palca wskazującego niczym pierścionek. Kiedy go odgiął, skóra w tym miejscu lekko krwawiła, przypominało to jednak bardziej skaleczenie papierem niż amputację. Ostatni haczyk był wbity w mankiet koszuli. Will nie zamierzał się z nim patyczkować. Po prostu go wyrwał. Uniósł dłoń, aby się upewnić, że nic mu się nie stało. Żadnej krwi. Żadnej kości na widoku.

Miał sporo szczęścia, ale poczucie ulgi szybko minęło.

Will zaczął dzień z jednym trupem. Teraz były już dwa.

Drogi Jonie!

Usiadłam, żeby do Ciebie napisać, i długo wpatrywałam się w pustą kartkę, bo nawet nie pomyślałam, że tym razem nie mam wiele do przekazania. Ostatnio jest naprawdę spokojnie, za co jestem wdzięczna. Wszystko toczy się utartym torem. Budzę Cię i szykuję do szkoły, Fish zwozi Cię na dół, a potem zabieramy się do pracy i obsługujemy gości.

Wiem, że Twój wujek Fish wolałby rozpoczynać dzień nad strumieniem, lecz nie byłby sobą, gdyby nie poświęcał poranków małemu chłopcu. Nawet Bitty pomaga i popołudniami odbiera Cię ze szkoły. Myślę, że potrzebowała, abyś trochę podrósł. Nigdy nie lubiła dzieci, a teraz ma z Tobą całkiem bliski kontakt. Wpuszcza Cię do kuchni, gdy piecze ciasteczka dla gości. Czasami nawet pozwala Ci przy sobie siedzieć na kanapie, gdy robi na drutach. Na razie wszystko gra. Pamiętaj tylko, co mówiłam Ci o jej nagłych przemianach. Gdy raz powinie Ci się przy niej noga, nigdy więcej nie zobaczysz jej od tej dobrej strony. Możesz mi pod tym względem zaufać, bo w moim przypadku minęło już tak wiele czasu, że nawet nie pamiętam, jak ta strona wygląda.

Wracam myślami do minionego roku i zastanawiam się, co mogłabym Ci powiedzieć, lecz najważniejsza jest właśnie ta względna łatwość, z jaką sprawy toczyły się przez pewien czas. Życie tutaj, na górze, nie jest zbyt wyszukane, ale jest to jakieś życie. Spaceruję po okolicy, myśląc o tym, że kiedyś będziesz prowadził pensjonat, i ta myśl sprawia mi radość.

Przypomniało mi się coś, co wydarzyło się wiosną ubiegłego roku. Może nawet Ty będziesz pamiętał jakieś okruchy tego zdarzenia, bo rozzłościłam się na Ciebie, jakbym się szaleju najadła. Nigdy wcześniej mi się to nie zdarzyło i nigdy więcej nie zdarzy. Wiem, że potrafię być porywcza, a Twój tato bez zmrużenia oka zaświadczy, że mam w sobie coś z chłodu Bitty, lecz dotąd nie byłeś obiektem mojej złości. Czuję więc, że powinnam wyjaśnić, dlaczego się tak zdenerwowałam.

Przede wszystkim chcę Ci powiedzieć, że Twój wujek Fish jest dobrym człowiekiem. Nic na to nie poradzi, że ojciec pozbawił go ducha walki. Jest ode mnie starszy, a poza tym jako mężczyzna teoretycznie powinien mnie chronić, ale życie potoczyło się jakby na odwrót... Co, szczerze mówiąc, właściwie mi nie przeszkadza. Kocham swojego brata.

Następna rzecz, którą Ci opowiem, powinna pozostać tajemnicą; moją tajemnicą, a nie Twoją. Zamiast spać, czytałeś w łóżku. Kazałam Ci zgasić światło, a potem wróciłam do swojego pokoju i sama też się położyłam. Pomyślałam, że chwilę odczekam, zanim ponownie do Ciebie zajrzę. I chyba zasnęłam, bo następne, co pamiętam, to że Chuck był na mnie.

Wiem, oboje po cichu nabijamy się z Chucka, ale to jednak mężczyzna i w dodatku silny. Myślę, że od początku coś do mnie czuł. Robiłam, co w mojej mocy, by go do siebie zniechęcić, ale może popełniłam jakiś błąd. Byłam wdzięczna, że Fish ma przyjaciela. Twój nieszczęsny wujek czuje się tu, na górze, bardzo samotny. Przypuszczam, że gdyby Chuck nie dotrzymywał mu towarzystwa, Fish rzuciłby się w przepaść.

Wierz mi lub nie, ale w tamtej chwili krążyły mi po głowie właśnie takie myśli. Jakąś częścią umysłu kalkulowałam, jak bardzo skrzywdzę Fisha, jeśli zacznę krzyczeć i obudzę cały dom. Odcięłam się od własnego ciała. Nauczyłam się to robić już dawno temu i mam nadzieję, że nigdy się nie dowiesz dlaczego. Wiedz jednak, że akurat wtedy po prostu nie chciałam robić przykrości swojemu bratu.

Wszystko to okazało się bez znaczenia, ponieważ Fish wszedł do mojego pokoju. Co było niesamowite, bo przez te wszystkie lata nigdy ot tak, nie wchodził do mojej sypialni. Zawsze najpierw pukał, a potem na ogół czekał na korytarzu. Szanował mnie. Może usłyszał, że się miotam, bo ma pokój przez ścianę, ale tak naprawdę nie wiem, co go podkusiło, by przyjść. Absolutnie nie zamierzam go też o to pytać, ponieważ od tamtego czasu nie rozmawialiśmy na ten temat, a ja nie chcę wracać do tej sprawy. Wtedy chyba po raz pierwszy w życiu usłyszałam, jak krzyczy. Nigdy nie podnosi głosu. Ale tym razem wrzasnął: „Przestań!".

Chuck przestał. Zszedł ze mnie szybko, jakby nic się nie stało, i wybiegł z pokoju. Wtedy Fish po prostu na mnie spojrzał. Myślałam, że wyzwie mnie od dziwek, lecz usłyszałam: „Chcesz, żebym kazał mu się stąd wynosić?".

To pytanie wiele oznaczało. Świadczyło między innymi o tym, że Fish zdawał sobie sprawę z tego, że to nie ja ściągnęłam do siebie Chucka. I jeśli mam być szczera, właśnie to było dla mnie najważniejsze. Ludzie zawsze myślą *o mnie w najgorszych kategoriach, lecz Fish wiedział, że nigdy nie interesowałam się Chuckiem w ten sposób. Gotów był pozbyć się swojego jedynego przyjaciela, by się za mną wstawić.*

Powiedziałam mu więc, że jeśli nigdy więcej się to nie powtórzy, Chuck może zostać. Fish tylko kiwnął głową i wyszedł. Ku mojej uldze od tamtej pory Chuck zachowuje się tak, jakby do tego incydentu nigdy nie doszło. Po prostu nie ma tematu. Ale nie obyło się bez konsekwencji i dlatego Ci to wszystko opowiadam. Kiedy Fish zamknął za sobą drzwi, byłam bardzo zdenerwowana. Niektóre moje ubrania były podarte. A mnie nie stać na to, żeby pojechać do miasta i kupić sobie nowe rzeczy. Wszystko, co tutaj mam, pochodzi z darów.

Kiedy wstałam, ugięły się pode mną kolana i upadłam na podłogę. Byłam na siebie bardzo zła. A przecież właściwie nie miałam się czym denerwować. Nic się nie stało. No dobrze; prawie się stało, ale nie do końca. I wtedy zobaczyłam, że światło u Ciebie wciąż się pali.

Wiedz, że przez całe życie czułam się, jakbym zawsze obrywała wielką kupą gówna. Papa się wściekał i wyładowywał złość na Bitty, a ona wyżywała się na mnie. Między nimi bywało na odwrót, ale tak czy inaczej, to zawsze ja dostawałam na końcu. Tej nocy wyżyłam się na Tobie, za co przepraszam. To nie wymówka, tylko wyjaśnienie. Może po prostu chciałam to opisać, żeby ktoś kiedyś dowiedział się, co się stało. Bo mężczyźni tacy jak Chuck nauczyli mnie, że gdy raz się im uda, próbują znowu. Widywałam to u Twojego taty wiele razy, regularnie jak w zegarku.

Teraz jednak tak to zostawię.

Kocham Cię całym sercem i przepraszam, że wtedy krzyczałam,

Mama

ROZDZIAŁ PIĘTNASTY

Penny nie kłamała, gdy stwierdziła, że Rascal jest zatankowany do pełna. Nie dodała tylko czym. Koń podążał pod górę ze wspomaganiem odrzutowym, pozostawiając po sobie chmurę gazów. Niestety Faith znajdowała się blisko dyszy wylotowej. Trzymała się kurczowo Penny, obejmując ją w talii tak, jakby od tego zależało jej życie. Do tego stopnia bała się upadku i stratowania, że wpadła w jakiś histeryczny, całkowicie oderwany od rzeczywistości stan. Zadawała sobie głęboko egzystencjalne pytania w rodzaju: „Jaką planetę odziedziczą po mnie dzieci?" albo: „Dlaczego Scooby Doo, który jest psem, nie umie wywęszyć różnicy między duchem a człowiekiem?".

Penny cmoknęła. Faith wylądowała twarzą na jej ramieniu. Uniosła wzrok i prawie popłakała się z radości na widok stojącego obok drogi znaku z symbolem pensjonatu McAlpine'ów. Po chwili jej oczom ukazał się pordzewiały pikap oraz quad z oznaczeniami GBI.

– Poczekaj – powiedziała Penny. Prawdopodobnie poczuła, że Faith rozluźnia uścisk na jej zaskakująco mocno umięśnionym brzuchu. – Jeszcze tylko sekunda.

Sekunda przerodziła się w pół minuty, a tego było już za wiele. Pokrzykując, Penny zatrzymała Rascala obok samochodu. Faith oparła stopę o fragment karoserii nad tylnym kołem i na poły upadła, na poły stoczyła się na platformę pikapa, lądując bokiem na swoim glocku. Stal uderzyła o kość biodrową.

Faith nie omieszkała skwitować tego głośnym „Kurwa!".

Penny posłała jej zawiedzione spojrzenie. Cmoknęła znów, a Rascal się cofnął.

Faith zerknęła na korony drzew. Była spocona, pokąsana przez owady i bardzo zmęczona obcowaniem z przyrodą. Odwróciła się, by nie leżeć na glocku, zeskoczyła z platformy i zarzuciła torebkę na ramię. Podeszła do quada i położyła dłoń na plastikowym elemencie nad silnikiem. Był zimny, co oznaczało, że pojazd stał już od dłuższego czasu. Mały bagażnik był zamknięty. Łudziła się, że świadczy to o tym, że są tam schowane jakieś zabezpieczone dowody. Zajrzała na tylne siedzenie. Znajdowały się na nim niebieska przenośna lodówka marki Yeti, apteczka i plecak z logo GBI. Faith rozpięła zamek plecaka. Wewnątrz był telefon satelitarny.

Nacisnęła boczny przycisk przełączający urządzenie w tryb walkie-talkie.

– Will?

Zwolniła przycisk i odczekała. Nie usłyszała nic, poza trzaskami i szumem.

Ponowiła próbę:

– Mówi agentka specjalna Faith Mitchell z GBI. Odbiór.

Zwolniła przycisk.

Szum.

Kilka kolejnych prób skończyło się tak samo. Włożyła aparat do torebki i ruszyła do centrum kompleksu. Zrobiła krótki obchód. W zasięgu wzroku nie było żywej duszy. Zniknęła nawet Penny z Rascalem. Postanowiła zorientować się w okolicy. Wokół dużego domiszcza, będącego zlepkiem różnych stylów, stało osiem domków z grubsza usytuowanych na planie półokręgu. Poza tym wszędzie rosły drzewa. Nie dało się rzucić kamieniem tak, by w któreś nie trafić. Ziemia była naznaczona plamami kałuż. Gorące promienie słońca chciały wedrzeć się do czaszki Faith. Zauważyła oznaczenia początków kilku szlaków. Nie miała pojęcia, dokąd prowadzą, ponieważ nie dysponowała mapą.

Musiała odnaleźć Willa.

Zrobiła obchód w przeciwnym niż wcześniej kierunku, przyglądając się poszczególnym domkom. Włoski na jej karku stanęły dęba. Odnosiła wrażenie, że ktoś bacznie ją obserwuje. Dlaczego nikt nie wychodził? To nie tak, że pojawiła się w kompleksie ukradkiem. Koń parskał i zachowywał się całkiem głośno. Ona sama spadła na platformę pikapa z odgłosem przypominającym walnięcie w gong. Miała na sobie regulaminowy strój: brązowe bojówki i granatową koszulę z wielkimi żółtymi literami „GBI" na plecach.

– Jest tu kto?! – zawołała głośno.

Drzwi chatki znajdującej się po przeciwnej stronie kompleksu otworzyły się na oścież, a po chwili w stronę Faith zaczął truchtać łysiejący, nieogolony mężczyzna w pogniecionym T-shircie i luźnych spodniach od dresu. Gdy zbliżył się na tyle, by móc z nią porozmawiać, był kompletnie zdyszany.

– Cześć! Ty jesteś partnerką Willa? Sprowadziłaś Sarę? To ona była z tobą na koniu? Choć nie wyglądała mi na Sarę. Will powiedział, że Sara jest lekarzem.

– Frank? – domyśliła się Faith.

– Tak, przepraszam. Frank Johnson. Jestem mężem Moniki. Zaprzyjaźniliśmy się z Willem i Sarą.

Faith szczerze w to wątpiła.

– Widziałeś Willa?

– Jakiś czas temu. Możesz mu przekazać, że z Monicą jest trochę lepiej? Obudził się policyjny mózg Faith.

– Co się z nią stało?

– Wczoraj wieczorem wypiła trochę za dużo. Powoli dochodzi do siebie, ale było ciężko. – Zaśmiał się nerwowo. Widziała, że opada z niego napięcie. – W końcu udało jej się wypić trochę piwa imbirowego. Myślę, że po prostu się odwodniła. Mimo to byłoby świetnie, gdyby Sara zechciała na nią spojrzeć. Lepiej dmuchać na zimne. Myślisz, że się zgodzi?

– Jestem pewna, że tak. Powinna dotrzeć wkrótce. – Faith musiała uciec od tego gaduły. – Wiesz może, czy Will poszedł do domu McAlpine'ów?

– Przykro mi, ale nie. Nie widziałem, dokąd się udał. Ale mogę pomóc ci go szukać, jeśli...

– Chyba będzie najlepiej, jeśli zostaniesz z żoną.

– Tak, racja. Ale może mógłbym...

– Dziękuję.

Faith odwróciła się w stronę domostwa, aby dać do zrozumienia, że zakończyła rozmowę. Słyszała ciężkie kroki Franka, gdy wracał tą samą drogą, którą do niej przybiegł. Gdy szła przez otwartą przestrzeń, upiorne odczucie powróciło. Okolica była urokliwa, pełna kwiatów, ławek oraz elegancko wybrukowanych ścieżek, lecz ktoś został tu brutalnie zamordowany i Faith podświadomie niepokoiła się brakiem innych ludzi.

Gdzie się podziewał Will? A skoro już o agentach mowa, gdzie zniknął Kevin Rayman? Gdy szef wyjeżdżał na konferencje, Kevin przejmował obowiązki kierownika biura terenowego w północnej Georgii. Faith powtarzała sobie, że nie jest pierwszym lepszym żółtodziobem i umie sobie radzić. Podobnie zresztą jak Will, nawet jeśli ten drugi ma tylko jedną sprawną rękę. Dlaczego więc Faith oblewała się zimnym potem?

To miejsce przyprawiało ją o gęsią skórkę. Czuła się jak w opowiadaniu Shirley Jackson *Loteria*, tuż przed ostatecznym losowaniem. Zmusiła się do wzięcia głębokiego wdechu i powoli wypuściła powietrze z płuc. Will i Kevin zapewne byli w jadalni. Zawsze warto odizolować przesłuchiwanych od pozostałych. Znając Willa, pewnie znalazł już zabójcę Mercy.

Brązowy pręgowany kot ułożył się na jej drodze, na stopniu schodów prowadzących na werandę. Przekręcił się na plecy, wyciągnął przednie i tylne łapy, a słońce padło na jego odsłonięty brzuszek. Faith przykucnęła, żeby go pogłaskać, i w jednej chwili poczuła, że poziom jej stresu spadł o kilka oczek. Sporządziła w myślach listę spraw, które powinna odhaczyć. W pierwszej kolejności musiała znaleźć mapę. Chciała sprawdzić, skąd dochodziły krzyki Mercy, i skorygować oś czasu. Potem zamierzała wybrać i przemierzyć najbardziej prawdopodobną trasę, którą Mercy mogła pójść do domków kawalerskich. Liczyła na łut szczęścia i znalezienie po drodze rękojeści noża.

Drzwi wejściowe się otworzyły i na werandę wyszła starsza kobieta z długimi siwymi włosami. Była bardzo drobna, prawie jak lalka. Faith domyśliła się, że to matka Mercy.

Bitty spojrzała na nią ze szczytu schodów.

– Jesteś policjantką?

– Agentka specjalna Faith Mitchell. Właśnie konsultowałam się z Mruczokiem Holmesem – podjęła próbę nawiązania bliższego kontaktu.

– Nie nadajemy kotom imion. Są tu po to, by zwalczać gryzonie.

Faith usiłowała się nie skrzywić. Kobieta miała wysoki, piskliwy głos, właściwy niektórym małym dziewczynkom.

– Czy mój partner jest w środku? Chodzi mi o Willa Trenta.

– Nie wiem, gdzie jest. Nie podoba mi się fakt, że on i jego żona zataili swoje prawdziwe zawody.

Faith nie zamierzała drążyć tego tematu.

– Bardzo mi przykro z powodu córki. Masz jakieś pytania?

– Owszem, mam – warknęła Bitty. – Kiedy będę mogła porozmawiać z Dave'em?

Faith odłożyła na później rozważania nad jej priorytetami. Na razie musiała postępować ostrożnie. Nie wiedziała, czy komunikacja z obiektem została przywrócona. Z jednej strony Penny obiecała, że utrzyma zwolnienie Dave'a w tajemnicy, lecz z drugiej w trakcie rozmowy wyciągnęła z szafy McAlpine'ów niejednego trupa.

– Dave wciąż jest w szpitalu – powiedziała Faith. – Możesz do niego zadzwonić, jeśli chcesz.

– Telefony nie działają. Nie ma dostępu do internetu. – Bitty wsparła dłonie o drobniutkie biodra. – Nie wierzę, że Dave jest w to uwikłany. Ten chłopak ma swoje demony, ale nie skrzywdziłby Mercy. Nie w taki sposób.

– Kto inny mógłby mieć motyw? – zapytała Faith.

– Motyw? – zbulwersowała się Bitty. – Nawet nie wiem, co to w tym przypadku oznacza. Jesteśmy rodzinną firmą, goszczą u nas zamożni, wykształceni ludzie i nikt nie ma motywu. Bez trudu mógł tu się dostać ktoś z miasta. Wzięliście to pod uwagę?

Faith rozważyła tę okoliczność, lecz uznała ją za bardzo mało prawdopodobną. Mercy rzadko bywała w mieście, a do tego wyznała Sarze, że wszyscy jej wrogowie są tutaj, na górze. Poza tym zginęła na terenie posiadłości.

Mimo to Faith postanowiła zapytać:

– A kto z miasta mógłby pragnąć jej śmierci?

– Grała na nerwach tylu osobom, że trudno powiedzieć. Wiem jedno, że ostatnio do miasta ściągnęło wielu obcych. Większość to kryminaliści z Meksyku i Gwatemali. Każdy z nich to potencjalny morderca z siekierą.

Faith nie zamierzała wdawać się w rozmowę o rasistowskim wydźwięku.

– Mogę zapytać o poprzedni wieczór?

Bitty zaczęła kręcić głową, jakby to nie miało żadnego znaczenia.

– Mieliśmy tu małą sprzeczkę. Nic niezwykłego, dochodzi do nich bez przerwy. Mercy była osobą beznadziejnie nieszczęśliwą. Nie umiała kochać nikogo, bo nie kochała siebie.

Faith domyśliła się, że oglądają tu programy telewizyjne z doktorem Philem.

– Słyszałaś albo widziałaś coś podejrzanego?

– Oczywiście, że nie. Co za pytanie. Pomogłam mężowi położyć się spać. Sama też zasnęłam. Nie działo się nic szczególnego.

– Nie słyszałaś zwierzęcego wycia?

– Tutaj często wyją zwierzęta. To są góry.

– Czy dociera tu dźwięk z okolicy domków, które nazywacie kawalerskimi?

– A skąd mam wiedzieć?

Faith umiała rozpoznać ślepy zaułek rozmowy. Przyjrzała się domowi. Był duży, musiał mieścić pięć, może nawet sześć pokojów. Chciała się dowiedzieć, gdzie śpią poszczególne osoby.

– Czy to pokój Mercy?

Bitty spojrzała w górę.

– Christophera. Pokój Mercy jest w środku, a Jona po przeciwnej stronie z tyłu.

Wydawały się położone blisko siebie.

– Słyszałaś, o której Christopher wrócił wczoraj wieczorem?

– Wzięłam tabletkę nasenną. Myśl sobie, co chcesz, ale nie lubię kłócić się z ludźmi, a niedawne zachowanie Mercy bardzo mnie zdenerwowało. Zawsze myślała tylko o sobie. Nigdy nie zastanawiała się, co byłoby dobre dla reszty rodziny.

Will przygotował Faith na obojętność tej familii, lecz to, z czym się zetknęła, było tyleż smutne, co niepokojące. Gdyby jedno z jej dzieci zostało zamordowane, Faith byłaby doszczętnie zdruzgotana.

Bitty chyba dostrzegła jej dezaprobatę, bo zapytała:

– Masz dzieci?

Faith zawsze bardzo oszczędnie dawkowała informacje na temat swojego życia osobistego.

– Mam córkę – wyjawiła po sekundzie namysłu.

– Żal mi cię. Synowie są łatwiejsi. – Bitty wreszcie zeszła po schodach. Z bliska zdawała się jeszcze mniejsza. – Christopher nigdy nie narzekał. Nigdy nie wpadał w złość ani się nie dąsał, gdy sprawy nie szły po jego myśli. Dave był aniołem. Tam, w Atlancie, nieźle szalał, ale odkąd postawił stopę w moim domu, był słodki jak miód. Złoty chłopak. Kiedy jest w pobliżu, nie muszę się o nic martwić. Opiekował się mną, kiedy byłam chora. Nawet mył mi włosy. Do dzisiaj nie pozwala mi kiwnąć palcem.

Faith domyśliła się, że Dave wie, jak się przypodobać.

– Mercy taka nie była?

– Była okropna – odparła Bitty. – Kiedy poszła do gimnazjum, co dwa tygodnie lądowałam u dyrektora, bo bez przerwy zadzierała z innymi dziewczynami. Plotkowała, handryczyła się i w ogóle zachowywała jak idiotka. Rozkładała nogi przed każdym, kto spojrzał w jej stronę. Ile lat ma twoja córka?

Faith skłamała, by podtrzymać rozmowę:

– Trzynaście.

– W takim razie już wiesz, jak to się zaczyna. Nadchodzi okres dojrzewania i nagle wszystko kręci się wokół chłopców. A potem są dramaty związane z tymi ich... emocjami. Jeśli ktoś miał tu prawo narzekać, to Dave. To, co przeszedł w Atlancie, jest nie do opisania. Delikatnie mówiąc, nie obchodzili się z nim łaskawie. Ale on nigdy się z tym nie obnosił. Chłopcy nie narzekają z powodu swoich emocji.

Chłopiec Faith narzekał, ale tylko dlatego, że jego matka stawała na głowie, aby był bezpieczny.

– Jaka zdawała ci się ostatnio Mercy?

– Zdawała? – odparła pytaniem na pytanie. – Zdawała się taka sama jak zwykle. Kwaśna, zrzędliwa i wściekła na cały świat.

Faith nie była pewna, jak poruszyć kwestię ciąży. Intuicja kazała jej się z tym wstrzymać. Wątpiła, by Mercy kiedykolwiek zwierzała się matce.

– Kiedy razem z mężem adoptowałaś Dave'a, miał trzynaście lat?

– Nie, dopiero jedenaście.

Uważnie obserwując twarz Bitty, Faith doszła do wniosku, że ma do czynienia z kłamcą światowej klasy.

– Jak Mercy i Christopher zareagowali na pojawienie się jedenastoletniego brata?

– Byli przeszczęśliwi. Kto by nie był? Christopher zyskał nowego przyjaciela, a Dave traktował Mercy jak laleczkę. Gdyby tylko mógł, przez cały czas nosiłby ją na rękach. Jej stopy nigdy nie dotykałyby ziemi.

– Musieliście się trochę zdziwić, gdy w końcu się zeszli.

Bitty uniosła brodę na znak dezaprobaty.

– Dzięki temu w moim życiu pojawił się Jon i to wszystko, co mam na ten temat do powiedzenia.

– Jon wrócił do domu?

– Nie, a my go nie szukamy. Dajemy mu czas, o który prosił. – Postukała palcami w klatkę piersiową. – Jon to mądry chłopak. Miły i troskliwy, wykapany ojciec. I będzie łamał serca tak samo jak on. Szkoda, że go nie widziałaś. Prawdziwy przystojniak, wszyscy goście szaleją na jego punkcie. Czasami patrzę przez okno, jak schodzi po schodach. Lubi teatralne wejścia. Twoja Sara wyglądała, jakby chciała go zjeść.

Faith przypuszczała, że Sara chciała raczej zapytać, jakie przedmioty w szkole lubi najbardziej.

– Moi biedni chłopcy. – Bitty ponownie postukała się w serce. – Robiłam, co mogłam, żeby trzymać Dave'a z dala od Mercy. Wiedziałam, że pociągnie go za sobą na dno, i zobacz, co się porobiło.

Faith z trudem zachowała spokojny ton głosu.

– Przykro mi z powodu tego, co się stało.

– Niech ci się nie zdaje, że go nie odzyskam. Skontaktowałam się już z prawnikiem z Atlanty, więc życzę powodzenia w trzymaniu go w areszcie. – Wydawała się absolutnie pewna, że ich koneksje zdadzą egzamin także i tym razem. – To wszystko?

– Masz może mapę posiadłości, z której mogłabym skorzystać?

– Mamy mapy dla gości. – Odwróciła się w stronę parkingu. – Na miłość boską, kogo tu jeszcze niesie?

Faith usłyszała dudnienie silnika. Na parkingu zatrzymał się drugi quad. Za kierownicą siedziała Sara.

- Następna oszustka przyjechała prząść swoje kłamstwa. - Tymi sło-
wy Bitty zakończyła rozmowę, po czym weszła po schodach do domu
i zamknęła za sobą drzwi.

- Jezu. - Faith poprawiła torebkę na ramieniu i skierowała kroki na
parking. To miejsce nie było scenerią z *Loterii*, tylko z *Dzieci kukurydzy*.

- Cześć. - Sara wyjmowała właśnie z quada ciężką torbę podróżną.
Uśmiechnęła się do Faith. - Przewróciłaś się?

Faith zapomniała, że jest pokryta błotem i cuchnie końską bździną.

- Ptak uderzył w mój samochód i wylądowałam w rowie.

- Oj, niedobrze - powiedziała Sara takim tonem, jakby wcale nie było
jej przykro. - Widziałam, że rozmawiasz z Bitty. Co sądzisz?

- Sądzę, że ta kobieta bardziej przejmuje się Dave'em niż zamordo-
waną córką. - Faith wciąż nie mogła się z tym pogodzić. - O co chodzi
z matkami mającymi świra na punkcie synów? Mówiła, jakby była jakąś psychopatyczną ekspartnerką Dave'a. I nawet nie pytaj mnie o jej
stosunek do Jona. Nienawidzę, gdy dorosłe kobiety mówią tym zapo-
wietrzonym dziewczęcym głosikiem. Jakby Hannah Montana pieprzyła się z diabłem.

- Jakieś postępy? - ze śmiechem spytała Sara.

- U mnie żadnych. Zamierzałam właśnie zejść do jadalni i poszukać
Willa. - Faith rozejrzała się, by zyskać pewność, że są same. - Myślisz,
że Mercy wiedziała o ciąży?

Sara wzruszyła ramionami.

- Trudno stwierdzić. Wczoraj wieczorem miała mdłości, ale założy-
łam, że to następstwo duszenia. Nic na ten temat nie mówiła, ale też nie
przypuszczam, by chciała dzielić się taką informacją z obcą osobą.

- Mój okres jest tak nieregularny, że zupełnie za nim nie nadążam.
- Faith zastanowiła się, czy Mercy korzystała z aplikacji w telefonie, czy
raczej oznaczała dni w kalendarzu. - Komu powiedziałaś o ciąży?

- Wiedzą o tym tylko Amanda i Will. Myślę, że Nadine, ta koronerka,
też się zorientowała, gdy zdecydowałam się na manualne badanie maci-
cy, ale nie skomentowała tego ani słowem. Wie, że Biszkopt ma bliskie
relacje z rodziną. Pewnie nie chciała, żeby sprawa wyszła na jaw.

- Biszkopt nie widział zdjęć rentgenowskich?

– Trzeba jeszcze wiedzieć, na co patrzeć – odparła Sara. – W zasadzie nie robi się prześwietleń ciężarnym, bo ryzyko związane z napromieniowaniem przewyższa ewentualną wartość diagnostyczną. A w przypadku dwunastotygodniowego płodu niewiele widać. Ma jakieś pięć centymetrów długości, czyli z grubsza tyle, ile bateria paluszek. Kości nie zdążyły wykształcić się na tyle, aby było je wyraźnie widać. Domyśliłam się, na co patrzę, tylko dlatego, że widywałam to już wcześniej.

Faith wolała się nie zastanawiać, w jakich okolicznościach Sara widywała to wcześniej.

– Nie pamiętam już, jak to jest w dwunastym tygodniu.

– Wzdęcia, nudności, huśtawki nastroju, bóle głowy. Kobiety czasami biorą to za objawy przedmiesiączkowego zaburzenia dysforycznego. U niektórych dochodzi do poronienia, które interpretują jako wyjątkowo ciężką miesiączkę. Osiem na dziesięć poronień ma miejsce przed dwunastym tygodniem ciąży. – Sara położyła torbę na masce quada. – Jeśli będziesz się zastanawiać, kto mógł mieć kontakt z Mercy w okolicach poczęcia, pamiętaj, że minęło dwanaście tygodni od ostatniej miesiączki, a nie dwanaście tygodni od stosunku płciowego. Owulacja ma miejsce dwa tygodnie po okresie, mówimy zatem o około dziesięciu tygodniach, a jeśli chcemy być bardzo dokładni, o przedziale od dwóch do dwóch i pół miesiąca temu.

– Musimy być bardzo dokładni. – Faith postanowiła przejść do najtrudniejszego pytania. – Doszło do gwałtu?

– Znalazłam śladowe ilości nasienia, ale jego obecność wskazuje jedynie na kontakt seksualny z mężczyzną do czterdziestu ośmiu godzin przed śmiercią. Nie jestem w stanie wykluczyć napaści na tle seksualnym, ale nie mogę jej też potwierdzić.

Faith mogła sobie tylko wyobrazić, jak ta niejednoznaczność musiała poirytować Amandę.

– A tak między nami?

– Między nami.... Naprawdę nie mam pojęcia – odparła Sara. – Nie znalazłam obrażeń świadczących o tym, że się broniła. Może świadomie zadecydowała, że bezpieczniej będzie nie walczyć? Mamy wiele dowodów na to, że Mercy wielokrotnie padła ofiarą przemocy. Złamane kości, oparzenia od papierosów. Zakładam, że sprawcą większości był Dave, lecz część urazów sięga dzieciństwa. Jeśli nawet się opierała, to raczej z pewnym umiarem.

Na myśl o pełnym udręki życiu Mercy, Faith ogarnął głęboki smutek. Penny miała rację. Los nie dał jej żadnych szans.

– Wiemy coś o narzędziu zbrodni?

– Akurat na ten temat mam trochę pomocnych informacji – rzekła Sara. – Zacznę od tego, że jeśli chodzi o noże, w tych z pełnym trzpieniem stal ciągnie się od czubka ostrza aż do końca rękojeści.

– Rozumiem. – Faith nie do końca zrozumiała, ale i tak skinęła głową.

– Mercy została zamordowana nożem z niepełnym trzpieniem, tak zwanym *half-tang*. To tańsza i mniej trwała konstrukcja stosowana na przykład w nożach do steków. W takich nożach trzpień jest długi tylko na tyle, by dało się przymocować rękojeść, a bywa też ażurowy lub ma kształt wydłużonej podkowy. Nadążasz?

– Ażurowe trzpienie i podkowy, jasna sprawa.

– Zabójca wbił ostrze aż po rękojeść. Po śladach pozostawionych na skórze stwierdziłam, że nóż nie miał bolstera. To taki metalowy kołnierz oddzielający ostrze od właściwej rękojeści. Wokół głębszych ran znalazłam drobiny tworzywa sztucznego. Pod mikroskopem wyglądają na czerwone.

Faith ponownie kiwnęła głową, ale tym razem dlatego, że dla odmiany zrozumiała, co się do niej mówi.

– Szukamy czerwonej rękojeści taniego noża do steków z wystającym z niej cienkim kawałkiem metalu.

– Bingo – potwierdziła Sara. – Wszystkie domki są wyposażone w małe kuchnie, ale w naszej nie było noży. O ile pamiętam, w restauracyjnej kuchni nie widziałam takiego, który pasowałby do tego opisu. Mimo to warto byłoby ją jeszcze raz przeszukać, uwzględniając te informacje. Moim zdaniem rękojeść powinna mieć mniej więcej dziesięć centymetrów długości i niecały centymetr grubości.

– W porządku. Muszę porozmawiać z Willem i ustalić tok postępowania. Jeśli znajdziesz go pierwsza, przekaż mu informacje o nożu. – Faith zdążyła zrobić krok, ale nagle coś sobie przypomniała. – Wpadłam na Franka. Niepokoi go stan żony. Podobno ma cięższego kaca niż zazwyczaj.

– Zaraz się nią zajmę. – Sara poklepała torbę. – Na wszelki wypadek zabrałam ze szpitala trochę środków medycznych. Cecil jest na wózku, ale nie widziałam nigdzie auta przystosowanego do przewozu osób niepełnosprawnych.

Faith uświadomiła to sobie dopiero teraz.

– Jak wsadzają go do pikapa?

– Jestem przekonana, że mają całkiem sporo osób do pomocy – odparła Sara. – Spotkamy się w jadalni, kiedy skończę?

– Jasne.

Faith podążyła za drewnianym znakiem przedstawiającym talerz i sztućce. Uważnie patrzyła pod nogi. Ścieżka była dobrze utrzymana, ale zarośla po obu jej stronach mogły skrywać węże i wściekłe wiewiórki. Albo ptaki. Zaryzykowała i uniosła wzrok. Gałęzie zwieszały się nad nią na podobieństwo długich palców. Liście szeleściły na silnym wietrze. Była pewna, że w każdej chwili sowa może rzucić się jej na głowę. Z ulgą dotarła do zakrętu szlaku, ale za zakrętem szlak ciągnął się dalej.

– Pieprzona przyroda.

Ruszyła w dół, omiatając wzrokiem ziemię i niebo w poszukiwaniu potencjalnych zagrożeń. Szlak zakręcił ponownie. Drzewa jakby się przerzedziły. Wyczuła zapach kuchni, zanim ją zobaczyła. Ojciec Emmy był Amerykaninem meksykańskiego pochodzenia, a jego wredna matka uwielbiała gotować równie mocno, jak nienawidziła Faith, co już o czymś świadczy. Kmin rzymski. Bazylia. Nasiona i liście kolendry. Gdy Faith dotarła do ośmiokątnego budynku, w jej brzuchu grała już cała orkiestra. Minęła taras ryzykownie zamontowany nad wąwozem i przeszła przez drzwi.

Pusto.

Światła były zgaszone. Ujrzała dwa długie stoły, z których jeden został już nakryty do lunchu. Przez wielkie okna na przeciwległej ścianie widać było, jakżeby inaczej, drzewa. Przewidywała, że kiedy opuści to miejsce, na długo będzie miała dość zieleni.

– Will? – zawołała. – Jesteś tu? – Nie doczekała się odpowiedzi. Słyszała jedynie odgłosy przyrządzania potraw, dochodzące zza wahadłowych drzwi do kuchni. – Will? – Gdy znów odpowiedziała jej cisza, ponownie wyciągnęła telefon satelitarny i nacisnęła przycisk walkie-talkie. – Mówi agentka specjalna Faith Mitchell z Biura Śledczego stanu Georgia. Słyszy mnie ktoś?

W milczeniu policzyła do dziesięciu. Potem do dwudziestu. A potem zaczęła się niepokoić.

Wrzuciła telefon do torebki i weszła do kuchni. Jaskrawe światło na chwilę prawie ją oślepiło. Przy długim stole ze stali nierdzewnej, ustawionym na środku pomieszczenia, stało dwóch chłopców. Jeden kroił warzywa, drugi mieszał ciasto w dużej misie. Szef kuchni stał tyłem do Faith i zajmował się potrawami bulgoczącymi na piecu. Nie usłyszeli jej wejścia prawdopodobnie dlatego, że z radia głośno leciał jakiś kawałek Bada Bunny'ego.

– Czym mogę służyć? – zapytał jeden z chłopców.

Na jego widok Faith ścisnęło się serce. To był jeszcze dzieciak.

– A może ja mogę pomóc? – Kucharz odwrócił się w jej stronę. To musiał być Alejandro. Był niesamowicie przystojny i równie niesamowicie poirytowany widokiem Faith, przez co skojarzył jej się z ojcem Emmy. – Przepraszam za zdawkowość, ale przygotowujemy lunch.

Faith musiała odnaleźć swojego partnera.

– Wiecie może, gdzie przebywa agent Trent?

– Poszedł Szlakiem Fishtophera – odparł chłopiec.

Faith odetchnęła z ulgą i spytała:

– Jak dawno temu?

Uniósł ramiona w przesadny sposób, typowy dla nastolatka, dla którego czas nie istnieje.

– Widziałem go przez okno z godzinę temu – dodał Alejandro. – Pół godziny później był tutaj też drugi mężczyzna, w takim samym uniformie jak ty. Szlak zaczyna się za budynkiem. Pokażę ci.

Na wieść, że Will i Kevin się tu kręcili, z Faith uleciała część napięcia. Przeszła za Alejandrem na zaplecze, po drodze rozglądając się po kuchni. Noże wyglądały na profesjonalne i drogie. Żaden z nich nie miał czerwonej rączki z tworzywa. Minęła łazienkę, która łączyła się z małym biurem. Chciała przejrzeć znajdujące się tam papiery i sprawdzić, czy uda jej się dostać do laptopa.

– Lunch podajemy za pół godziny. – Alejandro otworzył drzwi i puścił Faith przodem. – Po dwudziestu minutach zwykle nie ma po nim śladu. Mogę porozmawiać z tobą potem.

Uwaga Faith w mgnieniu oka przylgnęła do Alejandra niczym przylepiec.

– Dlaczego uważasz, że będę chciała z tobą porozmawiać?

– Bo sypiałem z Mercy. – Uświadomił sobie, że ta rozmowa jednak zaczyna się teraz. Zamknął za sobą drzwi. – Staraliśmy się być dyskretni, ale oczywiście ktoś ci o tym powiedział.

– Oczywiście – przyznała Faith. – Słucham zatem.

– W sumie nie ma o czym mówić. Mercy nie była we mnie zakochana, a ja nie kochałem jej. Ale była bardzo atrakcyjna. Tu, na górze, człowiekowi doskwiera samotność, a ciało ma swoje potrzeby.

– Od jak dawna ze sobą sypialiście?

– Odkąd się tu zatrudniłem. – Wzruszył ramionami. – Ale nieczęsto to robiliśmy, zwłaszcza ostatnio. Nie wiem dlaczego, ale tak już się między nami układało. Zbliżaliśmy się do siebie i oddalaliśmy. Żyła pod ogromną presją ze strony ojca, to bardzo twardy człowiek.

– Dave o was wiedział?

– Nie mam pojęcia. Rzadko z nim rozmawiam. Trzymałem się na dystans, nawet kiedy pracował tu nad werandą widokową. Podejrzewałem, że robi Mercy krzywdę.

– Skąd te podejrzenia?

– Takie siniaki nie robią się od upadków. – Otarł dłonie o fartuch. – Powiedzmy, że gdyby to Dave został zamordowany, rozmawiałabyś ze mną z zupełnie innych powodów.

Wiele osób powtarzało podobne słowa, ale jakoś nikt nie podjął żadnych działań za życia Mercy.

– Powiedziałeś, że nie byłeś w niej zakochany, ale byłbyś gotów dla niej zabić?

Uśmiechnął się szeroko, ukazując zęby.

– Doceniam detektywistyczny zmysł, ale nie zrobiłbym tego z miłości. Raczej z poczucia obowiązku.

– Co powiedziała Mercy, gdy zwróciłeś uwagę na jej siniaki?

Uśmiech zniknął.

– Zapytałem ją o nie tylko raz. Oznajmiła mi, że owszem, możemy na ten temat porozmawiać, ale potem już nigdy nie wylądujemy razem w łóżku. Albo nadal będziemy tam lądować, ale już nigdy nie będziemy ze sobą rozmawiać.

– Wybacz, ale nie dostrzegam w tobie wewnętrznego konfliktu związanego z tym wyborem.

Ponownie wzruszył ramionami.

– Tu, na górze, jest inaczej. To, jak traktuje się tu ludzi... zużywa się ich i wyrzuca. Może ja też tak postąpiłem w przypadku Mercy. Nie jestem z siebie dumny.

– Widywała się z kimś jeszcze?

– Może? – odparł pytaniem. – Myślisz, że Dave zrobił się zazdrosny? Dlatego ją zabił?

– Niewykluczone – skłamała Faith. – Dlaczego myślisz, że Mercy mogła spotykać się z kimś jeszcze?

– Z wielu powodów. Tak jak powiedziałem, zbliżaliśmy się i oddalaliśmy. Poza tym... – Westchnął. – Kim jestem, by ją oceniać? Mercy była samotną matką, miała ciężką robotę, trudnego pracodawcę i bardzo mało okazji, żeby zaznać odrobiny szczęścia.

Faith poczuła się tak, jakby mówił właśnie o niej.

– Wspominała o kimś konkretnym?

– Nie zwierzała mi się z takich rzeczy, a ja nie pytałem. Tak jak powiedziałem, pieprzyliśmy się i tyle. Nie rozmawialiśmy o życiu.

Faith miała na koncie kilka całkiem satysfakcjonujących relacji tego rodzaju.

– A gdybyś miał zgadywać?

Westchnął krótko.

– Myślę, że musiałby to być któryś z gości. Rzeźnik jest starszy od mojego dziadka. Dostawcy warzyw organicznie nie cierpiała. To koleś z miasta, który zna jej przeszłość.

– A co takiego warto wiedzieć o jej przeszłości?

– Na początku była ze mną bardzo szczera – odparł. – Kiedy miała dwadzieścia kilka lat, świadczyła usługi seksualne.

– Z tobą też tak było?

Roześmiał się.

– Nie, nie płaciłem jej, choć mógłbym, gdyby poprosiła. Doskonale umiała oddzielać różne sprawy. Praca to praca, a seks to seks.

Faith dostrzegała powód, dla którego warto było za to zapłacić.

– Jak się wczoraj czuła?

– Była zestresowana – powiedział. – Mamy bardzo wymagających gości. Większość naszych wczorajszych rozmów ograniczała się do lakonicznych informacji w rodzaju: „Pamiętaj, że Keisha nie lubi surowej cebuli, Sydney nie je nabiału, a Chuck ma alergię na orzeszki ziemne".

Faith nie omieszkała zauważyć, że Alejandro przewrócił oczami.

– Co myślisz o Chucku? – zapytała.

– Jest tu co najmniej raz w miesiącu, czasami częściej. Na początku myślałem, że to ktoś z rodziny.

– Mercy go lubiła?

– Powiedzmy, że tolerowała – stwierdził. – To specyficzny gość, ale w sumie to samo można powiedzieć o Christopherze.

– Czy Christopher i Chuck są razem?

– W sensie, że są parą? – Zaprzeczył ruchem głowy. – Nie, nie przy tym, jak patrzą na kobiety.

– A jak patrzą na kobiety?

– Pożądliwie? – Przez chwilę wyglądał, jakby zastanawiał się nad lepszym określeniem, ale zrezygnowany pokręcił głową. – Trudno to ocenić, bo problem polega na tym, że obaj są po prostu bardzo dziwni. Zdarzało mi się wypić piwo z Christopherem, który wydaje się w porządku, ale w głowie ma poukładane jakoś inaczej niż większość. Niech się pojawi jakaś kobieta, a facet zastyga jak słup soli. Pod tym względem Chuck stanowi jego przeciwieństwo. Postaw go trzy kroki od dowolnej kobiety, a będzie zanudzał ją tekstami z filmów Monty Pythona, aż wystraszy ją na amen.

Niestety, Faith dobrze znała ten typ człowieka.

– Słyszałam, że Mercy miała scysję z Jonem.

Alejandro się skrzywił.

– To dobry chłopak, ale bardzo niedojrzały. Nie ma wielu przyjaciół w mieście. Wiedzą, kim jest jego matka. I ojciec. To nie fair, ale nosi na sobie ich piętno.

– Widywałeś go wcześniej tak pijanego?

– Nigdy – odparł Alejandro. – Na ten widok aż się coś we mnie wzburzyło. Nie chciałbym, żeby wszedł na drogę uzależnienia, ale ma to we krwi, i to z obu stron. Po prostu mnie to smuci.

Zgodziła się z nim w głębi duszy. Uzależnienie to droga wybrukowana samotnością.

– O której godzinie wyszedłeś stąd wczoraj wieczorem?

– Koło ósmej, może pół godziny później. Moja ostatnia rozmowa z Mercy dotyczyła sprzątania. Dała Jonowi wolny wieczór, więc musiała zająć się tym sama. Nie zaoferowałem pomocy. Byłem zmęczony, miałem za sobą trudny dzień. Osiodłałem Pepe i wyruszyłem do domu; to jakieś czterdzieści minut jazdy konnej granią. Byłem u siebie przez całą noc. Otworzyłem wino i oglądałem serial kryminalny na Hulu.

– Jaki serial?

– Ten o detektywie z psem. Jeśli się nie mylę, pewnie możesz zweryfikować takie informacje.

– To prawda. – Bardziej niż serialem Faith była zaintrygowana tym, że przewidywał wszystkie jej pytania. Sprawiał wrażenie, jakby uczciwie przygotował się do egzaminu. – Jest coś jeszcze, co chciałbyś mi powiedzieć o Mercy i jej rodzinie?

– Nie, ale jeśli cokolwiek mi się przypomni, dam ci znać. – Wskazał strome zbocze. – To początek Szlaku Fishtophera. Jest na nim teraz pełno błota, więc uważaj.

Zdążył otworzyć drzwi, lecz Faith powstrzymała go w pół kroku jeszcze jednym pytaniem.

– Czy Szlakiem Fishtophera da się dojść do domków kawalerskich?

Zrobił zaskoczoną minę, jakby próbował się domyślić powodów indagacji.

– Tak, jeśli pójdziesz wzdłuż strumienia obok wodospadów, a potem skrajem jeziora, ale szybsza trasa prowadzi Szlakiem Linowym. Nazywają go tak, bo obok ścieżki ciągną się liny, których można się chwycić, żeby nie skręcić sobie karku. Korzysta z niego tylko personel, nie ma go na mapie. Szedłem nim tylko raz, bo napędził mi niezłego stracha. Nie lubię wysokości.

– Jak długo ci to zajęło?

– Pięć minut? – oszacował. – Przepraszam, naprawdę muszę wracać do pracy.

– Dziękuję – powiedziała Faith. – Potem będę chciała spisać zeznania.

– Wiesz, gdzie mnie szukać.

Alejandro zniknął w kuchni, zanim zdążyła dodać choćby jedno słowo. Przez moment wpatrywała się w zamknięte drzwi. Próbowała ocenić przebieg tej rozmowy. Z jej doświadczenia wynikało, że podejrzany może podejść do przesłuchania na cztery sposoby. Defensywnie, bojowo, beznamiętnie albo pomocnie.

Kucharz zdawał się prezentować miksa dwóch ostatnich postaw. Będzie musiała poprosić Willa o opinię. Podejrzani czasami zachowują się beznamiętnie, kiedy rzeczywiście nie są zainteresowani sprawą. A czasami są pomocni, bo chcą wyjść na niewinnych.

Faith ruszyła Szlakiem Fishtophera. Alejandro nie kłamał w kwestii błota. Marsz był przerywany ciągłymi poślizgami, a teren raptownie opadał. Zauważyła głębokie ślady butów z grubymi bieżnikami. Ludzie wchodzili po szlaku na górę. Schodzili.

Zaryzykowała i zawołała:

– Will?

Jedyną reakcją był świergot ptaków, które prawdopodobnie właśnie omawiały plan napaści.

Faith westchnęła, poszła dalej i już po kilku chwilach musiała wyciągać but z błota. Właśnie po to wynaleziono beton. Ludzie nie są stworzeni do przebywania w takich okolicznościach przyrody. Idąc stromym zboczem, odpychała od siebie zwisające po obu stronach gałęzie. W pewnym stopniu pogodziła się już z tym, że w jakimś momencie nieuchronnie wyląduje na czterech literach, a mimo to wściekła się, gdy do tego doszło. Kiedy wstała, szlak nie chciał być ani trochę mniej stromy. Zboczyła w las, aby ominąć odcinek, który sprawiał wrażenie szczególnie śliskiego.

– Kurwa! – wrzasnęła, uskakując przed wężem.

A potem zaklęła po raz drugi, bo to nie był wąż. Na ziemi leżała lina. Jeden jej koniec był przymocowany do głazu za pomocą haka, drugi znikał gdzieś w oddali. Faith zapewne zignorowałaby ją, gdyby Alejandro nie opowiedział jej o Szlaku Linowym. Klnąc kwieciście, złapała linę i podążyła dalej w dół. Kiedy usłyszała szum wody rozbijającej się o skały, była spocona jak mysz. Na szczęście wraz z wysokością spadała też temperatura. Faith odgoniła komara, który krążył jej nad głową. Marzyła o klimatyzacji i zasięgu sieci komórkowej, a przede wszystkim o odnalezieniu partnera. I podjęła kolejną próbę:

– Will!? – Jej głos nie tyle odbił się echem, co wtopił w szum lasu. Owady, ptaki i jadowite węże. – Will!

Schodząc w stronę brzegu, chwyciła się gałęzi drzewa na wypadek poślizgnięcia. Na niewiele się to zdało, bo druga stopa straciła przyczepność i Faith znów wylądowała na ziemi.

– Jezu... – syknęła. Pragnęła, by choć przez chwilę cokolwiek szło po jej myśli. Podniosła z ziemi telefon satelitarny i nacisnęła przycisk walkie-talkie. – Mówi agen...

Puściła go od razu, gdy przeraźliwy piskliwy dźwięk prawie rozerwał jej bębenki w uszach. Potrząsnęła urządzeniem, po czym ponownie nacisnęła przycisk. Pisk powrócił. Dochodził z jej torebki. Otworzyła ją i zobaczyła swój telefon satelitarny.

Popatrzyła na aparat trzymany w ręce, a potem na drugi, leżący w torebce.

Jakim cudem miała przy sobie dwa telefony?

Wstała i zrobiła kilka kroków w dół. Z miejsca, w którym się znalazła, było już widać strumień. Woda wirowała wokół dużych skał. Faith zrobiła następny krok i czubek jej buta uderzył w coś ciężkiego. W kaburę z pięciostrzałowym rewolwerem Smith & Wesson. O dziwo, broń wyglądała jak zapasowy rewolwer Amandy. Rozejrzała się po najbliższej okolicy i znalazła słuchawki w etui, a kawałek dalej iPhone'a. Faith stuknęła w wyświetlacz, który rozbłysnął zdjęciem na ekranie blokady. Przedstawiało Sarę z psem Willa.

– O nie, tylko nie to...

Glock znalazł się w dłoni Faith, zanim jej mózg zdołał w pełni zrozumieć to, na co natrafiła. Zrobiła obrót o trzysta sześćdziesiąt stopni, przeszukując wzrokiem las, przerażona, że znajdzie ciało Willa. Ale wokół nie było nic, co wzbudziłoby jej podejrzenia, jeśli nie liczyć wielkiego bidonu oraz pręta zakończonego groźnie wyglądającym hakiem. Faith podbiegła do brzegu strumienia i rozejrzała się najpierw w prawo, a potem w lewo. Jej serce odmawiało współpracy, dopóki nie stwierdziła, że Will nie leży w wodzie.

– Will!

Ruszyła truchtem wzdłuż strumienia. Teren szybko się obniżał. Woda płynęła szybciej. Po kolejnych pięćdziesięciu metrach potok raptownie skręcał w lewo, omijając skupisko drzew. Przed oczami Faith rysowały się kolejne skały i coraz więcej spienionej wody. Coś mogło zostać porwane przez jej dziki nurt. Coś albo ktoś, na przykład jej partner. Puściła się pędem w kierunku zakrętu.

– Will! – wrzasnęła. – Will!

– Faith?

Głos Willa był ledwie słyszalny. Nie widziała go. Schowała glocka do kabury, wskoczyła do wody i przebrnęła na drugą stronę strumienia. Był głębszy, niż się spodziewała. Ugięły się pod nią kolana, głowa zniknęła pod powierzchnią, woda wściekle wirowała wokół jej twarzy. Podniosła się, gwałtownie łapiąc powietrze. Jedyne, co pozwoliło jej uniknąć porwania przez prąd, to łut szczęścia i wielki korzeń drzewa wystający z przeciwległego brzegu.

– Nic ci nie jest?

Will stał nad nią. Zabandażowaną dłoń trzymał tuż przy piersi. Ubranie miał przemoczone do suchej nitki. Za nim dostrzegła Kevina Raymana, który posługując się chwytem strażackim, dźwigał ciało jakiegoś mężczyzny. Faith odnotowała parę włochatych nóg, czarne skarpety i żółte buty turystyczne.

Nie ufała sobie na tyle, by się odezwać. Złapała korzeń drzewa i wynurzyła się z wody. Will podał jej dłoń i na dobrą sprawę wyciągnął ją na brzeg. Faith trzymała się go kurczowo. Brakowało jej tchu, lecz przetoczyła się przez nią fala ulgi. Była przekonana, że znajdzie go martwego.

– Co się stało? Kto to?

– Bryce Weller. – Will pomógł Kevinowi położyć bezwładne ciało na ziemi w pozycji na wznak. Mężczyzna miał trupiobladą skórę i sine wargi. Jego usta były otwarte. – Znany też jako Chuck.

– Znany też jako ciężki.

Faith naskoczyła na Willa.

– Co ty sobie, kurwa, myślisz? Nie poinformowałeś mnie, dokąd się wybierasz!

– Nie powiedziałem...

– Zamknij się, jak do mnie mówisz!

– To chyba nie jest najlepszy...

– Dlaczego znalazłam na ziemi broń Amandy i twój telefon? Wiesz, jak się wystraszyłam? Myślałam, że cię zamordowali... – Zwróciła się do drugiego mężczyzny: – Jezu, Kevin.

Kevin podniósł ręce.

– Tylko spokojnie.

– Faith – przerwał jej Will. – Nic mi nie jest.

– A mnie jest! – Serce telepało jej się w piersiach jak krowi dzwonek. – Jezu Chryste.

– Rozmawiałem z Chuckiem – powiedział Will. – Był spocony i blady, ale nie myślałem, że kryje się za tym coś poza poczuciem winy. Poszedłem szlakiem kawałek pod górę. Zdążyłem się wdrapać na jakieś sześć metrów nad nim. Odwróciłem się i zobaczyłem go w wodzie. Pozbyłem się broni i elektroniki, bo wiedziałem, że będę musiał wejść do strumienia. – Jego spokojny, racjonalny ton głosu doprowadzał ją do szewskiej pasji. – Prąd poniósł nas obu w dół rzeki – ciągnął Will. – Jeszcze chwila i znaleźlibyśmy się w wodospadzie, ale jakimś cudem udało mi się do tego nie dopuścić. Nie mogłem zostawić tutaj ciała, więc ruszyłem z nim w stronę kompleksu.

– Wtedy pojawiłem się ja – wtrącił Kevin. – Szukałem Willa. A jeśli chodzi o ciało, doniosłem je dalej niż on.

– Jakoś mi się nie wydaje.

– Wolno ci mieć swoje zdanie.

– Biorąc pod uwagę wodę, szło mi całkiem płynnie.

Faith nie była w nastroju do żartów. Próbowała skupić się na sprawie, a nie na fakcie, że stoi w środku lasu przemoczona i wystraszona jak diabli potencjalną śmiercią swojego partnera.

Spojrzała na ciało. Wargi Bryce'a Wellera były granatowe. Oczy przypominały szklane kulki. Nurt nie potraktował jego ubrania łaskawie; rozchełstana koszula, rozpięty pasek. Najważniejsze jednak było to, że kolejna osoba nie żyje. Mogło to oznaczać konieczność szukania zabójcy kierującego się dwoma motywami, a nie jednym. Mogło się też okazać, że Chuck zamordował Mercy, a potem popełnił samobójstwo.

– Co ci powiedział Chuck? – zapytała Willa.

– Mówił jak incel – odparł. – Poza tym bardzo się pilnował. Starał się dać mi do zrozumienia, że Mercy zupełnie go nie obchodzi, choć prawda jest zupełnie inna. W trakcie rozmowy sprawił na mnie wrażenie potencjalnego mordercy. Był skrajnie skupiony na Davie. Nie krył zazdrości związanej z tym, że Mercy nie chciała się go pozbyć. Ciągle masował sobie plecy. Zastanawiałem się, czy to nie z powodu jakichś ciosów.

– Możemy go odwrócić i sprawdzić – zaproponował Kevin. – Ale dajcie mi chwilę, muszę złapać oddech.

– Chuck w dziwnych słowach opisał swój konflikt z Mercy tuż przed kolacją. Powiedział: „Wrzasnęła, jakbym próbował ją zgwałcić". Zauważyłem, że bardzo pożałował użycia tego ostatniego słowa.

– Dlaczego się pocił? – zapytała Faith. – Ze zdenerwowania?

– Wątpię. Pot zalewał go całego. Spływał po czole. Włosy kleiły mu się do czaszki. Teraz, po namyśle, wydaje mi się, że nie czuł się najlepiej. Bekał tak, jakby chciał wyrzygać żołądek.

– Samobójstwo?

– Jeśli się utopił, zrobił to bardzo szybko. Nie walczył. Nie miotał się w wodzie. Wejście pod górę zajęło mi może minutę, a gdy się odwróciłem, jego ciało unosiło się już na środku strumienia.

Faith przyjrzała się twarzy Chucka. Przez całe życie naoglądała się więcej sekcji zwłok, niżby sobie tego życzyła. Nigdy wcześniej nie widziała trupa z tak sinymi wargami.

– Jadł coś przed wejściem do strumienia?

– Pił wodę z tej swojej butli – odparł Will. – Na początku była w połowie pełna. Resztę dopił w trakcie rozmowy. Do czego zmierzasz?

– Alejandro wspominał, że Chuck ma alergię na orzeszki ziemne. Może ktoś wsypał mu do wody trochę zmielonych fistaszków.

– Nie – powiedziała Sara.

Odwrócili się jak na komendę. Sara stała po drugiej stronie strumienia.

– To nie orzeszki – dodała. – Chuck został otruty.

ROZDZIAŁ SZESNASTY

Will spoglądał na Sarę z poczuciem winy, co jednak w żadnym stopniu jej nie udobruchało. Minę miał podobną jak wtedy, gdy patrzył na Amandę wygłaszającą mu kolejne kazanie.

Ale Sara nie była jego szefową.

– Będę czepialska – stwierdziła Faith. – Skąd wiesz, że został otruty? Sara postanowiła odłożyć sprawy z Willem na później. Chuck nie należał do jej ulubieńców, lecz był martwy i zasługiwał na szacunek.

– Anafilaksja to nagła ciężka reakcja alergiczna, która sprawia, że układ odpornościowy uwalnia substancje chemiczne wywołujące poważny wstrząs organizmu. Nie jest to bardzo szybka śmierć. Trwa piętnaście, dwadzieścia minut. Chuck czułby ucisk w klatce piersiowej i postępującą sztywność mięśni. Mógłby kaszleć, mieć zawroty głowy, zaczerwienioną twarz, wysypkę, mdłości i wymioty, ale przede wszystkim miałby problemy z oddychaniem. Zauważyłeś u Chucka tego rodzaju objawy?

– Nie, oddychał normalnie. Dostrzegłem jedynie bladość skóry i potliwość.

– Popatrzcie, jak ściemniały jego paznokcie i wargi. – Sara wskazała ciało gestem dłoni. – To objaw sinicy, czyli niedoboru tlenu we krwi, co w tym przypadku sugeruje zatrucie chemiczne. Ponieważ przed śmiercią Chuck pił wodę, możemy założyć, że to właśnie ona zawierała truciznę. Substancja musiałaby być bezbarwna, bezwonna i pozbawiona smaku. Osoby z ciężkimi alergiami doskonale zdają sobie sprawę z zetknięcia się z alergenem. A rozumiem, że Chuck nie wołał o pomoc. Nie miotał się. Nie próbował gwałtownie nabierać powietrza, nie łapał się za szyję, żeby zaczerpnąć tchu. Muszę przyjrzeć się miejscu, w którym wpadł do wody, bo uważam, że stracił przytomność i stoczył się do strumienia.

– Wykluczasz zawał serca? – zapytała Faith.

– Wargi i paznokcie nie byłyby aż tak sine – odparła Sara. – Nie każdy zawał prowadzi do zatrzymania akcji serca. Nagła śmierć sercowa to rodzaj awarii elektrycznej. Serce zaczyna bić nieregularnie lub właściwie się wyłącza, a wtedy krew przestaje docierać do mózgu i człowiek traci przytomność. W tak cichej okolicy, nawet biorąc poprawkę na szum strumienia, Will usłyszałby coś, zanim Chuck zemdlał. W takiej sytuacji typowa reakcja to krzyk, obejmowanie się ramionami z bólu. A nawet jeśli nic takiego by się nie stało, gwałtownie wpadłby do wody, czym spowodowałby głośny plusk.

– Nadstawiałem uszu, bo bałem się, że może się na mnie rzucić – przyznał Will. – Ale gdy się odwróciłem, po prostu unosił się na wodzie.

– Jakiego rodzaju trucizna może spowodować takie zasinienie paznokci i ust? – zainteresowała się Faith.

Sara znała kilka, lecz nie zamierzała ich wymieniać, patrząc na ciało z odległości dziesięciu metrów.

– Pewność dadzą nam tylko badania toksykologiczne, ale będę mogła coś zasugerować, kiedy bliżej przyjrzę się denatowi.

– Przyjdziemy do ciebie – powiedział Will. – I tak musimy przenieść go na drugą stronę. Kawałek wyżej, przy małych wodospadach, znajduje się kamienna przeprawa. Poradzicie sobie beze mnie?

Nie czekał, aż Kevin i Faith odpowiedzą, tylko wskoczył do strumienia i zaczął przeprawiać się na przeciwległy brzeg. Tym razem nurt zdawał się nie robić na nim większego wrażenia. Wyszedł po drugiej stronie i stanął przed Sarą ze zrezygnowaną miną.

Podała mu iPhone'a i słuchawki.

– Jak woda?

– Zabójczo zimna.

Zastanowiła się nad podtekstami jego odpowiedzi.

– Kochanie, nie zamierzam robić ci wykładu z powodu próby ratowania czyjegoś życia.

Posłał jej zdziwione spojrzenie.

– Nie jesteś wściekła?

– Martwiłam się. – Nie dodała, że paniczne krzyki Faith, która go wołała, doprowadziły ją na skraj zawału. Dopiero gdy zobaczyła go całego i zdrowego, odzyskała jako taki rezon. – Trzeba zmienić ci opatrunek. Jest przemoczony.

Zerknął na dłoń.

– Nie uwierzysz, ale uratował mi życie.

Sara nie była pewna, czy chce poznać więcej szczegółów.

– Ile wody połknąłeś?

– Trochę... właściwie chyba całkiem sporo, ale wszystko oddałem.

– Istnieje niewielkie ryzyko wystąpienia zatorowości płucnej. – Pogładziła go po mokrych włosach. – Jeśli tylko poczujesz jakiekolwiek problemy z oddychaniem, masz mi od razu o tym powiedzieć.

– Wiesz, to nie takie proste – stwierdził. – Czasami, gdy patrzę na swoją żonę, zapiera mi dech w piersiach.

Odruchowo się uśmiechnęła, pomimo ważniejszych spraw, które zaprzątały jej głowę. Faith i Kevin już transportowali Chucka do kamiennej przeprawy.

– Faith mówiła ci o nożu? – zapytała, idąc wzdłuż strumienia, a gdy przecząco pokręcił głową, dodała: – Czerwona rękojeść z tworzywa sztucznego. Przypuszczam, że to nóż do steków. Kolor jest dość nietypowy. Jeśli już robi się tego rodzaju noże z uchwytem z plastiku, tworzywo zazwyczaj imituje drewno.

– Amanda wkrótce powinna wydębić nakaz rewizji – oznajmił Will. – Zamierzam przetrząsnąć to miejsce na wylot. Mam nadzieję, że rękojeść nie leży gdzieś na dnie jeziora.

– Czy twoim zdaniem Mercy mogła wiedzieć o ciąży?

Ponownie pokręcił głową.

– Nie ma kogo o to zapytać. Nie ufała tu nikomu.

– Trudno się dziwić. – Sara zaczęła zastanawiać się nad następnymi krokami. – Ponieważ droga jest zalana, musimy znaleźć miejsce na przechowanie ciała do czasu, aż Nadine będzie mogła bezpiecznie je stąd zabrać.

– Za kuchnią jest wolno stojąca zamrażarka. Nie ma w niej wiele. Wewnątrz mają drugą lodówkę, do której w razie czego mogą przenieść prowiant. – Will położył dłoń na sercu. Znieczulające działanie adrenaliny i zimnej wody ustąpiło. – Nawiasem mówiąc, obiecałem Frankowi, że poproszę cię o zbadanie Moniki.

– Już to zrobiłam – odparła Sara. – Podałam jej płyny, ale byłabym spokojniejsza, gdyby znajdowała się bliżej jakiejś placówki medycznej. Będzie musiała znowu się napić, bo inaczej ryzykuje poważny zespół odstawienny. Sądząc po objawach, wczoraj wieczorem była o krok od ciężkiego zatrucia alkoholem.

– Frank był zaskoczony jej stanem, nawet gdy wziął poprawkę na to, ile wypiła.

– Nie jestem pewna, czy Frank jest aż tak wiarygodnym źródłem informacji. Przyznał, że cię okłamał. – Will się zatrzymał, a ona mówiła dalej: – Poprzedniego wieczoru Monica napisała prośbę o kolejną butelkę alkoholu. Frank wyszedł na ganek, żeby zostawić notatkę dla Mercy, ale zamiast tego schował kartkę do kieszeni.

– Mnie z kolei powiedział, że Mercy zabrała notatkę i na tej podstawie skorygowałem oś czasu, z której teraz korzystamy. – Will ze zrozumiałych względów wyglądał na zirytowanego. – Dlaczego, do cholery, zełgał w takiej sprawie?

– Myślę, że często kłamie, żeby zataić skalę alkoholizmu żony – wyjaśniła Sara. – Podobno Paul widział Mercy około dwudziestej drugiej trzydzieści.

– Paulowi ufam jeszcze mniej niż Frankowi. – Will spojrzał na zegarek. – Jest już po lunchu. Może mogłabyś porozmawiać z Drew i Keishą? Amanda sprawdziła przeszłość wszystkich gości. Na Drew ciąży zarzut napaści sprzed dwunastu lat.

Sara aż otworzyła usta ze zdziwienia.

– Zareagowałem tak samo. Może o to chodziło Drew, kiedy kazał Bitty zapomnieć o jakiejś ich sprawie.

– Jakiej sprawie? – wtrąciła Faith.

Dotarli do małego wodospadu. Faith ruszyła po kamieniach, rozkładając ręce na boki dla zachowania równowagi. Will poczekał na nią nad brzegiem. Sara przestała ich słuchać. Żadne z nich nie rwało się do pomocy Kevinowi. Sara chciała to zrobić, lecz on już przekraczał strumień, dźwigając na ramionach Chucka. Will także mu się przyglądał, lecz raczej z zazdrością niż zaniepokojeniem. Chciał być tym facetem, który dźwiga stukilowy ciężar, pokonując coś, co na dobrą sprawę było torem przeszkód.

- Czy Monica też mogła paść ofiarą zatrucia? – zapytała Faith.

Sara uświadomiła sobie, że pytanie jest skierowane do niej.

- Możliwe, ale to musiałaby być inna trucizna i podana inną drogą. Mogę poprosić Monicę o pozwolenie na pobranie krwi, ale będziemy musieli...

- Poczekać na badania toksykologiczne – dokończyła Faith. – Bierzesz pod uwagę samobójstwo?

- Masz na myśli Chucka? – Sara wzruszyła ramionami. – Jeśli nie zostawił listu pożegnalnego, to jestem w kropce.

- Nie wydawał się mierzyć z poczuciem winy, jeśli nie liczyć pocenia się – zauważył Will. – Wydawał się przekonany, że mordercą jest Dave.

- Ja też byłam, dopóki nie poznałam dowodów, które to wykluczają – odparła Faith.

- Czy Chuck przypadkiem nie nosił okularów? – przypomniała sobie Sara.

- Pewnie porwała je woda. Zakładam, że są teraz gdzieś na dole – zasugerował Will.

- Dzięki za wsparcie – mruknął Kevin, któremu udało się pokonać strumień. Przyklęknął na jedno kolano, opuścił ciało Chucka i usiadł, żeby złapać oddech.

- Trzymajmy się z dala od tego brzegu. – Sara wskazała miejsce, w którym Chuck prawdopodobnie wpadł do wody. – Musimy zabrać osękę i butelkę po wodzie, a potem przeszukać jego kieszenie.

- Pójdę po sprzęt. – Kevin podźwignął się na nogi. – I tak muszę się czegoś napić.

- Tylko sprawdź, czy butelka jest szczelnie zamknięta. – Faith odnalazła swoją torebkę, którą zostawiła na ziemi, i wyjęła pen do insuliny. – Możecie zacząć beze mnie? Muszę się zająć swoją cukrzycą.

Sara pochwyciła wzrok Willa, gdy Faith odeszła kilka kroków szlakiem i usiadła na przewróconym pniu. Faith doskonale znała się na swojej robocie, ale nigdy nie czuła się swobodnie w obecności zmarłych.

- Gotowy? – zapytała Sara.

Will wyciągnął z kieszeni telefon.

– Kiedy tu przyszedłem, strumień zalewał brzeg. Powinniśmy sfilmować obszar, po którym poruszał się Chuck, zanim ślady się zatrą.

– Zróbmy to. – Sara poczekała, aż zacznie nagrywać, a następnie podała datę, godzinę i miejsce. – Mówi doktor Sara Linton. Towarzyszą mi agenci specjalni Faith Mitchell i Will Trent. Ten film ma dokumentować miejsce, w którym naszym zdaniem ofiara, niejaki Bryce Weller, znany pod pseudonimem Chuck, weszła do Strumienia Zaginionej Wdowy, gdzie nastąpił zgon.

Will powoli filmował cały obszar od zejścia ze szlaku aż do sporego fragmentu brzegu strumienia. Czekając, aż skończy, Sara zastanawiała się, co dokładnie się wydarzyło. Na ziemi dało się wyróżnić trzy rodzaje śladów butów. Jedne z nich pozostawiło obuwie sportowe. Spojrzała na podeszwy butów turystycznych Chucka. Ze względu na jego tendencje do supinacji, były mocno wytarte na zewnętrznych krawędziach. Charakterystyczny bieżnik HAIX-ów Willa znała doskonale. W przypadku miejsca zbrodni Mercy żywioły zadziałały na niekorzyść śledczych, lecz tutaj błoto wyświadczyło im przysługę. Ostatnie chwile Chucka wyglądały jak wyrzeźbione w kamieniu.

– Gotowe – oznajmił Will. – Możemy działać.

– Bieżnik butów ofiary pasuje do wzoru w kształcie litery „W" odciśniętego w błocie – powiedziała Sara. – W tym miejscu stojąca twarzą do wody ofiara przeniosła ciężar ciała na palce stóp. Odciski pięt są płytsze niż palców. Te dwa wgłębienia wskazują, że uklękła. Ślady nie są głębokie i mają stosunkowo regularny kształt, co sugeruje, że klęknięcie wciąż było kontrolowanym działaniem, a nie bezwładnym upadkiem. Po obu stronach, tutaj i tutaj, widoczne są dwa odciski dłoni, w pewnej chwili ofiara była więc na czworakach.

– Musiał tracić siły bardzo szybko – zauważył Will. – Nie patrzyłem na niego tylko przez minutę. Nie słyszałem wołania o pomoc, kaszlu ani niczego w tym rodzaju.

– Chuck skupiał się na podtrzymaniu przytomności, a nie na wołaniu o pomoc – wyjaśniła Sara. – Moim zdaniem doszło do znacznego obniżenia ciśnienia krwi, co dosłownie powaliło go na kolana i zmusiło do podparcia się rękami w celu zachowania równowagi. Odcisk dłoni po prawej stronie jest głębszy niż ten po lewej. Ten podłużny owalny kształt prawdopodobnie wskazuje miejsce, w którym prawy łokieć ugiął się pod jego ciężarem i oparł o ziemię. Następnie Chuck opadł na prawy bark, a potem na prawy bok. Przypuszczam, że później odwrócił się na plecy, ale był już zbyt blisko brzegu. Wtedy siła ciążenia zrobiła swoje i wciągnęła go do wody. Prąd poniósł go w stronę głazów.

– Kiedy go zobaczyłem, jego dłoń tkwiła między głazami – powiedział Will. – Ale zanim wskoczyłem do wody, już płynął w dół strumienia.

– Zauważyłeś u niego drgawki albo jakikolwiek gest zrobiony z własnej woli?

– Nie. Unosił się na wodzie. Ręce i nogi miał wyprostowane. W żaden sposób nie walczył.

– Musiał być nieprzytomny albo już martwy. Mogę się mylić, ale przypuszczam, że na podstawie badania zawartości płuc stwierdzono by utonięcie. – Sara omiotła wzrokiem wodę. Dostrzegła parę znajomo wyglądających okularów, które utkwiły w korycie strumienia. – Te okulary wydają się identyczne z tymi, które nosił Chuck.

Unikając zadeptywania śladów, Will pochylił się z telefonem nad wodą, aby zarejestrować położenie okularów.

Sara odwróciła się w stronę ciała. Chuck leżał płasko na plecach. Poprzedniego wieczoru prawie na niego nie patrzyła, ale teraz przyjrzała się jego rysom. Wyglądał zwyczajnie, choć nie można było nazwać go nieatrakcyjnym. Miał czarne falujące włosy do ramion, oliwkową skórę i ciemnobrązowe oczy.

– Czy podczas rozmowy z Chuckiem zauważyłeś, by miał rozszerzone źrenice? – zapytała Willa.

Zaprzeczył ruchem głowy.

– Tu, na dole, pod drzewami, jest stosunkowo ciemno. Bardziej skupiałem się na tym, by nie złapał osęki i mnie nie zaatakował.

– A teraz nie da się tego stwierdzić? – Faith trzymała się z dala, ale jak zwykle czujnie nasłuchiwała. – Czy jego źrenice nie byłyby wciąż rozszerzone?

– Tęczówką sterują mięśnie – odparła Sara. – A mięśnie rozluźniają się po śmierci.

Faith zemdliło.

– W mojej torebce są rękawiczki.

Sara znalazła je i założyła, podczas gdy Will filmował ciało Chucka od czubka głowy aż po podeszwy butów. Doświetlał scenę lampą aparatu. W jej jasnym blasku Sara zwróciła uwagę na fakt, że siny odcień nie ograniczał się do warg i paznokci Chucka. Cała jego twarz była niebieskawa, zwłaszcza w okolicach oczu.

– Koniecznie zrób dokładne zdjęcia górnych i dolnych powiek oraz brwi – poleciła Willowi.

Poczekała, aż Will skończy, i uklękła obok denata. Chuck miał na sobie koszulę z krótkim rękawem. Na jego ramionach i szyi nie było żadnych zadrapań ani innego rodzaju ran, które mogłyby wynikać z samoobrony. Rozpięła guziki. Owłosione piersi i brzuch Chucka nie nosiły nawet najmniejszych śladów obrażeń. Przyjrzała się bliżej paznokciom, a potem twarzy. Próbowała sobie przypomnieć, jak wyglądał Chuck poprzedniej nocy, wtedy jednak z oczywistych powodów bardziej skupiała się na Willu.

– Czy wczoraj wieczorem zauważyłeś coś dziwnego w wyglądzie Chucka? – zapytała.

– Raczej nie, choć nie zwracałem na niego specjalnej uwagi, dopóki w trakcie cocktail party nie złapał Mercy za rękę, a ona na niego nie krzyknęła. Potem, podczas kolacji, oczywiście widziałem go, ale światła były przygaszone. Szczerze mówiąc, nie kojarzę, żebym od tamtej pory spojrzał na niego choć raz.

– To tak samo, jak ja. – Sara nie poświęciła Chuckowi wiele czasu. – Musimy porozmawiać ze wszystkimi, którzy byli na kolacji. Chcę wiedzieć, czy ktoś zauważył niebieskawy odcień skóry Chucka wczoraj wieczorem. A może nawet wcześniej.

– Przypuszczasz, że Chucka podtruwano, zanim jeszcze znaleźliśmy się w pensjonacie?

– Trudno to stwierdzić bez odpowiednich badań. Ile wypił z tej butli podczas waszej dzisiejszej rozmowy?

– Kiedy zaczęliśmy, była w połowie pełna. W trakcie rozmowy wypił wszystko, czyli solidne półtora litra w ciągu ośmiu minut.

– Czy takie tempo nie może zabić? – zainteresowała się Faith. – Mam na myśli picie ogromnej ilości wody.

– Może, jeśli wypijesz tyle, by doprowadzić do znacznego spadku stężenia sodu we krwi, ale półtora litra to za mało. Ważący sto kilogramów mężczyzna powinien pić mniej więcej trzy litry wody dziennie. Ten pojemnik ma niecałe cztery litry. Wypicie półtora litra wody w krótkim czasie w najgorszym razie może doprowadzić do wymiotów.

– Na dnie butelki nadal jest trochę wody.

Sara chętne poddałaby pozostałą zawartość analizie, lecz na wyniki czekaliby tygodnie.

– Czy podczas rozmowy Chuck miał rozpięty pasek spodni? – zapytała Willa.

– Nie. Zakładam, że rozpiął się w wodzie.

Na potrzeby kolejnych zdjęć Sara przesunęła pasek tak, by pokazać, że górny guzik i część zamka błyskawicznego bojówek Chucka są rozpięte. Pochyliła się, by powąchać jego ubranie.

– Jaki był pod koniec waszej rozmowy?

– Straszliwie spocony – odparł Will. – I bardzo chciał, żebym sobie już poszedł.

– Mógł martwić się biegunką. Może próbował zdjąć spodnie, lecz powaliły go pozostałe objawy.

– To by wyjaśniało, dlaczego nie wołał o pomoc – stwierdziła Faith. – Nie chcesz, by ktoś był świadkiem twojej sraczki.

– Dostrzegasz jakieś urazy, które świadczyłyby o tym, że wcześniej przed kimś się bronił? – zapytał Will.

– Z tej strony nie, ale chcę jeszcze obejrzeć plecy. Zanim go odwrócimy, sprawdzę zawartość przednich kieszeni. – Sara ostrożnie poklepała tkaninę spodni, próbując wyczuć, czy nie natknie się na coś ostrego. Dopiero potem wsunęła palce najpierw w górne, a potem w dolne kieszenie bojówek Chucka. Wszystkie znaleziska opisywała na głos. – Tubka balsamu do ust marki Carmex. Buteleczka kropli do oczu Eads Clear o pojemności piętnastu mililitrów. Składane narzędzie do cięcia i zabezpieczania żyłek. Składane wielofunkcyjne narzędzie wędkarskie. Automatycznie zwijana smycz. Scyzoryk.

– To typowe przybory wędkarskie? – zapytała Faith.

– W przeważającej części tak. – Sara spędzała dużo czasu z ojcem nad jeziorem. On wprawdzie nosił specjalny pas na akcesoria, ale każdy wędkarz ma swoje upodobania. – Możemy go odwrócić?

Will cofnął się o krok, a potem kiwnął głową.

Sara ujęła dłońmi ramię i biodro Chucka, a następnie przewróciła go na bok.

Will wydał nieartykułowany dźwięk i zasłonił nos grzbietem zranionej dłoni. Sara uznała to za potwierdzenie stanu jelit Chucka. Cieszyła się, że wiatr nie wieje w stronę Faith.

Kiedy wyjmowała portfel Chucka z prawej tylnej kieszeni spodni i rozkładała go na ziemi, była w stanie oddychać tylko przez usta. Czarna skóra portmonetki była wytarta do połysku. Wyjęła karty Visa i American Express, prawo jazdy i polisę ubezpieczeniową, wszystko wystawione na nazwisko Bryce'a Bradleya Wellera. W wewnętrznej przegródce nie było gotówki, tylko pojedyncza prezerwatywa w wyblakłym złotym opakowaniu. Nawilżana, prążkowana, o nazwie Magnum XL. Sara odwróciła portfel. Sądząc po okrągłym wgnieceniu w skórze, prezerwatywa tkwiła w nim od dłuższego czasu. Zapewne wciąż ta sama, bo coś jej mówiło, że Chuck nie zużywa jednej każdego wieczoru i nie wkłada do portfela następnej.

– Czy substancja, którą znalazłaś w drogach rodnych Mercy, mogła być lubrykantem? – zapytał Will.

– Nie. Na szkiełku pod mikroskopem widziałam plemniki. Poza tym to nie dowód napaści, tylko odbycia stosunku seksualnego. – Uniosła tył koszuli Chucka. Nie znalazła żadnych zadrapań ani śladów niedawnych urazów. Jedynym zaskakującym odkryciem był tatuaż. – Na lewej łopatce znajduje się dość duży tatuaż o wymiarach mniej więcej dziesięć na osiem centymetrów, przedstawiający kwadratową szklankę do whisky z bursztynowym płynem wylewającym się poza krawędź – powiedziała. – Zamiast kostki lodu w szklance jest ludzka czaszka.

– Wow! – Zawołała Faith. – Był miłośnikiem szkockiej?

– Nie mam pojęcia. – Sara celowo starała się nie odbiegać od głównego tematu, zapytała jednak: – Will?

Wzruszył ramionami.

– Nie widziałem, by przez cały wieczór pił cokolwiek innego niż woda.

– Gdybym miała zamiar go otruć, jak nic posłużyłabym się tą butlą – orzekła Faith.

Sara delikatnie obróciła Chucka na plecy.

– To wszystkie wstępne ustalenia. Pełny obraz sytuacji zyskamy dopiero po sekcji zwłok i badaniach toksykologicznych.

Will zatrzymał nagrywanie.

– Jaką masz teorię? – zwrócił się do Sary.

Skinęła głową na znak, by poszedł za nią, i oddalili się kawałek od ciała. Nie lubiła rozmawiać nad głowami zmarłych, jakby byli problemami do rozwiązania, a nie ludźmi.

Poczekała, aż Faith do nich dołączy, i powiedziała:

– Biorąc pod uwagę miejsce, w którym się znajdujemy, w pierwszej chwili pomyślałam o truciźnie pochodzenia naturalnego, takiej jak solanina lub atropina, która występuje w wilczych jagodach. Widywałam już takie przypadki. Solanina jest śmiercionośna nawet w niewielkich ilościach. Poza tym trujące są też niektóre psiankowate, szkarłatka, czeremcha amerykańska, laurowiśnia wschodnia...

– Jezu, przyroda jest zabójcza... – wtrąciła Faith. – A o czym pomyślałaś w drugiej chwili?

– O tych kroplach do oczu. Istnieje substancja o nazwie tetryzolina, która jest receptorem alfa-1. Zwęża naczynia krwionośne i jest stosowana do łagodzenia objawów przekrwienia spojówek. Po przyjęciu doustnym szybko przechodzi przez przewód pokarmowy, przenika do krwiobiegu i centralnego układu nerwowego. W większych stężeniach może powodować nudności, biegunkę, spadek ciśnienia tętniczego krwi, spowolnienie akcji serca i utratę przytomności.

– Mówisz o produkcie, który można kupić bez recepty? – zapytała Faith.

– Dawka czyni truciznę – odparła Sara. – Jeśli ktoś rzeczywiście użył tetryzoliny, musiał mieć kilka buteleczek.

– Wszystkie śmieci są najpierw zabierane na górę – zauważył Will. – Możemy przeszukać worki pod kątem pustych fiolek, ale będziemy musieli przesłać wszystkie podejrzane znaleziska do laboratorium w celu pobrania odcisków palców.

– Poczekajcie. – Faith coś sobie przypomniała. – W Karolinie był jeden taki przypadek. Żona dodawała mężowi do wody krople do oczu. Ale zgładzenie go tą metodą trochę trwało.

Sara też czytała o tej sprawie.

– Tetryzolina mogła odegrać jakąś rolę w śmierci Chucka, ale rzeczywistą przyczyną zgonu prawdopodobnie jest utonięcie.

– Samobójstwo wydaje się wykluczone – ocenił Will. – Nie wydaje mi się, żeby ktoś chciał odebrać sobie życie w taki sposób.

– Chyba że chcesz się posrać na śmierć – stwierdziła Faith. – Czekaj, kojarzysz taki film, w którym jeden facet podtruł tą całą tetryzoliną drugiego, żeby zdobyć dziewczynę?

– *Polowanie na druhny* – podsunął usłużnie Will. – Szukamy teraz jednej osoby czy dwóch? Kto miałby motyw, żeby zabić i Mercy, i Chucka?

– Co wiemy o Chucku? – zapytała Faith. – Był dziwny. Lubił szkocką na tyle, że wydziarał sobie szklaneczkę. Łowił ryby. Nosił ze sobą butlę z wodą.

– Był najlepszym przyjacielem Christophera – dodał Will. – Miał niekontrolowaną obsesję na punkcie Mercy. Był incelem lub prawie incelem.

– Nosił w portfelu prezerwatywę, więc nie porzucił resztek nadziei. – Faith westchnęła ciężko. – Kto miał dostęp do tej jego butli?

Sara spojrzała na Willa.

– Wszyscy?

Will kiwnął głową.

– Kiedy byliśmy na cocktail party na tarasie widokowym, Chuck w ogóle jej nie pilnował. Kilka razy postawił ją na werandzie i gdzieś sobie poszedł.

– Noszenie jej przez cały czas pewnie było uciążliwe – zauważyła Sara. – Wypełniona po korek ważyła niemal cztery kilogramy.

– Emma po urodzeniu ważyła ponad trzy i pół – wspomniała Faith. – To jakby nosić ze sobą xboxa.

– Albo sporą torbę ziemniaków – dodał Will.

– Wracamy więc do sytuacji, w której podejrzani są wszyscy, którzy tu przebywają – podsumowała Faith ich rozważania. – Jak również osoby mające dostęp do kropli do oczu Eads Clear, które można kupić właściwie wszędzie...

– I które są dość znanym środkiem toksycznym – dodała Sara.

– Odłóżmy na razie na bok kwestię Mercy – zaproponowała Faith. – Komu mogłoby zależeć na śmierci Chucka? Nie miał nic wspólnego ze sprzedażą kompleksu. Gdyby ktoś miał go zabić tylko dlatego, że był obleśny i irytujący, zrobiłby to już dawno temu.

– Tuż przed tym, jak za nim poszedłem, słyszałem jego rozmowę z Christopherem o inwestorach – przypomniał sobie Will. – Szli tą częścią szlaku, która znajduje się zaraz za kuchnią. Christopher powiedział, że spóźni się na spotkanie, na którym prawdopodobnie będą omawiane kwestie sprzedaży. Chuck zapytał, czy tamci inwestorzy nadal są zainteresowani zakupem. Christopher odparł, że nie wie, ale niezależnie od tego rezygnuje z biznesu. Wyznał, że nigdy nie chciał tego robić, a bez Mercy sprawa nie ma szans. Stwierdził, że jej potrzebowali.

– Dziwne – orzekła Sara. – Miał na myśli rodzinny biznes czy jakieś inne interesy?

– Po wypadku Cecila obiektem zarządzała Mercy – zauważyła Faith. – Zdaniem Penny doskonale sobie radziła, osiągała zyski i inwestowała w cały kompleks.

Will nie wyglądał na przekonanego.

– Pod koniec rozmowy Chuck oznajmił Christopherowi coś w rodzaju: „Robimy tu dobre rzeczy. Mnóstwo ludzi na nas polega".

– Może Chuck był jednak w jakiś sposób zaangażowany w działalność pensjonatu? – zapytała Faith. – Cichy partner?

– Nie wydaje mi się, żeby rozmawiali o pensjonacie – odparł Will.

Słysząc odgłosy kroków, spojrzeli w stronę szlaku. Kevin wrócił z torebkami na dowody i zestawami do pobierania próbek.

– Przyszedł agent Przynieś-Wynieś – powiedziała Faith.

Żart nie spodobał się Kevinowi przypuszczalnie dlatego, że nieszczególnie mijał się z prawdą.

– Zajrzałem do jadalni – zameldował. – Poprosiłem kucharza, żeby opróżnił wolno stojącą zamrażarkę, ale nie tłumaczyłem po co.

– Nie domyślił się, gdy kazałeś mu zrobić miejsce wielkości człowieka?

– Powiedziałem mu tylko, że potrzebujemy miejsca na przechowywanie dowodów i nie chcemy skazić żywności.

– Rozumiem – ustąpiła Faith. – Sprytnie.

– Jaki mamy plan co do Chucka? – zapytał Kevin. – Informujemy ludzi? Trzymamy sprawę w tajemnicy?

– Będę musiała powiadomić Nadine o jego śmierci, ale dopóki droga nie stanie się przejezdna, koronerka nie zdoła przewieźć ciała na dół – odparła Sara. – Ufam, że się nie wygada.

– Szef kuchni i kelnerzy zobaczą, jak wkładamy ciało do zamrażarki – zauważył Will. – Ale dopóki zostaną w jadalni i nie przyjdzie do nich nikt z głównej części kompleksu, ta informacja nie wypłynie.

– Jeśli ośrodek funkcjonuje tak jak do tej pory, goście zejdą do jadalni na koktajle dopiero o osiemnastej – powiedziała Sara.

– A co z kwestią niewinności Dave'a? – dociekał Kevin. – To też mamy zachować w sekrecie?

– Myślę, że musimy – odparła Faith. – To nie tak, że rodzina domaga się odnalezienia mordercy.

– Chodzi mi po głowie Jon – przyznała Sara. – Pewnie w końcu się zjawi, a obecnie jest przekonany, że matkę zamordował jego ojciec. Pozwolimy mu nadal w to wierzyć?

– To skomplikowana sprawa – orzekł Will. – Nie możemy oczekiwać, że zatrzyma prawdę dla siebie, i zaryzykujemy, że dowie się o tym morderca. Musimy znaleźć brakującą rękojeść. Póki zabójca sądzi, że sprawa uszła mu na sucho, może zachowywać się nonszalancko.

– Moim zdaniem powinniśmy zatem utrzymać w tajemnicy jedno i drugie, czyli zarówno kwestię Chucka, jak i Dave'a – stwierdził Kevin.

– Racja – powiedzieli chórem Will i Faith, przez co głos Sary stracił na znaczeniu.

– Ustalmy plan – zaproponowała Faith. – Możemy wykorzystać jeden z niezamieszkanych domków do prowadzenia przesłuchań, dzięki czemu żaden ze świadków nie będzie się znajdował na własnym terenie. Zacznijmy od Moniki i Franka i spróbujmy sprawdzić, w jakiej sprawie mogli jeszcze kłamać. Musimy dopracować oś czasu. W następnej kolejności są faceci od aplikacji. Chciałabym się dowiedzieć, dlaczego kłamali w kwestii imienia Paula Petersona.

– Nazywa się Ponticello – sprostował Will. – Amanda znalazła akt małżeństwa Paula Ponticella i Gordona Wyliego.

– Po co małżeństwo miałoby kłamać? – zauważyła Faith.

– Sam z różnych względów zadaję sobie to pytanie... – odparł Will. – A z innej beczki, nie wiem, jak podejść do Christophera.

– Może jak do ostatniej osoby, która widziała Chucka i miała dostęp do butelki z wodą? – Faith parsknęła. – Daj spokój. Wychodzi na podejrzanego *numero uno*.

– Jaki miałby motyw?

– Właściwie to chuj wie. – Faith westchnęła przeciągle. – Chyba kręcimy się w kółko. Przestańmy gadać i zacznijmy coś robić.

– Masz rację – zgodził się Will. – Chodź, Kevin, pomogę ci zanieść Chucka do zamrażarki. Przejrzę zawartość worków na śmieci, a ty w tym czasie zajmij się materiałami zebranymi tu, na dole. Faith, poproś o pozwolenie na korzystanie z jednego z wolnych domków i spróbuj coś wydobyć od Christophera. Sprawdź, czy sam zapyta, gdzie jest Chuck. Saro, w quadzie jest jeszcze jeden telefon satelitarny, z którego możesz zadzwonić do Nadine. Zabierz go, w razie gdybym cię potrzebował. Amanda obiecała zadzwonić, gdy tylko nakaz zostanie wysłany, ale mimo to zerknij na faks, proszę. Mogłabyś też porozmawiać z Drew i Keishą?

– Spróbuję. – Sara bardziej przejmowała się szwami w dłoni Willa. Na wszelki wypadek zabrała antybiotyki. – Zostawiłam torbę z lekarstwami w naszym domku. Chcę ci zmienić opatrunek.

– To chyba może poczekać, aż skończę przeglądać śmieci.

– Masz rację. – Sara nie zamierzała się z nim spierać na temat infekcji, zwłaszcza że mieli widownię. Nie pozostało jej nic innego, jak tylko ruszyć z powrotem na szlak. O ile rozmowa telefoniczna z Nadine była prosta, o tyle nie wiedziała, jak podejść do Drew i Keishy. Wydawali się bardzo miłymi ludźmi, ale mieli pełne prawo odmówić odpowiedzi na pytania. Jednak Sara nie potrafiłaby sobie wmówić, że wiszący nad Drew zarzut napaści nie budzi jej głębokich podejrzeń. Był w pensjonacie już dwa razy... a może też dziesięć tygodni temu?

– Saro? – Will najwyraźniej myślał o tym samym. – Faith pójdzie z tobą. Potrzebuje mapy posiadłości.

Uśmiechnęła się do niego.

– Mogę przynieść mapę po rozmowie z Drew i Keishą.

Will także się uśmiechnął.

– Możesz też zabrać Faith na tę rozmowę.

– Ja pierdolę... – zaklęła Faith, powiesiła sobie torebkę na szyi na podobieństwo worka z obrokiem i ruszyła szlakiem.

Sara łatwo ją wyprzedziła. Faith nie mówiła wiele poza narzekaniem na rozmiękłą ziemię, drzewa, zarośla i przyrodę jako taką. Ścieżka była wąska i marsz przysparzał im problemów, zwłaszcza ze względu na błoto. Zamiast martwić się o rękę Willa, Sara skupiła swą uwagę na obszarach, w których miała szansę wykazać się większą skutecznością. Nadine mogła mieć jakieś informacje o Chucku. W małych miasteczkach nie ufa się obcym. A nawet gdyby tak nie było, człowiek jego pokroju i tak się wyróżniał. Musiały krążyć o nim jakieś opowieści.

Gdy w końcu dotarły do Pętli, Faith powiedziała tylko:

– Jezu – a w jej ustach słowo to zabrzmiało jak krótka modlitwa. A potem dodała: – Nie mam pojęcia, co Willowi się tutaj tak spodobało. Jestem spocona, ubłocona i śmierdzę koniem. Coś użarło mnie w szyję. Cała się kleję. Wszędzie są ptaki.

Sara pamiętała, że Faith nie cierpi ptaków.

– Dam ci jakieś swoje ciuchy, przebierzesz się.

– Nie wiem, czy zauważyłaś, ale sylwetką przypominam raczej krępego chłopaka niż wysoką i smukłą supermodelkę.

Sara się roześmiała. Owszem, była wysoka, ale dwa ostatnie słowa uznała za zdecydowanie naciągane.

– Coś znajdę.

Faith tylko mruknęła pod nosem i obie ruszyły dalej Pętlą.

– Rozmawiałaś z Amandą?

– Nie o tym, o czym chciała rozmawiać.

– Chyba w pewnym sensie ma rację co do tego, że Will drapie się tam, gdzie go nie swędzi. Miał być w podróży poślubnej, a tymczasem buszuje po płonącym domu, przebija sobie dłoń nożem i prawie ląduje w wodospadzie.

Sara musiała przełknąć ślinę, zanim odzyskała mowę. O tym ostatnim nie wiedziała.

– Przecież nie wyszłam za niego po to, by go zmienić.

– Twoje podejście do związku jest czasami tak zdrowe, że aż wkurzające.

Sara ponownie się roześmiała.

– Co u Jeremy'ego?

– Ma zamiar odpalić atomówkę w postaci wejścia w szeregi FBI. Takie tam.

Sara posłała jej uważne spojrzenie. Na ogół Faith nie była trudna do odczytania, ponieważ kierowała się zasadą „co w sercu, to na języku", lecz akurat jeśli chodzi o dzieci, potrafiła być szalenie skryta.

– I co?

– I to, że nie wiem, co robić – odparła Faith. – Najbardziej zdumiewająca informacja, jaką dotąd od niego usłyszałam, brzmiała tak, że Stany Zjednoczone przechowują w jaskiniach w Missouri sześćset tysięcy ton sera.

Sara się uśmiechnęła. Lubiła ciekawostki, które wynajdywał Jeremy.

– Próbowałaś z nim porozmawiać?

– Zamierzam jeszcze trochę pokrzyczeć, żeby sprawdzić, czy to zadziała, potem może spróbuję cichych dni, a później będę się dąsać i użyję tego jako wymówki, żeby opychać się lodami. – Faith skrzyżowała ramiona i spojrzała w niebo. – Nie sądzisz, że jest tu trochę dziwnie?

– Masz na myśli te wszystkie ptaki?

– To swoją drogą, ale teraz chodzi mi po głowie matka Mercy – przyznała Faith. – Bitty mówiła o własnej córce tak, że...

Sara podzielała jej zniesmaczenie.

– Nie wyobrażam sobie, jakim trzeba być człowiekiem, żeby do tego stopnia nienawidzić własnego dziecka. Jakim żałosnym człowiekiem.

– Przy dzieciach wychodzi nasza prawdziwa natura – stwierdziła Faith. – W przypadku Jeremy'ego bardzo starałam się być idealna. Chciałam udowodnić moim rodzicom, że jestem wystarczająco dorosła, by się nim zająć. Układałam harmonogramy, tworzyłam arkusze kalkulacyjne, robiłam wszystko sterylnie i tip-top, aż któregoś dnia uświadomiłam sobie, że od zjedzenia czegoś z podłogi tak łatwo się nie umiera, zwłaszcza jeśli to coś upadło daleko od śmietnika.

Sara się uśmiechnęła. Podobnie postępowała jej siostra.

– Emma pokazuje mi, jak dobrą matką jest moja matka. Żałuję, że bardziej nie słuchałam własnej rodzicielki. To nie tak, że zamierzam jej bardziej słuchać teraz, ale liczą się intencje. – Faith też się uśmiechnęła, ale nie na długo. – Rozmawiając z Bitty, doszłam do wniosku, że nie nauczyła się niczego. Miała tę śliczną małą dziewczynkę i mogła uczynić dla niej świat cudownym miejscem, lecz tego nie zrobiła. Co gorsza, wybrała Dave'a zamiast Mercy i Christophera, i nie wyciągnęła żadnych wniosków nawet po śmierci Mercy. Nie umie przestać oczerniać własnej córki. Wcześniej tylko żartowałam, że zachowuje się jak zazdrosna psycho-eks Dave'a, ale rzeczywiście zakrawa mi to na patologię.

– Nie powiedziałabym, że wobec Christophera zachowuje się dużo lepiej – zauważyła Sara. – Podczas cocktail party właściwie go ignorowała. Zauważyłam kątem oka, że gdy sięgnął po kawałek chleba, trzepnęła go w rękę.

– A co sądzisz o Cecilu?

– Wczoraj wieczorem Mercy powiedziała mi coś, co nadal nie daje mi spokoju – wspomniała Sara. – Zapytała mnie, czy wyszłam za mąż za swojego ojca.

Faith spojrzała na nią.

– Co odpowiedziałaś?

– Że tak. Will przypomina mojego tatę pod wieloma względami. Mają ten sam kompas moralny.

– Mój ojciec był święty. Żaden facet mu nie dorówna, więc po co w ogóle próbować? – Faith wzruszyła ramionami, ale nie porzuciła tematu. – Co skłoniło ją do zadania takiego pytania?

– Stwierdziła, że Dave jest odbiciem jej ojca. Po obejrzeniu zdjęć rentgenowskich mogę tylko przyznać jej rację. Jako dziecko była ofiarą potwornej przemocy. – Sara zastanawiała się, co Will powiedział Faith o Davie. Nie chciała wyjawić za dużo. – Słyszałam, że Dave ma dwa oblicza. Bywa duszą towarzystwa, jak Cecil. A z drugiej strony jest zdolny do krzywdzenia matki własnego dziecka.

– Większość krzywdzicieli jest taka. Nie pokazują całej drugiej strony od razu, otaczają ofiarę udawaną opieką. Ale nie odpuszczałabym też Bitty – odparła Faith. – Ona też mogła fizycznie znęcać się nad swoimi dziećmi.

– Wcale by mnie to nie zdziwiło – powiedziała Sara. – Choć z mojego doświadczenia wynika, że takie kobiety czerpią większą satysfakcję z dręczenia innych psychicznie.

– Wiem, że odnalezienie Mercy u progu śmierci było dla Willa trudne, ale cieszę się, że nie umierała całkiem sama.

– Martwiła się o Jona. Naciskała, by Will koniecznie mu przekazał, że wybaczyła mu incydent przy kolacji. Jej ostatnie słowa i myśli dotyczyły tylko syna.

Faith potarła ramiona, jakby zrobiło się jej zimno.

– Gdybym wiedziała, że Jeremy będzie musiał dźwigać tego rodzaju poczucie winy przez resztę życia, chyba umarłabym po raz drugi.

– Jeremy ma wielu ludzi, którzy by się nim zajęli. Zadbałaś o to.

Faith nie chciała się rozklejać. Rozejrzała się po szlaku.

– Ja pierdolę, to ten wasz domek?

Sara poczuła ukłucie smutku na widok hamaka i skrzynek z pięknymi kwiatami. Idealny tydzień przepadł.

– Słodki, prawda?

– Żartujesz?! – Faith wyglądała na zachwyconą. – Bilbo Baggins by się nie powstydził.

Sara przystanęła i popatrzyła za Faith, która pognała w stronę schodków. W powietrzu unosił się znajomy mdłosłodki zapach, którego nie umiała do końca zidentyfikować.

– Czujesz to?

– To pewnie ja. Nie chcesz wiedzieć, co wydobywało się z tego konia. – Faith klepnęła się w bok szyi. – Następny komar. Posłuchaj, nie masz nic przeciwko temu, żebym się szybko ochlapała? Nie wyobrażasz sobie, jak nieświeżo się czuję.

– Rozgość się. Poszukaj sobie jakichś ciuchów w komodzie. Poczekam na ciebie na zewnątrz. Jest za ładnie, żeby się kisić w środku.

Faith nie zadawała więcej pytań, tylko wbiegła po schodach.

– Faith! – Serce podeszło Sarze do gardła. – Trzymaj się z dala od mojej walizki, dobra?

– Jasne. – Posłała jej pełne zdumienia spojrzenie.

Sara patrzyła, jak Faith znika za drzwiami. Modliła się, by ten jeden, jedyny raz powstrzymała się od swojego zwykłego wścibstwa. Jeśli znajdzie różowe dildo, które Tessa włożyła do walizki, Will będzie musiał rzucić pracę i przenieść się na bezludną wyspę.

Odwróciła się od domku, dopiero gdy zamknęły się drzwi. Dosłownie dygotała ze zmęczenia. Oboje z Willem nie spali poprzedniej nocy, w dodatku nie z powodu, dla którego nie powinno się spać podczas miesiąca miodowego. Sara wzięła głęboki wdech. Słodkawy zapach wciąż unosił się w powietrzu.

Idąc za głosem intuicji, ruszyła dalej Pętlą. Większość gości była zakwaterowana w domkach w pobliżu głównego budynku, a o ile dobrze pamiętała, domek numer dziewięć znajdował się pomiędzy kwaterą, którą zajmowali z Willem, a resztą kompleksu.

Sara tylko dwa razy szła górną częścią Pętli; raz z Willem i Jonem, a drugi raz w ciemności. Nie odnalazła wtedy wzrokiem dziewiątego domku. Zaczęła się zastanawiać, czy aby nie szuka nadaremno, lecz dostrzegła wąską ścieżkę wijącą się w stronę pagórka. Podążając nią, czuła, że słodki zapach staje się silniejszy. Przypomniała sobie rozmowę z Jonem o Red Zeppelin – wkładzie do elektronicznego papierosa. Już wcześniej domyślała się, że zataił posiadanie drugiego takiego gadżetu. Ten, który teraz trzymał przy ustach, był srebrny.

Jon siedział na huśtawce na werandzie i wpatrywał się w las. Miał opuchniętą twarz, a oczy przekrwione od płaczu po śmierci matki. Był tak pogrążony w myślach, że zauważył Sarę, dopiero gdy stanęła na ganku. Nie wystraszył się. Po prostu na nią spojrzał. Sądząc po ciężkich powiekach i szklistym spojrzeniu, palił tego dnia coś więcej niż liquid Red Zeppelin.

– Miłe miejsce na kryjówkę – zagaiła, a gdy pod pretekstem zaciągnięcia się e-papierosem uniósł rękę i szybko otarł łzy, spytała: – Masz co jeść? – Wtedy dla odmiany kiwnął głową i wypuścił chmurę dymu. – Nie zamierzam kazać ci wracać do domu, chcę się tylko upewnić, że jesteś bezpieczny.

– Tak, proszę pani. Jestem... – Odkaszlnął. – Jestem bezpieczny.

Wyznanie kosztowało go sporo wysiłku. Jego matka nie żyła. Z tego, co wiedział, mordercą był jego ojciec. Jon musiał czuć się zupełnie samotny.

– Czy przypadkiem niedawno nie szedłeś ścieżką w stronę mojego domku? – zapytała.

Znowu odkaszlnął.

– Na ławce widokowej ostatni raz... To znaczy nie ostatni raz, ale to było ostatnie miejsce...

Patrzyła, jak po policzku chłopca spływa samotna łza. Nie chciała zasypywać go pytaniami, ale wyczuła, że potrzebuje kogoś, kto by go wysłuchał.

– Siedziałeś z mamą na tej ławce?

Na jego twarzy odmalował się głęboki smutek.

– Chciała ze mną porozmawiać. Kiedy byłem mały, często chodziliśmy tam pogadać. Myślałem, że coś nabroiłem, ale ona nie była na mnie zła. Tylko bardzo smutna.

Sara oparła się o poręcz.

– Co ją tak zasmuciło?

– Powiedziała, że przyjechała ciotka Delilah. – Jon położył e-papierosa na ławce obok siebie. – Poza tym chciała, żebym zapytał Papę, co się dzieje. Chodziło o sprzedaż. Wolała, żebym usłyszał to od Papy, a nie od niej. Ale nie dlatego, że tchórzyła.

Kiedy usłyszała, jak w ostatnich słowach chroni matkę, ścisnęło jej się serce.

– Bardzo się na nią rozzłościłem. To znaczy po rozmowie z Papą. Bo dlaczego chciała tu zostać? Po co? Moglibyśmy kupić dom w mieście, ona mogłaby robić swoje, a ja... sam nie wiem. Może znalazłbym jakichś przyjaciół. Zaczął spotykać się z ludźmi... – Głos chłopca znów się załamał.

– To piękne miejsce – zauważyła Sara. – Należy do waszej rodziny od pokoleń.

– Ale jest nudne jak cholera! – Przycisnął brodę do piersi. – Przepraszam.

– Domyślam się, że nie masz tu wiele ciekawych zajęć.

– Jest tylko praca i praca. – Jon wytarł nos skrajem koszuli. – Kilka lat temu Bitty przynajmniej zaczęła mi dawać jakieś pieniądze. Papa nigdy nie dał nam złamanego centa. Nie miałem nawet telefonu, dopóki Bitty potajemnie mi go nie załatwiła. Papa twierdzi, że wszyscy, z którymi potrzebuję rozmawiać, są na tej górze.

Sara obserwowała, jak bawi się elektronicznym papierosem, obracając go w dłoni.

– Kiedy tak siedziałeś z mamą na ławce, mówiła coś jeszcze?

– Tak, dała mi wolny wieczór. Potem poprosiła, żebym przyniósł alkohol kobiecie spod siódemki. Ale o tym zapomniałem.

Sara nie sądziła, by zapomniał.

– Wypiłeś go sam? – Gdy mina Jona zdradziła wszystko, szybko dodała: – Bardzo mi przykro, że twoja mama nie żyje. Zrobiła na mnie wrażenie miłej osoby.

Spojrzał na nią badawczo. Domyślała się, że nie jest pewien, czy żartuje. Jon najwyraźniej nie przywykł, by ktoś wypowiadał się o Mercy w pozytywnych słowach.

– Nie zdążyłam dobrze jej poznać, ale chwilę porozmawiałyśmy – ciągnęła Sara. – Jedno nie ulega dla mnie wątpliwości: bardzo cię kochała. Nie miała ci za złe tamtej kłótni. Myślę, że tak jak wszystkie matki, chciała, żebyś był szczęśliwy.

Jon odkaszlnął.

– Powiedziałem jej kilka bardzo złych rzeczy.

– Dzieci czasami tak robią. – Sara wzruszyła ramionami, gdy na nią spojrzał. – Emocje, które wczoraj cię przepełniały, są zupełnie normalne. A już Mercy na pewno to rozumiała. Przyrzekam, że nie obwiniała cię za tamtą kłótnię. Kochała cię.

Łzy Jona popłynęły obfitym strumieniem. Już unosił e-papierosa do ust, gdy nagle się rozmyślił.

– Nie chciała, żebym palił.

Sara nie zamierzała robić mu wykładu i zabraniać palenia.

– Porozmawiaj z Willem, gdy będziesz gotowy. Ma ci coś do przekazania.

Jon otarł oczy.

– Nie jest na mnie zły za to, że nazwałem go Śmieciuchem?

Sara prawie zapomniała o tej wymianie zdań.

– Ani trochę. Bardzo chce z tobą porozmawiać.

– Gdzie jest mój... – Zawahał się. – Gdzie jest Dave?

– W szpitalu. – Sara starannie dobierała słowa. Wiedziała, że w tej chwili nie może mu powiedzieć całej prawdy, ale też nie chciała kłamać.

– Twój ojciec czuje się dobrze, ale został ranny podczas zatrzymania.

– I bardzo dobrze. Mam nadzieję, że cierpi tak samo jak ona, gdy robił jej krzywdę – powiedział z goryczą, zaciskając dłoń na e-papierosie.

– Jakiś czas temu sam stwierdził, że prawdopodobnie zgnije w więzieniu. Chyba chciał, żebym się nad nim litował, ale pewnie miał rację, co? W końcu musiało do tego dojść.

– Porozmawiajmy o czymś innym – zaproponowała Sara zarówno ze względu na siebie, jak i na Jona. – Chciałbyś wiedzieć, co teraz stanie się z twoją mamą?

– Papa powiedział, że ją skremujemy, ale... – Jego warga zaczęła drżeć. Odwrócił się i spojrzał w stronę lasu. – Co to znaczy?

– Kremacja? – Sara zastanowiła się nad odpowiedzią. Nigdy nie rozmawiała z dziećmi protekcjonalnym tonem, ale Jon był w szczególnym położeniu. – Ciało twojej mamy jest teraz w drodze do siedziby GBI. Po zakończeniu sekcji zwłok zostanie przewiezione do krematorium. Jest tam specjalnie zaprojektowana komora, w której pod wpływem wysokiej temperatury człowiek przemienia się w popiół.

– Jak w piekarniku?

– Bardziej jak w stosie pogrzebowym. Wiesz, co to jest?

– Tak. Bitty czasami pozwala mi oglądać Wikingów na swoim iPadzie.

– Jon pochylił się i oparł łokcie na kolanach. – Skoro wiadomo, kto to zrobił, to po co ta sekcja?

– Musimy ją wykonać, takie są procedury prawne. Trzeba zebrać dowody, aby ponad wszelką wątpliwość ustalić przyczynę śmierci.

Wyglądał na zaskoczonego.

– A czy to nie tak, że została zadźgana?

– Zasadniczo tak. – Sara pominęła wyjaśnienia dotyczące niuansów różniących przyczyny i mechanizmy śmierci. – Jak już mówiłam, to część oficjalnych procedur. Wszystko trzeba udokumentować, zebrać i zidentyfikować dowody. To długotrwały proces. Jeśli chcesz, mogę opowiedzieć ci o kolejnych etapach. Na razie wciąż jesteśmy na początku.

– A gdyby mój tato przyznał się, że ją zamordował? Też musielibyście to robić?

Sara poczuła narastający żal z powodu ukrywania niewinności Dave'a. Mimo to starała się ściśle trzymać prawdy.

– Przykro mi, Jon, ale to tak nie działa. Trzeba przeprowadzić sekcję.

– Nie mów, że ci przykro. – Rozpłakał się na dobre. – A jeśli ja tego nie chcę? Jestem jej synem. Powiedz im, że tego nie chcę.

– Z prawnego punktu widzenia to konieczne.

– Żartujesz? – krzyknął. – Została zadźgana na śmierć, a wy zamierzacie ją jeszcze bardziej pokroić?

– Jon...

– To niesprawiedliwe! – Wstał z huśtawki. – Powiedziałaś, że ją lubisz, ale jesteś tak samo zła, jak cała reszta. Nie dość się w życiu nacierpiała?

Nie czekając na odpowiedź, wszedł do chatki i zatrzasnął za sobą drzwi.

Sara chciała pobiec za nim. Miał prawo wiedzieć o Davie, ale był też rozgoryczonym i zranionym szesnastolatkiem. Dopiero gdy znajdą osobę odpowiedzialną za śmierć jego matki, być może zyska jakieś poczucie zamknięcia sprawy. Na razie Sara mogła jedynie się upewnić, że chłopak ma zapewnione absolutne minimum. Dach nad głową. Jedzenie. Wodę. Bezpieczeństwo. Na pozostałe sprawy nie miała wielkiego wpływu.

Zamiast wracać do swojego domku, postanowiła udać się do quada po telefon satelitarny. Miała obowiązek zgłosić Nadine śmierć Chucka. Przynajmniej to jedno zadanie mogła odhaczyć. Odsunęła myśli o cierpieniu Jona na dalszy plan. Przywołała w pamięci szczegóły miejsca zgonu Chucka, aby przedstawić je Nadine w jak najzwięźlejszy sposób. Zastanowiła się też nad innymi sprawami, takimi jak wyniki badania zawartości butli z wodą, które będą miały decydujące znaczenie. Ważną rolę w postępowaniu karnym odegrają też motywy. Jeśli teoria Sary była słuszna, krople do oczu zostaną wpisane jako przyczyna śmierci, ale mechanizmem będzie utonięcie, a metodą – zabójstwo. O wszelkich okolicznościach łagodzących zadecyduje ława przysięgłych.

Wzięła głęboki wdech, żeby przewietrzyć płuca. Jej oczom ukazał się domek numer sześć. Idąc dalej, mijała kolejne kwatery i wkrótce znalazła się w środkowej części kompleksu. Gdy przyjechali tutaj z Willem, polana wydawała się jej idyllicznym miejscem, żywcem wyjętym z baśniowej ilustracji. Teraz, gdy zbliżała się do głównego budynku, czuła na swoich barkach wielki ciężar. Cecil siedział na werandzie, a Bitty stała obok niego. Oboje mieli gniewne miny. Nic dziwnego, że Jon nie chciał wracać do domu.

– Sara? – Keisha stanęła w otwartych drzwiach swojego domku, krzyżując ręce. – Co tu się, do cholery, wyprawia? Pomóż nam się stąd wydostać.

Ruszyła w jej stronę, próbując opanować strach. Drew był jednym z podejrzanych. Jeszcze przez jakiś czas będzie musiała zasłaniać się kłamstwami.

– Przepraszam, ale nie mogę wam pomóc. Zrobiłabym to, gdyby tylko się dało.

– Macie dwa quady, w każdym są cztery miejsca. Moglibyście pożyczyć nam jeden. Zabralibyśmy Monicę i Franka. Oni też chcą się stąd wynosić.

– Nie jestem upoważniona do podejmowania takich decyzji.

– A kto jest? – zapytała Keisha. – Boimy się schodzić na piechotę z powodu lawin błotnych. Bóg raczy wiedzieć, jak wyglądają drogi. Nie da się tu wezwać Ubera. Nie ma internetu, nie działają telefony. Jesteśmy uwięzieni.

– Formalnie rzecz biorąc, nie jesteście. Możecie opuścić to miejsce w dowolnym momencie, tylko nie robicie tego z racjonalnych pobudek.

– Jasna cholera, zawsze mówiłaś jak żona gliniarza, ale zauważyłam to dopiero teraz?

Sara odetchnęła głęboko.

– Jestem lekarzem sądowym w Biurze Śledczym stanu Georgia.

Oświadczenie to wywołało u Keishy zdumienie, które przerodziło się w podziw.

– Naprawdę?

– Naprawdę – potwierdziła Sara. – Możesz mi coś powiedzieć o rodzinie Mercy?

Keisha spojrzała na nią badawczo.

– Co masz na myśli?

– Jesteście tu już trzeci raz. Ty i Drew znacie McAlpine'ów lepiej niż my. Ich reakcja na śmierć Mercy wydaje się bardzo powściągliwa.

Keisha oparła się o framugę drzwi.

– Dlaczego miałabym ci ufać?

Sara wzruszyła ramionami.

– Nie musisz, ale wydaje mi się, że zależało ci na Mercy. Chcemy dopiąć sprawę przeciwko jej zabójcy na ostatni guzik. Ona zasłużyła na sprawiedliwość.

– Z całą pewnością nie zasłużyła na to, co robił jej Dave.

Sara przełknęła poczucie winy. Została przegłosowana w kwestii utrzymania sprawy Dave'a i Chucka w tajemnicy. Co więcej, nie była agentką i to nie ona ma rozwiązać tę sprawę.

– Dobrze znasz Dave'a?

– Wystarczająco dobrze, by nim gardzić. Przypomina mi mojego zasranego leniwego eksmęża. – Wzrok Keishy zatrzymał się na głównym budynku. Bitty i Cecil patrzyli na nią i Sarę, ale byli zbyt daleko, by cokolwiek usłyszeć. – Ta rodzina zawsze była bardzo powściągliwa, ale masz rację. Wszyscy zachowują się dziwnie. McAlpine'owie mają wiele tajemnic. Chyba nie chcą, żeby wyszły na jaw.

– Jakich tajemnic?

Keisha zmrużyła oczy.

– Czy jako lekarz sądowy jesteś też policjantką? Bo nie wiem, jak to działa.

Tym razem Sara nie zamierzała kłamać.

– Mogę jako świadek zeznać to wszystko, co powiesz.

Keisha jęknęła.

– Drew z pewnością nie chciałby, żebym się w to pakowała.

– Gdzie teraz jest?

– Poszedł do szopy ze sprzętem poszukać Fishtophera, żeby naprawił naszą pieprzoną toaletę. Coś się w niej psuje, odkąd tu przyjechaliśmy, a Drew nie odróżnia kranu od własnej dupy.

– Co się psuje?

– Coś kapie i cieknie.

Sara dostrzegła sposób na odzyskanie choć części jej zaufania.

– Mój ojciec jest hydraulikiem. Kiedyś pomagałam mu w każde wakacje. Chcesz, żebym rzuciła okiem?

Keisha ponownie spojrzała na dom McAlpine'ów, a potem na Sarę.

– Drew twierdzi, że gliny nie mają prawa do przeszukania bez nakazu.

– To nie jest do końca prawda – odparła Sara. – Właścicielami posiadłości są McAlpine'owie i to oni mogą, jeśli zechcą, udzielić takiego pozwolenia. Ale gdybym zobaczyła u ciebie coś w rodzaju narzędzia zbrodni, wiedz, że będę musiała powiedzieć o tym Willowi.

– Oczywiście. – Keisha zastanowiła się przez chwilę, a potem jęknęła głośno i otworzyła drzwi na oścież. – Nie zamierzam tu siedzieć ani chwili dłużej, słuchając tego kapania. Wybacz bałagan.

Bałaganem były dwie szklanki i napoczęta paczka krakersów na stoliku kawowym. Domek był mniejszy niż dziesiątka, ale umeblowany bardzo podobnie. Widok przez przeszklone drzwi salonu zapierał dech w piersiach. Sara zerknęła przez otwarte drzwi do sypialni. Łóżko było pościelone, w odróżnieniu od tego, które Faith zastała u Sary i Willa. Przy drzwiach wejściowych stały dwie walizki. Dostrzegła też pękate plecaki, które sprawiały wrażenie spakowanych w pośpiechu. Ku jej wielkiej uldze w koszu na śmieci nie widać było pustych buteleczek po kroplach Eads Clear.

– Chodź tutaj, na tyły. – Keisha przeszła do toalety. Przy umywalce stały dwa zestawy kosmetyków, ale nie było wśród nich kropli do oczu.

– Próbowałaś tutejszych alkoholi?

– Nie. – Po ostatnich dwunastu godzinach Sara miała na to wielką ochotę. – Will i ja nie pijemy.

– Tak trzymajcie. Monica miała ciężką noc. – Keisha ściszyła głos, choć były same. – Widziałam, jak Mercy rozmawia z barmanką. Jestem przekonana, że chciały trochę ukrócić jej picie. To niebezpieczna zabawa. Jeśli ktoś tutaj poważnie zachoruje, trzeba ściągać śmigłowiec z Atlanty, a ubezpieczyciel nie pokrywa kosztów, jeśli to ty sprzedajesz alkohol.

Sara domyśliła się, że Keisha zna te aspekty odpowiedzialności ze swojej firmy cateringowej.

– Słyszałaś coś podejrzanego wczoraj w nocy? Jakieś hałasy albo krzyki?

– Nie słyszałam nawet tej cholernej toalety – odparła Keisha poirytowanym tonem. – To miała być romantyczna wycieczka, ale jesteśmy na tym seksownym etapie naszego małżeństwa, na którym śpię przy włączonym wentylatorze, żeby nie słyszeć aparatury CPAP Drew.

Sara roześmiała się, chcąc rozładować atmosferę.

– Kiedy byliście tutaj poprzednim razem?

– Gdy na drzewach zaczęły pojawiać się świeże liście. W przybliżeniu dwa i pół miesiąca temu. O tej porze roku tutaj jest naprawdę pięknie, wszystko kwitnie. Żałuję, że już tu nie wrócimy.

– Mnie też jest przykro. – Sara nie mogła się powstrzymać od dokonania w myślach oczywistej kalkulacji. Drew był tu dokładnie wtedy, gdy Mercy zaszła w ciążę. – Spędziliście trochę czasu z Mercy?

– Poprzednio niewiele, bo było zatrzęsienie gości – przyznała. – Ale za pierwszym razem trzy, może cztery razy rozmawialiśmy z nią przy drinkach po obiedzie. Co prawda ona piła tylko wodę gazowaną, ale gdy schodziło z niej napięcie, potrafiła być zabawna. Wiem, jak to jest. Od człowieka, który pracuje w branży usługowej, ludzie bez przerwy czegoś chcą. Skubią cię jak wściekłe kaczki, aż zaskubią na śmierć. Mercy dobrze znała to uczucie. Przy nas łapała trochę luzu. Cieszę się, że choć tyle mogliśmy jej dać.

– Założę się, że to doceniała – powiedziała Sara. – Nawet sobie nie wyobrażam, jak samotnie może się czuć człowiek tu, na górze.

– Prawda? Miała tylko brata i tego dziwaka. Drew nazywa go Chuckles.

– Zauważyłaś coś między Mercy a Chuckiem?

– To samo, co mogłaś zobaczyć wczoraj wieczorem – odparła Keisha. – Chuck był tu, kiedy przyjechaliśmy po raz pierwszy. Za drugim razem wszystkie domki były zajęte, więc chyba spał u McAlpine'ów. Wiem tyle, że Papa nie był z tego zadowolony. Mercy zresztą też nie, jeśli już o tym mowa. Wspomniała coś o zastawianiu drzwi krzesłem.

– Dziwne.

– Teraz też mi się tak wydaje, ale wiesz, że czasami żartuje się z takich rzeczy.

Sara wiedziała. Wiele kobiet używa czarnego humoru jak talizmanu, który pomaga zbagatelizować obawę przed napaścią na tle seksualnym.

– Dlaczego Papa nie lubi Chucka?

– Sama musiałabyś go o to zapytać, ale myślę, że trudno o konkretny powód – wyjaśniła Keisha. – Szczerze mówiąc, Papa nie umie do nikogo podejść neutralnie. Albo cię kocha, albo nienawidzi. Nic pomiędzy. Nie chciałabym się znaleźć po niewłaściwej stronie. To bezwzględny człowiek.

– Miałaś kiedyś okazję rozmawiać z Chuckiem?

– A o czym miałabym z nim gadać?

Sara podzielała jej odczucia.

– A z Christopherem?

– Może nie uwierzysz, ale to miły facet – powiedziała Keisha. – Kiedy już przebijesz się przez warstwę nieśmiałości, okazuje się sympatycznym towarzyszem. Może nie kumplem do kieliszka, ale jako przewodnik zna się na swojej robocie. Uwielbia łowić, powie ci wszystko o wodzie, rybach, sprzęcie, badaniach naukowych i ekosystemie. Wynudziłam się przy tych jego wykładach jak mops, ale Drew lubi takie klimaty. Dobrze mu robi wyjazd w plener raz na jakiś czas. Dlatego tak mi przykro, że to miejsce jest dla nas skreślone. Poza tym wątpię, żeby udało im się prowadzić je dalej bez Mercy.

– Czy Christopher nie byłby w stanie pociągnąć przedsięwzięcia?

– Miałaś okazję zajrzeć do jego szopy ze sprzętem? – Poczekała, aż Sara kiwnie głową. – Drew nazywa ją Pałacem Ryb. Wszystko jest schludne i poukładane na swoich miejscach, i bardzo dobrze, skoro to Fisha uszczęśliwia, ale nie da się tak prowadzić firmy, o ile nie jesteś jej jedynym pracownikiem. Ludzie są nieprzewidywalni. Chcą robić, co im się podoba. Co chwila rozpętuje się jakaś gównoburza. Musisz dokonywać ekwilibrystycznych sztuczek, świrujesz na punkcie wyjścia na swoje, walczysz z klientami, którzy przez cały dzień czegoś od ciebie chcą, a na domiar złego w najgorszym momencie psuje ci się ciężarówka albo zaczyna przeciekać kibel. A wtedy bierzesz to na klatę albo bierzesz nogi za pas.

Sarze nieobca była tego rodzaju presja. Dawno temu prowadziła gabinet pediatryczny.

– Przypomniało mi się, jak któregoś razu Drew poszedł do szopy odłożyć wędkę na wieszak, bo chciał być miły i pomocny. Tymczasem Fishtopher pognał za nim cały w stresie, żeby sprawdzić, czy aby na pewno odłożył ją *prawidłowo*. – Pokręciła głową. – Jedyny biznes, jaki Fish może prowadzić, to łowienie ryb rano i picie szkockiej wieczorem.

Sara przypomniała sobie tatuaż Chucka.

– Lubi szkocką?

– Nie wiem, co lubią, i mam to gdzieś. Zamierzam stąd spadać i nigdy nie patrzeć wstecz.

Sara z zaciekawieniem zauważyła, że choć pytanie dotyczyło Christophera, Keisha w odpowiedzi uwzględniła także Chucka.

– Czekaj, a co z moją toaletą? – zapytała Keisha. – Zobaczysz, o co chodzi z tym kapaniem?

Sara domyślała się, że Keisha wie więcej, niż mówi.

– Przypuszczam, że to kwestia uszczelki zaworu spłuczki. Z czasem się zużywają i zaczynają przepuszczać wodę. Jeśli w ośrodku nie mają takiej uszczelki na wymianę, możecie przenieść się do któregoś z pustych domków.

– Nakłaniałam Drew, żebyśmy się przenieśli, ale mnie nie słucha. Powiedział, że chce zostać w tym samym domku co zwykle. Wiesz, jacy bywają faceci.

– Wiem. – Sara podniosła pokrywę zbiornika. W tej samej chwili poczuła się, jakby ktoś kopnął ją w krtań. Miała rację co do powodu przecieku, ale myliła się w kwestii zużycia uszczelki.

Uszczelka nie spełniała swojego zadania, ponieważ została podważona postrzępionym skrawkiem metalu. Ten zaś był przymocowany do kawałka czerwonego plastiku, który miał jakieś dziesięć centymetrów długości i niecały centymetr szerokości.

Znalazła złamaną rękojeść noża.

ROZDZIAŁ SIEDEMNASTY

Will cierpliwie patrzył, jak papier termiczny wysuwa się z przenośnego faksu powoli, niczym ślimak przeciskany przez maszynkę do makaronu. Oczekiwany nakaz przeszukania posiadłości w końcu się zmaterializował.

– Mam go. – Przyłożył telefon satelitarny do ucha. – Drukuje się.

– Świetnie – powiedziała Amanda. – Chcę, żebyś zamknął tę sprawę w ciągu godziny.

Gdyby tylko nie dysponowała władzą pozwalającą przemienić jego życie zawodowe w piekło, Will roześmiałby się w głos.

– Faith wciąż jest z Sarą w terenie, ale powinny zaraz wrócić. Poprosiłem Penny, sprzątaczkę, żeby przygotowała nam czwarty domek do przesłuchań. Kevin zabezpiecza ciało w zamrażarce. Personel kuchni pewnie widział, co robimy, ale tkwią po uszy w przygotowaniach do posiłku. Myślę, że uda nam się utrzymać śmierć Chucka w tajemnicy co najmniej do kolacji.

– Wciąż staram się dotrzeć do aktu oskarżenia Drew Conklina o napaść. Jakieś wieści ze strony McAlpine'ów?

– Wkrótce się nimi zajmę. – Will ruszył w stronę stosu drewna. Chciał go obejrzeć w świetle dziennym. – Czekając na nakaz, trzymałem się od nich z dala. Nie wiem, gdzie jest Christopher, i zamierzam wysłać Kevina na zwiady, gdy tylko wróci. Jona nadal nie ma i coś mi mówi, że Sara się od nas odłączy, żeby wznowić poszukiwania. Ciotka na pewno wróciła, bo jej subaru stoi na parkingu.

– Od ciotki można się jeszcze wiele dowiedzieć.

– Też tak sądzę. – Will stanął przed potężną stertą drewna. Grubych polan dębowych było wystarczająco dużo, by kompleks mógł przetrwać zimę. – Rozejrzałem się po domku Chucka. Panuje w nim bałagan, ale poza tym nie natknąłem się na nic ciekawego. Nie znalazłem zakrwawionych ubrań ani złamanego noża. Ani nawet kropli do oczu. Właściwie mnie to nie dziwi. Kiedy szukałem Dave'a po morderstwie, zajrzałem do wszystkich pustych domków. Jeśli wtedy niczego nie znalazłem, to raczej nie znajdę i teraz.

– A jak bardzo zdziwi cię informacja, że pan Weller ma dwieście tysięcy dolarów zainwestowanych na rynku pieniężnym?

– Jezu. – Will przypomniał sobie, że opłacenie pobytu tutaj zmusiło go do uszczknięcia rezerw, które trzymał na czarną godzinę. – Jestem w stanie zrozumieć, że Christopher odłożył trochę szmalu, bo nie musi tu płacić za dach nad głową. Ale Chuck?

– Ich sytuacja finansowa jest bardzo podobna. Chuck wyzerował pożyczkę studencką rok temu, prawie w tym samym czasie co Christopher. Ma licencję wędkarską, prawo jazdy i dwie karty kredytowe, które były regularnie spłacane. Nie udało mi się namierzyć żadnych bliskich krewnych. Podobnie jak w przypadku Christophera, te pieniądze to stosunkowo świeża sprawa. Sprawdziłam ich finanse na przestrzeni ostatnich dziesięciu lat. Jeszcze rok temu obaj tonęli w długach.

– Musimy skontrolować zeznania podatkowe.

– Daj mi powód, a ja dam ci nakaz sądowy.

– Giełda papierów wartościowych? Zdrapka na loterii?

– Sprawdziłam. Nic z tych rzeczy.

– Ta forsa musi być legalna. Nie trzymaliby jej w banku, gdyby nie odprowadzili podatków. – Will obszedł stertę drewna. Jeden kawałek wyraźnie różnił się od pozostałych. – Jak Chuck zarabiał na życie?

– Nie znalazłam żadnych danych na ten temat. Z przeszpiegów w serwisach społecznościowych wynika, że czas spędzał głównie na płaceniu za *lap dance* w klubach ze striptizem.

Will przytrzymał telefon ramieniem, chcąc oswobodzić rękę.

– Nigdzie nie ma informacji o jego zatrudnieniu?

– Nigdzie – przyznała. – Wynajmuje mieszkanie w Buckhead. Pracujemy nad uzyskaniem nakazu przeszukania. Może uda nam się znaleźć jakieś dokumenty prowadzące do krewnych lub związane z pracą zawodową.

– Poszukajcie też kropli do oczu Eads Clear.

– Zabójca mógł użyć produktu innej marki. W twoim nakazie przeszukania pozostawiłam w tej kwestii otwartą furtkę.

– Znakomicie. – Will podniósł polano kasztanowca. Drewno wyglądało na dobrej jakości i stanowiło drogi materiał na opał. – Przetrząsnąłem wszystkie worki ze śmieciami. Niczego nie znalazłem.

– Jak udało ci się to zrobić jedną ręką?

Prosząc Kevina o pomoc w założeniu rękawiczek, Will poczuł się jak małe dziecko.

– Jakoś.

– Ile buteleczek chciałbyś znaleźć?

– Trudno powiedzieć. – Will powiódł palcami po kawałku drewna klonowego, cechującego się piękną strukturą. On także byłby bardzo drogim materiałem na opał. – Muszę porozmawiać z Sarą, ale o ile pamiętam, był przypadek faceta, który wykorzystywał krople do oczu jako narkotyk gwałtu na randce.

– Jeśli pan Weller używał ich na kobietach, po co miałby stosować je na sobie?

– Na to pytanie chwilowo nie umiem odpowiedzieć. – Will postukał palcem kawałek akacji. Był lekko spróchniały i przesuszony od ekspozycji na słońce. W tym stanie nieszczególnie nadawał się do wrzucenia do kominka. – Co wiesz o różnych gatunkach drewna?

– Więcej, niżbym chciała. Swego czasu prowadziłam sprawę o napaść na tle seksualnym przeciwko stolarzowi.

Will nie zapytał o szczegóły.

– Odnoszę wrażenie, że Christopher i Chuck prowadzili jakiś biznes na boku, a Mercy odgrywała w nim ważną rolę. Delilah wspominała, że kiedy przyjechała, obaj kręcili się obok sterty drewna.

– Dowiedz się dlaczego – poleciła Amanda. – Zegar tyka.

Telefon umilkł. Will musiał przyznać Amandzie, że wie, jak kończyć rozmowy z fasonem.

Przypiął aparat do paska z tyłu spodni i przyklęknął przed stertą polan. We wszystkich sekcjach stosu poza jedną dominował dąb. Dlaczego przechowywali cenne gatunki drewna na zewnątrz, wystawiając je na pastwę żywiołów? Jakie przedsięwzięcie mogło przynieść Christopherowi i Chuckowi po dwieście tysięcy dolarów? I dlaczego Mercy nie dostała z tego ani grosza?

– Will? – W głosie Sary brzmiało napięcie.

Wstał. Faith nie było w zasięgu wzroku.

– Co się stało?

– Znalazłam złamaną rękojeść noża w spłuczce toalety u Keishy i Drew.

– Co?! – Will spojrzał na nią z niedowierzaniem.

– Keisha poskarżyła mi się, że toaleta w ich domku przecieka, zerknęłam więc do rezerwuaru i...

– Wie, co odkryłaś?

– Nie. Zamknęłam pokrywę i powiedziałam jej, że musi porozmawiać z Christopherem.

– Gdzie jest Drew?

– Poszedł do szopy ze sprzętem poszukać Christophera.

– Widziałaś go? I gdzie, do cholery, podziewa się Faith? – Jedyne, co przyszło mu do głowy, to stanąć niczym żywa zapora między Sarą a domkiem Drew. – Dlaczego poszłaś tam sama?

– Will, spójrz na mnie. Nic mi nie jest. Możemy pogadać o tym później.

– Kurwa. – Will odpiął telefon i nacisnął przycisk walkie-talkie. – Faith, jesteś tam?

Po chwili trzasków i szumów usłyszał jej głos:

– Idę w stronę głównego budynku. Gdzie jest Sara?

– Ze mną. Pośpiesz się. – Ponownie nacisnął przycisk. – Kevin, odbiór.

– Idę do was. – Rzeczywiście zmierzał w ich stronę. Był cały ubłocony i brudny od taszczenia ciała Chucka w górę szlaku. – Co się dzieje?

– Musisz odnaleźć Drew. Powinien być z Christopherem w szopie ze sprzętem. Miej na niego oko, ale nie podchodź blisko. Może być uzbrojony.

– Rozumiem. – Kevin szybkim krokiem ruszył do celu.

– Will. – Sara podjęła przerwany wątek. – Keisha powiedziała, że poprzednio byli tu dwa i pół miesiąca temu.

Nie potrzebował przypomnienia.

– Czyli mniej więcej w czasie, gdy Mercy zaszła w ciążę.

– Co jest grane? – Faith minęła się z Kevinem, idąc przez teren kompleksu. Miała na sobie luźne czarne spodnie i była uzbrojona w glocka. – Dokąd cię poniosło, Saro? Chciałabym zerknąć na mapę.

– Musimy zabezpieczyć domek numer trzy – oznajmił Will. – Złamana rękojeść noża jest w spłuczce toalety u Keishy i Drew.

Faith nie zadawała więcej pytań. Ruszyła truchtem w kierunku wskazanego domku z ręką przygotowaną do sięgnięcia po broń.

Will podążył za nią.

– Z tyłu są przeszklone drzwi.

– Jasne – odparła Faith.

Rozdzielili się. Will rozejrzał się po okolicy, sprawdzając okna i drzwi, aby się upewnić, że nikt ich nie zaskoczy. Wiedział, że drzwi wejściowe nie będą zamknięte. Wszedł bez pukania.

– Kurna! – Keisha zerwała się z kanapy. – Co jest, do cholery! Will?!

Zareagowała podobnie nerwowo jak przy okazji poprzednich odwiedzin, tym razem jednak Will wiedział, czego szuka.

– Zostań tutaj.

– A niby czemu mam tutaj zostawać? – Keisha próbowała pójść za nim, ale powstrzymała ją Faith. – A ty kim, do cholery, jesteś?

– Agentka specjalna Faith Mitchell.

Will wyjął z kieszeni rękawiczkę i podszedł do toalety. Ujął porcelanową pokrywę przez nitrylową powłokę i zdjął ze zbiornika.

Złamana rękojeść znajdowała się dokładnie tam, gdzie wskazała Sara. Cienki kawałek metalu uniemożliwiał uszczelce wykonywanie swojego zadania. Tylko gdyby to Drew wetknął rękojeść do spłuczki, po co miałby iść na poszukiwania Christophera w celu naprawienia przecieku? Wydawało się to nielogiczne.

A może przeczuwając rewizję w domkach, Drew postanowił zaaranżować uszkodzenie toalety we własnej kwaterze właśnie po to, by światło podejrzeń nie padło na niego?

Will nie był pewien niczego poza tym, że zabójca miał specyficzne inklinacje do wody. Mercy została znaleziona w jeziorze. Chuck zmarł w strumieniu.

– Will! – wrzasnęła Keisha. – Wytłumacz mi, co tu jest grane, do jasnej cholery!

Ostrożnie położył pokrywę spłuczki na macie łazienkowej obok wanny, a gdy wrócił do salonu, zauważył, że Faith blokuje Keishy przejście.

– Zabezpieczam dowody – wyjaśnił.

– Jakie dowody? – zapytała Keisha. – O co wam chodzi?

– Chciałbym, abyś poszła ze mną do sąsiedniego domku.

– Nigdzie nie idę – zaperzyła się. – Gdzie jest mój mąż?

– Keisha – powiedział Will. – Pójdziesz ze mną dobrowolnie albo zaprowadzę cię tam siłą.

Jej twarz poszarzała.

– Nie zamierzam z tobą rozmawiać.

– Rozumiem – odparł. – Chcemy zabrać cię do innego domku, żeby przeszukać wasze rzeczy.

Keisha zacisnęła zęby. Wyglądała na wściekłą i przerażoną, ale na szczęście bez dalszych oporów wyszła na ganek.

Sara stała pośrodku kompleksu. Will domyślał się, że wybrała to miejsce po to, by stanąć z Keishą twarzą w twarz i dać jej szansę wylać na nią wiadro pomyj, skoro poniekąd przyczyniła się do zaistniałej sytuacji. Will nie dbał o to, że Keisha czuje się zdradzona. Chciał, aby Sara opuściła ośrodek najszybciej, jak to możliwe.

– Tędy. – Wskazał Keishy drogę do domku numer cztery.

Zanim weszła po schodach, obejrzała się na Sarę. Otworzyła drzwi. Czwórka wyglądała kropka w kropkę jak trójka. Jednakowy układ pomieszczeń, takie same meble, identyczne okna i drzwi.

– Usiądź na kanapie – poprosił Will.

Keisha usiadła i włożyła dłonie między kolana. Gniew z niej uszedł. Była wyraźnie wstrząśnięta.

– Gdzie jest Drew?

– Inny agent go szuka.

– Drew nie zrobił nic złego, rozumiesz? Współpracuje. Oboje współpracujemy i wykonujemy polecenia. Robimy, co trzeba. Okej? Saro, słyszałaś? Robimy co trzeba!

Na widok Sary Will poczuł ucisk w żołądku.

– Słyszałam – powiedziała. – Zostanę z tobą, dopóki nie wyjaśnimy sprawy.

– Aha. Jasne. Już raz popełniłam błąd, gdy ci zaufałam, i zobacz, na co mi przyszło. – Keisha przyłożyła pięść do ust. Z jej oczu popłynęły łzy. – Co się, do cholery, stało? Przyjechaliśmy tu, żeby uciec od tego całego gówna.

Sara usiadła w fotelu. Patrzyła na Willa, jakby oczekiwała jakichś wskazówek, tymczasem on całym sobą chciał udzielić jej tylko jednej – by wyszła na zewnątrz.

Rozległy się ciche trzaski i szum, a po nich słowa:

– Will, odbiór.

Will sięgnął po telefon. Nie miał innego wyboru, jak tylko wyjść na ganek. Zostawił otwarte drzwi, aby mieć Keishę na oku.

– Co jest?

– Poszukiwani są w łodzi na jeziorze i łowią ryby – zaraportował Kevin. – Nie widzieli mnie.

Will przycisnął telefon do policzka. Pomyślał o narzędziach, do których Drew ma dostęp na łodzi, w tym o nożach.

– Trzymaj się z daleka, obserwuj ich i daj mi znać, jeśli coś się zmieni.

– Will? – Faith wyszła na ganek. Trzymała torebkę strunową, w której widać było złamaną rękojeść. – W walizkach i plecakach nie znalazłam niczego podejrzanego. Domek jest czysty. Mam to zanieść do quada?

– Zabierz do środka.

Gdy Will wrócił do salonu, Keisha siedziała na kanapie wyprostowana jak struna. Spojrzała najpierw na jego broń, a potem na glocka Faith. Trzęsły jej się ręce. Wyraźnie bała się, że zaprowadzili ją do chatki z dala od wzroku świadków, żeby wyrządzić jej jakąś krzywdę.

Will wziął torebkę z dowodem i gestem poprosił Faith, by wyszła na ganek. Zostawiła uchylone drzwi, by słyszeć, co będzie działo się w środku. Usiadł na drugim fotelu. Wolałby zająć miejsce bliżej Keishy, lecz fotel zajęła Sara. Położył woreczek z rękojeścią na stoliku.

Keisha spojrzała na przedmiot.

– Co to?

– Znaleźliśmy to w spłuczce w waszym domku.

– To jakaś gra czy... – Pochyliła się. – Nie wiem, co to jest.

Will popatrzył na plastikową czerwoną rączkę z cienkim kawałkiem zakrzywionego metalu wystającym z ułamanego końca. Nie wiedząc, co to takiego, można było uznać ów przedmiot za jakieś akcesorium kuchenne czy staromodną zabawkę.

– A gdybyś miała zgadywać? – zapytał.

– Nie wiem! – krzyknęła zdesperowana. – Dlaczego mnie o to pytasz? Przecież macie zabójcę. Wszyscy wiemy, że aresztowaliście Dave'a.

Will stwierdził, że to dobry moment na wyjawienie prawdy.

– Dave nie zabił Mercy. Ma alibi.

Zasłoniła usta dłonią. Wyglądała, jakby miała zwymiotować.

– Keisha... – zaczął Will.

– Jezu Chryste – szepnęła. – Drew zabronił mi z wami rozmawiać.

– Możesz milczeć – przyznał. – Masz do tego prawo.

– Przecież i tak nas zamkniecie. Szlag. Nie wierzę w to, co się dzieje. Saro, o co tu, kurwa, chodzi?

– Keisha. – Will nie chciał, żeby rozmawiała z Sarą. – Spróbujmy to wyjaśnić.

– Gówno, nie wyjaśnić! – wrzasnęła. – Wiesz, ilu idiotów gnije w więzieniach, bo gliniarze kazali im wyjaśnić to i owo?

Milczał. Na szczęście Sara też nie zabierała głosu.

– Jezu. – Dłoń Keishy znów powędrowała do ust. Patrzyła na leżącą na stole torebkę. Wreszcie dodała dwa do dwóch. Domyśliła się, że to część narzędzia zbrodni. – Nigdy wcześniej tego nie widziałam, rozumiecie? Ani ja, ani Drew. Żadne z nas. Powiedzcie, jak mamy się z tego oczyścić. Niczego nie zrobiliśmy. Nie mamy z tym nic wspólnego.

– Kiedy po raz pierwszy usłyszałaś, że w toalecie ciekne woda? – zapytał Will.

– Wczoraj. Rozpakowywaliśmy się i usłyszeliśmy kapanie, więc Drew poszedł poszukać Mercy. Była zła, bo Dave miał naprawić spłuczkę przed naszym przyjazdem.

Keisha łapczywie nabrała powietrza. Była przerażona.

– Mercy obiecała, że się tym zajmie, i wysłała nas na spacer, poszliśmy więc Szlakiem Sędziego Cecila, żeby popatrzeć na dolinę. Kiedy wróciliśmy, toaleta była naprawiona.

– Czy Mercy wciąż tu wtedy była?

– Nie. Zobaczyliśmy ją dopiero na cocktail party.

– Kiedy ponownie usłyszałaś odgłosy przeciekającej toalety?

– Dziś rano – odparła. – Poszliśmy na śniadanie... To chyba musiało stać się właśnie wtedy, prawda? Ktoś włożył to do naszej spłuczki. Ten ktoś próbuje nas wrobić.

– Kto jeszcze był na śniadaniu?

– Hmm... – Złapała się za głowę, próbując zebrać myśli. – Frank i Monica. On próbował ją nakłonić do zjedzenia czegoś, ale bez skutku. Wyszli przed nami. Byli jeszcze ci faceci od aplikacji. Wiedzieliście, że on ma na imię Paul?

– Tak.

– Przyszli tuż przed naszym wyjściem. Zawsze się spóźniają. Na cocktail party też się spóźnili. Pamiętasz?

– A McAlpine'owie?

– Nie przychodzą na śniadania. Ani razu ich rano nie widziałam. – Odwróciła się do Sary. – Proszę, wysłuchaj mnie. Nasze drzwi zawsze są otwarte. Wiesz, że nie mamy z tym nic wspólnego. Co mogłoby nas do tego skłonić?

– Mercy była w dwunastym tygodniu ciąży – oznajmił Will.

Keishy opadła szczęka.

– Kto był...

Will usłyszał ciche stuknięcie jej zębów, gdy zamknęła usta. Spojrzała na Sarę w poczuciu potwornej zdrady.

– Naciągnęłaś mnie na wyznania.

– To prawda – przytaknęła Sara.

– Keisha. – Will musiał ponownie skierować rozmowę na właściwe tory. – Drew ma na swoim koncie oskarżenie o napaść.

– Sprzed dwunastu lat – odparła. – Vick, mój były mąż, wciąż robił mi koło pióra. Pojawiał się u mnie w pracy, wysyłał mi esemesy. Prosiłam, żeby przestał, ale któregoś dnia przyszedł do nas pijany i próbował łapać mnie za rękę. Drew go odepchnął i Vick spadł ze schodów. Uderzył się w głowę. Nic poważnego mu się nie stało, ale nalegał, żeby zabrać go do szpitala, i zrobił z tego aferę. To wszystko. Możecie sprawdzić te informacje.

Will potarł brodę. Historyjka brzmiała przekonująco, ale Keisha bardzo chciała wyjść na wiarygodną osobę.

– Czy Drew kiedykolwiek przebywał sam na sam z Mercy?

– Chcesz, żebym to potwierdziła, prawda? – zapytała głosem szorstkim z desperacji. – A jeśli powiem, że poprzedniej nocy widziałam Dave'a? Szedł szlakiem. Przysięgam na Boga.

– Jasne – przytaknął, choć jej nie uwierzył.

– Dave bił Mercy. Oboje o tym wiecie. Nie wiem, jakie ma alibi, ale nie może być żelazne. Jeśli widziałam go na szlaku tuż przed tym, zanim Mercy została zamordowana...

Keisha wstała, Will również się podniósł.

– Jezu, muszę się ruszyć – powiedziała. – Dokąd mogę iść?

Patrzył, jak chodzi po małym pomieszczeniu w tę i z powrotem. Po chwili spojrzał na Sarę. Wyczuwał w niej wewnętrzny konflikt. Sam miał świadomość, że jej obecność go rozprasza. Keisha była zła i rozkojarzona. Nie powinien teraz dodatkowo przejmować się Sarą. Musiał w stu procentach skoncentrować się na potencjalnej wspólniczce morderstwa.

– Powiedz mi, co mam zeznać – jęknęła Keisha błagalnie. – Powiem wszystko, co trzeba.

– Keisha. – Will poczekał, aż skupi na nim wzrok. – Pamiętasz, co się stało, gdy ściągnąłem wszystkich na polanę w centrum ośrodka, by ogłosić, że Mercy nie żyje?

– Co? – Keisha sprawiała wrażenie zagubionej. – Oczywiście, że pamiętam. Do czego zmierzasz?

– Drew powiedział wtedy coś Bitty.

Spojrzała mu prosto w oczy, ale się nie odezwała.

– Powiedział konkretnie: „Zapomnijcie o tamtej sprawie. Róbcie, co wam się żywnie podoba. Już nas to nie interesuje".

Keisha skrzyżowała ramiona. Teraz wyglądała jak podręcznikowa ilustracja osoby, która ma coś do ukrycia.

– O co chodziło Drew? – zapytał Will. – Co to za sprawa?

Milczała przez chwilę, szukając jakiegoś wyjścia z sytuacji.

– Możemy się dogadać, prawda? Chyba tak to działa.

– Co tak działa?

– Potrzebujecie kogoś, kogo możecie oskarżyć. Dlaczego nie Chucka? – Zadała to pytanie z absolutną szczerością. – Albo któregoś gościa od aplikacji? Albo Franka? Zostawcie Drew w spokoju.

– Keisha, to wcale tak nie działa.

– Każdy śmierdzący gliniarz tak mówi.

– Zależy mi tylko na odkryciu zabójcy Mercy.

– Chuck miał motyw – odparła Keisha. – Byłeś przy tym, jak ją wystraszył. Wszyscy przy tym byliśmy. Chcesz wiedzieć, kto był tutaj dwa i pół miesiąca temu? Chuck. Przebywa tu właściwie bez przerwy. I jest obrzydliwy jak cholera. Saro, wiesz, o czym mówię, prawda? Koleś wygląda na gwałciciela. Kobiety to wyczuwają. Zapytaj swoją partnerkę, policjantkę. A jeszcze lepiej zostaw ją na pięć minut w pokoju sam na sam z Chuckiem. Nie będzie miała wątpliwości.

Will łagodnie zmienił temat.

– Jak chciałabyś się dogadać?

– Mogę przekazać informacje – oświadczyła. – Coś, co stanowiłoby motyw. Co dałoby motyw Chuckowi.

Will nie zamierzał jej mówić, co przydarzyło się Chuckowi, lecz już dawno przekonał się, że ludzie lubią rozwiązywać zagadki, nawet jeśli rozwiązanie niekoniecznie jest dla nich korzystne.

– Chuck i Christopher mają po dwieście tysięcy na kontach bankowych.

– Jaja sobie robisz?! – Keisha wyglądała na autentycznie zdumioną. – Jezu... Musieli coś kombinować.

– Jak sądzisz, co kombinowali?

– O nie. – Zaczęła kręcić głową. – Nie powiem ani słowa więcej, dopóki nie zjawi się tu Drew. Cały i zdrowy. Rozumiesz?

– Keisha...

– Nie. Ani słowa.

Usiadła na kanapie, objęła się rękami w pasie i patrzyła na drzwi takim wzrokiem, jakby po cichu modliła się o nagłe objawienie męża.

Will podjął jeszcze jedną próbę.

– Keisha.

– Jeśli poproszę o prawnika... jeśli złożę taką prośbę, będziesz musiał przestać zadawać mi pytania, mam rację?

– Masz.

– W takim razie nie każ mi prosić o prawnika.

Will ustąpił, oznajmiając przy tym:

– Moja partnerka zostanie z tobą.

– Nie – zaprotestowała. – Człowieku, jak miałabym uciec z tej góry? Już dawno bym to zrobiła, gdyby to było możliwe. Nie potrzebuję pieprzonej niani.

– Jeśli chcesz się dogadać, zatrzymaj dla siebie informację o ciąży Mercy.

– A ty trzymaj się ode mnie z daleka.

Will otworzył drzwi. Faith wciąż stała na ganku. Oboje patrzyli w milczeniu, jak Keisha wraca do swojego domku.

– Co o tym wszystkim myślisz? – zapytała Faith.

Pokręcił głową. Nie był pewien, co myśleć.

– Christopher i Chuck uwikłali się w jakieś interesy razem z Mercy. Drew o tym wiedział. A teraz Chuck i Mercy nie żyją.

– Zamierzasz porozmawiać z Christopherem i Drew?

Przytaknął.

– Kevin jest już nad jeziorem. Chcesz do mnie dołączyć?

– Wolałabym uściślić kwestię odległości na mapie. Nie zgadzają mi się pory zdarzeń.

Will dobrze wiedział, że Faith lubuje się w dopracowywaniu osi czasu.

– Dam ci znać, jeśli będę cię potrzebował.

Przytrzymał otwarte drzwi Sarze, która wyszła na ganek. Snując się za nią w kierunku Pętli, czuł narastającą złość. Spacer do kwatery potrwa jakieś dziesięć minut. Chciał wykorzystać ten czas na wyjaśnienie jej, że powinna trzymać się swoich zadań. Odwracała jego uwagę, gdy przesłuchiwał Keishę. Nie mógł pozwolić, by to się powtórzyło.

Sara nie domyślała się czekającej ją przeprawy. Weszła na Pętlę i wskazała gestem głowy domek numer pięć. Gordon i Paul siedzieli na ganku po dwóch stronach hamaka. Pierwszy im pomachał, drugi pił alkohol prosto z butelki.

Drzwi siódemki otworzyły się ze skrzypnięciem. Na zewnątrz wyszła Monica i zmrużyła oczy w świetle słońca. Miała na sobie czarną koszulę nocną, a w dłoni trzymała szklankę, prawdopodobnie z alkoholem. Mówiąc, że picie jest jedynym, co można tutaj robić, Sara chyba trafiła w sedno.

Sara zboczyła ze szlaku, podeszła do Moniki i zapytała:

– Jak się czujesz?

– Już lepiej, dziękuję. – Monica spojrzała na szklankę. – Miałaś rację. Czym się strułeś, tym się lecz.

– Mogę spróbować?

Monica wyglądała na równie zaskoczoną jak Will, ale posłusznie podała Sarze szklankę.

Patrzyła, jak Sara upija łyk, a potem się krzywi.

– Mocne.

– Można się przyzwyczaić. – Monica zaśmiała się smutno. – Ale nie przyjmuj ode mnie rad dotyczących alkoholu. Chciałabym was przeprosić za to, jak zachowywałam się wczoraj wieczorem. I dziś rano. Właściwie to przez cały czas.

– Nie masz żadnego powodu, żeby czuć się winna. – Sara oddała jej szklankę. – Przynajmniej jeśli chodzi o nas.

Will nie był przekonany co do braku powodów.

– Chcę cię zapytać o poprzednią noc, o godziny tuż przed północą – zwrócił się do Moniki.

– Chodzi ci o to, czy coś słyszałam? – sprecyzowała. – Gdy rozległ się dźwięk dzwonu, spałam w wannie. Myślałam, że to alarm pożarowy. Nie mogłam znaleźć Franka.

Will zgrzytnął zębami.

– Gdzie był?

– Myślę, że siedział z tyłu na werandzie i odpoczywał od moich cyrków. Cały spanikowany wpadł przez tylne drzwi. – Monica pokręciła głową ze smutkiem. – Nie mam pojęcia, jak ze mną wytrzymuje.

Willa bardziej interesowało alibi Franka. Okłamał go już drugi raz.

– Gdzie jest teraz?

– Poszedł do jadalni po piwo imbirowe dla mnie. Mój żołądek nadal jest w kiepskiej formie.

Will przypuszczał, że Frank wróci tu z wieścią o śmierci Chucka, co wiązało się z wieloma problemami.

– Przekaż mu, że chcę z nim porozmawiać.

Monica skinęła głową i zwróciła się do Sary:

– Dziękuję za pomoc. Bardzo to doceniam.

Sara uścisnęła jej dłoń.

– Daj znać, jeśli będziesz jeszcze czegoś potrzebowała.

Will ruszył za Sarą z powrotem w stronę Pętli. Z zadowoleniem zauważył, że tym razem nie szła spacerkiem, tylko narzuciła szybkie tempo. Próbował ułożyć w głowie plan działania. Zostawi Sarę w domku i uda się nad jezioro. Porozmawia z Kevinem i opracuje podejście do Drew i Christophera, ponieważ niezależnie od słów Keishy, Drew nie wydawał mu się zupełnie czysty. Oczywistym było, że wiedział o jakiejś *sprawie*, a rękojeść noża znajdowała się w toalecie jego domku. Od razu powołał się na swoje prawa, co z formalnego punktu widzenia wolno było mu zrobić, ale Willowi wolno było potraktować to podejrzliwie.

Najlepiej, gdyby udało się rozdzielić Christophera i Drew. Kevin mógłby zabrać tego drugiego do hangaru dla łodzi, aczkolwiek Will przypuszczał, że facet znów zacznie zasłaniać się prawnikami. Niemniej Will mógłby wtedy zostać z Christopherem sam na sam w szopie. Brat Mercy nie był tak skomplikowany jak Drew. Jeśli się dowie, że Drew zaczął sypać, będzie przerażony. Will zamierzał dać mu do zrozumienia, że ten, kto puści farbę pierwszy, ma większą szansę się wywinąć. Miał nadzieję, że Christopher spanikuje i dopiero poniewczasie uświadomi sobie, że należało trzymać gębę na kłódkę.

Will włożył dłoń do kieszeni. Patrzył na idącą przed nim Sarę. Musiał się upewnić, że zostanie w domku, co oznaczało, że zanim tam dotrą, czeka go mało przyjemna konwersacja.

– Nie powinnaś była zostawać ze mną w pokoju podczas rozmowy z Keishą – zaczął. – Zdekoncentrowałaś mnie.

Sara spojrzała na niego uważnie.

– Przepraszam. Nie pomyślałam o tym. Masz rację. Pogadajmy o tym, gdy wrócimy do siebie.

Will nie spodziewał się, że pójdzie tak łatwo, ale ucieszył się z sukcesu.

– Powinnaś się spakować. Wolałbym, żebyś wyjechała stąd jeszcze przed zapadnięciem zmroku.

– A ja wolałabym, żeby w twoją dłoń nie wdała się infekcja, a jest jak jest.

Tego się nie spodziewał.

– Saro...

– Przywiozłam antybiotyki. Możemy porozmawiać o...

– Z moją ręką wszystko w porządku – oznajmił, choć bolała go jak diabli. – Nie chodzi mi tylko o twoją obecność przy przesłuchaniu. Prosiłem, żebyś została z Faith, a ty postanowiłaś uprawiać samowolkę. Dlaczego poszłaś do Keishy sama? A gdyby pojawił się Drew? Zapomnij o Mercy i Chucku, ten człowiek ma napaść na koncie.

Zatrzymała się w połowie szlaku i posłała mu gniewne spojrzenie.

– Coś jeszcze?

– Owszem. O co chodzi z piciem w środku dnia? Czy to jakaś nowa tradycja?

– Jezu... – szepnęła.

– Jezusa w to nie mieszaj. – Will wyczuł w jej oddechu zapach alkoholu. – Śmierdzisz jak benzyna do zapalniczek.

Sara zacisnęła usta. Czekała, a ponieważ zamilkł, zapytała:

– Skończyłeś?

– A co jeszcze miałbym dodać?

– Kiedy, jak to nazwałeś, *uprawiałam samowolkę*, znalazłam Jona. Jest w domku numer dziewięć, o tam. Nie chcę, żeby podsłuchał to, co chcę ci powiedzieć.

Will spojrzał nad jej głową we wskazaną stronę. Pośród drzew dostrzegł kawałek krytego gontem spadzistego dachu.

– Byłem tam dziś rano, gdy szukałem Dave'a. Jon musiał tam dotrzeć po moim wyjściu.

Sara nie skomentowała. Podjęła przerwany marsz, a Will ponownie podążył za nią. Zastanawiał się, czy Jon nadal przebywa w domku, a jeśli tak, to ile usłyszał. Will podniósł głos tylko raz, gdy mówił o alkoholu. Zdawał sobie sprawę, że jest na tym punkcie wybitnie przeczulony, zdumiało go jednak, że Sara upiła łyk ze szklanki Moniki. Poza tym nie miał pojęcia, do czego zmierzała, mówiąc o tym, że nie chce, by Jon ją podsłuchał.

Sara nie trzymała go długo w niepewności. Zatrzymała się kilka metrów od ich kwatery i uważnie na niego spojrzała.

– Wróćmy do kwestii interesu, który kręcili na boku Mercy, Christopher i Chuck. Masz jakieś teorie?

Nie zdążył głębiej się nad nimi zastanowić.

– Posiadłość jest otoczona lasami państwowymi. Może nielegalne pozyskiwanie drewna?

– Drewna?

– W stosie materiału opałowego odkryłem kilka cennych gatunków. Kasztanowiec, klon, akacja...

– Brzmi sensownie. – Sara kiwnęła głową. – Wiedz jednak, że faceci od aplikacji wspomnieli, że ich burbon przypomina terpentynę. Monica pije whisky z najwyższej półki, ale trunek pachnie i smakuje jak benzyna do zapalniczek. Wczoraj w nocy była na skraju zatrucia alkoholowego, co zdumiało zarówno ją samą, jak i Franka, bo zwykle nie odchorowuje picia aż tak bardzo. A dwadzieścia minut temu Keisha zapytała, czy próbowaliśmy tutejszego alkoholu. Ostrzegła przed nim, a potem zaczęła mówić o odpowiedzialności placówki, w razie gdyby któregoś z gości trzeba było przetransportować śmigłowcem do miasta.

Will poczuł się jak ślepiec, który wcześniej niczego nie dostrzegał.

– Myślisz, że w przedsięwzięciu, o którym rozmawiali Chuck i Christopher, chodzi o sprzedaż nielegalnego alkoholu?

– Keisha i Drew prowadzą firmę cateringową. Mogli zauważyć, że w kwestii tutejszego alkoholu coś dosłownie śmierdzi. Może poruszyli ten temat z Cecilem i Bitty. Niektóre marki z wyższej półki mają dymny posmak. Dąb, jadłoszyn...

– Kasztanowiec, klon, akacja...?

– Właśnie.

Will wrócił myślami do rozmowy, którą podsłuchał, stojąc na tyłach jadalni.

– Chuck zwrócił się do Christophera słowami: „Mnóstwo ludzi na nas polega". Z rekonesansu Amandy wynikało, że treści na kontach społecznościowych Chucka często odwołują się do klubów ze striptizem.

– W takich lokalach dwa drinki to absolutne minimum.

– Myślisz, że Drew zamierzał pogadać z Bitty, bo chciał uszczknąć kawałek tego tortu? – zapytał Will.

– Wątpię – odparła Sara. – Może daję im zbyt duży kredyt zaufania, ale Keishy i Drew się tutaj podobało. Wydaje mi się bardziej prawdopodobne, że próbowali storpedować ten interes. Keisha podkreślała kwestię odpowiedzialności. Odradzała mi picie tu czegokolwiek mocnego. Nie przypuszczam, by chciała pakować się w coś, co może przyczynić się do czyjejś śmierci. Poza tym przypomnij sobie, co powiedziała o wymianie informacji. Nie wydałaby Drew. Jeśli chciała puścić farbę, to właśnie na temat pędzenia alkoholu.

– Ich raport kredytowy jest czysty, ale na forsie nie śpią. – Will potarł szczękę. W tej układance wciąż czegoś mu brakowało. – Wiesz, co mi w tym nie pasuje? Po co zabijać Mercy i Chucka, skoro można zabić Drew?

– To ty lubisz motywy finansowe – zauważyła Sara. – Po zlikwidowaniu Mercy i Chucka Christopher zagarnia całą pulę dla siebie i może przejąć biznes, a przy okazji wskazać Drew jako potencjalnego mordercę.

Will wyciągnął telefon i włączył krótkofalówkę.

– Kevin, jakieś zmiany?

– Tylko dwie nowe osoby nad jeziorem. A oni siedzą i piją piwo.

Will dostrzegł zatroskaną minę Sary. Do wody Chucka dodano trucizny, a teraz facet, który miał z nim najbliższy kontakt, częstuje Drew piwem.

– Kevin, postaraj się powstrzymać ich od dalszego picia czegokolwiek, ale nie podawaj powodów.

– Działam.

Już miał się ruszyć, ale przypomniał sobie o Sarze.

– Leć – powiedziała. – Poczekam tutaj.

Przypiął telefon do paska i pobiegł w stronę jeziora. Minął rozwidlenie i ławkę widokową. Nie miał zbyt rozległej wiedzy o mocnych alkoholach, ale za to bardzo dokładnie znał przepisy zakazujące ich nielicencjonowanej produkcji, dystrybucji i sprzedaży. Przede wszystkim musiał zorientować się, jak to robią. Wlewają tańsze trunki do butelek po tych luksusowych, co kosztowałoby ich utratę koncesji i narażało na wysoką grzywnę? Czy pędzą sami, łamiąc federalne i stanowe prawa?

Skręcił w stronę szopy, skąd miał już widok na jezioro. Nad brzegiem zobaczył dwa puste leżaki z puszkami piwa w plastikowych uchwytach. Kevin leżał na ziemi, trzymając się za nogę. Christopher i Drew stali nad nim. Przez moment Will miał wrażenie, jakby pompa próżniowa odessała mu całą krew z serca, ale potem zdał sobie sprawę, że musiał to być pomysł Kevina na powstrzymanie mężczyzn od picia.

Will podbiegł, wyciągnął do niego rękę i pomógł mu wstać.

– Przepraszam, skurcze w nogach nie dają mi żyć.

Drew patrzył na niego z powątpiewaniem.

– Fish, wracam. Dzięki za piwo.

Christopher uchylił kapelusza, gdy Drew skierował się na szlak. Will skinął głową na Kevina, by poszedł za nim. Drew nie będzie zachwycony, gdy się dowie, że Keisha rozmawiała z Willem.

– I jak? – zagaił Christopher. – Coś się zmieniło? Dave się przyznał?

Will domyślał się, że wieści zdążyły się już rozejść.

– Dave nie zabił twojej siostry.

– Cóż. – Mina Christophera nie zmieniła się ani odrobinę. – Wiedziałem, że się z tego wyłga. Bitty dała mu alibi?

– Nie, zrobiła to sama Mercy. – Will spodziewał się choćby śladu zaskoczenia, lecz Christopher zachował kamienną twarz. – Twoja siostra zadzwoniła do Dave'a przed śmiercią. Treść nagrania na jego poczcie głosowej zasadniczo wyklucza go jako sprawcę.

Christopher spojrzał na jezioro.

– Bardzo dziwne. Co powiedziała?

– Że potrzebuje jego pomocy.

– To też mnie dziwi. Dave nigdy jej nie pomagał.

– A ty jej pomagałeś?

Christopher nie odpowiedział. Założył ręce na piersiach i wpatrywał się w wodę.

Will także zamilkł. Z jego doświadczenia wynikało, że ludzie nie tolerują niezręcznej ciszy.

Christopher zdawał się jednak na nią odporny. Stał ze skrzyżowanymi rękami, bez słowa patrząc na jezioro.

Will musiał znaleźć inny sposób, by do niego dotrzeć.

Zerknął na szopę ze sprzętem. Drzwi były szeroko otwarte. Noże znajdowały się w tym samym miejscu, co poprzednio, choć w jasnym świetle dnia sprawiały wrażenie ostrzejszych. Ale nie tylko one budziły zaniepokojenie Willa. Cios wiosłem w głowę czy uderzenie w brzuch drewnianym uchwytem któregoś z podbieraków także mogły wyrządzić nielichą krzywdę. Poza tym Christopher najpewniej miał w kieszeniach takie same akcesoria co Chuck. Narzędzie do cięcia i zabezpieczania żyłek. Wielofunkcyjne narzędzie wędkarskie. Zwijana smycz. Scyzoryk.

Will miał tylko jedną rękę sprawną. Druga była rozpalona i spuchnięta, ponieważ rzecz jasna Sara nie myliła się w kwestii infekcji. Ale ta pierwsza, niezainfekowana dłoń znajdowała się bardzo blisko krótkolufowego rewolweru Smith & Wesson.

Wszedł do szopy i zaczął otwierać szafki i szuflady, robiąc przy tym wiele hałasu, a wyraźnie podenerwowany Christopher wpadł do środka.

– Co robisz? Tu nie wolno wchodzić.

– Mam nakaz przeszukania posiadłości. – Will wysunął następną szufladę. – Jeśli chcesz się z nim zapoznać, możesz wrócić do ośrodka i zapytać moją partnerkę.

– Stój! – Christopherowi puszczały nerwy. Zaczął zamykać szuflady. – Poczekaj, czego szukasz? Mogę ci powiedzieć, gdzie jest.

– A jak sądzisz, czego mogę szukać?

– Nie mam pojęcia – odparł. – Ale to moja szopa. Wiem o wszystkim, co się tu znajduje, ponieważ sam to tu zgromadziłem.

O sekundę za późno zdał sobie sprawę z faktu, że właśnie ogłosił się właścicielem wszystkiego, co znajdzie Will, który ponowił pytanie:

– Jak myślisz, czego szukam?

Christopher pokręcił głową.

Will obszedł szopę tak, jakby widział ją po raz pierwszy. Kątem oka wypatrywał nagłych ruchów Christophera, który zdawał się bierny, ale to mogło się zmienić w każdej chwili. Will z zaskoczeniem odnotował, że drobiazgi w szopie zostały pieczołowicie uporządkowane. Nie grzeszył subtelnością, gdy przed świtem szukał tutaj czegoś do skrępowania

Dave'a. Narzędzia wróciły na oznaczone miejsca. Siatki wisiały na ścianie w równych odstępach. We wpadającym do wnętrza świetle dziennym Will mógł dobrze przyjrzeć się zamkowi i wysłużonej kłódce, które broniły wejścia do pomieszczenia na tyłach.

– Posłuchaj – odezwał się Christopher. – Goście nie mają tutaj wstępu. Wyjdźmy na zewnątrz.

Will odwrócił się do niego.

– W stercie przed domem zauważyłem kilka interesujących gatunków drewna.

Christopher głośno przełknął ślinę i zaczął się pocić.

Will miał nadzieję, że nie jest to początek kolejnego incydentu z kroplami do oczu. Zamierzał załatwić sprawę szybko i postanowił zaryzykować:

– Wczoraj wieczorem, gdy wszyscy poszliśmy na kolację, zostałeś na zewnątrz z Mercy.

Twarz Christophera pozostała bez wyrazu.

– I co z tego?

Will uznał, że ryzyko się opłaciło.

– O czym rozmawialiście?

Christopher nie odpowiedział, tylko wbił wzrok w podłogę.

Will cierpliwie powtórzył pytanie:

– O czym rozmawiałeś z Mercy?

– Oczywiście o sprzedaży. – Christopher pokręcił głową. – Jestem przekonany, że znasz tę sprawę z relacji Papy i Bitty.

Will przytaknął, choć jeszcze z nimi nie rozmawiał.

– Domyślasz się, co jeszcze mi powiedzieli?

– To żadna tajemnica. Mercy chciała zablokować transakcję. Miała nadzieję, że wezmę jej stronę, ale ja nie mam ochoty ciągnąć tego dłużej. Jestem zmęczony.

– Właśnie to przekazałeś Chuckowi, prawda? – Will miał świeżo w pamięci rozmowę na szlaku. – Oznajmiłeś mu, że nigdy nie chciałeś się tym zajmować i że bez Mercy sprawa nie ma szans. Że jej potrzebowałeś.

Christopher w końcu okazał zaskoczenie.

- Zeznał ci to?

Will przyjrzał się jego twarzy. Zdumienie zdawało się szczere, ale życie nauczyło go nie ufać potencjalnym psychopatom.

- O ile wiem, nie potrzebujesz pieniędzy ze sprzedaży.

Christopher oblizał wargi.

- Do czego zmierzasz?

- Jesteś nieźle ustawiony.

- Nie wiem, co próbujesz powiedzieć.

- Masz dwieście tysięcy ulokowane na rynkach finansowych. Spłaciłeś pożyczki studenckie. Chuck również. Jak wam się to udało?

Christopher ponownie spuścił wzrok.

- Dokonaliśmy kilku trafnych inwestycji.

- Ale nie macie żadnych rachunków inwestycyjnych ani maklerskich na swoje nazwiska. Nie jesteście wysoko postawionymi pracownikami dobrze płacącej korporacji. Twoja jedyna praca to spec od wędkowania w rodzinnym przedsięwzięciu. Skąd zatem wziąłeś te pieniądze?

- Zarobiłem na bitcoinach.

- Czy twoje zeznania podatkowe to potwierdzą?

Christopher głośno odkaszlnął.

- Znajdziesz w nich informacje o środkach z funduszu rodzinnego i moje udziały w zyskach.

Will domyślał się, że znajdzie raczej dowody na pranie pieniędzy. Przypuszczał, że na tym polegała rola Mercy.

- O ile wiem, Dave też należy do funduszu. Gdzie się podziały jego pieniądze?

- Nie ja decyduję o tym, kto i co dostaje.

- A kto decyduje?

Christopher ponownie odkaszlnął.

- Mercy nie otrzymywała swojej części udziału w zyskach - ciągnął Will. - Nie miała konta bankowego. Nie miała kart kredytowych ani prawa jazdy. Zupełnie nic. Dlaczego?

Pokręcił głową.

- Nie wiem.

– Co znajduje się tam, z tyłu? – Will zabębnił w ściankę działową tak mocno, że wiszące obok siatki i akcesoria wędkarskie stuknęły o drewniane deski. – Co odkryję, kiedy wyważę te drzwi?

– Nie wyważaj ich. Proszę. – Christopher nie odrywał wzroku od podłogi. – Klucz jest w mojej kieszeni.

Will nie wiedział, czy Fish rzeczywiście uległ, czy szykuje jakiś podstęp. Znaczącym gestem położył dłoń na kolbie rewolweru.

– Wyjmij zawartość kieszeni na blat.

Christopher zaczął od kamizelki wędkarskiej, a potem przeszedł do bojówek. Na blacie pojawiły się akcesoria tych samych marek i tego samego rodzaju, co miał Chuck. Była wśród nich nawet tubka balsamu do ust Carmex. Brakowało tylko buteleczki z kroplami do oczu Eads Clear.

Ostatnią rzeczą, którą Christopher położył na blacie, okazał się pęk kluczy. W sumie Will naliczył ich cztery, co było o tyle dziwne, że żadnych drzwi na terenie kompleksu nie zamykano na klucz. Will rozpoznał kluczyk do forda. Następny był klucz cylindryczny, prawdopodobnie do sejfu. Dwa pozostałe były niewielkimi kluczami do kłódek i miały czarne plastikowe uchwyty. Jeden z nich oznaczono żółtą, drugi zieloną kropką.

Trzymając dłoń na rewolwerze, Will odsunął się od ściany.

– Otwieraj.

Christopher nadal nie podnosił wzroku. Will skupił się na jego rękach, skoro nie mógł liczyć na to, że wyczyta cokolwiek z mimiki tego człowieka. Christopher wybrał klucz z żółtą kropką, włożył go do kłódki, odciągnął zasuwę i otworzył drzwi.

Pierwszym, co zarejestrowały zmysły Willa, był zapach spalenizny. Potem jego wzrok padł na kawałki folii aluminiowej, na których palono różne kombinacje drewnianych szczapek. Poza tym w pomieszczeniu znajdowały się dębowe beczki, miedziane zbiorniki oraz plątanina rur i rurek. Nie rozlewali taniego alkoholu do butelek po ekskluzywnych trunkach. Robili własny.

– Masz dwa klucze – zauważył Will. – Do czego jest ten drugi?

Christopher nie unosił głowy.

Will musiał ponownie nim wstrząsnąć. Mało co budzi w człowieku taką grozę, jak dotyk zimnej stali kajdanek zaciskających się na nadgarstkach. Will nie miał kajdanek, ale wiedział, gdzie Christopher trzyma plastikowe zaciski. Otworzył właściwą szufladę.

Buszując tu wczesnym rankiem, czuł się winny, że zostawia zaciski w nieładzie, ale pomiędzy „wtedy" a „teraz" ktoś doprowadził je do porządku. Założył, że to ten sam człowiek, który wrzucił do szuflady sześć pustych buteleczek po kroplach do oczu Eads Clear.

ROZDZIAŁ OSIEMNASTY

Faith marzyła o ponownym wejściu pod prysznic. Nie tylko dlatego, że pot ściekał jej po tyłku. Keisha patrzyła na nią z tak wielkim obrzydzeniem, że czuła się jak ucieleśnienie wszystkich gównianych gliniarzy z całego świata. Właśnie dlatego nie chciała, żeby jej syn wstępował do FBI, GBI ani żadnego innego organu ścigania. Nikt już nie ufał policjantom. Jedni mieli ku temu cholernie dobre osobiste powody, inni wyrobili sobie złe zdanie na podstawie licznych przykładów glin spod ciemnej gwiazdy. Nie chodziło już o pojedyncze czarne owce, ale o całe stada. Gdyby Faith mogła ponownie wybierać, poszłaby do straży pożarnej. Nikt nie pluje jadem na ludzi, którzy ściągają koty z drzew.

Wędrując dolną połową Pętli, Faith tylko kręciła głową. Chwilowo przerastało ją nurzanie się w problemach, na które nie miała wpływu. Za to miała na głowie dwa morderstwa i jednego podejrzanego. Will chciał, żeby przejęła pałeczkę w przesłuchiwaniu Christophera, ponieważ doszedł do wniosku, że facet ma podobne podejście do kobiet co Chuck, a to oznaczało, że rozmowa z policjantką doprowadzi go do pasji. Faith podzielała zdanie Willa. Christopher zachowywał się aż nadto spokojnie, więc musiała znaleźć jakiś sposób, by go wystraszyć. Na szczęście powodów dał jej pod dostatkiem.

W stanie Georgia przestępstwem było już samo posiadanie destylatora służącego do wytwarzania czegokolwiek innego niż woda, olejki eteryczne czy ocet. Jeśli dołożyć do tego dystrybucję, transport i sprzedaż, Christophera czekała długa odsiadka w stanowym więzieniu. A była to tylko część jego kłopotów. Od każdej sprzedanej w tym kraju kropli alkoholu należało bowiem odprowadzić podatek do federalnej kiesy.

Jeśli dwa morderstwa nie wystarczą, by Christopher gnił w pierdlu do końca życia, kara za uchylanie się od płacenia podatków zwieńczy dzieło.

– Cześć! – Sara czekała na dole schodów. – Will i Kevin nadal są nad jeziorem. Christopher ma zabrać ich do przystani, by pokazać im drugą destylarnię.

Faith się uśmiechnęła. Przeczuwała, że gdy się do niego dobierze, będzie ledwie żywy po tym, jak Will przeciągnie go po całym terenie niczym psiaka na smyczy.

– W samą porę. Dave pojawił się w domu McAlpine'ów tuż przed tym, jak stamtąd wyszłam, więc wszyscy już wiedzą, że nie zabił Mercy.

Sara zmarszczyła brwi.

– Jak się tu dostał?

– Na enduro – odparła Faith. – Teraz pewnie bolą go nie tylko jaja, ale i tyłek.

– Zakładam, że wkrótce po wyjściu ze szpitala znieczulił się fentanylem – stwierdziła Sara. – Zadzwoniłam do Nadine i przekazałam jej informację o Chucku. Niestety ze względu na zawiadomienie o śmierci służby dostały nakaz szybszego zajęcia się tutejszą drogą, więc izolacja ośrodka nie potrwa długo.

– Mam jeszcze gorsze wieści. Działają już telefony, jest też internet, więc to miejsce przestało być naszym małym Cabot Cove.

Sara posmutniała.

– Jon ukrywał się w domku obok. Powinnam mu powiedzieć, że Dave się zjawił. Pewnie szuka powodu, by wrócić do domu.

– Wątpię. Pomyśl, co ten powrót by dla niego oznaczał. – Faith wpadła na lepszy pomysł. Poklepała torebkę. – W domku numer dziewięć Jon i tak nie ma dostępu do internetu. Chciałabym pokazać ci mapę. Możesz mi pomóc wypełnić kilka luk, zanim Will zda relację na temat Christophera?

– Jasne. – Sara dała Faith znać gestem, by poszła za nią po schodach.

Najpierw jednak Faith musiała poprawić ubranie. Pożyczyła od Sary spodnie do jogi. Były o wiele za długie i o kilka centymetrów za ciasne. Musiała trzy razy zawinąć pas, żeby krok nie wisiał jej na wysokości kolan, a potem podwinąć także nogawki, które teraz rolowały się wokół kostek jak obwarzanki. Promieniowała dokładnie zerową ilością kobiecego piękna.

Od czasu, gdy udała się pod prysznic, w domku zrobiło się schludniej. Sara pewnie wzięła się za sprzątanie. Możliwe też, że zrobiła to Penny, gdyż w powietrzu dało się wyczuć nutki olejku pomarańczowego, a choć Sara lubiła porządek, nie była aż tak pedantyczna.

– Co masz? – zapytała Sara.

– Kolorowe pisaki i pragnienie zemsty. – Faith usiadła na kanapie i zaczęła grzebać w torebce w poszukiwaniu mapy. Wyjęła ją i położyła na stole. – Chodziłam po terenie z telefonem, żeby przetestować dostęp do wi-fi. Żółte linie wyznaczają z grubsza granice zasięgu. Mercy musiała być w tym rejonie, żeby móc dzwonić do Dave'a.

Sara kiwnęła głową.

– Widzę, że sygnał sięga do pierwszych ośmiu domków z wyjątkiem szóstki, domu McAlpine'ów i jadalni.

– Zasięg routera umieszczonego w jadalni obejmuje taras widokowy i mniej więcej połowę Szlaku Fishtophera, czyli drogi, nieopodal której zmarł Chuck. Po drugiej stronie rozciąga się nieco poniżej tarasu. Nie chciałam za bardzo oddalać się od cywilizacji, nie informując uprzednio nikogo z was, że jestem na dole. Poza tym jest tam od groma ptaków.

– Ciekawe, że oba ciała zostały znalezione w wodzie – zauważyła Sara.

– Christopher kocha wodę. Wiesz, że jest coś takiego jak *FishTok*?

– Mój ojciec to ogląda.

– Christopher też. Z tego, co wiem, uwielbia pstrągi tęczowe. – Faith wskazała na mapie miejsce odnalezienia ciała Mercy: – Zacznijmy w tym punkcie. Szlak Zaginionej Wdowy łączy domki kawalerskie z jadalnią. Tą drogą udaliście się z Nadine na miejsce zamordowania Mercy. Will trafił na ten sam szlak, gdy biegł w stronę pierwszego i drugiego krzyku. Nadążasz?

Sara przytaknęła.

– Ponieważ szlak wije się wokół wąwozu, by dostać się nim na dół, potrzeba dziesięć, może nawet piętnaście minut. Ale z jadalni do domków kawalerskich prowadzi szybsza droga, której nie ma na mapie. Powiedział mi o niej Alejandro. Nazywają ją Szlakiem Linowym. Rzeczywiście, odnalazłam tam liny, które pozwalają na zejście czy też coś w rodzaju kontrolowanego zjazdu do wąwozu. Gdyby Mercy uciekała przed śmiertelnym niebezpieczeństwem, ruszyłaby właśnie tędy. Według Alejandra zejście na dół w ten sposób zajmuje mniej więcej pięć minut. Będę potrzebowała Willa, żeby pomógł mi zmierzyć czas. Możemy się oprzeć na tej informacji bez względu na to, jaką historyjką uraczy nas Christopher.

– Rozumiem, że twoim zdaniem pierwszy krzyk, czyli wycie, dobiegł z jadalni, a dwa następne z okolicy domków kawalerskich. – Sara spojrzała na mapę. – Brzmi to logicznie, ale tamtej nocy, gdy to wszystko się działo, mogłam powiedzieć jedynie tyle, że oba krzyki dobiegły w dużym przybliżeniu stąd. Dźwięk dziwnie się tu rozchodzi ze względu na różnice wzniesień. Jezioro znajduje się w głębokiej niecce.

Faith przejrzała notatki.

– Kiedy usłyszałaś drugie wołanie o pomoc, byłaś na terenie kompleksu z Jonem?

– Tak. Zanim się rozległo, zdążyliśmy zamienić tylko kilka słów. Potem była krótka przerwa i kolejny krzyk: „Proszę!". Jon pobiegł z powrotem do domu, a ja zaczęłam szukać Willa.

– Z powrotem do domu – powtórzyła Faith. – Czyli kiedy spotkałaś Jona, właśnie z niego wychodził?

– W pierwszej chwili go nie poznałam, bo było bardzo ciemno. Schodził po schodach z plecakiem. Upadł na kolana i zwymiotował.

– Jak wyglądała wasza rozmowa?

– Poprosiłam go, żeby usiadł na werandzie i ze mną pogadał. Kazał mi się odpieprzyć.

– Jak to pijany nastolatek – orzekła Faith. – Ale skoro słysząc oba krzyki, miałaś Jona przed oczami, można go skreślić z listy.

Sara zrobiła zaskoczoną minę.

– A znajdował się na niej?

Faith tylko wzruszyła ramionami, ponieważ z jej perspektywy na liście powinien znajdować się każdy miejscowy samiec z wyjątkiem Rascala.

– Amanda twierdzi, że Jon także powinien zostać przesłuchany – przypomniała sobie Sara. – Jest zdania, że mógłby pomóc w uściśleniu osi czasu, i zakłada, że po aferze podczas kolacji Mercy przynajmniej zerknęła, jak chłopak się czuje.

– Niekoniecznie – zaoponowała Faith. – Mogła uznać, że chłopak potrzebuje trochę czasu na ochłonięcie.

– Tak czy inaczej, nie wydaje mi się, żeby okazał się pomocny. Był chyba zbyt pijany, by cokolwiek pamiętać. – Sara wskazała mapę. – Mogę ci powiedzieć, kto gdzie się znajdował. Sydney i Max, inwestorzy, zajmowali chatkę numer jeden. Chuck był w dwójce. Keisha i Drew w trójce. Gordon i Paul w piątce, a Monica i Frank w siódemce. Ponieważ we wszystkich tych domkach jest zasięg wi-fi, Mercy mogła dzwonić do Dave'a z dowolnego z nich. Paul zeznał, że widział ją na szlaku o dwudziestej drugiej trzydzieści.

– „Ponticello" brzmi jak nazwisko kumpla świnki Peppy. – Faith przewróciła kilka kartek, żeby odnaleźć oś czasu. – Cokolwiek się stało, musiało się zacząć o dwudziestej trzeciej dziesięć. Mercy dzwoniła do Dave'a pięć razy w ciągu dwunastu minut. Takie działanie może być podyktowane szaleństwem, paniką, złością albo wszystkim naraz. Ponieważ Mercy zostawiła wiadomość głosową o dwudziestej trzeciej dwadzieścia osiem, wiemy, że wtedy rozmawiała już z zabójcą. Zawołała: „Dave zaraz tu będzie. Powiedziałam mu, co się stało".

– Powstaje pytanie, co się stało.

– Tego muszę się dowiedzieć – odparła Faith. – Przypuśćmy jednak, że mordercą jest Christopher. Zabija Mercy, eliminuje Chucka i wrabia Drew, przez co zamyka Keishy usta. Bułka z masłem.

– To bardziej skomplikowane – zauważył Will.

Faith się odwróciła. Stał w progu, trzymając zabandażowaną rękę na piersi. Wyczuła, że nie mówi tego z ironią. Większość przestępstw jest bardzo prosta; tylko komiksowi złoczyńcy pracowicie układają kostki domina, by wyeliminować właściwych ludzi.

– Dave jest już w domu – poinformowała go Faith. – Przyjechał na motocyklu enduro.

Will nie odpowiedział. Gdy Sara przyszła ze szklanką wody i dwiema tabletkami, otworzył usta. Podała mu tabletki, a potem szklankę. Wypił wodę. Połknął tabletki. Oddał szklankę. A Sara wróciła do kuchni. Faith złożyła mapę, udając, że cała ta scena była całkowicie normalna.

– Wiesz, czy w laboratorium udało się odczytać notes Mercy? – zapytała Faith.

Pytanie było skierowane do Sary, ta jednak spojrzała na Willa, co było o tyle niezwykłe, że laboratorium kryminalne należało do jej wydziału.

Will sztywno pokręcił głową.

– Jak dotąd nie ma żadnych informacji o notesie.

– W porządku. – Faith starała się ignorować dziwną atmosferę. – Wróćmy do kwestii ciąży. Wiem, że wstępne badania nie wykluczyły ani nie potwierdziły napaści seksualnej, ale czy waszym zdaniem ojcem może być Christopher?

Na twarzy Sary odmalowało się przerażenie, lecz nadal milczała.

Faith nie ustępowała:

– Wiem, że na pewnym etapie pozyskamy DNA płodu, pozwolę sobie jednak zauważyć, że Mercy podobno spotykała się z innymi facetami. Obrońca Christophera łatwo mógłby argumentować, że jeden z jej przygodnych partnerów dowiedział się o ciąży, wpadł w szał i z zazdrości zadźgał ją na śmierć.

Will pokręcił głową równie sztywno jak poprzednio, ale tym razem nie wyglądało to na zaprzeczenie.

– Saro, czy mogłabyś jeszcze raz porozmawiać z Jonem? Masz z nim dobry kontakt. Jestem przekonany, że widział tu niejedno. Ludzie często mniej zwracają uwagę na dzieci niż na dorosłych.

– Na pewno tego chcesz? – upewniła się Sara.

– Tak. Jesteś częścią zespołu.

Kiwnęła głową.

– Dobrze.

Odpowiedział identycznym gestem i słowem:

– Dobrze.

Faith obserwowała, jak wpatrują się w siebie w ten tajemniczy sposób, zarezerwowany tylko dla nich dwojga. Po raz kolejny poczuła się jak drugoplanowa aktorka komiczna w ich romansie. Mogła sobie jedynie przyznać nagrodę akademii filmowej za powstrzymanie się od zajrzenia do walizki Sary.

– Gotowy? – zapytała Willa.

– Jasne.

Cofnął się i puścił przodem Faith. Był to gest tyleż kurtuazyjny, co ryzykowny, bo w razie upadku ze schodów nie miałaby na kim wylądować. Strąciła komara z ramienia. Słońce paliło jej siatkówki niczym laser. Całą sobą pragnęła wydostać się z tego miejsca jak najszybciej.

Kiedy maszerowali szlakiem, Will był bardziej rozluźniony niż zwykle. Wetknął lewą dłoń do kieszeni, prawą nadal trzymał przy piersi.

– Opowiedz mi o czasach, kiedy ty i Dave byliście dziećmi – rzuciła Faith. Subtelność nie była jej mocną stroną.

Spojrzał na nią z góry, dopominając się wzrokiem wyjaśnień.

– Dave uciekł z domu dziecka – zauważyła. – Zgaduję, że cokolwiek robił w Atlancie, robił też na przykład Christopherowi.

Will odchrząknął, ale zdobył się na odpowiedź:

– Wymyślał ci głupie przezwiska. Kradł twoje rzeczy. Zrzucał na ciebie winę za własne wybryki. Pluł ci do jedzenia. Na różne sposoby wpędzał cię w tarapaty.

– Świętoszek. – Faith wciąż nie potrafiła zdobyć się na odrobinę taktu. – Czy Dave wykorzystywał kogoś seksualnie?

– Na pewno uprawiał seks, ale to akurat jest dość typowe. Molestowane dzieci zwykle skupiają się na seksie jako formie więzi. A ponieważ seks sprawia im przyjemność, chcą go uprawiać.

– Ciągnęło go do chłopców, dziewczyn czy do jednych i drugich?

– Do dziewczyn.

Will zacisnął zęby w sposób, który dał Faith do zrozumienia, że Dave uprawiał seks z jego eksżoną. Co raczej nie czyniło go wyjątkiem.

– Nie każdy wykorzystywany seksualnie dzieciak robi to samo swoim dzieciom, gdy dorośnie – powiedział. – W przeciwnym razie pół świata byłoby pedofilami.

– Masz rację – przyznała. – Ale chwilowo przyjrzyjmy się Dave'owi z pominięciem tych statystyk. Kiedy trafił do pensjonatu, miał trzynaście lat, tylko formalnie odmłodzono go do jedenastu. Gdy wszyscy traktują cię jak jedenastolatka, a masz o dwa lata więcej, czujesz się jak szczeniak. Dave musiał być zły, sfrustrowany, poniżony, zagubiony. Ale przymilał się do Mercy. Uprawiał z nią seks co najmniej od momentu, gdy ona skończyła piętnaście lat, a on dwadzieścia. Gdzie był Christopher, kiedy Dave dymał jego młodszą siostrę?

– Chodzi ci o to, że jej nie chronił?

– Chodzi mi o to, że on także bał się Dave'a.

– Byłby to znakomity motyw, gdyby okazał się mordercą.

– Może kiedy wrócimy do pensjonatu, okaże się, że jest obwieszony bombami i trzeba je będzie rozbroić... – Gdy Will posłał jej karcące spojrzenie, odparowała: – Nie patrz tak na mnie, kaskaderze. Masz za sobą ucieczkę z płonącego budynku i mało brakowało, żebyś zaliczył upadek z wodospadu.

– Będę niezmiernie wdzięczny, jeśli w raporcie opiszesz to innymi słowami.

Poprowadził ją w dół kolejnym stromym odcinkiem ścieżki. Faith pierwsza zobaczyła jezioro. Promienie słońca mieniły się na jego powierzchni niczym kula dyskotekowa z piekła rodem. Osłoniła oczy dłonią przed oślepiającym światłem. Kevin stał obok szopy ze sprzętem. Na ziemi leżał jeden z kajaków, a w nim siedział Christopher. Jego nadgarstki były przymocowane plastikowymi taśmami zaciskowymi do poprzeczki biegnącej przez środek łódki.

– Sara opowiedziała mi trochę o budowie łodzi. Nadburcie, pawęż, takie tam – powiedział Will.

Faith przypomniała sobie czasy z samego początku znajomości Willa i Sary. Znajdował najgłupsze powody, byle tylko wymówić jej imię.

– Hej! – Kevin podbiegł do nich dziarskim truchtem. – Nawet nie pisnął.

– Poprosił o prawnika? – zapytała Faith.

– Nie. Mam to na filmie, odczytałem mu prawa Mirandy. Facet spojrzał prosto w obiektyw i powiedział, że nie potrzebuje prawnika.

– Dobra robota, Kev – pochwaliła Faith.

– Agent Przynieś-Wynieś wywiązuje się ze swoich zadań. – Wyciągnął z kieszeni pęk kluczy. – Dam wam znać, gdy tylko namierzę sejf.

Will patrzył, jak odchodzi.

– Kevin jest na ciebie zły za te docinki?

– Pojęcia nie mam. – Jeśli chodzi o złość Kevina, wiedziała tyle, że wkurzał się na nią dwa lata wcześniej, kiedy się spotykali, a ona śledziła każdy jego ruch w internecie. – Chciałabym, żebyś napuścił Christopherowi stracha samą swoją niepokojącą obecnością, gdy będę z nim rozmawiać, dobra?

Kiwnął głową.

Idąc w stronę kajaka, Faith uważnie przyglądała się Christopherowi. Siedział tyłem do wody, mając doskonały widok na nielegalną destylarnię w szopie. Wyglądał raczej przeciętnie. Nie był muskularny, ale też nie pulchny. Pod niebieskim T-shirtem rysowała się tylko niewielka oponka. Ciemne włosy lekko falowały z tyłu, zupełnie jak u Chucka.

Minęła go, wzięła głęboki wdech i spojrzała na wodę. W pobliżu pływającego doku roiło się od komarów, wokół krążyły ptaki. Westchnęła z udawanym zadowoleniem.

– Boże, jak tu pięknie. Cudownie byłoby pracować na łonie przyrody.

Christopher się nie odezwał.

– Powinieneś porozmawiać z prawnikiem o umieszczeniu w więzieniu Coastal State – zasugerowała. – To w Savannah. Jak powieje z dobrej strony, zapach słonego powietrza przegania smród ścieków.

Christopher nadal milczał.

Obeszła kajak dookoła. Will opierał się o otwarte drzwi szopy i budził respekt swoim wyglądem. Skinęła mu głową i odwróciła się do Christophera. Podejrzany siedział na jednej z dwóch ławeczek kajaka. Był przygarbiony. Z konieczności, bo ręce miał przywiązane plastikowymi zaciskami do metalowej poprzeczki. Druga ławka, ulokowana na tyłach łódki, była węższa.

Faith wskazała ją palcem i zapytała:

– To dziób czy sterburta?

Spojrzał na nią jak na idiotkę.

– Sterburta to prawa burta. Stoisz na rufie. A dziób jest z przodu.

– Ktoś tu wreszcie otworzył dziób – zażartowała Faith i weszła do kajaka. Włókno szklane zachrobotało o skalisty brzeg.

– Przestań – powiedział Christopher. – Niszczysz kadłub.

– Aha, kadłub... – Siadając, Faith zatroszczyła się o dodatkową porcję chrobotów. – Wierz mi, nie chcesz wypływać ze mną na wodę. Nie odróżniam bokburty od zaburcia.

– Chyba *bakburty*. I *nadburcia*.

– Jak zwykle coś pokręciłam, przepraszam. – Faith zachowywała się tak, jakby nigdy w życiu nie była poprawiana przez mężczyznę. Podniosła kawałek liny przymocowany do metalowego uchwytu. – A to jak się nazywa?

– Lina.

– Ach, lina – powtórzyła, smakując to słowo. – Czuję się jak żeglarz.

Christopher westchnął z rezygnacją. Spuścił głowę i zaczął wpatrywać się w ziemię.

– Dali ci coś do jedzenia? Jesteś głodny? – Faith otworzyła torebkę i znalazła w niej snickersa. – Lubisz czekoladę?

Wzbudziła jego zainteresowanie.

Rozerwała folijkę. Rzuciła Christopherowi przepraszające spojrzenie i położyła baton w zagłębieniu jego dłoni. Wyglądał, jakby nie miał nic przeciwko temu. Upuściła opakowanie na dno łodzi. Christopher trzymał snickersa płasko na dłoni, a nie pionowo. Pochylił się i zaczął go podgryzać jak kolbę kukurydzy.

Pozwoliła mu pałaszować, sama zaś zastanawiała się, jak najlepiej go podejść. Liczba części kajaka, których nazwy można przekręcać, była bądź co bądź ograniczona. Will zazwyczaj wyciągał prawdę od podejrzanych, terroryzując ich ponurym milczeniem, lecz to stosunkowo łatwe, kiedy człowiek ma metr dziewięćdziesiąt wzrostu i w naturalny sposób budzi grozę swoim wyglądem. Talent Faith polegał dla odmiany na tym, że mężczyźni czuli się przy niej nieswojo za każdym razem, gdy otwierała usta. Poczekała z pierwszym pytaniem, aż Christopher weźmie szczególnie duży kęs snickersa.

– Pieprzyłeś się ze swoją siostrą, Christopherze?

Zakrztusił się tak mocno, że kajak zadygotał.

– Zwariowałaś?

– Mercy była w ciąży. Jesteś ojcem?

– Ja... jaja sobie robisz?! – wydukał. – Jak śmiesz zadawać mi takie pytania?

– To oczywiste pytanie. Mercy była ciężarna. Poza Jonem i swoim ojcem jesteś tu jedynym mężczyzną.

– Dave. – Otarł wargi o ramię. – Dave jest tu przez cały czas.

– Chcesz powiedzieć, że Mercy pieprzyła się ze swoim byłym mężem bandytą?

– Właśnie to chcę powiedzieć. Była z nim wczoraj przed spotkaniem rodzinnym. Tarzali się po podłodze jak zwierzęta.

– Niby po jakiej podłodze?

– W czwartym domku.

– O której było spotkanie?

– W południe. – Pokręcił głową, wciąż zszokowany posądzeniem o kazirodztwo. – Jezu, nie mogę uwierzyć, że zapytałaś o coś takiego.

– Ciebie Dave też próbował przelecieć?

Tym razem szok był mniejszy, ale Christopher nadal wyglądał na zdegustowanego.

– Oczywiście, że nie. Był moim bratem.

– Pieprzył się z siostrą, ale nie mógł się pieprzyć z bratem?

– Słucham!?

– Przed chwilą powiedziałeś mi, że Dave pieprzył się ze swoją siostrą.

– Możesz przestać kląć? To nie przystoi damie.

Faith się roześmiała. Zawstydzić mogła ją Amanda, ale ten facet nie miał najmniejszych szans.

– Dobrze, kolego. Twoja siostra została brutalnie zgwałcona i zamordowana, a ty czepiasz się mojego *pieprzenia*.

– Jaki to ma związek z pędzeniem alkoholu? – zapytał. – Przyłapaliście mnie.

– Na pieprzonym gorącym uczynku.

Prychnął, jakby próbował zapanować nad swoim gniewem, i spojrzał na Willa.

– Moglibyśmy już z tym skończyć? Przyznaję się do winy. To był mój pomysł. Skonstruowałem obie destylarnie. Ponoszę za wszystko odpowiedzialność.

– Ty, fiksum-dyrdum. – Faith pstryknęła palcami. – Nie rozmawiasz z nim, tylko ze mną.

Christopher zaczerwienił się ze złości.

Faith nie zamierzała odpuszczać.

– Wiemy, że Chuck tkwił po same jaja w twojej małej działalności alkoholowej. Ma nawet stosowny tatuaż na plecach.

Nozdrza Christophera rozszerzyły się, ale bardzo szybko nad sobą zapanował.

– W porządku. Wsypię Chucka. O to ci chodzi?

Faith rozłożyła ręce.

– Ty mi to powiedz.

– Chuck i ja jesteśmy koneserami. Uwielbiamy whisky, szkocką, burbona, więc zaczęliśmy produkować małe partie tylko dla siebie. Dosłownie po odrobinie. Eksperymentowaliśmy z różnymi gatunkami drewna, aby wydobyć bogactwo smaków.

– A co potem?

– Papa miał wypadek na rowerze, a Mercy zaczęła wprowadzać zmiany w pensjonacie. Wyremontowała łazienki, włączyła do oferty koktajle, pojawiło się więcej pieniędzy. Dużych pieniędzy. Głównie ze sprzedaży alkoholu. Chuck uznał, że powinniśmy zrezygnować z pośredników i sprzedawać własną gorzałę. Na początku Mercy nie wiedziała, że napełniamy butelki autorską produkcją, ale wkrótce się zorientowała. Nie interesowało jej to, pragnęła jedynie udowodnić Papie, że potrafi zarabiać.

– Nie chodziło tylko o pensjonat – wtrąciła Faith. – Chuck sprzedawał towar klubom ze striptizem w Atlancie.

Christopher zrobił zaskoczoną minę. Uświadomił sobie, że Faith wie o wiele więcej, niż mu się wydaje.

– Rodzice zdawali sobie z tego sprawę? – zapytała.

– W żadnym razie.

– Ale Drew i Keisha tak.

– Ja... – Pokręcił głową. – Nie miałem o tym pojęcia. Co powiedzieli?

– To nie ty zadajesz tu pytania – odparła Faith. – Wróćmy do Mercy. Pieniądze przechodziły jej koło nosa. Jak się z tym czuła?

– Nie przechodziły. Jest moją siostrą. Założyłem fundusz dla Jona, przelewałem pieniądze na osobne konto. Mógłby zacząć z niego korzystać po ukończeniu dwudziestu jeden lat.

– Dlaczego nie dawałeś pieniędzy bezpośrednio Mercy?

– Bo Dave położyłby na nich swoje chciwe łapska. Mercy nie umie... Nie umiała mu niczego odmówić. Wyciągał od niej wszystko. Nie było takiej rzeczy, której by jej nie odebrał. Mówisz, że zaszła w ciążę? Była-by do niego uwiązana do końca życia. – Christopher nagle posmutniał.

– I w sumie była. Zginęła, zanim zdążyła od niego uciec.

Faith dała mu kilka chwil na odzyskanie rezonu.

– Mercy wiedziała o funduszu, który założyłeś dla Jona?

– Nie. Nie powiedziałem o tym nawet Chuckowi. – Pochylił się, napinając krępujące go zaciski. – Nie słuchasz mnie. Przecież wyjaśniłem ci, jak to działa. Mercy wcześniej czy później wygadałaby się Dave'owi, a on nękałby Jona tak długo, aż wyzerowałby konto. Obchodzą go tylko dwie sprawy: forsa i Mercy. W tej właśnie kolejności. Zrobi wszystko, żeby kontrolować jedno i drugie.

Faith zmieniła front.

– Powiedz mi, jak to konkretnie działało. W jaki sposób praliście pieniądze?

Odchylił się i spojrzał na swoje ręce.

– Poprzez pensjonat. Mercy świetnie sobie radziła z księgowością. Otworzyła konto przez internet, zarządzała przelewami, dbała o skrupulatne rozliczanie podatków. Wszystkie dokumenty znajdują się w biurowym sejfie.

– Twierdzisz, że Mercy umiała obchodzić się z pieniędzmi, ale sama nie miała ani centa.

– Taką podjęła decyzję – odparł Christopher. – Dałbym jej tyle, ile by sobie zażyczyła, ale ona była w pełni świadoma, że gdyby miała pieniądze w banku, na karcie kredytowej albo debetowej, Dave by się o tym dowiedział. Całe swoje życie uzależniła ode mnie.

Świadomość skrajnej bezradności Mercy przyprawiała Faith o coś w rodzaju klaustrofobii.

– Przed kolacją rozmawialiśmy właśnie o tym. – Christopher znów przeniósł wzrok na Willa. – Mercy namawiała mnie, żebym sprzeciwił się sprzedaży. Twierdziła, że nie ma nic do stracenia. Odparłem, że owszem, ma, bo mogę jej odebrać resztę życia. I może rzeczywiście tak się stało. Może powinienem był wyczyścić swoje konta i wszystko jej przekazać. Może uciekłaby od Dave'a, zanim było za późno?

Zadał Faith pytanie, na które nie zdołała odpowiedzieć. Znała statystyki, a one były bezlitosne. Maltretowanej kobiecie udaje się uciec od sprawcy średnio za siódmym razem, pod warunkiem, że wcześniej nie zginie z jego ręki.

– Opowiedz mi o Chucku – poprosiła.

– Jak już mówiłem, nie wie o funduszu Jona. Boi się Dave'a bardziej niż ja.

– Nie pytam o to, co myśli Chuck, tylko o to, dlaczego go zabiłeś.

Tym razem nie doczekała się reakcji innej niż puste spojrzenie. A potem usłyszała krótkie:

– Słucham?

– Chuck nie żyje, Christopherze. Ale ty dobrze o tym wiesz. Sam zatrułeś jego wodę kroplami do oczu.

Christopher przeniósł wzrok z Faith na Willa i z powrotem.

– Kłamiesz.

– Mogę cię do niego zaprowadzić – zaproponowała Faith. – Musieliśmy umieścić jego ciało w zamrażarce przy kuchni. Tkwi tam jak kawał mięsa.

Patrzył na nią tak, jakby czekał, aż się roześmieje i obróci wszystko w żart, a gdy się nie doczekał, raptownie nabrał powietrza. Spuścił głowę i rozpłakał się. Zdawał się być bardziej zdruzgotany śmiercią Chucka niż Mercy.

Pozwoliła mu rozpaczać przez chwilę. Wcześniej wcieliła się w prześladowcę, teraz weszła w rolę matki. Pochyliła się i kojącym gestem pogłaskała Christophera po plecach.

– Dlaczego zabiłeś Chucka?

– Nie. – Christopher gwałtownie pokręcił głową. – Nie zrobiłem tego.

– Chciałeś się wycofać z biznesu alkoholowego, a on próbował cię nakłonić do dalszego działania.

– Nie. – Wciąż kręcił głową. – Nie, nie, nie.

- Powiedziałeś mu, że bez Mercy ten interes nie ma szans.

Dygotał tak mocno, że czuła wibracje przez kadłub kajaka.

- Christopherze, jesteś już bardzo blisko wyznania prawdy. – Faith nie przestawała głaskać go po plecach. – No dalej, chłopie. Wyrzuć to z siebie, poczujesz się lepiej.

- Nienawidziła go – szepnął.

- Mercy nienawidziła Chucka? – Faith poklepała go po ramieniu, nie rezygnując z macierzyńskiego tonu. – Mów, Christopherze. Głowa do góry, powiedz, co się stało.

Powoli się wyprostował. Widziała, jak jego stoicyzm daje za wygraną. Wyglądało to tak, jakby każda emocja, którą kiedykolwiek tłumił, próbowała się wyrwać na zewnątrz.

- Chuck zawstydził Mercy na oczach wszystkich. Chciałem ją wesprzeć. Dać mu nauczkę.

- Jakiego rodzaju nauczkę?

- Na tyle dotkliwą, by przestał ją zaczepiać – odparł Christopher. – Nie rozumiem. Jak umarł? Użyłem tej samej ilości, co zwykle.

Faith rzadko czuła się zaskoczona słowami podejrzanych, ale tym razem ją zamurowało.

- Wcześniej też zdarzało ci się dodawać trucizny do wody Chucka?

- Zgadza się, dokładnie to chcę powiedzieć. Zajmuję się destylacją, więc jestem bardzo precyzyjny pod względem dawek. Podtrułem jego wodę tak samo jak zawsze.

- Jak zawsze? – powtórzyła Faith. – Ile razy to robiłeś?

- Nie chciałem go otruć, tylko zafundować mu rozstrój żołądka. Miał potem sraczkę. Nigdy nie posunąłem się dalej. Ilekroć Chuck źle odniósł się do Mercy, dodawałem mu kilka kropel do wody, żeby popamiętał. – Christopher był autentycznie zdumiony. – Jak umarł? Musiał być jakiś inny powód. Dlaczego mnie okłamujesz? Wolno ci to robić?

Faith pamiętała teorię, którą Sara przedstawiła na miejscu zgonu. Chuck nie umarł na skutek zażycia kropli. Zginął, bo wpadł do wody i się utopił.

Musiała zapytać:

- Christopherze, czy Chuck zabił Mercy?

– Nie.

Powiedział to z pełnym przekonaniem. Spodziewała się, że będzie snuł jakieś bajania w rodzaju: „Chuck nie byłby w stanie zabić Mercy, bo ją kochał". Nie zrobił tego jednak.

– Uśpiłem go – dodał.

– Co zrobiłeś?

– Zawsze kończymy wieczór drinkiem. Dodałem mu do alkoholu trochę xanaxu, żeby nie zrobił niczego głupiego. Chuck czytał coś na swoim iPadzie, a potem zasnął jak kamień. – Christopher wzruszył ramionami. – Okno sypialni domku numer dwa wychodzi na okno przy schodach za kuchnią. Zanim położyłem się spać, skontrolowałem sytuację. Nie wychodził.

Faith na moment odebrało mowę.

– Kochałem swoją siostrę – mówił dalej Christopher. – Ale Chuck był moim najbliższym przyjacielem. On także ją kochał i nie mógł na to nic poradzić. Miałem na niego oko. Chroniłem Mercy najlepiej, jak umiałem.

Znów poczuła się zagubiona.

– Chuck wiedział, że go odurzasz?

– To bez znaczenia. – Christopher zdawał się bagatelizować swoje liczne postępki. – Mercy była dla mnie dobra. Wiesz, jak to jest, gdy nikt inny na świecie nie okazuje ci dobroci? Tak, jestem dziwakiem, ale Mercy to nie przeszkadzało. Opiekowała się mną, wielokrotnie przeciwstawiała się ojcu, by mnie ochronić. Nie masz pojęcia, ile razy widziałem, jak ją bije. Nie mówię tylko o pięściach. Smagał ją liną, kopał w brzuch, łamał kości i nie pozwalał jechać do szpitala. A jej twarz... ta blizna na jej twarzy... to też jego sprawka. Pozwolił Mercy dźwigać poczucie winy z tego powodu przez...

Zanim ponownie spuścił głowę, Faith dostrzegła w jego oczach strach. Powiedział za dużo. Ale może nieprzypadkowo. Chciał, żeby wyciągnęła z niego prawdę. Nie domyślał się tylko, że żadne z nich nie opuściłoby tego kajaka, dopóki by tego nie dokonała.

– Penny Danvers zeznała, że blizna na twarzy twojej siostry była skutkiem wypadku samochodowego na Diabelskim Zakręcie – oznajmiła. – Mercy miała wtedy siedemnaście lat, a jej najlepsza przyjaciółka zginęła.

– Gdy Christopher nie skomentował, dodała: – Dlaczego powiedziałeś, że blizna Mercy to sprawka waszego ojca? – Tylko pokręcił głową. – W jaki sposób wasz ojciec jest odpowiedzialny za tę bliznę? – Faith umilkła, lecz znów nie doczekała się odpowiedzi. – Jakiego rodzaju poczucie winy pozwolił dźwigać Mercy wasz ojciec?

Także i to pytanie zostało przemilczane.

– Christopherze. – Faith pochyliła się, naruszając jego osobistą przestrzeń. – Powiedziałeś, że starałeś się chronić Mercy najlepiej, jak umiesz. Wierzę w to. Naprawdę. Ale nie rozumiem, dlaczego, do jasnej cholery, próbujesz teraz chronić swojego ojca. Mercy została brutalnie zamordowana. Zostawiono ją, by wykrwawiła się na śmierć na ziemi należącej do waszej rodziny. Nie uważasz, że jej dusza zasługuje na spokój?

Milczał jeszcze przez chwilę, po czym gwałtownie wciągnął powietrze i wydusił z siebie trzy słowa:

– To był on.

– Kto?

– Papa. – Christopher podniósł wzrok, ale tylko na moment. – To on zabił Gabbie.

Faith wyczuwała napięcie stojącego za nią Willa. Sama musiała wziąć szybki oddech, zanim odzyskała mowę.

– Jak...

– Gabbie była piękna. Dobra. Cudowna. Uwielbiałem ją. – Teraz Christopher patrzył Faith prosto w oczy, a w jego głosie pojawiła się szczególna ostrość. – Ludzie się ze mnie śmiali, bo nie miałem szans, lecz ja kochałem ją czystą, nieskażoną niczym miłością. Dlatego rozumiałem uczucia Chucka do Mercy. Po prostu nie mógł ich pohamować.

Faith starała się zachować spokój w głosie.

– Co przydarzyło się Gabbie?

– Przydarzył jej się Papa. – Ostry ton zniknął. Teraz słowa Christophera były nacechowane znajomą martwotą. – Nie mógł znieść tego, że Gabbie olśniewała świat niczym piękny motyl. Zawsze była szczęśliwa, miała w sobie taką lekkość bytu. Flirtowała z gośćmi i śmiała się z ich głupich żartów. No i kochała Mercy całym sercem. A Mercy kochała ją. Wszyscy uwielbiali Gabbie, wszyscy jej pragnęli, dlatego Papa ją zgwałcił.

Faith odniosła wrażenie, że jej usta wypełniają się piaskiem. Christopher powiedział to takim tonem, jakby w sposób rzeczowy i pragmatyczny chciał opisać coś, co było nie do opisania.

– Kiedy to się stało?

– W wieczór tak zwanego wypadku.

Milczała. Nie chciała bardziej naciskać. I tak był już gotowy do opowiedzenia reszty.

– Zbierałem dżdżownice. Papa zgwałcił Gabbie w moim łóżku, a potem tam zostawił, żebym ją znalazł. Powiedział mi, że nie pozwoli nikomu mieć czegoś, czego sam nie posiądzie pierwszy.

Faith próbowała przełknąć zgromadzony w ustach piasek.

– Nie poprzestał na gwałcie. Bił ją po twarzy. Zniszczył całe jej piękno, całą cudowność. – Christopher raz jeszcze łapczywie nabrał powietrza. – Poszedłem poszukać Mercy, ale leżała nieprzytomna na podłodze w swoim pokoju z igłą wbitą w przedramię. Bardzo cierpiała. I bardzo chciała od tego wszystkiego uciec. Pod koniec lata zamierzały stąd razem wyjechać, ale...

Faith nie musiała prosić go o dokończenie zdania. Penny Danvers zdradziła jej plan dziewcząt. Gabbie i Mercy zamierzały przeprowadzić się do Atlanty, wspólnie wynająć mieszkanie, zatrudnić się jako kelnerki, zarabiać pieniądze i żyć pełną piersią, tak jak umieją tylko nastolatki.

A potem Gabbie zginęła, a życie Mercy zmieniło się na zawsze.

– Papa... Kazał mi zanieść Mercy do samochodu – opowiadał dalej Christopher. – Potem sam cisnął ją na tylne siedzenie jak worek śmieci. Gabbie posadziliśmy z przodu. Wtedy już się nawet nie ruszała. Może wskutek szoku, a może z powodu wielu ciosów w głowę... Nie wiem. Możliwe nawet, że już nie żyła. Pozostawało mi się tylko cieszyć, że nie wie, co się z nią dzieje.

Znów zaczął płakać. Faith słuchała, jak gwałtownie próbuje wciągnąć powietrze przez nos, by odzyskać oddech. Przypomniała sobie jeszcze jeden szczegół z rozmowy z Penny. Po śmierci Gabbie Christopher był tak załamany, że tygodniami nie wychodził z łóżka.

– Papa polecił mi wrócić do domu. Posłuchałem go i przez okno swojego pokoju patrzyłem, jak odjeżdżają. Zasnąłem z głową na ramieniu. – Christopher wziął następny haust powietrza. – Trzy godziny później usłyszałem trzaśnięcie drzwi samochodu. Przyjechał szeryf Hartshorne. Matka weszła do mojego pokoju i tak bardzo płakała, że ledwie mogła mówić. Szeryf oznajmił, że Gabbie nie żyje, a Mercy jest w szpitalu.

– A co na to twój ojciec?

Christopher zaśmiał się gorzko.

– Powiedział: „Cholera, wiedziałem, że Mercy kiedyś kogoś zabije".

Jego ton sugerował koniec zwierzeń, ale Faith nie zamierzała pozwolić mu na tym poprzestać.

– Bitty nic nie słyszała poprzedniego wieczoru?

– Nie, Papa naszpikował ją xanaxem. Nic by jej nie obudziło. – Pochylił się, żeby wytrzeć nos o ramię. – Matka dowiedziała się tylko, że Mercy się naćpała, doprowadziła do wypadku i spowodowała śmierć Gabbie. Nigdy nie dopytywaliśmy o szczegóły. Nie chcieliśmy ich znać.

Oficjalną wersję zdarzeń Faith usłyszała od Penny. Mercy miała być tą, która prowadziła auto po istnej kolejce górskiej, jaką stanowią drogi prowadzące do Diabelskiego Zakrętu. Za sprawą niedyskretnych sanitariuszy całe miasteczko dowiedziało się, że leżąca z tyłu karetki Mercy śmiała się jak hiena i twierdziła, że nie ruszyła się z domu. Nic dziwnego, bo gdy odpłynęła z igłą wbitą w ramię, znajdowała się we własnej sypialni. Nie pamiętała, że zaniesiono ją do samochodu.

Faith mogła się jedynie domyślać, że Cecil McAlpine przełączył skrzynię biegów na luz z nadzieją, iż siła ciążenia uwolni go od córki i młodej kobiety, którą bestialsko pobił i zgwałcił.

– Samochód spadł do wąwozu z wysokości sześciu metrów – powiedziała. – Mercy wyleciała przez przednią szybę i doznała obrażeń twarzy. Głowa Gabbie była zmiażdżona, ale to się stało jeszcze przed wypadkiem. Dobry przyjaciel twojego ojca, szeryf Hartshorne, utrzymywał, że w momencie kraksy jej stopy znajdowały się na desce rozdzielczej. Zdaniem koronera miała roztrzaskaną czaszkę. Identyfikacja ciała wymagała odwołania się do dokumentacji stomatologicznej. Wyglądało to tak, jakby została uderzona w głowę młotem kowalskim.

Wargi Christophera drżały. Nie był w stanie spojrzeć Faith w oczy, lecz ten człowiek nie umiał patrzeć w oczy wielu ludziom.

– Jak brzmiało pełne imię i nazwisko Gabbie? – zapytała.

– Gabriella – szepnął. – Gabriella Maria Ponticello.

ROZDZIAŁ DZIEWIĘTNASTY

W umyśle Willa roiło się od samooskarżeń. Przez cały czas miał Paula na widoku i mógł dopytać, dlaczego zameldował się pod fałszywym imieniem. Powinien był poszperać głębiej w jego przeszłości. Delilah powiedziała Willowi o Gabbie niecałą godzinę po śmierci Mercy. Od tamtej pory nie mógł wyzbyć się przeczucia, że wie, jaki napis został wytatuowany na klatce piersiowej Paula. Człowiek nie decyduje się na permanentne wypisanie jakiegoś słowa na sercu, jeśli nie jest ono dla niego ważne.

Will widział je i nie potrafił odczytać.

Telefoniczne potwierdzenie relacji między Paulem a Gabbie zajęło Faith minutę. W archiwach dziennika „Atlanta Journal-Constitution" znalazła jej nekrolog. Gabriella Maria Ponticello pozostawiła pogrążonych w bólu rodziców, Carlosa i Sylvię, oraz młodszego brata, Paula.

– Kevin – powiedziała Faith. – Przejdź na drugą stronę obiektu. Zabierz Gordona do domku numer cztery i przesłuchaj go. Potem porównamy twoje notatki z tym, czego dowiemy się od Paula.

Kevin zrobił zaskoczoną minę, ale zasalutował z okrzykiem:

– Tak jest!

Od zaciskania szczęk Willa bolały zęby. Faith zleciła przesłuchanie Kevinowi, bo uznała, że Will nie ogarnie sprawy.

Nie mógł jej za to winić. Spieprzył już wystarczająco dużo.

Otworzyły się drzwi głównego budynku. Pierwsza wyszła Delilah i zbiegła po schodach, potem Bitty wypchnęła na werandę wózek z Cecilem, a Dave szedł za nimi. Zapalił papierosa i wydmuchnął kłąb dymu, kierując się do rampy dla wózków inwalidzkich na tyłach domu.

Faith pociągnęła Willa za rękaw i skryli się pod osłoną drzew. Poczekali, aż teren będzie czysty. Christopher został przywiązany plastikowymi zaciskami do uchwytu na wiosła w hangarze dla łodzi. Sara zajęła się Jonem. Pora koktajlowa zaczęła się pięć minut temu. Monica i Frank wyszli z domku jako pierwsi. Po nich Drew i Keisha. Ponieważ rodzina także udała się na dół, na górze pozostali tylko Gordon i Paul. W domku numer pięć paliły się światła, ale żaden z nich nie wyszedł. Bo i po co? Dzięki Willowi Paul był przekonany, że morderstwo uszło mu na sucho.

Will nie był w stanie dusić w sobie tego dłużej.

– Zjebałem. Przepraszam – zwrócił się do Faith.

– Co takiego niby zjebałeś? – zapytała.

– Paul ma na piersi tatuaż. Teraz wiem, że to napis „Gabbie". Widziałem go, ale nie zdążyłem przeczytać, bo zasłonił się ręcznikiem.

Faith milczała o sekundę za długo.

– Nie wiesz tego na pewno.

– Wiem. Ty też wiesz. Amanda się dowie. I Sara... – Odnosił wrażenie, że w jego żołądku chlupocze czysta benzyna. – Keisha powiedziała, że Paul i Gordon spóźnili się na śniadanie. Paul musiał wtedy ukryć złamaną rękojeść noża w ich spłuczce. Kompletnie niepotrzebnie wystraszyłem ją i Drew. Bali się, że podejrzenia padną na nich. Gdyby nie to, Chuck prawdopodobnie nadal by żył. Pewnie spałby smacznie w swoim łóżku, bo dziś rano to Christopher miał być przewodnikiem dla gości.

– Mylisz się – orzekła Faith. – Zajęcia zostały odwołane ze względu na Mercy.

Will pokręcił głową. Uważał, że to nie ma żadnego znaczenia.

– Penny opowiedziała mi o wypadku samochodowym – ciągnęła Faith. – Mogłam podążyć tym tropem już wiele godzin temu. Znając personalia Gabbie, mogłam zweryfikować pozostałych gości, w tym Paula, pod kątem pokrewieństwa z nią. Przecież właśnie w ten sposób znalazłam nekrolog.

Odebrał to tak, jakby na siłę próbowała go wybielić.

– Musimy wydobyć zeznania od Paula. Nie możemy pozwolić, by się wyślizgnął z powodu mojego błędu.

– Nie wyślizgnie się – obiecała Faith. – Spójrz na mnie.

Nie mógł się na to zdobyć.

– Christophera czeka solidna odsiadka. Wykorzystamy jego zeznania, aby przyskrzynić Cecila za zabicie Gabbie. Aresztujemy Paula za zamordowanie Mercy. Piorun wie, ile klubów nocnych w Atlancie kupowało bimber od Chucka. Mało brakowało, a wykończyliby tym szajsem Monicę. To są konkretne sukcesy, których by nie było, gdyby nie ty. Naprawdę uważasz, że Biszkopt przeprowadziłby uczciwe śledztwo w sprawie morderstwa Mercy? Paul zostanie osądzony tylko dzięki tobie. Tak samo jak Christopher i Cecil.

– Faith, wiem, że starasz się mnie pocieszyć, ale wygląda mi to raczej na litość.

Drzwi domku numer pięć się otworzyły. Najpierw wyszedł Gordon, potem Paul. Śmiali się z czegoś, nie mając pojęcia, co ich czeka.

– Chodźmy – powiedział Will.

Żwawo ruszył przez teren kompleksu. Kevin pojawił się z drugiej strony i złapał Gordona za ramię.

– O co chodzi? – zapytał Gordon, ale Kevin już odciągał go na bok.

– Ejże! – Paul chciał ruszyć za nim, ale Will go przystopował, kładąc mu dłoń na torsie.

Paul spojrzał w dół. Tym razem nie zapowiadało się na niezobowiązujące pogaduszki. Zacisnął wargi.

– Aha. Rozumiem, że przyszła moja kolej.

– Wróćmy do środka – poleciła Faith.

Will szedł tuż za Paulem, w razie gdyby przyszło mu do głowy uciekać. Kevin zabrał Gordona do domku numer cztery. Zapaliły się światła. Zanim za Gordonem zamknęły się drzwi, zdążył posłać Paulowi spokojne spojrzenie. Nie uszło to uwadze Faith.

Obaj byli w to zamieszani.

Salon cuchnął meliną. Zobaczyli niedopite butelki z alkoholem i poprzewracane szklanki. Z kosza na śmieci wysypywały się torebki po chipsach ziemniaczanych i opakowania po batonach. Will poczuł zapach trawki. Obok fotela stała popielniczka z niezliczonymi niedopałkami jointów.

– Wygląda na to, że urządziliście sobie niezłą imprezę – zauważyła Faith. – Świętowaliście coś szczególnego?

Paul uniósł brew.

– Masz żal, że was nie zaprosiliśmy?

– Trafiony, zatopiony. – Wskazała na kanapę. – Siadaj.

Sapnął z irytacją, ale usiadł. Odchylił się na oparcie i skrzyżował ramiona.

– O co chodzi?

– O ile się nie mylę, sam przed chwilą powiedziałeś, że przyszła twoja kolej – stwierdziła Faith. – Kolej na co?

Paul spojrzał na Willa.

– Widziałeś tatuaż.

Will poczuł ukłucie za mostkiem.

– Przez cały dzień obserwowałem, jak się kręcicie tu i tam – rzekł Paul. – Chodzi o Mercy? Powiedziała coś przed śmiercią?

– A co według ciebie mogłaby powiedzieć? – zapytała Faith.

Will patrzył, jak Paul rozpina koszulę, a potem rozchyla jej poły, by pokazać klatkę piersiową. Tatuaż był skomplikowany, przedstawiał motyla i wiele barwnych kwiatów. Z tej odległości Will potrafił odczytać tylko literę „G", a i to zapewne dlatego, że już znał imię.

Faith pochyliła się w stronę Paula.

– Sprytne. Jeśli nie wie się o imieniu, trudno się go doszukać w tej plątaninie. Nie masz nic przeciwko?

Wzruszył ramionami, kiedy wyjęła iPhone'a.

Zrobiła kilka zdjęć, westchnęła i usiadła.

– Jestem podejrzanym czy świadkiem? – zapytał.

– Domyślam się, że masz wątpliwości, skoro nie zachowujesz się ani jak świadek, ani jak podejrzany – odparła Faith.

– Taki przywilej białego faceta! – Sięgnął po butelkę. – Muszę się napić.

– Nie robiłabym tego – ostrzegła go. – To nie jest whisky Old Rip.

– Ale zawiera alkohol. – Pociągnął solidny łyk prosto z butelki. – Za czym węszycie?

Faith spojrzała na Willa z oczekiwaniem, że przejmie rozmowę. Milczał, wychodząc z założenia, że zmusi ją tym do ciągnięcia przesłuchania, lecz tym razem jego nadzieje okazały się płonne.

– Halo! – zawołał Paul. – Mówi świadek albo podejrzany, niepotrzebne skreślić. Jest tam kto?

Will poczuł, że się czerwieni. Nie był w stanie dłużej znieść wrażenia, że zawala sprawę.

– Mercy widziała twój tatuaż? – zwrócił się do Paula.

– Pozwoliłem jej go zobaczyć, jeśli zadowala cię taka odpowiedź.

– Kiedy?

– Nie pamiętam, jakąś godzinę po zameldowaniu. Wziąłem prysznic i poszedłem do sypialni, żeby się ubrać. Wyjrzałem przez okno i zobaczyłem Mercy zmierzającą do naszego domku. Pomyślałem: „Czemu nie teraz?". – Paul obrócił butelkę w dłoniach. – Owinąłem się ręcznikiem w pasie i zaczekałem.

– Dlaczego chciałeś jej pokazać tatuaż? – zapytał Will.

– Bo chciałem, żeby zorientowała się, kim jestem.

– Mercy wiedziała, że Gabbie ma brata?

– Tak sądzę. Znały się tylko kilka miesięcy, właściwie to przez wakacje, ale bardzo szybko i mocno się zaprzyjaźniły. Wszystkie listy Gabbie dotyczyły Mercy i tego, jak dobrze im razem. Wyglądało to tak... – Paul urwał, szukając odpowiednich słów. – Wiesz, jak to działa. Jesteś młody, spotykasz kogoś i nagle wszystko wskakuje na swoje miejsca; jesteście jak dwa magnesy, które ciągnie do siebie nieodparta siła. Nie umiesz sobie wyobrazić, jak żyłeś przed poznaniem tej osoby, i nie chcesz już żyć bez niej.

– Były parą?

– Nie, to była idealna, bajkowa przyjaźń, która została brutalnie zniszczona.

– Zameldowałeś się w pensjonacie pod fałszywymi personaliami. Gdybyś tego nie zrobił, Mercy od razu by się dowiedziała, że jesteś bratem Gabbie.

– Nie chciałem, żeby wiedziała o tym jej rodzina.

– Dlaczego?

– Bo... – Paul ponownie łyknął alkoholu. – Jezu, jakie to obrzydliwe. Co to jest, do cholery?

– Lewy towar. – Faith wyciągnęła rękę, zabrała mu butelkę i postawiła ją na podłodze. Czekała, aż Will wznowi rozmowę.

On jednak zdołał tylko ponownie wykrztusić: „Dlaczego?", jakby działał na autopilocie.

– Dlaczego nie chciałem, żeby McAlpine'owie się o mnie dowiedzieli? – Paul westchnął, zastanawiając się nad dalszym ciągiem. – Wolałem, żeby to pozostało między mną a Mercy, rozumiecie? Nawet nie byłem pewien, czy chcę ją uświadamiać, ale kiedy ją zobaczyłem...

Nie dokończył, wzruszył tylko ramionami.

Will wsłuchał się w panującą w pokoju ciszę. Spojrzał na swoje dłonie. Nawet ta zraniona odruchowo próbowała zwinąć się w pięść. Od zaciskania zębów bolała go już cała żuchwa. Jego ciało znało tego rodzaju gniew. Złościł się tak w szkole, gdy nauczyciel karcił go za niedokończenie zdania na tablicy. W domu dziecka, kiedy Dave naśmiewał się z jego nieumiejętności czytania, Will nauczył się sztuczki, dzięki której uciekał myślami od sytuacji. Po prostu odłączał umysł od ciała, jakby naciskał wyłącznik lampy.

Ale teraz nie siedział na lekcji w klasie. Nie mieszkał w domu dziecka. Rozmawiał z podejrzanym o morderstwo. Jego partnerka na niego liczyła. A co ważniejsze, liczył na niego Jon. Will fizycznie czuł ostatnie uderzenia serca Mercy. Złożył jej cichą obietnicę, że zabójca dostanie to, na co zasłużył, a jej syn zazna w duszy i sercu choć odrobinę spokoju, wiedząc, że człowiek, który odebrał mu matkę, zostanie ukarany za zbrodnię.

Will odsunął stolik kawowy od kanapy i usiadł na wprost Paula.

– Wczoraj po południu kłóciłeś się z Gordonem na szlaku.

Paul się zdumiał. Nie miał pojęcia, że Sara ich słyszała.

– Powiedziałeś mu: „Wisi mi, co na ten temat myślisz. Robię, co trzeba".

– To nie brzmi jak moje słowa.

– Wtedy Gordon zapytał: „Od kiedy zrobiłeś się taki akuratny?".

– Są tu jakieś kamery? – zapytał Paul. – Cały pensjonat jest na podsłuchu?

– Pamiętasz, co mu odpowiedziałeś?

– Zaskocz mnie.

– Cytuję: „Odkąd zobaczyłem, jak ona, do kurwy nędzy, żyje".

Paul pokiwał głową.

– Tak, to już bardziej w moim stylu.

– Gordon stwierdził, że powinieneś sobie odpuścić. Ale ty nie odpuściłeś, prawda?

Paul bawił się skrajem koszuli, zwijając materiał w ciasną harmonijkę.

– Co jeszcze mówiłem?

– Zamieniam się w słuch.

– Pewnie coś w rodzaju: „Pogadajmy o tym przy beczce Jima Beama".

– Zeznałeś, że wczoraj wieczorem widziałeś Mercy na szlaku około dwudziestej drugiej trzydzieści.

– Zgadza się.

– Zeznałeś, że robiła obchód.

– Bo tak było.

– Rozmawiałeś z nią?

Paul zaczął rozwijać harmonijkę.

– Tak.

– O czym?

– Nie uwierzysz, ale Gordon kazał mi trzymać się od ciebie z daleka – odparł Paul. – Stwierdził, że jesteś wielkim głupim gliną, który chce aresztować każdego z byle powodu.

– Mam więcej niż byle powód – zauważył Will. – O czym rozmawiałeś wczoraj wieczorem z Mercy na szlaku? Była na obchodzie, czyli wykonywała swoją pracę, a ty wyszedłeś z domku około wpół do jedenastej i zacząłeś z nią rozmawiać.

– Potwierdzam.

– Co powiedziałeś?

– Powiedziałem... – Westchnął przeciągle. – Powiedziałem, że jej wybaczam. – Wrócił do miętoszenia koszuli. – Że jej przebaczyłem – dodał z naciskiem. – Obwiniałem ją przez wiele lat i zjadało mnie to od środka, rozumiesz? Gabbie była moją starszą siostrą. Kiedy to się stało, miałem tylko piętnaście lat. Skradziono mi tak wiele jej życia... Naszego życia. Właściwie to nie dane mi było jej poznać.

– Dlatego zabiłeś Mercy?

– Nie zabiłem jej. Żeby kogoś zabić, trzeba go nienawidzić.

– Nie żywiłeś nienawiści do kobiety odpowiedzialnej za śmierć twojej siostry?

– Żywiłem przez wiele lat, aż wreszcie poznałem prawdę. – Paul spojrzał Willowi prosto w oczy. – Mercy nie prowadziła tego samochodu.

Will świdrował go wzrokiem, lecz mina Paula nie zdradzała niczego.

– Jak się dowiedziałeś, że to nie ona prowadziła?

- Tak samo, jak dowiedziałem się, że Cecil McAlpine zgwałcił Gabbie.

Will odniósł wrażenie, że w chatce nagle zrobiło się potwornie duszno. Zerknął na Faith. Wyglądała na równie zdumioną jak on.

- Wiem też, że Cecil i Christopher wsadzili Gabbie do samochodu z Mercy - ciągnął Paul. - Chciałbym wierzyć, że wtedy moja siostra już nie żyła. Wolę sobie nawet nie wyobrażać, że budzi się, zjeżdżając z ostrego zakrętu ze świadomością, że nic nie może zrobić, by zatrzymać auto.

Will ponownie spojrzał na Faith, która siedziała teraz na samym skraju krzesła.

- Jej miednica została zmiażdżona - kontynuował Paul. - Moja matka przekazała mi tę informację w ubiegłym roku. Leżała wtedy na łożu śmierci. Rak trzustki, demencja, szalejąca infekcja dróg moczowych. Podawali jej potężne dawki morfiny. Jej mózg... Jej wspaniały mózg zatrzymał się tego lata, gdy zginęła Gabbie. Tak jakby wciąż pomagała jej spakować się przed wyjazdem w góry, podpowiadała, jakie ubrania zabrać, i machała na pożegnanie, gdy nasz ojciec ją odwoził. A potem odebrała telefon. Usłyszała o wypadku. Dowiedziała się, że Gabbie zginęła.

Paul pochylił się i podniósł z podłogi butelkę. Zanim zdecydował się mówić dalej, upił z niej solidny łyk.

- Przy łóżku mojej matki czuwałem tylko ja. Ojciec zmarł dwa lata wcześniej na atak serca. - Przycisnął butelkę do piersi. - Demencja rządzi się swoimi prawami. Matka wydobywała z zakamarków umysłu najdziwniejsze szczegóły, by po chwili je zapomnieć. Na przykład że Gabbie nie zabrała na wyjazd swojego pluszowego misia. Pytała mnie, czy moglibyśmy wysłać go pocztą. Albo wyrażała nadzieję, że McAlpine'owie dobrze ją karmią. To przecież tacy mili ludzie! Wspominała, że rozmawiała z ojcem Mercy przez telefon, gdy Gabbie ubiegała się o staż w pensjonacie. Miał na imię Cecil, ale wszyscy nazywali go Papą. Ten sam człowiek zadzwonił do nas, by przekazać informację o śmierci Gabbie.

Paul ponownie przytknął butelkę do ust, ale rozmyślił się i podał ją Willowi.

- Tamten telefon od Cecila utkwił głęboko w jej pamięci. Papa przekazał jej potworne szczegóły związane z wypadkiem. Moja matka wyszła z założenia, że brutalna szczerość miała być na swój sposób pomocna, lecz zupełnie nie o to chodziło. Ten człowiek na nowo przeżywał akt swojej przemocy. Wyobrażasz sobie, jakim trzeba być psychopatą, żeby zgwałcić i zamordować młodą dziewczynę, a potem zadzwonić do jej matki i opowiedzieć jej o szczegółach?

Will stykał się z tego rodzaju psychopatami, jednak aż do tego momentu nie zdawał sobie sprawy, że zalicza się do nich także Cecil McAlpine.

– Tamta rozmowa prześladowała moją matkę do grobowej deski. Nawet gdy zostało jej już tylko kilka godzin, w kółko wciąż o tym mówiła. Nie przychodziły jej na myśl szczęśliwe chwile, takie jak koncerty skrzypcowe czy zawody sportowe Gabbie albo choćby to, że ku zaskoczeniu wszystkich dostałem się na studia medyczne. Wspominała wyłącznie to, jak Cecil McAlpine opowiadał o krwawych detalach śmierci Gabbie. A ja musiałem wysłuchać każdego słowa, bo były to ostatnie sekundy, jakie spędzałem z matką. – Wyjrzał przez okno, a jego oczy błyszczały w świetle.

– Jak udało ci się dowiedzieć, że Cecil zabił twoją siostrę? – zapytała Faith.

– Po śmierci matki musiałem przekopać się przez dokumenty, które po sobie pozostawiła, a także przebrnąć przez papiery mojego ojca. Nigdy nie zadała sobie trudu, by je uporządkować. Z tyłu szafki z dokumentami znalazłem teczkę. Zawierała wszystko, co miało związek z wypadkiem. Nie było tego wiele. Czterostronicowy raport policyjny, sprawozdanie z autopsji, raptem dwanaście stron. Jestem chirurgiem plastycznym, więc pracowałem z ludźmi poszkodowanymi w kraksach samochodowych i zeznawałem w tych kwestiach podczas procesów karnych i cywilnych. Jednak nigdy nie zetknąłem się ze sprawą, której akta nie wypełniłyby pękatych pudeł. A w tamtych przypadkach nie chodziło przecież nawet o śmierć! Tymczasem Gabbie zginęła, a Mercy o mało nie podzieliła jej losu. I to wszystko zajęło marnych szesnaście stron?

Will czytał niejeden protokół z sekcji zwłok. Paul Ponticello miał rację.

– Przeprowadzono badania toksykologiczne? – spytał.

– Widzę, że pod tą twoją przystojną facjatą kryje się coś więcej. – Paul uśmiechnął się do niego smutno. – To było najdziwniejsze. U Gabbie stwierdzono obecność THC i duże stężenie alprazolamu.

– Xanax – stwierdził krótko Will. McAlpine'owie darzyli ten lek szczególnym upodobaniem.

– Gabbie jarała, ale nie miała w zwyczaju robić tego do utraty przytomności – rzekł Paul. – Brała różne stymulanty. Adderall, ecstasy, czasami koks, jeśli akurat ktoś miał i częstował. Nie była uzależniona, po prostu lubiła poszaleć. Był to zresztą jeden z powodów, dla których ojciec namówił ją na odbycie stażu w pensjonacie. Znalazł ogłoszenie i pomyślał, że świeże powietrze, praca fizyczna i trochę aktywności pomogą jej wrócić na właściwą drogę.

– Mercy nigdy nie postawiono zarzutów w żadnej kwestii związanej z tym wypadkiem – zauważył Will. – Czy twoi rodzice nie uznali tego za dziwne?

– Mój ojciec był wielkim zwolennikiem prawdy, sprawiedliwości i amerykańskiego porządku rzeczy. Jeśli gliniarz powiedział, że nie ma nic do oglądania, to nie było nic do oglądania.

Faith odkaszlnęła.

– Który gliniarz?

– Najpierw Jeremiah Hartshorne. Schedę przejął po nim Hartshorne numer dwa, a dwójka kojarzy mi się jednoznacznie.

– Rozmawiałeś z nim?

– Nie, wynajmowałem prywatnego detektywa – odparł Paul. – Dzwonił do ludzi, pukał do drzwi. Połowa mieszkańców miasta nie chciała z nim gadać, a druga połowa pluła jadem przy każdej wzmiance o Mercy. Była dziwką, ćpunką, morderczynią, złą matką, śmieciem, czarownicą opętaną przez szatana. Wszyscy obwiniali ją o śmierć Gabbie, ale tu nie chodziło o moją siostrę. Kurewsko nienawidzili Mercy.

– Jak udało ci się dojść do tego, co rzeczywiście się wydarzyło? – zapytał Will.

– Skontaktował się z nami pewien informator. Och, zrobił to w wielkiej tajemnicy. – Uśmiech Paula zgorzkniał. – Kosztowało mnie to dziesięć tysięcy, ale warto było w końcu usłyszeć prawdę. Oczywiście nie byłem w stanie do niczego jej wykorzystać. Ten dupek zamknął się, gdy tylko zainkasował szmal. Nie chciał zeznawać ani nie zgodził się na nagranie oświadczeń. Prześwietliliśmy go. Jest małym tłustym kawałkiem gówna. Jego słowa są tak bezwartościowe, że nawet Jeffrey Dahmer[8] nie zapłaciłby grzywny za przechodzenie przez ulicę w niewłaściwym miejscu, gdyby zeznawał przeciwko niemu.

Choć Will znał odpowiedź, musiał zapytać.

– Kto był tym informatorem?

– Dave McAlpine. Aresztowaliście go za zabicie Mercy, ale z jakiegoś powodu postanowiliście wypuścić. Przecież musicie wiedzieć, że jest nie tylko jej byłym mężem. Jest też jej adopcyjnym bratem.

Will potarł szczękę. Nie było takiej rzeczy, której Dave swoim dotknięciem nie przemieniłby w łajno.

– Co powiedziałeś Mercy na szlaku wczoraj wieczorem?

Paul westchnął przeciągle.

– Po pierwsze, chyba przyda się wam trochę więcej informacji o listach, które przysyłała Gabbie. Pisała co najmniej raz w tygodniu. Kochała Mercy do szaleństwa. Chciały wynająć mieszkanie w Atlancie i... Wiesz, jak niemądry potrafi być siedemnastoletni człowiek. Liczysz sobie na serwetce i wychodzi ci, że za parę centów tygodniowo przeżyjesz na zapiekankach z serem. Gabbie była przeszczęśliwa, bo znalazła przyjaciółkę. W szkole nie miała łatwo. Chyba wspomniałem wcześniej o skrzypcach... bo tak, grała w zespole. Przez długie lata była obiektem prześladowań. Lepsze życie otworzyło się przed nią dopiero wtedy, gdy wypiękniała. A Mercy była w tym nowym życiu jej pierwszą prawdziwą przyjaźnią. Wyjątkową. Idealną.

– A po drugie? – zapytał Will.

– Gabbie pisała też o Cecilu. Wyczuwała, że krzywdzi Mercy. Że znęca się nad nią fizycznie i zapewne nie tylko tak. Nie znam szczegółów, bo nie rozwodziła się na ten temat. Może nie znajdowała właściwych słów. Gabbie nie dorastała w strachu. To było przed epoką internetu, który odebrał nam poczucie niewinności. Wtedy nie było pierdyliarda podcastów o pięknych młodych kobietach, które są gwałcone i mordowane.

---

[8] Amerykański seryjny morderca, nazywany też kanibalem z Milwaukee (przyp. tłum.).

Will słyszał smutek w jego głosie. Nie miał najmniejszych wątpliwości, że Paul kochał siostrę. Zauważył jednak, że pominął wcześniejsze pytanie. Powtórzył je więc:

– Co powiedziałeś Mercy na szlaku wczoraj wieczorem?

– Zapytałem, czy wie, kim jestem, a gdy przytaknęła, powiedziałem, że jej wybaczam.

Will czekał na ciąg dalszy, lecz Paul umilkł.

– I co? – wtrąciła się Faith.

– I to, że miałem przygotowaną długą tyradę o tym, że kochała Gabbie, że były najlepszymi przyjaciółkami, że to nie wina Mercy, że to wszystko sprawka jej ojca, że nie ma powodu, by czuła się winna... Tego typu sprawy. Ale Mercy nie dała mi najmniejszej szansy się wygadać.

– Paul zmusił się do uśmiechu. – Splunęła na mnie. Dosłownie mnie opluła.

– Tak po prostu? – zapytała Faith. – Nie mówiąc ani słowa?

– Jeśli nie liczyć tego, że kazała mi się jebać. Potem poszła w stronę domu. Patrzyłem za nią, aż weszła do środka i trzasnęła drzwiami.

– Co działo się dalej?

– Dalej? Nic. Jak się pewnie domyślasz, byłem w lekkim szoku, ale nie zamierzałem jej gonić. Wyraźnie pokazała mi, co czuje. Wróciłem do siebie i usiadłem tu, gdzie siedzę w tej chwili. Gordon wszystko słyszał. Jeśli mam być szczery, obu nas zatkało. Nie spodziewałem się może sceny z melodramatu, ale miałem nadzieję, że przynajmniej rozpocznę jakiś dialog. I może pomogę nam obojgu zamknąć tamten rozdział. – Teraz sprawiał wrażenie bardziej zagubionego niż smutnego.

– Cofnijmy się odrobinę. – Faith nie umiała wyzbyć się sceptycyzmu.

– Mercy na ciebie napluła, a ty nie zareagowałeś?

– A co miałbym zrobić? Nie byłem na nią zły, ja jej współczułem. Popatrz tylko, jakie życie tutaj miała. Ludzie z miasta nią gardzą. Jest uwięziona na górze z ojcem, który wrobił ją w zamordowanie najlepszej przyjaciółki. Cała rodzina jest przekonana o jej winie, przez tego człowieka straciła twarz i dosłownie, i w przenośni. Zastanów się nad tym przez chwilę. Własny ojciec zmasakrował jej twarz, a ona z nim mieszka, pracuje, zasiada do stołu i jeszcze się nim opiekuje. A jej były mąż czy tam brat, nazwij go, jak chcesz, skasował ode mnie dziesięć kawałków za prawdę, której nigdy oficjalnie nie wyznał. Przecież to jest, kurwa, chore.

– Skąd Dave znał prawdę? – zainteresował się Will.

– Tego akurat nie wiem. – Paul wzruszył ramionami. – Jestem przekonany, że puści farbę, jeśli dasz mu następną dychę.

Will postanowił odłożyć na później kwestię Dave'a.

– Nie wydawałeś się bardzo poruszony, gdy dziś rano oznajmiłem, że Mercy została zadźgana na śmierć.

– Byłem bardzo pijany i naćpany, więc Gordon zagnał mnie pod prysznic, żebym trochę wytrzeźwiał. Dlatego nie byłem w najlepszej formie, gdy mnie zobaczyłeś. Woda była cholernie zimna.

– Skąd pewność, że Mercy nie zdawała sobie sprawy z odpowiedzialności ojca za śmierć Gabbie? – zapytała Faith.

– Ten jej mąż... czy tam brat... powiedział mi, że Mercy żyje w błogiej nieświadomości tego faktu. Co gorsza, sprawiał takie wrażenie, jakby stanowiło to dla niego powód do aroganckiej dumy. Jakby otwarcie grał cwaniaka: „Ha, ha, wiem coś, o czym ona nie ma pojęcia, patrz, jaki jestem mądry".

Pasowało to do Dave'a wręcz idealnie.

– Domyśliłem się prawdy już po pierwszej rozmowie z Mercy – mówił dalej Paul. – Próbowałem z niej to wyciągnąć. Chciałem się przekonać, czy wie, czego dopuścił się jej ojciec. Napomknąłem o forsie, jaką przynosi to miejsce, i o tym, jaka to miła okolica. Zastanawiałem się nawet, czy nie jest w to wmieszana albo czy nie kryje ojca.

– Ale? – drążyła dalej Faith.

– Kiedy zapytałem o szramę na twarzy, próbowała zasłonić ją obiema dłońmi. – Paul pokręcił głową. Wspomnienie tej sytuacji rozbudziło w nim kolejne uśpione emocje. – Wydawała się straszliwie zdeprymowana. Nie chodzi mi o zwykły wstyd, ale ten jego rodzaj, który zabija duszę.

Willowi nieobcy był ten rodzaj wstydu. Uznał za niewyobrażalne okrucieństwo ze strony Dave'a utrzymywanie Mercy w poczuciu tej hańby; karanie w ten sposób matki własnego dziecka.

– Dlatego pokłóciłem się z Gordonem na szlaku. Chciałem powiedzieć jej prawdę. I próbowałem, ale bez ogródek dała mi do zrozumienia, że ma ją w dupie. Gordon miał rację. Straciłem już siostrę i oboje rodziców, a naprawianie tej popierdolonej rodziny to nie moja działka. Poza tym jej się nie da naprawić.

Faith położyła dłonie na kolanach.

– Przypominasz sobie z poprzedniego wieczoru cokolwiek innego, co mogłoby mieć związek z Mercy? Albo z jej rodziną? Widziałeś coś jeszcze?

– Może za dużo nasłuchałem się podcastów, ale mam wrażenie, że zawsze liczy się przede wszystkim to, co wydaje się nam bez znaczenia. Idąc tym tropem... – Paul westchnął przeciągle. – Kiedy Mercy weszła do domu i trzasnęła drzwiami, wciąż byłem kompletnie oszołomiony. Stałem przez chwilę i patrzyłem za nią z niedowierzaniem. I przysięgam na Boga, że widziałem kogoś na werandzie.

– Kogo? – zapytała Faith.

– Przypuszczam, że się mylę. Było ciemno. Ale gotów jestem przyrzec, że ten ktoś wyglądał jak Cecil.

– Dlaczego miałbyś się mylić?

– Bo gdy trzasnęły drzwi, ten człowiek wstał i wszedł do środka.

ROZDZIAŁ DWUDZIESTY

Maszerując z Jonem Pętlą w stronę jadalni, Sara dostosowała swoje tempo do jego specyficznego stylu chodzenia. Trochę opóźniła ich wyjście, nie chcąc zabierać szesnastolatka na cocktail party, choć nawet jej samej wydawało się to głupie z perspektywy faktu, że gdy zapukała do domku numer dziewięć, Jon był naćpany. Przekonała go do otwarcia drzwi chipsami i dwoma snickersami, które Will z pewnością spałaszowałby ze smakiem.

Jon przyjął wiadomość o niewinności ojca pełnym zaskoczenia milczeniem. Widać było, że jest przytłoczony wydarzeniami ostatniej doby. Przestał nawet próbować ukrywać łzy. Gdy Sara powiedziała mu, że Dave jest niewinny, patrzył na nią z niedowierzaniem, z rozdygotanymi dłońmi i drżącą dolną wargą. Sara poinformowała go, że podejrzewają kogoś innego, lecz nie mogła zdradzić nic więcej.

Zaproponowała, że zabierze go do dziadków, lecz Faith miała słuszność: chłopakowi nie śpieszyło się do domu. Sara dotrzymywała mu towarzystwa najlepiej, jak umiała. Rozmawiali o drzewach, szlakach turystycznych i wszystkim, co nie miało związku ze śmiercią jego matki. W wypowiedziach Jona próżno było szukać nieartykułowanych chrząknięć, rozmaitych „no wiesz", „kumasz" i podobnych zwrotów, tak typowych dla rozmów większości nastolatków. Sara doszła do wniosku, że zawdzięcza to wychowaniu wśród osób dorosłych. Wielkim pechem można było nazwać jedynie to, że wszyscy ci dorośli nosili nazwisko McAlpine.

Jon kopnął kamyk, podrywając czubkiem buta fontannę ziemi. Był wyraźnie podenerwowany. Lepiej niż Sara zdawał sobie sprawę z tego, że jadalnia jest już blisko. Przypuszczał, że narobi niezłego rabanu nagłym pojawieniem się po wielu godzinach nieobecności. Ostatnim razem wpadł do tego budynku pijany w sztok i krzyczał, że nienawidzi swojej matki.

– Na pewno jesteś na to gotowy? – zapytała Sara. – Nie licz na prywatność. Na pewno są tam goście.

Kiwnął głową, a grzywka opadła mu na oczy.

– On też tam będzie?

Sara domyśliła się, że chodzi o Dave'a.

– Pewnie tak, ale jeśli chcesz, sama mogę powiedzieć twojej rodzinie, że wróciłeś. Ty poczekasz na nich w domu.

Kopnął inny kamyk i pokręcił głową.

Myślała, że resztę drogi pokonają w milczeniu, lecz Jon odkaszlnął, spojrzał na nią i choć ponownie wbił wzrok w ziemię, zdecydował się odezwać.

– Jaka jest twoja rodzina? – zapytał.

Sara zastanowiła się chwilę, nim wreszcie odparła:

– Mam młodszą siostrę, która ma córkę. Studiuje, chce zostać położną. Oczywiście siostra, nie córka.

Kąciki ust Jona powędrowały w górę w łagodnym uśmiechu.

– Ojciec jest hydraulikiem, mama zajmuje się księgowością i prowadzeniem dokumentacji dla firm. Mocno angażuje się w sprawy obywatelskie i działalność kościoła, o czym lubi mi często przypominać.

– A jaki jest twój tata?

– Cóż... – Sara miała pełną świadomość skomplikowanej relacji Jona z ojcem i nie chciała deprecjonować Dave'a przez porównanie. – Uwielbia czerstwe dowcipy.

Jon znów zerknął w jej stronę.

– Jakie dowcipy?

– Wiedział, że będę przez cały tydzień na odludziu w górach i z prądem może być różnie, więc kazał mi ładować urządzenia, kiedy na niebie będzie widać cały księżyc.

– Dlaczego?!

– Bo wtedy można mieć pewność, że bateria jest naładowana w pełni.

– Rzeczywiście suchar! – Parsknął śmiechem.

Sara uwielbiała te teksty. O ile Jon pod względem ojca miał pecha, o tyle jej bardzo się poszczęściło.

– Pamiętaj, że Will chce z tobą porozmawiać o twojej mamie. Ma ci coś do przekazania.

Jon kiwnął głową. Znów wbił wzrok w ziemię. Wróciła myślami do młodego mężczyzny, jakim jej się wydał, gdy go poznała poprzedniego dnia. Schodząc po schodach rodzinnego domu, zdawał się bardzo pewny siebie. Przynajmniej do momentu, w którym Will przekłuł jego balonik. Teraz był zdenerwowany i wystraszony.

Jako pediatra Sara niejeden raz miała do czynienia z dwoistością dziecięcych zachowań. Wyraźnie było to widać zwłaszcza u chłopców, którzy pragnęli zostać mężczyznami. Niestety, często za wzorce do naśladowania obierali niewłaściwe osoby. Jon miał Cecila, Christophera, Dave'a i Chucka. Oczywiście mógł trafić na kogoś gorszego niż obmierzły incel, którego regularnie podtruwał jego najbliższy przyjaciel, lecz mógł też trafić o wiele lepiej.

– Saro?

Faith czekała na tarasie widokowym. Była sama, ale w jadalni paliło się światło. Sara usłyszała brzęk sztućców i cichy gwar rozmów. Miejscowi byli odcięci od świata od wielu godzin i mogli jedynie patrzeć, jak goście jeden po drugim trafiają na przesłuchanie. Personel kuchni zapewne powiedział im już o ciele w zamrażarce. Z ich perspektywy Christopher zniknął. A potem Dave wpadł do jadalni jak bomba atomowa, za to Gordon i Paul nie przyszli na drinki. Sara przypuszczała, że ludzie gubią się w domysłach.

– Mam wejść pierwsza, a ty chwilę zaczekasz? – zapytała Jona.

– Nie, dziękuję. Dam sobie radę. – Jon wyprostował ramiona i przeszedł przez próg. Założył swój pancerz.

Na widok jego kruchej odwagi ścisnęło się jej serce.

– Saro – powtórzyła Faith. – Chodź za mną.

Ruszyły Szlakiem Wyżerki. Wcześniej Faith zrelacjonowała Sarze wynurzenia Christophera, podczas gdy Kevin i Will zamykali go w hangarze dla łodzi. Teraz dla odmiany Sara starała się opowiedzieć, co wydarzyło się po jej stronie śledztwa.

– Dzwoniła Nadine. Poziom wody w strumieniach opadł, służby wysypały na drogę dwie tony żwiru i utwardziły nawierzchnię. Koronerka powinna się zjawić w ciągu godziny. Wkrótce wszyscy się dowiedzą, że można już stąd wyjechać. Bez przerwy ze sobą rozmawiają. Cokolwiek powiesz jednej osobie, równie dobrze możesz ogłosić reszcie.

– Chciałabym poznać więcej szczegółów dotyczących autopsji – rzekła Faith.

W tej chwili Sara nie umiała myśleć w zwięzłych punktach.

– Chodzi ci o ciążę czy...

– Jakiego rodzaju próbki przekazałaś do laboratorium?

– Nasienie z pochwy. Mocz i krew. Pobrałam wymazy z ust, gardła i nosa w celu skontrolowania ich pod kątem obecności cudzej śliny, potu i materiału DNA. Zebrałam trochę włókien, głównie czerwonych, ale też czarnych, które nie pasują do ubrań Mercy. Znalazłam kilka włosów z nienaruszonymi cebulkami. Pobrałam materiał z wnętrza ud i spod paznokci. Wykonałam...

– Znakomicie. Dziękuję.

Faith umilkła w nietypowy dla siebie sposób. Dla Sary był to znak, że analizuje w myślach różne koncepcje. Była przekonana, że wkrótce dowie się, o co chodzi, zanim jednak zdążyła się nad tym zastanowić, weszły na ostatni zakręt szlaku, za którym ujrzała Willa.

Przyglądał się mapie, na którą Faith naniosła różne oznaczenia. Widząc zmęczenie na jego twarzy, Sara domyśliła się, że rozmowa z Paulem przebiegła niezupełnie tak, jak tego oczekiwał.

– To nie on? – zapytała.

– Nie – odparł. – Paul wiedział, że Cecil zabił jego siostrę. Relacja Gordona pokrywa się z jego wersją zdarzeń prawie słowo w słowo. To nie on zabił.

Zanim zaskoczona Sara zdążyła ochłonąć, Faith zwróciła się do niej:

– Co zaobserwowałaś u Cecila jako lekarz?

Sara pokręciła głową. Pytanie pojawiło się znikąd.

– Sprecyzuj, proszę.

– Czy byłby zdolny wstać z wózka?

Sara ponownie pokręciła głową, głównie po to, by zebrać myśli.

– Nie wiem, jak rozległe są jego obrażenia, ale dwie trzecie użytkowników wózków w mniejszym lub większym stopniu wspomaga się opieką ambulatoryjną.

– Co to oznacza?

– Nie są sparaliżowani. Mogą przejść krótki dystans, ale wolą korzystać z wózka z powodu przewlekłego bólu, urazu, wyczerpania albo tylko dlatego, że to łatwiejsze. – Sara odświeżyła wspomnienie krótkiej interakcji z Cecilem podczas cocktail party. – Jego prawa ręka jest sprawna. Wczoraj wieczorem uścisnął nam dłonie, pamiętasz?

– To był mocny uścisk – zauważył Will.

– Masz rację, ale bez kompletu badań, wyłącznie na podstawie tej jednej informacji, nie można wyciągnąć zbyt wielu wniosków. – Sara namyśliła się, ale nie dostrzegła sposobu, by im pomóc. – Nie powiem wam, czy jest w stanie chodzić, dopóki nie zobaczę historii jego choroby i nie porozmawiam z jego lekarzami. Ale pamiętajcie o potędze, jaką jest siła woli. Zobaczcie, jak długo żyła Mercy po odniesieniu tylu śmiertelnych ran. Nauka nie potrafi wyjaśnić wszystkiego. Czasami organizm funkcjonuje w sposób, który z medycznego punktu widzenia nie ma sensu.

– Czy tacy ludzie mogą mieć erekcję? – zapytała Faith.

Sara z pełną mocą uświadomiła sobie, do czego to zmierza. Obrali na cel Cecila.

– Potrzebuję więcej informacji.

– Byłaś w ich domu – powiedział Will. – Widziałaś, gdzie śpi Cecil?

– Przerobili na sypialnię jeden z salonów na parterze – przypomniała sobie Sara. – Ma zwykłe łóżko, nie szpitalne. Ale... To może być nieistotne, lecz nie widziałam przy łóżku krzesła toaletowego, a toaleta na parterze jest za wąska na wózek. No i wanna nie została wyposażona w ułatwienia dla niepełnosprawnych. Kiedy widziałam Cecila dziś rano na werandzie, był w bokserkach. Nie miał worka na mocz. W łazience nie było cewników. Zauważyłam też męskie przybory toaletowe leżące na półce pod lustrem. Nawet gdyby łazienka była zaopatrzona w niezbędne udogodnienia, nie mógłby dosięgnąć ich z wózka.

– Wcześniej dziwiłaś się, że na parkingu nie ma furgonetki przystosowanej do przewozu osoby na wózku – stwierdziła Faith.

– Nie tyle się dziwiłam, co uznałam, że prawdopodobnie ludzie pomagają mu przy wsiadaniu i wysiadaniu. Bitty nie poradziłaby sobie z tym sama, bo jest zbyt drobna, ale mogła poprosić o pomoc Jona lub Christophera. Albo nawet Dave'a.

– Poczekajcie – wtrącił Will. – Kiedy uderzyłem w dzwon, Cecil ukazał się pierwszy. Potem zobaczyłem Bitty, ale nie widziałem, żeby pchała wózek. Oboje zjawili się bardzo szybko. Christopher wyszedł znacznie później. Jona nie było. Kiedy wróciłem z chatki Gordona i Paula, Delilah wciąż była na górze. Przed chwilą stwierdziłaś, że Bitty nie udźwignęłaby Cecila sama. Ma metr pięćdziesiąt w kapeluszu i waży najwyżej czterdzieści pięć kilogramów. W takim razie jak Cecil znalazł się na swoim wózku?

– Przyszedł i na nim usiadł – odparła Faith.

Sara nie mogła dłużej negować zdolności Cecila do chodzenia.

– Co powiedział wam Paul, że wpadliście na ten trop?

– O dwudziestej drugiej trzydzieści widział, że Mercy nie poszła dalej szlakiem, tylko weszła do domu – wyjaśnił Will. – Patrzył, jak siedzący na werandzie Cecil wstaje i idzie za nią do środka.

Sara nie wiedziała, jak to skomentować.

– Mercy wykonała pierwszy telefon do Dave'a o dwudziestej drugiej czterdzieści siedem – przypomniała Faith. – Dave nie odebrał. Mercy już dusiła w sobie złość i poszła porozmawiać z ojcem. Może Cecil spanikował, bo myślał, że Mercy dowie się od Paula, jak naprawdę zginęła Gabbie. Co Cecil mógł zrobić Mercy w ciągu dziesięciu minut?

Sara uniosła dłoń do gardła. Słyszała, do czego był zdolny Cecil McAlpine.

– Cokolwiek jej zrobił, Mercy zaczęła się miotać. Dzwoniła do Dave'a o 22.47, 23.10, 23.12, 23.14, 23.19 i 23.22. Wiemy, że musiała być wtedy w zasięgu wi-fi.

Will odwrócił mapę tak, by Sara mogła na nią spojrzeć.

– Kiedy zaczęła dzwonić, prawdopodobnie wciąż była w rodzinnym domu. Spakowała się, wrzuciła do plecaka ubrania i notes, po czym zbiegła do jadalni. W międzyczasie próbowała skontaktować się z Dave'em.

– Na tyłach kuchni jest sejf – zauważyła Faith. – Kevin otworzył go kluczem Christophera, ale skrytka była pusta.

– Pamiętajcie, co Mercy powiedziała w nagraniu z poczty głosowej: „Dave zaraz tu będzie" – przypomniał Will.

– Rozmawiała z Cecilem – orzekła Faith.

Sara spojrzała na mapę i oceniła odległości dzielące główny budynek od jadalni i jadalnię od domków kawalerskich.

– Przypuszczam, że Cecil mógłby dotrzeć sam do jadalni, ale domki kawalerskie znajdują się zdecydowanie poza jego zasięgiem. Nie zdołałby zejść Szlakiem Linowym, a wędrówka Szlakiem Zaginionej Wdowy zajęłaby mu zbyt dużo czasu. Nie mówiąc o sile fizycznej, jakiej wymagało zadanie Mercy tylu ciosów.

– Dlatego wysłał kogoś innego, żeby załatwił sprawę – stwierdził Will.

Sara potrzebowała chwili, by ułożyć sobie w myślach tę teorię. Popatrzyła na Willa. Teraz zrozumiała, skąd wziął się ten umęczony wyraz jego twarzy.

– Myślicie, że Cecil miał wspólnika?

– Dave'a – odparł Will.

Sara zaczęła łączyć elementy układanki.

– Mercy próbowała zablokować sprzedaż. Pozbywając się jej, Dave zyskiwał głos Jona, czyli miał motyw finansowy.

– Chodziło o coś więcej – zauważył Will. – Już wcześniej pomagał w tuszowaniu postępków Cecila.

Głos zabrała Faith:

– Dave wiedział, że Cecil sprokurował wypadek samochodowy. Sprzedał tę informację Paulowi za twardą gotówkę. Spójrzcie... – Przeciągnęła palcem po ekranie telefonu i wyświetliła mapę hrabstwa. – Diabelski Zakręt znajduje się w pobliżu kamieniołomu, na obrzeżach miasta, z grubsza czterdzieści pięć minut jazdy od kompleksu. Christopher powiedział, że od momentu, gdy Cecil odjechał samochodem z Gabbie i Mercy, do przyjazdu szeryfa, który powiadomił ich o wypadku, minęły trzy godziny. Cecil nie dałby rady wrócić do domu marszem w trzy godziny, bo te dwa miejsca dzieli wysoka góra. Ktoś musiał go przywieźć.

– Dave – odgadła Sara.

– Czternaście lat temu Dave pomógł Cecilowi zatuszować morderstwo Gabbie – powiedziała Faith. – A wczorajszej nocy pomógł mu zabić Mercy, by raz jeszcze wybawić go z opresji.

Sara poczuła się przekonana.

– Co zamierzacie? I jaki mamy plan?

– Chciałbym, żebyś w jakiś sposób zabrała stąd Jona – poprosił Will.

– Zamierzam trochę potrząsnąć Dave'em.

– Potrząsnąć Dave'em? – Sarze nie spodobało się to określenie. – Jak konkretnie zamierzasz nim potrząsnąć?

Will zwrócił się do Faith:

– Daj nam chwilę.

Gdy Faith oddalała się w stronę szlaku, Sara czuła, jak jeżą się jej włoski na karku.

– Chcesz nastawić Dave'a przeciwko Cecilowi?

– Tak.

– Zamierzasz go sprowokować, by powiedział coś głupiego?

– Tak.

– A on przypuszczalnie będzie próbował cię skrzywdzić.

– Tak.

– I pewnie ma drugi nóż.

– Tak.

– A Kevin i Faith się na to zgodzili.

– Tak.

Sara zerknęła na jego prawą dłoń, którą wciąż trzymał na piersiach. Bandaż był postrzępiony i prawie czarny od brudu, potu i Bóg jeden wie czego jeszcze. Spojrzała w dół. Nie miał przy sobie rewolweru, który dała mu Amanda. Lewą rękę przyciskał do boku. Zawiesiła wzrok na obrączce na jego palcu.

Pierwsze oświadczyny Willa trudno było nazwać propozycją małżeństwa. Nie odpowiedziała na pytanie, bo właściwie go nie zadał. Samo to nie było szczególnie dziwne, bo sposób bycia Willa można by nazwać bardzo specyficznym. Miał skłonność do odkasływania i popadania w długie milczenie. Wolał towarzystwo psów od większości ludzi. Lubił naprawiać różne rzeczy. I nie chciał rozmawiać o tym, jak zostały zniszczone.

Ale słuchał Sary, szanował jej opinię i cenił uwagi. Sprawiał, że czuła się bezpieczna. Pod wieloma względami przypominał jej ojca, co stanowiło jeden z głównych powodów, dla których była w nim tak obłędnie i nieodwołalnie zakochana. Will zawsze zajmował stanowisko, gdy wszyscy inni woleli odwrócić wzrok.

– Zrób mu z dupy jesień średniowiecza – powiedziała.

– Załatwione.

W drodze do jadali była roztrzęsiona. Przekręciła obrączkę na palcu i pomyślała o Jonie, bo był tutaj jedyną osobą, którą chciała ochronić. Ostatnia doba stanowiła dla tego młodego człowieka pasmo potwornie traumatycznych przejść. Porządnie się spił. Pokłócił się z matką. Wymiotował na własnym podwórku w obecności nieznajomej kobiety. Kiedy się dowiedział, że jego matkę zamordowano, otoczyli go kolejni nieznajomi. Jego ojca najpierw aresztowano, a potem wypuszczono. Teraz zaś Will miał zamiar podpuścić Dave'a, by przyznał się do zamordowania jego matki.

Sara musiała wyprowadzić stamtąd Jona, zanim do tego dojdzie.

Faith wróciła na swoje stanowisko obserwacyjne na tarasie widokowym. Dołączył do niej Kevin.

– Zabrałem stąd personel kuchni – powiedział. – Są w domku numer cztery i zostaną tam, dopóki to się nie skończy. Co robimy z gośćmi?

– Będziemy improwizować – zasugerował Will. – Chcemy, żeby Dave dał popisowy występ. Możemy potrzebować publiczności.

Sara spojrzała na niego.

– A jeśli nie uda mi się nakłonić Jona do wyjścia?

– Wtedy usłyszy to, co usłyszy.

Sara wzięła głęboki wdech. Kiwnęła głową, choć trudno było się jej z tym pogodzić.

– W porządku.

– Miej oko na Bitty – ostrzegła Faith. – Mówiłam, że zachowuje się jak stuknięta była Dave'a, pamiętasz? Może być nieprzewidywalna.

Akurat na to Sara czuła się przygotowana. W tym miejscu już chyba niewiele mogło ją zaskoczyć.

– Miejmy to za sobą.

Kevin otworzył drzwi.

Sara weszła do jadalni pierwsza. Wnętrze wyglądało znajomo: dwa stoły, z czego tylko jeden nakryty. Było już po kolacji. Talerzyki deserowe wyskrobano do czysta. Kieliszki do wina były w połowie puste. Zamiast tworzyć grupę, poszczególne pary się rozproszyły, jakby w poszukiwaniu różnych sprzymierzeńców. Frank i Monica usiedli z Drew i Keishą, Gordon i Paul zajęli miejsca obok Delilah, a Cecil siedział na wózku u szczytu stołu. Po lewej stronie miał Bitty, a obok niej Dave'a. Jon zajmował krzesło po prawej stronie Cecila, na wprost swojej babki.

Siadając obok Jona, Sara czuła na sobie spojrzenia wszystkich. Bliskość ojca pozbawiła nastolatka odwagi. Splótł dłonie na kolanach. Jego koszula nosiła ślady potu, miał spuszczoną głowę, ale Sara i tak wyczuwała nienawiść, jaką żywił do Dave'a.

– Jon. – Dotknęła jego ramienia. – Moglibyśmy porozmawiać na zewnątrz?

– Do diabła, nie! – zawołał Dave. – Odebraliście mi już dość czasu z synem.

– Taka jest prawda – poparła go Bitty. – Gdy tylko otworzą drogę, wszyscy macie się stąd wynosić.

– Cicho! – zarządził Cecil. W prawej dłoni trzymał widelec, którym dźgnął kawałek ciasta i zaczął głośno przeżuwać w zapadłej nagle ciszy.

Jon nie unosił głowy. Jego strach był równie namacalny, jak gniew. Sara chciała go objąć i wyprowadzić, ale nie mogła ingerować w tok śledztwa. Will i Faith zajęli już pozycje, a Kevin zagrodził wejście. Faith ustawiła się po przeciwnej stronie stołu. Will podszedł do Dave'a, co dało mu też łatwy dostęp do drzwi prowadzących do kuchni. Utworzyli idealny trójkąt.

– Tak? – warknął Cecil. – O co wam chodzi?

– Gdzie jest mój syn? – zapytała Bitty.

– Christopher został aresztowany za produkcję, dystrybucję i sprzedaż nielegalnego alkoholu – oznajmiła Faith.

Nastąpiła chwila milczenia, które przerwał śmiech Dave'a.

– Cholera! – krzyknął. – Aleś popłynął, Fishtopher.

– Dobrze powiedziane. – Paul podniósł szklankę. – Za Fishtophera!

Monica chciała dołączyć do toastu, ale Frank przytrzymał jej rękę. Sara spojrzała na Bitty, ta jednak nie odrywała wzroku od Dave'a.

Jego zachowanie się zmieniło. Zdał sobie sprawę z tego, że to nie będzie przyjacielska pogawędka. Postukał palcami o blat stołu i przeniósł wzrok z Kevina na Faith, by w końcu spojrzeć na Willa.

– Cześć, Śmieciuchu. Jak tam ręka?

– Lepiej niż twoje jaja – odparował Will.

Jon parsknął śmiechem.

– Jon. – Sara zniżyła głos. – Może jednak wyjdziemy?

– Ani mi się waż ruszać z tego krzesła, chłopcze – zabronił mu Dave.

Jon zamarł, słysząc ten ostry rozkaz. Bitty cmoknęła z dezaprobatą, a Sara przyjrzała się sztućcom. Dwa rodzaje widelców, nóż, łyżka. Każdy z nich mógł posłużyć jako broń. Wiedziała, że myśli Willa podążają tym samym torem. Nie patrzył na twarz Dave'a, lecz na jego ręce. Sara z kolei spojrzała na dłonie Bitty. Trzymała je złożone na stole.

– Dawaj, co tam ukrywasz, Śmieciuchu – zachęcił Willa Dave.

– Dzwoniła koronerka – oświadczyła Faith. – Powiedziała, że sekcja zwłok Mercy ujawniła kilka dowodów.

– Czy to odpowiedni czas i miejsce do omawiania takich kwestii? – prychnęła Bitty.

– Moim zdaniem to doskonała okazja, abyśmy wszyscy poznali prawdę – wtrącił Paul.

Faith uciszyła go spojrzeniem, co nie uszło uwagi Sary.

– Albo i nie. – Paul odstawił szklankę na stół.

– Dysponujemy materiałem pobranym spod paznokci Mercy – ciągnęła Faith. – Koronerka znalazła kawałki skóry, co oznacza, że Mercy podrapała swojego napastnika. Potrzebujemy próbek DNA wszystkich zgromadzonych tutaj osób.

Dave się roześmiał.

– Powokurwadzenia, szanowna pani. Do tego potrzebny jest nakaz.

– Sędzia Framingham właśnie go podpisuje. – Faith powiedziała to z takim przekonaniem, że Sara prawie jej uwierzyła. – Znasz go, prawda, Dave? Orzekał w sprawie twojej jazdy po pijaku. I odebrał ci prawko.

Dave przeciągnął palcem po leżącym obok talerza widelcu.

– Zamierzacie pobrać próbki DNA od nas wszystkich?

– Nie inaczej – potwierdziła Faith. – Od każdej osoby.

– Nie możecie tego zrobić – zaprotestował Drew. – Nie ma powodu podejrzewać...

– Nie potrzebujecie mojego jebanego DNA – warknął Cecil. – Jestem jej ojcem.

Sara wzdrygnęła się, słysząc ten wybuch wściekłości. Jej myśli pobiegły najpierw do Gabbie, a potem do Mercy.

– Panie McAlpine... – Faith starała się zachować stoicki spokój. – Jest coś, co nazywamy dotykowym DNA. Każdy, kto miał fizyczny kontakt z Mercy, czy była to Bitty, Delilah, pan, Jon, czy nawet któryś z gości, pozostawił na jej ciele swój materiał genetyczny. Musimy ustalić profile genetyczne wszystkich osób, aby znaleźć zabójcę. Pracownicy kuchni i Penny już pozwolili nam pobrać próbki. To naprawdę nic wielkiego.

– Jasne. – Delilah zaskoczyła zebranych, odzywając się jako pierwsza.

– Trzymałam Mercy za rękę. To było przed obiadem, ale tak czy owak, poddam się badaniu. Na czym to polega? Trzeba gdzieś napluć? Pobieracie wymaz?

– Pierdolę, mam dość! – Keisha uderzyła dłonią w stół. – Nie zamierzam trzymać tego dłużej w tajemnicy. To jakaś bzdura.

– O jakiej tajemnicy mówisz? – zainteresowała się Delilah.

– Mercy była w dwunastym tygodniu ciąży – odparła Faith.

Bitty jęknęła i spojrzała prosto na Dave'a.

Sara także skupiła na nim uwagę. Wiadomość wyraźnie go poruszyła.

– Wiemy też, że Mercy uprawiała seks z niektórymi gośćmi – mówiła dalej Faith.

Na końcu stołu doszło do gorączkowej wymiany zdań, a Sara obserwowała, jak Bitty uspokajającym gestem kładzie dłoń na ramieniu Dave'a. Wyglądał, jakby zgrzytał zębami. Jego dłoń na przemian to zaciskała się w pięść, to znów rozluźniała.

– Co przed chwilą powiedziałaś o mojej żonie? – zapytał.

Will postanowił wkroczyć do akcji:

– Mercy już nie była twoją żoną.

Tym razem pięść Dave'a zacisnęła się na dobre. Zignorował Willa i skierował całą swą wściekłość na Faith.

– To są jakieś pieprzone bzdury!

– Nie chodziło tylko o gości – dodał Will. – Mercy regularnie pieprzyła się też z Alejandrem.

Dave zerwał się tak szybko, że przewrócił krzesło, i patrząc na Willa, rzucił wściekle:

– Stul tę zasraną gębę!

Sara spięła się, podobnie jak wszyscy inni przy stole. Mężczyźni stali naprzeciw siebie, gotowi do zajadłej walki.

– Dave. – Bitty pociągnęła go za tył koszuli. – Usiądź, kochanie. Gdyby mieli nakaz, toby go pokazali.

Usta Dave'a wykrzywiły się w prostackim uśmiechu.

– Racja. Pokaż mi kwity, Śmieciuchu.

– Myślisz, że powstrzymasz mnie przed pobraniem od ciebie próbki? – zapytał Will. – Wystarczy, że wyrzucisz peta czy butelkę po coli albo posadzisz swój brudny tyłek na kiblu, a ja zrobię, co trzeba. Jesteś, jaki jesteś. Zostawiasz swój smród na wszystkim, czego się tkniesz.

– Ja akurat nie palę – odezwał się Frank, jak zwykle próbując rozładować atmosferę. – Ale nie zamierzam się wymigiwać. Mogę napluć czy tam dać sobie zrobić wymaz.

– Pewnie, czemu nie – zgodził się Gordon. – Ja też nie mam nic przeciwko temu.

– Możemy wybrać rodzaj próbki do badań? – chciał wiedzieć Paul.

Jon ukrył twarz w dłoniach, a potem krzyknął, gwałtownie zerwał się ze swojego miejsca przy stole i wybiegł z sali, nieomal wpadając na Kevina. Zatrzasnął za sobą drzwi. Dźwięk odbił się echem w ciszy. Sara nie wiedziała, co robić – biec za nim czy zostać.

– Mój kochany chłopczyk – szepnęła Bitty.

Dave spojrzał na matkę. Bitty sięgnęła przez stół w stronę pustego już krzesła Jona i na moment zastygła w tej pozycji. Powoli wycofała się na swoje miejsce i splotła dłonie. Dave przeniósł wzrok na drzwi, przez które przed chwilą wybiegł Jon. Jego twarz dała wyraz niekontrolowanym emocjom, dolna warga zaczęła drżeć. Łzy napłynęły do oczu.

A potem wszystko to zniknęło równie nagle, jak się pojawiło.

Postawa Dave'a zmieniła się tak szybko, że zdało się to Sarze magiczną sztuczką. Kilka sekund temu wyglądał na zdruzgotanego, a teraz był wściekły.

Tak mocno kopnął przewrócone krzesło, że drewniana rama roztrzaskała się o ścianę.

– Chcesz mojego DNA, Śmieciuchu?! – wrzasnął.

– Owszem – potwierdził spokojnie Will.

– To sobie je weź od drugiego dziecka, które zrobiłem Mercy. Nikt inny nigdy jej nie tknął. Ten pieprzony dzieciak jest mój.

– Patrzcie państwo – rzekł Will. – Ojciec roku.

– Żebyś wiedział.

– Bredzisz jak potłuczony. Mercy była jedynym prawdziwym rodzicem, jakiego miał Jon. Chroniła go. Opiekowała się nim. Dzięki niej miał dach nad głową, jedzenie na talerzu i miłość w sercu, a ty mu to odebrałeś.

– Dawaliśmy to Jonowi *razem*! – krzyknął Dave. – Ja i Mercy. Zawsze robiliśmy wszystko razem.

– Odkąd skończyłeś jedenaście lat, co?

– Pierdol się. – Zrobił agresywny krok w stronę Willa. – Nie masz pojęcia, co przeżyliśmy. Mercy kochała mnie od dziecka.

– Jak dobra młodsza siostrzyczka?

– Ty skurwysynu – szepnął Dave. – Doskonale wiesz, co było między nami. To mnie kochała. To na mnie jej zależało. Byłem jedynym facetem, któremu dawała się dymać.

– Jasne, dymałeś ją na wszystkich frontach.

– Powiedz to jeszcze raz – wydyszał Dave. – Powiedz mi to jeszcze raz prosto w oczy, szmaciarzu. Chcesz, żebym ci to zapisał? A może lepiej przeliterował, żebyś mógł zrozumieć? Mercy mnie kochała. Byłem *jedyną* osobą, na której jej zależało.

– To dlaczego nie zająknęła się o tobie ani słowem? – zapytał Will. – Mercy wciąż żyła, gdy ją znalazłem, Dave. Rozmawiała ze mną. Twoje imię nie padło z jej ust.

– Bzdura.

– Prosiłem, by wyznała, kto ją zabił. Błagałem. Wiesz, co powiedziała?

– Nie powiedziała, że to ja.

– Nie, tego rzeczywiście nie powiedziała – przyznał Will. – Wiedziała, że umiera i jedyną osobą, o której wtedy myślała, był jej Jon.

– *Nasz* Jon. – Uderzył się pięścią w klatkę piersiową. – *Nasz* syn. *Nasz* chłopiec.

– Chciała, żeby zabrać od ciebie Jona – ciągnął Will. – To było pierwsze, co powiedziała. „Jon nie może zostać. Zabierzcie go". Od *ciebie*, Dave.

– Nieprawda!

– Pokłócili się przy kolacji. Jon był na nią zły za blokowanie sprzedaży. Chciał zamieszkać w nowym domu ze swoją babcią i z tobą. Kto mu to wbił do głowy, Dave? Ten sam dupek, który kazał mu nazwać mnie Śmieciuchem?

Dave zaczął kręcić głową.

– Stek bzdur.

– Mercy prosiła, bym przekazał Jonowi, że mu wybacza – mówił dalej Will. – Nie chciała, żeby dźwigał poczucie winy z powodu tamtej kłótni. To były dosłownie ostatnie słowa, jakie wyszły z jej ust. Nie dotyczyły ciebie, Dave. Nigdy nie chodziło jej o ciebie. Mercy ledwo mogła mówić, wykrwawiała się, nóż wciąż tkwił w jej piersi. Słyszałem jej oddech świszczący przez dziury w płucach. Resztką sił, wydając dosłownie ostatnie tchnienie, spojrzała mi prosto w oczy i powtórzyła to trzy razy z rzędu. *Trzy razy*. Wybacz mu. Wybacz mu. Wybacz...

Willowi nagle załamał się głos. Patrzył na Dave'a jak na potwora.

– Co?! – zapytał Dave. – Co powiedziała?

Sara nie rozumiała, co się dzieje. Patrzyła, jak klatka piersiowa Willa unosi się z głębokim wdechem i opada przy powolnym wydechu. Nie spuszczał z Dave'a wzroku. Coś między nimi zaiskrzyło. Może była to kwestia wspólnej przeszłości. Obaj wychowali się bez ojców, Jon na dobrą sprawę także. A teraz nie miał także matki. Obaj wiedzieli lepiej niż większość ludzi, co oznacza prawdziwa samotność.

– W ostatnich słowach Mercy przekazała mi, że wybacza Jonowi – dokończył Will.

Dave nie skomentował tego. Przyglądał się Willowi z odchyloną głową i zamkniętymi ustami. Skinął lekko; jego podbródek ledwie zauważalnie drgnął. A potem magiczna sztuczka powtórzyła się, tylko w odwrotnej kolejności. Dave oklapł jak przekłuty balon. Zwiesił ramiona. Rozluźnił pięści. Ręce swobodnie opadły wzdłuż ciała. Nie zmienił się jedynie smutek wypisany na jego twarzy.

– Mercy tak powiedziała? – zapytał.

– Tak.

– Dokładnie takie były jej słowa?

– Dokładnie takie.

– Rozumiem. – Kiwnął głową raz jeszcze, jakby podjął jakąś decyzję.

– Dobrze, to byłem ja. To ja ją zabiłem.

Bitty krzyknęła cicho.

– Davey, nie!

Dave wziął ze stołu papierową serwetkę i otarł oczy.

– To byłem ja.

– Davey – powtórzyła Bitty. – Nie mów nic więcej. Znajdziemy prawnika.

– Jakoś to będzie, mamo. Zadźgałem Mercy. To ja ją zabiłem. – Machnął ręką w stronę drzwi. – Idźcie sobie. Nie musicie tego słuchać.

Sara nie mogła oderwać wzroku od Willa. Dobijało ją cierpienie wyzierające z jego oczu. Widziała go nad jeziorem z Mercy. Zdawała sobie sprawę, ile kosztowało go asystowanie przy jej śmierci. Spojrzała na jego zranioną dłoń, którą z powrotem położył na piersiach. Bardzo chciała do niego podejść, lecz wiedziała, że nie powinna tego robić. Mogła jedynie bezradnie siedzieć, gdy pomieszczenie pustoszało. Najpierw wyszli goście, a potem wstała Bitty i odsunęła wózek z Cecilem. Aż wreszcie i oni opuścili salę.

Will spojrzał w końcu na Sarę i pokręcił głową.

– Przejmij sprawę – poprosił Faith.

Sara poczuła dotyk jego dłoni na ramieniu, gdy ją mijał. Nacisnął delikatnie, dając jej do zrozumienia, by została. Najwyraźniej potrzebował spędzić trochę czasu sam ze sobą. Nie mogła mu tego odmówić.

Faith zadziałała szybko. Już miała w ręce glocka. Kevin podszedł bliżej.

– Wyjmij nóż – poleciła Dave'owi. – Powoli.

Zaczął od noża motylkowego w bucie. Położył go na stole.

– Wiedziałem, że Mercy się puszcza – oznajmił. – Wiedziałem, że jest w ciąży. Nie miałem pojęcia o machlojkach z alkoholem, ale domyślałem się, że zarabia na boku jakieś pieniądze, których mi nie daje. Pokłóciliśmy się.

– Gdzie do tego doszło?

– W kuchni. – Wyjął portfel i telefon. – Wyczyściłem sejf. Dlatego niczego nie znaleźliście.

– Co w nim było? – zapytała Faith.

– Pieniądze i dokumenty księgowe, którymi manipulowała, żeby każdy mógł dostać swoją działkę.

– Co powiesz o nożu?

– A co mam powiedzieć? – Dave przesadnie mocno wzruszył ramionami. – Czerwona rączka. Z odłamanej części wystaje kawałek metalu.

– Skąd go wziąłeś?

– Mercy trzymała go w szufladzie biurka. Służył jej do otwierania kopert.

– Jak znalazła się przy chatkach kawalerskich?

– Ścigałem ją Szlakiem Linowym. Zadźgałem ją i zostawiłem, a potem wznieciłem pożar, żeby zatrzeć ślady.

– Nie znaleziono jej w domku.

– Bo zmieniłem zdanie. Chciałem, żeby Jon miał ciało, które można będzie pogrzebać, i zaciągnąłem ją do jeziora. Pomyślałem, że woda zmyje ślady. Nie byłem pewien, czy już nie żyje, czy dopiero się utopi. – Westchnął. – Potem ukryłem się w starym obozowisku. Złowiłem trochę ryb, zrobiłem sobie coś do żarcia.

– Zgwałciłeś ją?

Dave zawahał się, ale tylko na moment.

– Tak.

– Co zrobiłeś z rękojeścią noża?

– Zakradłem się do domku numer trzy po tym, jak Śmieciuch zrobił raban dzwonem, i wrzuciłem ją do tej samej toalety, którą naprawiłem przed przyjazdem gości. – Wzruszył ramionami. – Pomyślałem, że może uda mi się w ten sposób wrobić Drew. Ale jakoś mnie przejrzeliście. – Dave uniósł ręce, podając Faith nadgarstki, by mogła go zakuć.

– Chwileczkę – powiedziała Faith. – Opowiedz mi o Cecilu.

Wzruszył ramionami po raz kolejny.

– Co chcesz wiedzieć?

ROZDZIAŁ DWUDZIESTY PIERWSZY

Will biegł przez las. Tak samo jak poprzednio zboczył ze szlaku, skracając sobie drogę przez Pętlę. Nisko wiszące gałęzie smagały go po twarzy, więc uniósł rękę, żeby osłonić oczy. Przypomniał sobie wczorajszą noc i rozpaczliwe próby namierzenia źródła krzyków. Wtedy jeszcze nie znał topografii terenu; kluczył, szukał w dwóch różnych kierunkach. Poczuł dym z płonącej chatki. Wpadł do środka, chcąc odnaleźć Mercy. Potem pobiegł na brzeg jeziora, żeby ją ratować. Próbując tego dokonać, przebił sobie dłoń. Później zaś usłyszał dokładnie to, co chciał usłyszeć.

Wybacz mu... wybacz mu...

Wchodząc po schodach na ganek, starał się jak najciszej stawiać kroki i wślizgnął się do wnętrza chatki przez uchylone drzwi. Zapadł zmrok, a księżyc przesłoniły chmury niosące zapowiedź kolejnej burzy. Will dostrzegł postać w sypialni. Ktoś przetrząsnął szuflady. Na podłodze leżały otwarte walizki.

Dave domyślił się prawdy na kilka sekund przed Willem. Przebłysk świadomości wybił Szakala z rytmu. Znał Mercy od dziecka. Był jej bratem. Jej mężem. Jej oprawcą.

Był też przebiegły, sprytny i potrafił manipulować ludźmi.

Złoży Faith nieskazitelne zeznania. Ale będą one całkowicie wyssane z palca. W ciągu ostatnich dwunastu godzin Dave prawdopodobnie zgromadził wystarczająco dużo informacji, by odpowiedzieć na każde pytanie Faith. Bijąc w dzwon, Will obudził cały pensjonat. Biszkopt wiedział, że Mercy została znaleziona nad jeziorem. Delilah czuwała nad jej ciałem obok spalonej chatki. Keisha widziała ułamaną rękojeść. Dave zapewne wiedział, gdzie znajdował się nóż, zanim został użyty w charakterze broni. Personel kuchni widział, jak Kevin otwiera pusty sejf, a nietrudno było się domyślić, co Mercy w nim trzymała. Dave świetnie się orientował, gdzie kończy się zasięg wi-fi i skąd wciąż można wykonać połączenie.

Wybacz mu. Wybacz mu.

Nad jeziorem Will na klęczkach błagał Mercy, by się nie poddawała, by walczyła dla Jona. Zakasłała mu krwią w twarz. Złapała go za koszulę, przyciągnęła do siebie, spojrzała mu w oczy i wypowiedziała ostatnie słowa. Ale zawarte w nich życzenie nie było skierowane do Jona, tylko do Willa.

Wybacz mu.

Wybacz mojemu synowi...

...że mnie zabił.

Will usłyszał dźwięk rozpinanego zamka błyskawicznego, a wkrótce po nim kolejny. Jon gorączkowo przetrząsał plecak Sary. Szukał e-papierosa, którego jej odsprzedał. Słuchając Willa w jadalni, na dobrą sprawę dowiedział się, że z dowolnego przedmiotu można pobrać próbkę i zbadać ją pod kątem DNA, aby uzyskać odpowiedź na pytanie, kto zabił Mercy.

Poczekał, aż Jon znajdzie strunówkę schowaną w przedniej kieszeni. Dopiero wtedy zapalił światło.

Jon otworzył usta ze zdumienia.

– Jaa... ja... – Chłopak zaczął się jąkać. – Po... potrzebowałem... chciałem jakoś uspokoić nerwy.

– A drugi e-papieros? – zapytał Will. – Ten, który masz w tylnej kieszeni?

Jon sięgnął po urządzenie i zatrzymał się w pół gestu.

– Zepsuł się.

– Pokaż. Może uda mi się go naprawić.

Jon rozpaczliwie rozglądał się po pomieszczeniu, zerkał na okna i drzwi. W końcu puścił się biegiem do łazienki, bo choć miał szesnaście lat, wciąż jeszcze myślał jak dziecko.

– Stój – powstrzymał go Will. – Usiądź na łóżku.

Jon usiadł na skraju materaca, a stopy postawił płasko na dywanie, w razie gdyby nadarzyła się sposobność ucieczki. Ściskał w dłoni foliowy woreczek, jakby od niego zależało jego życie, co w pewnym sensie było prawdą.

Tym razem to nie Dave był wspólnikiem Cecila.

Był nim Jon.

Sara natknęła się na niego zaraz po zabójstwie. Miał ze sobą plecak i był gotowy do zejścia z góry. Był też ledwie widoczny w ciemności. Wołając go po imieniu, jedynie domyślała się, że to on. Sądziła, że wymiotuje po nadużyciu alkoholu. Nie miała pojęcia, że przed chwilą zamordował własną matkę.

Fakt, że Szakal uświadomił to sobie przed Willem, nie stanowił wielkiego zaskoczenia. Zaś to, że próbował poświęcić własne życie, by ratować syna, było jedyną dobrą rzeczą, jaką kiedykolwiek zrobił.

Will wyrwał torebkę z palców Jona, odłożył ją na stół i usiadł w fotelu.

– Powiedz mi, co się stało. – Grdyka Jona podskoczyła nerwowo, ale nie odparł ani słowa. – Sara powiedziała, że miała cię przed oczami, gdy twoja matka wołała o pomoc. Mercy nie umarła od razu. Zemdlała, a potem odzyskała przytomność. Musiała potwornie cierpieć. Była oszołomiona i przerażona. Dlatego błagała o pomoc. Dlatego krzyczała „proszę!".

Jon w milczeniu zaczął skubać skórkę przy paznokciu kciuka. Will patrzył, jak oczy chłopaka błądzą tam i z powrotem, gdy desperacko próbował znaleźć wyjście z sytuacji.

– Co zrobiłeś swojej matce?

Wokół paznokcia Jona zebrała się krew.

– Sara wspomniała, że miałeś ze sobą ciemny plecak – ciągnął Will. – Co było w środku? Zakrwawione ubrania? Rękojeść noża? Pieniądze z sejfu?

Jon docisnął paznokieć, upuszczając więcej krwi.

– Po tym, jak usłyszałeś krzyk Mercy, pobiegłeś do domu – powiedział Will i na chwilę umilkł. – Co cię skłoniło do wejścia do środka? Ktoś na ciebie czekał?

Jon pokręcił głową. Will wiedział, że sypialnia Cecila znajduje się na parterze.

– Kiedy cię zobaczyłem, miałeś mokre włosy. Kto ci poradził, żebyś wziął prysznic? Kto kazał ci się przebrać?

Jon rozsmarował krew po kciuku i grzbiecie dłoni. W końcu przerwał milczenie:

– Ciągle do niego wracała. – Will milczał, pozwalając mu mówić dalej. – Zależało jej tylko na Davie. Błagałem ją, żeby go zostawiła, żebyśmy byli tylko we dwoje. Ale ona w kółko do niego wracała. A ja... ja nie miałem nikogo.

Will wsłuchiwał się nie tylko w słowa, ale i w ton głosu, który zdradzał bezsilność. Dobrze znał udrękę dziecka zdanego na łaskę kaprysów nieprzewidywalnego dorosłego.

– Dave mógł z nią robić, co chciał – ciągnął Jon. – Bić ją, dusić, kopać, a ona i tak zawsze przyjmowała go z powrotem. Za każdym razem wybierała jego zamiast mnie.

Will odchylił się na oparcie krzesła.

– Wiem, że teraz trudno ci będzie to zrozumieć, ale rodzaj relacji między Mercy a Dave'em nie miał z tobą nic wspólnego. Przemoc domowa to skomplikowana sprawa. Bez względu na to, co się działo, matka kochała cię całym sercem.

Jon pokręcił głową.

– Byłem dla niej kulą u nogi – skontrował.

Will był przekonany, że Jon nie wpadłby sam na takie określenie.

– Kto ci to powiedział?

– Wszyscy tak mówili, odkąd pamiętam. – Jon spojrzał na niego wyzywająco. – Sami też to powiedzieliście. Mama pieprzyła się z gośćmi, pieprzyła się z Alejandrem... i znowu zaszła w ciążę. Idź pogadać z ludźmi w mieście, wszyscy powiedzą to samo. Nazwą ją złym człowiekiem. Zabiła dziewczynę, była prostytutką, chlała i ćpała. Pozwoliła, by ktoś inny wychowywał jej dziecko. Pozwalała się tłuc i kopać byłemu mężowi. Głupia dziwka i tyle.

– Łatwiej ci, gdy określasz ją takimi słowami?

– Z czym ma mi być łatwiej?

– Z tym, że dźgnąłeś ją tyle razy.

Jon nie zaprzeczył, ale i nie odwrócił wzroku.

– Twoja matka cię kochała – mówił dalej Will. – Patrzyłem na was, kiedy się tutaj meldowaliśmy. Dosłownie promieniała, gdy byłeś w pobliżu. Walczyła z twoją ciotką Delilah o opiekę nad tobą, przestała pić, odmieniła swoje życie. Zrobiła to wszystko dla ciebie.

– Chciała wygrać – stwierdził Jon. – Tylko na tym jej zależało. Chciała pokonać Delilah, a ja byłem jej zdobyczą. Gdy już mnie wywalczyła, rzuciła mnie w kąt i przestała się mną interesować.

– To nieprawda.

– Właśnie że tak! – upierał się. – Dave kiedyś złamał mi rękę. Trafiłem do szpitala. Wiedziałeś o tym?

Will wręcz żałował, że nie czuje się zaskoczony.

– Co się stało?

– Mama mi kazała mu wybaczyć. Tłumaczyła, że wie, że źle zrobił, i że obiecał więcej mnie nie tknąć, ale tak naprawdę chroniła mnie tylko Bitty – wyjaśnił Jon. – Zagroziła Dave'owi, że jeśli jeszcze raz mnie skrzywdzi, nie będzie dla niego powrotu, i nie żartowała. Dlatego zostawił mnie w spokoju. Zawdzięczam to Bitty. Chroniła mnie i nadal to robi.

Will nie zapytał, dlaczego jego babka nigdy nie posłużyła się tą samą metodą, by ochronić własną córkę.

– Uratowała mnie – mówił dalej Jon. – Gdyby nie Bitty, nie wiem, co by się ze mną stało. Dave pewnie by mnie już zabił.

– Jon...

– Nie widzisz, do czego doprowadziła mnie mama?! – Uniósł głos przy ostatnich słowach. – Po prostu bym tutaj zniknął. Byłbym niczym. Bitty to jedyna kobieta, która mnie kochała. Mama miała mnie gdzieś, dopóki nie zobaczyła, że mnie traci.

Will musiał rozważyć w duchu, czy wyznanie, które ma na końcu języka, nie zniszczy zdrowia psychicznego Jona. Nie chciał go całkowicie pogrążyć. Przypuszczał, że Jon spędzi resztę życia w więzieniu, lecz kiedyś będzie musiał spojrzeć wstecz na to, co zrobił. Powinien znać ostatnie słowa swojej matki.

– Posłuchaj – zwrócił się do niego. – Kiedy znalazłem Mercy, wciąż żyła i była w stanie zamienić ze mną kilka zdań.

Zupełnie nie spodziewał się takiej reakcji. Jon otworzył usta. Jego twarz poszarzała jak kamień, zesztywniał. Na moment przestał nawet oddychać.

Zdjął go blady strach.

– Co ona... – Panika odebrała Jonowi mowę. – Co... co ona...

Will w milczeniu wspomniał kilka ostatnich chwil rozmowy. Jon wykazał się zdumiewającym spokojem, gdy oskarżył go o morderstwo. Co mogło teraz do tego stopnia go poruszyć? Czego tak bardzo się bał?

– Co widziała...? – Jon dyszał ciężko na granicy hiperwentylacji. – To nie było tak... my nic nie...

Will poprawił się na fotelu.

Nie widzisz, do czego doprowadziła mnie mama?

– Nie chciałem... – Jon nerwowo przełknął ślinę. – Musiała odejść, rozumiesz? Och, gdyby tylko zostawiła nas samych, żebyśmy mogli...

Mama miała mnie gdzieś, dopóki nie zobaczyła, że mnie traci.

– Proszę, ja nie... proszę...

Ciało Willa zaczęło uzmysławiać sobie prawdę, zanim uczynił to jego mózg. Zrobiło mu się gorąco, a w uszach słyszał głośne, przeszywające dzwonienie. Jego myśli wirowały wokół konfrontacji z jadalni niczym w karuzeli koszmarów. Widział poruszenie na twarzy Dave'a, gdy Jon wybiegł za drzwi. Stopniową zmianę w jego zachowaniu. Kiwnięcie głową, gdy zrozumiał. Nagłą kapitulację. To nie ucieczka Jona skłoniła go do nieoczekiwanych wyznań, tylko cichy szept Bitty.

Mój kochany chłopczyk.

Żartując, że Bitty zachowuje się jak psychopatyczna eks Dave'a, Faith trafiła w sedno. Kiedy Dave uciekł z domu dziecka, miał trzynaście lat, ale Bitty formalnie odmłodziła go do jedenastu, zinfantylizowała. Wzbudziła w nim frustrację i gniew, odarła go z męskości i ogłupiła. Nie wszystkie wykorzystywane seksualnie dzieci wyrastają na krzywdzicieli, ale każdy seksualny drapieżca nieustannie poluje na nowe ofiary.

– Jon. – Will ledwie zdołał wykrztusić jego imię. – Mercy dzwoniła do Dave'a, bo coś zobaczyła, prawda?

Jon ukrył twarz w dłoniach. Nie płakał. Próbował się schować. Wstyd przeżerał jego duszę na wylot.

– Jon – powtórzył Will. – Co widziała twoja matka?

Jon nie odpowiedział.

– Powiedz mi.

Chłopak zaczął kręcić głową.

– Co zobaczyła Mercy?

– Wiesz, co zobaczyła! – krzyknął Jon. – Nie każ mi tego mówić!

Will poczuł tysiące żyletek kaleczących jego klatkę piersiową. Był tak cholernie głupi, wciąż słysząc tylko to, co chciał usłyszeć.

Mercy nie próbowała mu powiedzieć, żeby zabrał Jona *stąd*.

Chciała powiedzieć, by zabrał go *od niej*.

TRZYDZIEŚCI SIEDEM MINUT PRZED MORDERSTWEM

Mercy wyglądała przez okno w przedpokoju. Jasny blask księżyca był niczym reflektor oświetlający cały kompleks. Paul Ponticello pewnie wypłakiwał się w ramię swojemu facetowi w domku numer pięć i właściwie miał do tego pełne prawo. Niesławny charakterek Mercy dotkliwie go pokąsał, a ona teraz żałowała swojego zachowania. Prawdę mówiąc, przebaczenie Paula bezbrzeżnie ją zdumiało.

Zasługiwała na różne rzeczy za zabicie Gabbie, ale z pewnością nie na przebaczenie.

Przycisnęła palce do oczu. Potwornie bolała ją głowa. Nawet się cieszyła, że Dave nie odebrał telefonu, kiedy do niego zadzwoniła, chcąc opowiedzieć, co się stało. Uwielbiał relacje ze scenek rodzajowych, gdy ktoś każe się komuś odpieprzyć, lecz rozmowa z nim rozzłościłaby ją jeszcze bardziej.

Całe ciało dawało jej popalić. Czuła się wzdęta i brudna, przypuszczała, że zbliża się miesiączka. Przestała monitorować swój okres przy użyciu aplikacji na telefon, bo naczytała się w internecie podnoszących włos na głowie historii o gliniarzach, którzy zbierali takie dane i zestawiali je z wyciągami z kart kredytowych, aby sprawdzić, kiedy kupowałaś tampony. Ostatnim, czego potrzebowała, było jakieś węszenie w rodzinno-biznesowych rozliczeniach. Musiała też porozmawiać z Dave'em o stosowaniu prezerwatyw. Tym razem poważnie. Żadne jego dąsy nie były warte ryzyka, na jakie narażałaby jej brata ewentualna kontrola.

Brata, który był także bratem Dave'a, jeśli już mowa o szczegółach.

Ponownie zamknęła oczy. Nagle osaczyły ją wszystkie złe chwile z całego dnia, do tego kciuk bolał ją jak diabli. Upuszczenie szklanki, gdy Jon zaczął krzyczeć, było kolejnym głupim potknięciem z jej strony. Szwy przemokły, kiedy sprzątała kuchnię. Po tym, jak Dave ją poddusił, gardło miała opuchnięte i obolałe, a nie mogła sobie pozwolić na wzięcie niczego silniejszego od paracetamolu. I co ją, kurwa, napadło, by rozmawiać z tą lekarką? Straciła czujność, bo Sara była taka miła, ale przecież jej mąż był gliniarzem. Mercy widziała, że Will Trent zagiął parol na Dave'a, a nie życzyła sobie agentów GBI węszących po ośrodku. Dzięki Bogu nad granią formowały się burzowe chmury. Wątpiła, by nowożeńcy potrzebowali lepszego pretekstu, by zamknąć się w swoim domku na resztę tygodnia.

Pomyślała o Chucku, który dziś rano jak ostatni idiota machał dymiącą folią przed szopą ze sprzętem. Zaczął zawalać robotę. Destylował za dużo bimbru i robił to za szybko, by odpowiednio kontrolować jego jakość. Najwyższy czas położyć krzyżyk na tym interesie. Zresztą Fish od miesięcy przebąkiwał, że chce sobie odpuścić, ale nie chodziło mu tylko o pędzenie. Chciał wyrwać się z klaustrofobicznego więzienia, które całe pokolenia McAlpine'ów budowały nie na poczuciu dumy, ale na gruncie wzajemnych animozji i złości.

Szokująca prawda była taka, że Mercy też chciała stąd uciec.

Groźby, jakie rzucała na rodzinnym spotkaniu, nie miały pokrycia. Nie zamierzała nikomu pokazywać swoich pamiętników z dzieciństwa, w których szczegółowo opisywała okrucieństwa Papy. Nikt się nie dowie, że Papa przejął kontrolę nad pensjonatem, rzucając się z siekierą na własną siostrę, a występki Bitty się przedawnią. Nigdy też nie ujrzą światła dziennego listy Mercy do Jona, w których relacjonowała krzywdy doznane z ręki Dave'a. Fish uwolni się od bimbrowni i będzie mógł dalej wieść swoje samotne życie na wodzie.

Mercy zamierzała przerwać ten zaklęty krąg. Jon zasługiwał na lepszą przyszłość niż uwiązanie do tej parszywej ziemi. Zamierzała zagłosować za sprzedażą. Wzięłaby dla siebie sto kawałków, a resztę wpłaciła na fundusz zabezpieczający przyszłość Jona. Delilah mogłaby zostać powierniczką. Mercy życzyła powodzenia Dave'owi w wyciśnięciu choć centa z tego kamienia. A ona sama wynajęłaby małe mieszkanie w mieście, żeby Jon mógł spokojnie ukończyć szkołę. Potem wysłałaby go na dobrą uczelnię.

Nie wiedziała, ile pieniędzy potrzebowałaby na utrzymanie, ale skoro już raz znalazła pracę, mogła zrobić to znowu. Była silna. Nie bała się harówki. Miała za sobą życiowe doświadczenie. Była pewna, że da sobie radę. A nawet gdyby jej się nie udało, zawsze mogła wrócić do Dave'a.

– Kogo niesie? – warknął Papa.

Mercy wstrzymała oddech. Kiedy kazała Paulowi się pierdolić, ojciec był na werandzie. Zapytał, o co poszło, ale nic mu nie powiedziała. Teraz słyszała, jak Papa niespokojnie wierci się w łóżku. Wkrótce pewnie wytoczy się na korytarz, powłócząc nogami niczym zjawa Jakuba Marleya. Przemknęła po schodach, by uniknąć konfrontacji.

Światła były zgaszone, lecz przez okna po obu stronach korytarza wpadał blask księżyca. Trzymała się prawej strony. Zakradała się do domu i potajemnie z niego wymykała wystarczająco często, by doskonale wiedzieć, które deski podłogowe skrzypią. Zerknęła do łazienki na końcu korytarza. Jon zostawił ręcznik na podłodze. Zza zamkniętych drzwi sypialni Fisha dobiegało chrapanie niczym odgłos pociągu towarowego. Drzwi do pokoju Bitty były uchylone, ale Mercy wolałaby zajrzeć do gniazda szerszeni.

Pokój Jona był zamknięty. Przez szparę pod drzwiami wydostawało się słabe światło.

Mercy znów ogarnął nieokreślony lęk. Na skali wszystkich kłótni, jakie stoczyła z synem, ta przy kolacji nie była może najgorsza, ale za to miała największą publiczność. Straciła rachubę, ile razy Jon krzyczał na całe gardło, że jej nienawidzi. Dojście do siebie zajmowało mu dzień, czasami dwa. W odróżnieniu od Dave'a, który potrafił zmienić się w ciągu minuty – uderzyć ją w twarz, a potem zacząć się dąsać, bo rozzłościła się na niego z tego powodu.

Mercy nie łudziła się, że jest dobrą matką. Jasne, o wiele lepszą niż Bitty, ale ta poprzeczka była zawieszona żałośnie nisko. Powiedzmy, że jako matka dawała radę. Kochała syna, oddałaby za niego życie. Ale nie liczyła na to, że otworzą się dla niej bramy niebios – nie po wszystkich krzywdach, jakie wyrządziła innym; nie po cennym życiu, które odebrała – ale żywiła nadzieję, że piękno miłości do Jona zapewni jej jakiś znośny kąt w czyśćcu.

Powinna była mu powiedzieć o planach sprzedaży. Przecież nie będzie się na nią wściekał za to, że chce mu dać dokładnie to, czego oczekuje. Może wyjadą gdzieś razem. Mogliby spędzić wakacje na Alasce, na Hawajach albo w jednym z dziesiątek miejsc, o których odwiedzeniu myślał, kiedy był małym gadułą z wielkimi marzeniami.

Pieniądze mogłyby pomóc spełnić przynajmniej niektóre z nich.

Gdy stanęła przed drzwiami do jego pokoju, usłyszała miękkie dźwięki pozytywki. Zmarszczyła brwi. Jej syn słuchał Bruno Marsa i Miley Cyrus, a nie kołysanek dla małych dzieci. Zastukała delikatnie. Bóg jej świadkiem, że nie chciała znowu przyłapać Jona z tubką balsamu do ciała. Odczekała chwilę, nasłuchując znajomego odgłosu kroków na podłodze, ale jedyne, co dotarło do jej uszu, to ciche uderzenia metalowych wypustek o kręcący się powoli wałek pozytywki.

Coś powstrzymało ją od ponownego zapukania. Przekręciła gałkę i otworzyła drzwi.

Wypadek samochodowy, w którym zginęła Gabbie, stanowił w umyśle Mercy nieprzeniknioną czarną plamę. Odpłynęła w niebyt w sypialni, a obudziła się w karetce. Niczego więcej nie pamiętała, ale czasami jej ciało zachowywało się tak, jakby miało własną pamięć. Strach rozpalający nerwy do białości i mrożący krew w żyłach. Młot kowalski rozbijający serce na kawałki.

Właśnie to poczuła, zastając własną matkę w łóżku ze swoim synem.

Scena na pierwszy rzut oka zdawała się niewinna. Oboje byli ubrani. Jon leżał w ramionach Bitty. Jej wargi przywarły do czubka jego głowy. Pozytywka wciąż grała. Ramiona chłopca były okryte dziecięcym kocykiem. Bitty przeczesywała dłonią jego włosy, jej nogi były splecione z jego nogami; głaskała go palcami po brzuchu. Wyglądałoby to może niemal normalnie, gdyby nie fakt, że Jon był prawie dorosły, a ona była jego babcią.

Mina Bitty rozwiała wszelkie wątpliwości. Malujące się na jej twarzy poczucie winy wyjawiło całą historię. Wygramoliła się z łóżka, ciasno owinęła szlafrokiem i powiedziała:

– Mercy, wszystko wyjaśnię.

Na uginających się kolanach Mercy dobrnęła do łazienki i zwymiotowała do toalety. Gdy woda i wymiociny ochlapały jej twarz, obiema rękami oparła się o muszlę i rzygnęła jeszcze raz.

– Mercy... – Bitty stała w drzwiach, przyciskając do piersi dziecięcy kocyk Jona. – Porozmawiajmy. To nie tak, jak myślisz.

Mercy nie potrzebowała tej rozmowy. Dawne myśli i wspomnienia powróciły z pełną mocą. Sposób, w jaki jej matka traktowała Jona; jak traktowała Dave'a. Przesłodzone ubranka. Ciągłe dotykanie. Hołubienie i niańczenie, któremu nie było końca.

– Mamo... – Jon stał w korytarzu. Cały dygotał. Był w piżamie, którą kazała mu zakładać Bitty, tej z postaciami z kreskówek na spodniach. – Mamo, proszę...

Mercy przełknęła niesmak w ustach.

– Pakuj się.

– Mamo, ja...

– Wracaj do siebie i się przebierz. – Odwróciła go siłą i zaprowadziła do jego pokoju. – Spakuj swoje rzeczy. Zabierz wszystko, czego potrzebujesz, bo już tu nie wrócimy.

– Mamo...

– Nie! – Wysunęła palec wskazujący w stronę jego twarzy. – Słyszysz mnie, Jonathanie?! Zbieraj swoje pieprzone manatki. Za pięć minut chcę cię widzieć w jadalni, bo inaczej obrócę ten jebany dom w kupę gówna i zgliszcza!

Pobiegła do siebie, odpięła telefon od ładowarki i zadzwoniła do Dave'a. Do tego skurwysyna. Doskonale wiedział, czego dopuszcza się Bitty.

– Mercy! – wrzasnął Cecil. – Co wy tam wyprawiacie?

Odczekała do czwartego sygnału. Przerwała połączenie, zanim włączyła się poczta głosowa, i rozejrzała się po swoim pokoju. Musiała zabrać buty turystyczne. Mieli zejść szlakiem z góry i nigdy nie wrócić do tego zapomnianego przez Boga miejsca.

– Mercy! – krzyknął Papa. – Wiem, że mnie słyszysz!

Rozpięła stojący na podłodze fioletowy plecak i zaczęła wpychać do niego ubrania. Nie zwracała większej uwagi na to, co trafia do środka; nie obchodziło jej to. Ponownie zadzwoniła do Dave'a.

– Odbierz, odbierz... – powtarzała pod nosem. Jeden sygnał, dwa, trzy... Cztery. – Kurwa!

Już miała wychodzić, gdy przypomniała sobie o notesie. Jej listy do Jona. Uklękła przy łóżku i sięgnęła pod materac. Nagle jakby zabrakło jej powietrza w płucach. Każdą cząstką swojego ciała wróciła do dzieciństwa Jona. Jej syna, delikatnego i wrażliwego młodego mężczyzny. Przycisnęła notes do serca, jakby tuliła małe dziecko. Chciała cofnąć się w czasie; chciała raz jeszcze przeczytać każde zapisane słowo, by sobie uświadomić, co ją ominęło.

Powstrzymała łzy. Dave nie był tu jedynym potworem. Przegapiła ważne sygnały. Wszystko działo się pod jej nosem, kiedy spała, w tym domu, przy tym korytarzu.

Wcisnęła notes do plecaka. Nylon był tak naciągnięty, że ledwie zdołała dopiąć zamek. Podniosła się.

Bitty stała w drzwiach.

– Mercy! – ponownie krzyknął Papa.

Złapała matkę za ramiona i mocno nią potrząsnęła.

– Ty zboczona szmato! Jeśli jeszcze raz zobaczę cię z moim synem, zajebię cię! Rozumiesz!?

Popchnęła ją tak, że Bitty uderzyła plecami o ścianę. Idąc do pokoju Jona, ponownie wybierała numer do Dave'a. Jej syn siedział na łóżku.

– Wstawaj. Ale to już! Powiedziałam, że masz się spakować. Nie żartowałam. Jestem twoją matką, a ty masz robić to, co ci, kurwa, mówię.

Kompletnie oszołomiony Jon wstał i rozejrzał się po pokoju.

Przerwała połączenie z Dave'em. Podeszła do szafy Jona i zaczęła wyrzucać z niej ubrania. Koszule. Bieliznę. Spodenki. Buty trekkingowe. Nie wyszła, dopóki Jon nie zabrał się do pakowania. Jej matka wciąż stała w korytarzu. Mercy usłyszała skrzypienie desek podłogowych. Domyśliła się, że Fish stoi po drugiej stronie zamkniętych drzwi.

– Zostań tam! – ostrzegła brata. Nie chciała, żeby to oglądał. – Wracaj do łóżka, Fish. Pogadamy rano.

Poczekała, aż spełni jej żądanie, i dopiero wtedy ruszyła w stronę tylnych schodów. Czuła spływające po twarzy łzy wymieszane ze smarkami.

Papa czekał na nią na dole. Obiema rękami trzymał się poręczy, próbując zachować równowagę.

Wytknęła palec w jego stronę.

– Mam nadzieję, że w piekle zrobią sobie z ciebie ruchadło.

– Ty mała dziwko! – Próbował schwycić ją za rękę, ale złapał tylko sznurowadła jej butów trekkingowych. Cisnęła mu je w twarz i wystrzeliła za drzwi. Zbiegła po rampie dla wózków inwalidzkich, po czym ponownie zadzwoniła do Dave'a. Liczyła sygnały.

Kurwa!

Kiedy dotarła do Szlaku Wyżerki, nogi odmówiły jej posłuszeństwa. Upadła na ziemię i przycisnęła rozpalone czoło do żwiru. Ciągle miała przed oczami obraz Bitty. Nie z Jonem – sama myśl o tym była zbyt bolesna – ale z Dave'em. To, jak jej matka żądała pocałunku w policzek, ilekroć go spotykała. Kiedy Dave mył włosy Bitty nad umywalką, a on pozwalał jej wybierać ubrania dla niego. Tych rytuałów nie zapoczątkował jej nowotwór. Dave już wcześniej przynosił Bitty poranną kawę, masował jej stopy, malował paznokcie, słuchał plotek i kładł głowę na jej kolanach, a ona gładziła go po włosach. Bitty zaczęła urabiać Dave'a od chwili, gdy Papa go do nich sprowadził. A on był bardzo wdzięczny. Tak rozpaczliwie pragnął miłości.

Przykucnęła na piętach i zaczęła tępo wpatrywać się w ciemność.

A jeśli Dave nie wiedział o Jonie? Jeśli żył w takiej samej nieświadomości jak ona? Był molestowany przez nauczyciela wychowania fizycznego, nigdy nie poznał swojej matki, spędził życie w otoczeniu poharatanych emocjonalnie ludzi i nie wiedział, na czym polega normalność. Umiał jedynie przetrwać.

Ponownie wybrała jego numer. Odczekała cztery sygnały i się rozłączyła. Pewnie siedział w pubie albo był z jakąś kobietą. Może wbijał sobie igłę w ramię albo popijał rumem garść xanaxu. Cokolwiek, byle zabić wspomnienia. Cokolwiek, byle uciec.

Mercy nie chciała, żeby ich syn skończył podobnie.

Wstała, ruszyła przed siebie Szlakiem Wyżerki i minęła taras widokowy. Musiała dobrać się do sejfu. Zawierał wprawdzie jedynie pięć tysięcy dolarów w niskich nominałach, ale chciała je zabrać i zejść z Jonem na dół. Nad tym, co dalej, zamierzała zastanowić się potem, gdy znajdzie chwilę na złapanie oddechu.

Poczuła minimalną ulgę na widok świateł w kuchni. Uznała, że Jon zdążył już zejść szlakiem na tyłach. Obchodząc budynek dookoła, Mercy usiłowała wziąć się w garść; próbowała wyzbyć się udręki, która malowała się na jej twarzy, gdy otwierała drzwi.

– Szlag by to... – Przy wózku barowym stał Drew z butelką w ręce. Uncle Nearest. Mercy zatęskniła za subtelnym, ale piekącym smakiem alkoholu w gardle.

Cisnęła plecak przy drzwiach. Nie miała czasu na takie rozmowy.

– Przyłapałeś mnie. To podróba. W szopie ze sprzętem jest duży destylator, w hangarze dla łodzi mniejszy. Powiedz to Papie, powiedz glinom, wisi mi to.

Drew odłożył butelkę z powrotem na wózek.

– Nie zamierzam o tym nikomu mówić.

– Naprawdę? – zapytała. – Widziałam, jak po kolacji próbujesz odciągnąć Bitty na stronę. Powiedziałeś jej, że chcesz porozmawiać o jakiejś sprawie. Najpierw myślałam, że zamierzacie poskarżyć się na te cholerne osady na szklankach. O co wam chodzi? Chcecie skubnąć działkę z przychodów?

– Mercy. – W głosie Drew dało się słyszeć rozczarowanie. – Uwielbiamy to miejsce. Chcemy tylko, żebyście przestali to robić. Sporo ryzykujecie, możecie kogoś zabić...

– Gdyby to było takie proste, wlałabym cały ten bimber w gardło mojej jebanej matki.

Drew najwyraźniej nie wiedział, jak ma się zachować. Psy czasami ganiają samochody; on czuł się jak ten, który wreszcie jakiś dopadł. Tylko po co?

– Po prostu zejdź mi z oczu. – Otworzyła przed nim drzwi.

Drew pokręcił głową i wyszedł. Poszła za nim na taras widokowy, by zobaczyć, czy w pobliżu nie widać Jona. Usłyszała jakieś szelesty dobiegające zza kuchni. Serce załomotało jej z nerwów. To na pewno Jon schodził Szlakiem Fishtophera.

Ale to nie Jona zastała obok zamrażarki.

– Chuck. – Mercy bardziej wypluła, niż wypowiedziała jego imię. – Czego chcesz, do cholery?

– Martwiłem się. – Chuck zrobił tę durną nieśmiałą minę, od której zbierało się jej na wymioty. – Spałem, ale obudziły mnie wrzaski Cecila, a potem zobaczyłem, jak biegniesz.

– Na ciebie wrzeszczał? – zapytała. – Nie? Doprawdy? To wracaj, skąd przyszedłeś, i zajmij się swoimi sprawami.

– Jezu, próbowałem tylko zachować się po męsku. Dlaczego zawsze musisz się tak ciskać?

– Doskonale wiesz dlaczego, zboczeńcu.

– Oho. – Chuck wściekle zamachał rękami. – Spokojnie, moja droga. Nie ma o co się tak pieklić.

– Twoja droga może zaraz odwiedzić domek numer dziesięć. Facet tej rudej jest gliniarzem. Chcesz, żeby się tobą zajął? Chcesz, żebym mu powiedziała o twoich drobnych interesach w Atlancie?

Opadły mu ręce.

– Ale z ciebie pizda.

– Gratuluję. W końcu udało ci się do jakiejś zbliżyć. – Mercy poszła do kuchni, trzasnęła drzwiami i spojrzała na zegar. Nie miała pojęcia, o której wyszła z domu. Powiedziała Jonowi, żeby był tu za pięć minut, a miała wrażenie, że minęła godzina.

Pobiegła do jadalni, by go poszukać, lecz sala była pusta. Serce podeszło jej do gardła. Taras widokowy. Wąwóz pod nim stanowił śmiertelną pułapkę. A jeśli Jon uzna, że nie jest w stanie spojrzeć jej w oczy? Jeśli targnie się na swoje życie?

Wypadła na zewnątrz, złapała się balustrady i spojrzała w dół na piętnastometrową stromiznę, wyciętą w zboczu góry niczym ostrzem topora.

Tarcza księżyca zaczęła skrywać się pod chmurami. W wąwozie tańczyły cienie. Nasłuchiwała czegokolwiek – jęków, płaczów, ciężkiego dyszenia. Wiedziała, jakie to uczucie, gdy człowiek dotrze do kresu wytrzymałości, ból staje się zbyt silny, całe ciało odmawia posłuszeństwa, a wszystko, czego pragniesz, to ciche objęcie ciemności.

Usłyszała śmiech.

Odsunęła się od balustrady i ujrzała dwie kobiety idące Starym Szlakiem Kawalerskim. Rozpoznała długie siwe włosy Delilah. Nawet nie zauważyła, że stara suka wymknęła się z domu. Wyciągnęła szyję, żeby zobaczyć, z kim Delilah idzie za rękę.

To była Sydney, inwestorka zbzikowana na punkcie koni.

– Chryste Panie – szepnęła Mercy. Poczuła się tak, jakby tej nocy zamierzały osaczyć ją wszystkie złe duchy.

Wbiegła z powrotem do budynku, przemierzyła pustą jadalnię, wparowała do kuchni, a na koniec zajrzała do łazienki obok biura. Fish zamontował w ścianie sejf, gdy zaczęli produkować alkohol. Na drzwiach wisiał kalendarz. Mercy pobiegła na tyły i zaczęła przetrząsać szuflady biurka w poszukiwaniu klucza. Znalazła go dopiero w jednym ze starych plecaków Fisha, które kurzyły się w kącie. Każda zabrana z sejfu rzecz może przybliżyć ją i Jona do wolności.

Pięć tysięcy w dwudziestodolarowych banknotach. Rozliczenia dotyczące produkcji alkoholu. Potwierdzenia przelewów. Księgi rachunkowe pensjonatu. Pamiętnik, który prowadziła, mając dwanaście lat. Wrzuciła wszystko do brązowego plecaka Fisha i zapięła zamek błyskawiczny. Próbowała obmyślić jakiś plan: *Gdzie ukryć Jona; jak mu pomóc, kiedy skończą się pieniądze; gdzie znaleźć pracę; ile kosztuje psychiatra dziecięcy; zwrócić się do glin czy do pomocy społecznej; jak znaleźć kogoś, komu Jon zaufałby na tyle, by z nim porozmawiać; jak, na miłość boską, znaleźć słowa na to, czego była świadkiem...*

Jej umęczony mózg odmawiał odpowiedzi na te pytania, więc powinna wybiegać myślami najwyżej na godzinę w przód, szczególnie że nocna wędrówka szlakiem była pełna niebezpieczeństw. Wetknęła zapałki do przedniej kieszeni plecaka, a z szuflady biurka wyjęła nóż z czerwoną rączką. Używała go tylko do otwierania kopert, ale był całkiem ostry. Przyda się, gdyby natknęli się na szlaku na jakieś zwierzę. Wsunęła go do tylnej kieszeni. Ostrze nacięło dolny szew i utkwiło w rozcięciu. Przecież wiedziała, jak spakować się na wyprawę. Trzeba zadbać o bezpieczeństwo, wodę i jedzenie. Wróciła do kuchni. Rzuciła plecak pod drzwiami obok własnego i napełniła wodą dwie butelki, a w lodówce znalazła mieszankę studencką. Przydałaby się jeszcze jedna dla Jona.

Uniosła wzrok.

Co właściwie robiła?

Kuchnia wciąż była pusta. Wróciła do jadalni, ale tu też nie zastała nikogo. Ze ściśniętym sercem podążyła z powrotem. Panika ucichła. Teraz Mercy zderzyła się z rzeczywistością, bezwzględną niczym rozpędzony pociąg towarowy.

Jon nie przyjdzie.

Bitty wyperswadowała mu ucieczkę. Mercy wiedziała już, że nie powinna była zostawiać go samego, lecz mieszanina szoku, obrzydzenia i strachu jak zwykle sprawiła, że dała się ponieść emocjom, zamiast patrzeć na suche, twarde fakty. Zawiodła syna tak samo, jak tysiące razy wcześniej. Będzie musiała wrócić do domu i wyrwać go ze szponów Bitty. Nie było mowy, by w dalszą drogę ruszyła sama.

Położyła telefon na blacie, bo nie dawała rady utrzymać go w spoconych dłoniach. Zadzwoniła do Dave'a po raz ostatni, a jej rozpacz wzmagała się z każdym sygnałem. Znowu nie odbierał. Musiała zostawić mu wiadomość, wyrzucić z siebie toksynę, która przeżerała jej duszę. Przez moment zastanawiała się, co powinna powiedzieć, ale kiedy ucichł czwarty sygnał i usłyszała powitanie poczty, słowa same wypłynęły z jej ust napędzane paniką.

– Dave! – krzyknęła. – Dave! Boże, gdzie jesteś? Oddzwoń, proszę, proszę! Nie mogę w to uwierzyć... Boże, nie mogę... Proszę, zadzwoń. Proszę. Potrzebuję cię. Wiem, że nigdy mi nie pomagałeś, ale teraz bardzo cię potrzebuję. Potrzebuję twojej pomocy, kochanie. Proszę, zadz...

Podniosła wzrok znad aparatu. Jej matka stała w kuchni, trzymając Jona za rękę. Ten widok był jak pięść wbijająca się w krtań. Jon wpatrywał się w podłogę, bo nie umiał spojrzeć w oczy własnej matce. Bitty złamała go tak samo, jak złamała wszystkich innych.

Mercy z trudem wydobyła z siebie głos:

– Co tutaj robisz?

Bitty sięgnęła po telefon.

– Przestań! – ostrzegła ją Mercy. – Dave zaraz tu będzie. Powiedziałam mu, co się stało. Jest już...

Zanim skończyła mówić, Bitty stuknęła w ekran, przerywając połączenie.

– To nieprawda.

– Powiedział mi, że...

– Och, niczego ci nie powiedział. Śpi w barakach, a tam nie ma zasięgu.

Mercy przyłożyła dłoń do ust. Patrzyła na Jona, lecz on nie odwzajemniał spojrzenia. Jej palce zaczęły drżeć. Nie mogła nabrać powietrza. Bała się. Dlaczego tak potwornie się bała?

– Jo... Jon... – wydukała jego imię. – Kochanie, spójrz na mnie. Będzie dobrze. Zabiorę cię stąd.

Bitty stanęła przed Jonem, lecz Mercy nadal widziała jego zwieszoną głowę. Łzy wsiąkały w kołnierzyk jego koszulki.

– Kochanie. – Mercy podjęła kolejną próbę. – Chodź do mnie. Po prostu chodź.

– Nie zamierza z tobą rozmawiać – oświadczyła Bitty. – Nie wiem, co widziałaś, ale zachowujesz się jak histeryczka.

– Wiem, co widziałam, do kurwy nędzy!

– Uważaj na słowa – warknęła Bitty. – Musimy porozmawiać o tym jak dorośli. Wracaj do domu.

– W życiu nie postawię stopy w tym pieprzonym domu – syknęła Mercy. – Jesteś potworem. Diabłem wcielonym.

– Natychmiast przestań – zażądała Bitty. – Dlaczego wszystko tak utrudniasz?

– Widziałam...

– Co niby widziałaś?

W umyśle Mercy pojawił się obraz splecionych nóg, dłoni na koszulce Jona, warg przyciśniętych do czubka jego głowy.

– Doskonale wiem, co widziałam, *matko*.

Jon wzdrygnął się, słysząc jej ostry ton. Wciąż nie potrafił na nią spojrzeć. Mercy pękało serce. Świetnie znała to uczucie: wstyd, który każe spuszczać wzrok. Robiła to tak długo, że ledwie pamiętała, jak patrzy się na świat z uniesioną głową.

– Jon – odezwała się. – To nie twoja wina, słonko. Nie zrobiłeś nic złego. Zorganizujemy ci pomoc, rozumiesz? Wszystko będzie dobrze.

– Niby czyją pomoc? – zapytała Bitty. – Kto ci uwierzy?

To pytanie odbijało się echem przez wszystkie lata życia Mercy. Kiedy Papa zdzierał jej skórę z pleców, bijąc ją szorstkim sznurem. Kiedy Bitty dźgała ją drewnianą łyżką tak mocno, że krew spływała po rękach. Kiedy Dave gasił żarzącego się papierosa na jej piersi i nieledwie wymiotowała, czując smród własnej przypalanej skóry.

Z jakiegoś powodu Mercy nigdy nikomu o tym nie powiedziała.

Kto ci uwierzy?

– Tak myślałam. – Twarz Bitty wyrażała triumf absolutny. Ujęła Jona za rękę, a ich palce się splotły.

Chłopak w końcu odważył się unieść głowę. Miał zaczerwienione oczy, jego wargi drżały.

Mercy z przerażeniem patrzyła, jak unosi dłoń Bitty do ust i delikatnie ją całuje.

Zawyła jak zranione zwierzę.

Cały ból jej istnienia uzewnętrznił się w postaci nieartykułowanego wrzasku. Jak mogła do tego dopuścić? Jak to się stało, że utraciła własnego syna? Nie mogła mu pozwolić tu zostać. Nie mogła pozwolić Bitty całkowicie nim zawładnąć.

Zanim się zorientowała, co robi, miała w dłoni nóż. Odepchnęła matkę od Jona, przycisnęła ją do blatu i zbliżyła czubek ostrza do jej oka.

– Ty głupia szmato. Zapomniałaś już, co ci obiecałam dziś rano? Wsadzę twój kościsty tyłek do pierdla. Nie za pieprzenie się z moim synem, tylko za fałszowanie ksiąg rachunkowych.

Mercy nigdy nie przeżyła chwili cudowniejszej niż ta, gdy z twarzy Bitty uleciała cała arogancja.

– Znalazłam księgi z tyłu szafki. Papa wie o forsie, którą odkładasz na boku? – Z jej zaskoczonej miny wywnioskowała, że Papa nie ma o tym pojęcia. – Zresztą nie tylko nim powinnaś się przejmować. Oboje od lat robicie przekręty podatkowe. Wydaje ci się, że ujdzie wam to na sucho? Tak się składa, że władze potrafią dobrać się do dupy nawet prezydentowi. Myślisz, że cofną się przed skazaniem starej zasuszonej pedofilki? Zwłaszcza jeśli przekażę im dowody.

– Ty... – Bitty głośno przełknęła ślinę. – Nie zrobisz...

– Właśnie że zrobię.

Mercy skończyła mówić, wsunęła nóż z powrotem do kieszeni, poszła po plecaki i przewiesiła je sobie przez ramię. Odwróciła się, chcąc kazać Jonowi ruszać za nią, ale on pochylał się, słuchając Bitty szepczącej mu coś do ucha.

Żółć podeszła jej do gardła. Czas na groźby minął. Popchnęła matkę tak mocno, że wylądowała na podłodze, potem zacisnęła dłoń na nadgarstku Jona i wyciągnęła go za drzwi.

Jon nie próbował się wyrywać. Nie starał się jej spowolnić. Pozwalał ciągnąć się za rękę i nadawać sobie kierunek. Słuchała jego szybkich oddechów i ciężkich kroków. Nie miała żadnego planu poza tym, by udać się gdzieś, gdzie Bitty nie będzie w stanie ich dopaść.

Bez trudu odnalazła głaz wyznaczający początek Szlaku Linowego i puściła Jona przodem, by mieć na niego oko. Oboje sprawnie posługiwali się linami, chwytając się jednej za drugą i ześlizgując przy ich pomocy niemal na samo dno wąwozu. Wreszcie znaleźli się na stabilnym gruncie. Mercy ponownie złapała Jona za nadgarstek, by go poprowadzić. Przyśpieszyła, zaczęła truchtać. Jon biegł za nią. Zamierzała to zrobić. Tym razem zrobić to naprawdę.

– Mamo... – szepnął Jon.

– Nie teraz.

Przedzierali się przez las. Czuła na ciele smagnięcia gałęzi, lecz nie dbała o to. Postoju nie było w planie. Biegła, kierując się jasnym blaskiem księżyca. Tę noc przeczekają w domkach kawalerskich. Rano Dave zapewne zjawi się w pracy. A może od razu powinna zaprowadzić Jona do niego? Mogliby pójść brzegiem, wziąć kajak i przepłynąć na drugą stronę. Jeśli Dave spał w barakach, na pewno miał wędki, paliwo, koce, jedzenie i dach nad głową. Wiedział, jak sobie radzić. Mógłby porozmawiać z Jonem i na jakiś czas zapewnić mu bezpieczeństwo, natomiast ona pójdzie do miasta i poszuka prawnika. Nie zamierzała odpuszczać kwestii pensjonatu. Jeśli ktoś miał opuścić kompleks w najbliższą niedzielę, to na pewno nie ona. Dałaby rodzicom czas do jutra do południa, by mogli się spakować i wyjechać. Fish mógłby zostać albo zrezygnować, ale bez względu na wszystko Mercy i Jon zostaliby wówczas ostatnimi McAlpine'ami na placu boju.

– Mamo – zagaił ponownie Jon. – Co chcesz zrobić?

Nie odpowiedziała. Widziała światło księżyca migoczące na jeziorze na końcu szlaku. Ostatni odcinek był poprzecinany starymi podkładami kolejowymi. Do domków kawalerskich zostały im dosłownie metry.

– Mamo – powiedział Jon stanowczo, zupełnie jakby przebudził się z transu. Zaczął się opierać i wyrywać z jej uścisku. – Mamo, proszę!

Mercy ścisnęła go jeszcze mocniej i pociągnęła z taką siłą, że poczuła, jak napinają się mięśnie jej pleców. Gdy dotarli na polanę, dyszała z wysiłku potrzebnego do tego, by ciągnąć syna za sobą.

Rzuciła oba plecaki na ziemię. Wszędzie walały się niedopałki papierosów. Dave nie przygotował terenu przed burzą. Każda rzecz leżała dokładnie tam, gdzie ją zostawił po zakończeniu pracy. Piły i inne narzędzia, odkręcony kanister z benzyną, przewrócony na bok generator. Bałagan panujący na terenie robót dobitnie przypominał o tym, jakim człowiekiem jest Dave. Nie dbał o przedmioty, a co dopiero mówić o ludziach. Nie chciało mu się nawet po sobie posprzątać. Mercy nie mogła mu zaufać.

Po raz kolejny była zdana tylko na siebie.

– Mamo – odezwał się znów Jon. – Daj spokój, dobrze? Pozwól mi wrócić.

Spojrzała na niego uważnie. Nie płakał, ale słyszała świst powietrza wydobywający się z jego zatkanego nosa.

– Ja... mu... muszę wrócić. Powiedziała, że mogę.

– Nie, słonko. – Położyła dłoń na jego klatce piersiowej. Serce łomotało mu tak mocno, że czuła je przez żebra. Nie zdołała powstrzymać szlochu. Przytłoczył ją ogrom tego, co właśnie się wydarzyło. Potworności, jakie jej matka wyrządzała Jonowi. Zgnilizna przeżerająca jej rodzinę. – Kochanie, popatrz na mnie – powiedziała. – Już nigdy tam nie wrócisz. To zamknięty temat.

– Ale ja nie...

Ujęła jego twarz w dłonie.

– Posłuchaj mnie, Jon. Znajdziemy pomoc, rozumiesz?

– Nie. – Odsunął jej ręce. Cofnął się o krok, potem kolejny. – Bitty nie ma nikogo oprócz mnie. Potrzebuje mnie.

– Ja też cię potrzebuję! – zawołała Mercy ochrypłym głosem. – Jesteś moim synem. I chcę, abyś pozostał moim synem.

Jon zaczął nerwowo kręcić głową.

– Ile razy cię prosiłem, żebyś go zostawiła? Ile razy pakowaliśmy swoje rzeczy, a na drugi dzień znowu się z nim pieprzyłaś?

Nie zdobyła się na polemizowanie z faktami.

– Masz rację. Zawiodłam cię, ale teraz to nadrobię.

– Nie chcę, żebyś cokolwiek nadrabiała – zaprotestował. – Bitty mnie chroniła. To ona sprawiała, że czułem się bezpieczny.

– Bezpieczny? W jakim sensie? Przecież ona cię krzywdziła.

– Wiesz, co zrobił mi ojciec. Miałem tylko pięć lat, kiedy złamał mi rękę. Powiedziałaś, że mam mu przebaczyć.

– Co?! – Mercy dygotała jak osika. – Nie wydarzyło się nic z tego, co mówisz. Spadłeś z drzewa. Widziałam to na własne oczy. Dave próbował cię złapać.

– Uprzedzała mnie, że to powiesz. Bitty mnie przed nim chroniła. Mówiłaś, że mam mu przebaczyć i pozwolić robić wszystko, co chce, żeby znowu się na mnie nie wściekł tak jak wtedy.

Odruchowo zasłoniła usta dłońmi. Bitty nawkładała mu do głowy mnóstwo obrzydliwych kłamstw.

– Jon... Idziemy do domku numer dziesięć – powiedziała pierwsze, co przyszło jej do głowy.

– Co?

– Ta para w dziesiątce... – Wreszcie dostrzegła wyjście z sytuacji. Rozwiązanie nagle zdało się jej aż nadto oczywiste. – Will Trent jest z Biura Śledczego stanu Georgia i nie pozwoli Biszkoptowi zamieść tej sprawy pod dywan. Jego żona jest lekarzem. Zaopiekuje się tobą, a ja przekażę Willowi, co się stało.

– Masz na myśli Śmieciucha? – zapytał z niepokojem. – Nie możesz...

– Mogę i właśnie tak zrobię. – Mercy nigdy nie czuła się tak pewna swoich decyzji, jak teraz. Sara powiedziała jej, że ufa Willowi; że to dobry człowiek. Wyprowadzi ich na prostą. Uratuje ich oboje. – Tak zrobimy. Chodź. – Sięgnęła po plecaki.

– Pierdol się.

Zawahała się, słysząc chłód w jego głosie. Spojrzała na syna. Jego twarz wyglądała jak wyrzeźbiona z kawałka marmuru.

– Zależy ci wyłącznie na tym, żeby postawić na swoim – stwierdził. – Chcesz mnie teraz tylko dlatego, że nie możesz już mnie mieć.

Mercy uświadomiła sobie, że musi być bardzo ostrożna. Stykała się już wcześniej z gniewem Jona, lecz nigdy nie widziała go w takiej furii. Jego oczy były prawie czarne z wściekłości.

– Bitty ci to powiedziała?

– Sam o tym, kurwa, wiem! – Z ust wyleciały mu kropelki śliny. – Jesteś żałosna. Wcale nie próbujesz mnie chronić. Chcesz biec do tego gliniarza, bo nie możesz się pogodzić z tym, że znalazłem kogoś, kto daje szczęście *mnie*. Kto się troszczy *o mnie*. Kto kocha tylko *mnie*.

Podobieństwo tej tyrady do słów Dave'a było tak uderzające, że Mercy zaparło dech w piersiach. Otchłań bez dna, niekończące się ruchome piaski. Przez cały czas miała własnego syna tak blisko, a nie zwróciła na to uwagi.

– Przepraszam – powiedziała. – Powinnam była zauważyć to wcześniej. Powinnam się była domyślić.

– W dupie mam twoje przepraszam. Nie potrzebuję go. Kurwa! – Gwałtownie uniósł ręce. – Właśnie przed tym mnie ostrzegała. Co mam zrobić, żeby cię powstrzymać?

– Kochanie… – Wyciągnęła do niego rękę, lecz brutalnie ją odtrącił.

– Nie dotykaj mnie – warknął. – Tylko ona może mnie dotykać.

Mercy uniosła ręce w geście kapitulacji. Nigdy nie bała się Jona, aż do tej chwili.

– Tylko spokojnie, dobrze? Oddychaj.

– Albo ty, albo ona! – zawołał. – Tak mi powiedziała. Muszę podjąć decyzję. Ty albo ona.

– Słonko, ona cię nie kocha. Manipuluje tobą.

– Nie. – Pokręcił głową. – Zamknij się. Muszę pomyśleć.

– Jest drapieżnikiem – tłumaczyła Mercy. – Postępuje w ten sposób z chłopcami. Miesza im w głowach do tego stopnia, że tracą rozum…

– Zamknij się.

– Jest potworem. Jak myślisz, dlaczego twój tato jest tak popieprzony? Nie chodzi tylko o to, co przeżył w Atlancie.

– Zamknij się!

– Posłuchaj – odezwała się błagalnie. – Nie jesteś dla niej nikim szczególnym. Robi ci dokładnie to, co zrobiła Dave'owi.

Dopadł ją, zanim zdążyła się zorientować. Jego ręce wystrzeliły do przodu, a dłonie owinęły się wokół szyi.

– Zamknij tę jebaną jadaczkę.

Mercy z trudem łapała powietrze. Schwyciła go za nadgarstki, starając się rozluźnić uścisk, ale był zbyt silny. Wbiła paznokcie w jego klatkę piersiową, próbowała kopać. Czuła, jak jej powieki zaczynają drgać. Był znacznie silniejszy od Dave'a. Ściskał za mocno.

– Ty żałosna suko. – Głos Jona był przerażająco cichy. Nauczył się od własnego ojca, że nie należy robić zbyt wiele hałasu. – To nie ja opuszczę dziś to miejsce, tylko ty.

Mercy zakręciło się w głowie. Zamazywał się jej wzrok. Jon zamierzał ją zabić. Sięgnęła do tylnej kieszeni spodni i zacisnęła palce na rękojeści noża.

Czas zwolnił. Mercy postanowiła zablefować. Wyciągnąć nóż i skaleczyć syna w przedramię. Są tam jakieś tętnice? Mięśnie? Nie chciała wyrządzić mu większej krzywdy, gdyż i tak był już skrzywdzony ponad wszelką miarę. Chciała tylko pokazać mu nóż. Groźba powinna wystarczyć. Powstrzymać go.

Tak się jednak nie stało.

Jon wyrwał jej broń i uniósł ostrze nad głowę, gotowy wbić je w jej pierś. Mercy schyliła się i padła na kolana. Poczuła ruch powietrza, gdy stal przemknęła kilka centymetrów od jej głowy. Wiedziała, że nadejdzie drugi cios. Chwyciła plecak, osłoniła się nim jak tarczą i ostrze ześlizgnęło się po grubym ognioodpornym materiale. Nie dała Jonowi czasu na odzyskanie inicjatywy. Zamachnęła się plecakiem i uderzyła go w głowę na tyle mocno, że zatoczył się do tyłu i przewrócił.

Zapanował nad nią instynkt. Przycisnęła plecak do piersi i zaczęła biec. Minęła pierwszą chatkę, potem drugą. Jon deptał jej po piętach, a dzielący ich dystans zmniejszał się z każdą chwilą. Wbiegła po schodach do ostatniego domku i zatrzasnęła mu drzwi przed nosem. Z trudem wcisnęła rygiel do zamka, a pięści Jona załomotały w drewniane drzwi.

Mercy gwałtownie nabierała powietrza; dyszała ciężko, słuchając, jak Jon chodzi po ganku. Serce podchodziło jej do gardła. Stanęła tyłem do drzwi, zamknęła oczy i nasłuchiwała kroków. Otoczyła ją cisza. Czuła delikatny powiew powietrza, osuszający pot na jej twarzy. Wszystkie okna poza jednym były zabite deskami. Księżyc rzucał błękitny blask na słoje grubo ciosanych belek, z których wzniesiono ściany; na podłogę, na jej buty i dłonie.

Uniosła wzrok.

Dave nie kłamał, mówiąc, że trzeci domek jest przeżarty zgnilizną. Tylna ściana sypialni została rozebrana. Jon prześlizgnął się między podporami i stanął przed nią z nożem w ręce.

Mercy na oślep sięgnęła za siebie, odciągnęła rygiel, nacisnęła klamkę i otworzyła drzwi. Odwróciła się i w tej samej chwili poczuła między ramionami potworny ból, gdy Jon wbił ostrze po rękojeść.

Uderzenie odebrało jej siły. Patrzyła na jezioro z otwartymi ustami.

Jon wyciągnął nóż i zamachnął się po raz drugi. I jeszcze raz. I jeszcze. Mercy zachwiała się, upadła na bok i zsunęła się ze schodków ganku.

Ostrze przecięło jej rękę. Pierś. Nogę. Jon stanął nad nią okrakiem i wbijał nóż w klatkę piersiową, brzuch... Próbowała go odepchnąć, przekręciła się na brzuch, lecz nic nie było w stanie go powstrzymać. Brał miarowe zamachy, wbijając ostrze w jej plecy, wyciągając je i zadając kolejne ciosy. Czuła trzask pękających kości i narządów wewnętrznych, jej ciało wypełniło się moczem, kałem i żółcią, a potem Jon już jej nie dźgał, tylko bił pięściami, bo ostrze odłamało się i utkwiło w jej klatce piersiowej.

Nagle przestał.

Mercy słyszała jego ciężki oddech, jakby ukończył maraton. Był wyczerpany napaścią i ledwie trzymał się na nogach. Odsunął się od niej chwiejnie. A ona próbowała nabrać powietrza. Leżała twarzą do ziemi i kawałek po kawałku obróciła się na bok. Całe jej ciało tętniło bólem. Zsunęła się ze schodów. Jej stopy znajdowały się na ganku, a głowa na ziemi.

Wrócił.

Usłyszała chlupot, lecz nie były to fale uderzające o brzeg. Jon podszedł do schodów z kanistrem z benzyną. Słyszała, jak rozlewa paliwo po wnętrzu chatki. Zamierzał spalić dowody. Spalić Mercy. Rzucił pusty pojemnik u jej stóp.

Zszedł ze schodów. Mercy nie uniosła wzroku. Widziała krew spływającą z jego palców i buty, które Bitty kupiła mu w mieście. Wyczuła, że na nią patrzy. Nie ze smutkiem czy litością, lecz z tym samym rodzajem apatii, jaką widywała u swojego brata, ojca, męża, matki i u samej siebie. Jej syn był McAlpine'em do szpiku kości.

I nigdy nie był nim bardziej niż wtedy, gdy zapalił zapałkę, by wrzucić ją do chatki.

Poczuła na skórze podmuch gorącego powietrza. Patrzyła, jak przesiąknięte krwią buty Jona szurają po ziemi, gdy odchodzi. Zamierzał wrócić do domu, do Bitty. Mercy wzięła powolny, chrapliwy oddech. Jej powieki trzepotały; krew bulgotała w gardle. Nagle ogarnęło ją uczucie unoszenia się w powietrzu. Jej dusza opuszczała ciało. Nie było w tym oczekiwanego spokoju ani ukojenia, tylko zimna ciemność ogarniająca ją od zewnątrz do środka, tak jak jezioro zamarza zimą.

Potem zobaczyła Gabbie.

Obie płynęły przez przestrzeń, ale nie dlatego, że były aniołami w niebie. Pęd wyrzucił je z samochodu przy Diabelskim Zakręcie. Mercy odwróciła się, żeby popatrzeć na twarz Gabbie, lecz ujrzała tylko krwawą papkę. Oko zwisające z oczodołu. Miazgę połamanych zębów i wystające przez skórę kości. A potem pojawiło się potworne gorąco, które groziło jej pochłonięciem.

– Pomocy! – krzyknęła Mercy. – Proszę!

Otworzyła oczy. Zakasłała. Po ziemi rozprysnęły się krople krwi. Nadal leżała na boku na schodach przed gankiem, a powietrze gęstniało od dymu. Buchające ciepło było tak intensywne, że czuła zasychającą na skórze krew. Zmusiła się do odwrócenia głowy i spojrzenia na to, co ją czekało. Języki płomieni lizały ganek. Wkrótce miały dotrzeć do schodów i napotkać jej ciało. Przekręciła się na brzuch, przygotowując na więcej bólu, i podpierając się łokciami, zsunęła się ze schodów. Wystający z piersi koniec noża wgryzł się w ziemię jak podpórka. Pełzła przed siebie, a groźba szalejącego ognia dodawała jej sił. Nogi wlokły się za nią jak bezużyteczny ciężar. Rozpięły jej się spodnie. Ziemia wciskała się w zagniecenia tkaniny, dżinsy zsunęły się do kostek. Szybko straciła siły. Jej wzrok znów zaczął się zamazywać. Z trudem powstrzymała nadchodzące omdlenie. Delilah mówiła, że McAlpine'owie nie umierają łatwo. Mercy wiedziała, że nie dożyje kolejnego wschodu słońca, ale chciała dotrzeć chociaż do cholernego jeziora.

Jak całe jej życie, tak i te ostatnie chwile były walką. Na zmianę traciła i odzyskiwała przytomność, brnęła przed siebie i znowu osuwała się w niebyt. Gdy poczuła na twarzy wodę, ramiona odmawiały jej posłuszeństwa. Ostatkiem sił obróciła się na plecy. Chciała umrzeć, patrząc na księżyc w pełni. Stanowił idealny okrąg, był jak dziura wypalona w ciemności. Słuchała bicia własnego serca, które wypompowywało krew z jej ciała. Słyszała miękki puls wody.

Zdawała sobie sprawę z tego, że śmierć jest bardzo blisko i nic jej nie powstrzyma. Przelatujące jej przed oczami życie nie było jej życiem.

Było życiem Jona.

Widziała, jak bawi się drewnianymi zabawkami na podwórku Delilah. Jak kuli się w kącie pokoju, gdy Mercy przyszła do niego na pierwszą wyznaczoną przez sąd wizytę. Jak przechodzi z rąk Delilah w jej ręce przed gmachem sądu. Siedzi Mercy na kolanach, kiedy Fish wiezie ich na górę. Ukrywa się z Mercy, gdy Dave wpada w jeden ze swych ataków szału. Przynosi książki o Alasce, Montanie i Hawajach, by pomarzyć o ucieczce. Patrzy, jak Mercy po raz nie wiedzieć który pakuje ich plecaki. A potem przygląda się, jak je rozpakowuje, bo Dave napisał dla niej wiersz albo wysłał kwiaty. Trafia pod opiekę Bitty, gdy Mercy wymyka się z Dave'em do któregoś z domków. I jak znowu zostaje z babcią, bo Mercy musi jechać do szpitala z powodu kolejnej złamanej kości, rany, która nie chce się zagoić, czy puszczających szwów.

Jak nieustannie jest wpychany w ramiona matki Mercy, swojej babci, gwałcicielki.

– Mercy...

Usłyszała własne imię jak szept wewnątrz czaszki. Czując, że ktoś obraca jej głowę, ujrzała świat tak, jakby spoglądała przez niewłaściwy koniec teleskopu. W zasięgu jej wzroku pojawiła się twarz. Mężczyzna z domku numer dziesięć. Policjant, mąż tej rudej.

– Mercy McAlpine – powiedział, a jego głos zdawał się gasnąć niczym syrena oddalającego się radiowozu. Potrząsał nią, namawiając, by się nie poddawała. – Spójrz na mnie.

– J... Jon... – Mercy wykrztusiła imię. Musiała to zrobić. Jeszcze nie było za późno. – Powiedz mu... powiedz mu... że musi... uciec...

Twarz Willa to pojawiała się w jej polu widzenia, to znów ginęła. Widziała go przez moment, po czym znowu znikał.

Potem krzyknął:

– Sara! Sprowadź Jona! Szybko!

– Nnnie... – Mercy czuła drżenie w kościach. Ból był nie do zniesienia, ale nie mogła się poddać. Miała jeszcze jedną, ostatnią szansę, by wszystko naprawić. – Jon... nie może... zostać... zabierzcie go...

Will coś mówił, lecz nie rozumiała sensu jego słów. Wiedziała tylko, że nie może tak zostawić sprawy Jona. Musi wytrzymać. Musi ją zamknąć.

– Kocham... Tak... bardzo... go kocham...

Jej serce zwalniało. Oddechy stawały się coraz płytsze. Walczyła z łatwością umierania. Chciała, żeby Jon wiedział, że jest kochany. Że to nie jego wina. Że nie musi dźwigać tego ciężaru. Że może wydostać się z ruchomych piasków.

– Prze... praszam... – Powinna była raz jeszcze powiedzieć to Jonowi. Powiedzieć mu to prosto w twarz. Teraz jedyne, co mogła zrobić, to poprosić tego mężczyznę, by przekazał mu jej ostatnie słowa. – Wybacz... mu. Wybacz...

Will potrząsnął nią tak mocno, że przez mgnienie oka czuła, jak dusza wraca do jej ciała. Pochylał się nad nią; jego twarz była tuż przy jej twarzy. Policjant. Detektyw. Dobry człowiek. Złapała go za koszulę, przyciągając jeszcze bliżej i wpatrując mu się w oczy tak głęboko, że mogłaby zajrzeć do jego duszy.

Nabrała powietrza raz jeszcze, by wydusić z siebie ostatnie słowa:

– Wybacz... mu.

Kiwnął głową.

– Dobrze...

To było wszystko, co potrzebowała usłyszeć. Puściła koszulę. Jej głowa ponownie zanurzyła się w wodzie. Spojrzała na piękny, idealny księżyc.

Czuła, jak fale obmywają jej ciało. Jak zmywają grzechy. Zmywają całe życie. W końcu nadeszła cisza, a wraz z nią nieprzeparte uczucie spokoju. Po raz pierwszy Mercy poczuła się bezpieczna.

MIESIĄC PO MORDERSTWIE

Will siedział obok Amandy na kanapie w jej gabinecie. Na stoliku kawowym stał otwarty laptop. Oglądali nagranie z przesłuchania Jona. Chłopak miał na sobie brązowy kombinezon. Nie skuto mu nadgarstków, ponieważ przebywał w ośrodku psychiatrycznym dla nieletnich, a nie w zwykłym więzieniu. Delilah zatrudniła jednego z najwybitniejszych obrońców w Atlancie. Jon miał pozostać w zakładzie zamkniętym, ale być może nie do końca życia.

– Urwał mi się film. Nie pamiętam, co było dalej. Wiedziałem tylko, że do niego wróci. Zawsze do niego wracała. Zawsze mnie zostawiała – powiedział Jon na nagraniu.

– Z kim? – Głos Faith był cichy. Znajdowała się poza zasięgiem oka kamery. – Z kim cię zostawiała?

Pokręcił głową. Nadal nie chciał wplątywać w sprawę babki, choć już nie żyła. Bitty zażyła śmiertelną dawkę morfiny, zanim zdążyli ją aresztować. Sekcja zwłok wykazała u niej nieuleczalną postać nowotworu. Oszukała więc nie tylko sprawiedliwość, ale i długą i bolesną śmierć.

– Wróćmy do tamtej nocy – zasugerowała Faith. – Dokąd poszedłeś po tym, jak zostawiłeś wiadomość i uciekłeś?

– Najpierw ukryłem się na padoku, a nazajutrz rano poszedłem do domku numer dziewięć, bo wiedziałem, że nikogo tam nie ma.

– Co z rękojeścią noża?

– Wiedziałem, że ojciec... – Jon na moment umilkł. – Wiedziałem, że naprawił toaletę, więc pomyślałem, że to będzie dowód przeciwko niemu. I tak już go aresztowaliście za zabicie jej. Powinien iść do więzienia bez względu na wszystko. Mama twierdziła, że to nieprawda, ale złamał mi rękę.

– Rozumiem. – Faith nie dała zbić się z tropu, choć zarówno ona, jak i Will zapoznali się z dokumentacją szpitalną dotyczącą tego incydentu.

Jon naprawdę spadł z drzewa. – Kiedy twój ojciec został aresztowany, ty już zdążyłeś uciec. Kto powiedział ci, co się stało?

Jon zaczął kręcić głową.

– Musiałem dokonać wyboru.

– Jon...

– Musiałem się chronić. Nikt inny się o mnie nie troszczył. Nikt się mną nie przejmował.

– Wróćmy do...

– Kto teraz będzie się mną opiekował?! – zapytał. – Nie mam nikogo. Nikogo.

Gdy Jon zaczął płakać, Will odwrócił wzrok od ekranu. Przypomniał sobie ostatnią rozmowę z chłopakiem. Siedzieli w sypialni w domku numer dziesięć. Powiedział wtedy Jonowi, że kwestia przemocy domowej jest skomplikowana, lecz teraz zdała mu się cholernie prosta.

Nie krzywdź dzieci.

– Wystarczy. Wiesz już z grubsza, jak się sprawy mają. – Amanda zamknęła laptop, ujęła rękę Willa i trzymała ją przez chwilę. Potem wstała z kanapy i podeszła do biurka. – Co nowego w sprawie bimbrowników? – zapytała.

Will także się podniósł, zadowolony z zakończenia emocjonalnego aspektu spotkania.

– Mamy sporządzone przez Mercy rozliczenia, które zawierają szczegółowe informacje o wypłatach i przelewach. W arkuszach kalkulacyjnych na komputerze Chucka jest lista klubów, z którymi handlował. Koordynujemy sprawę ze specami od przekrętów na używkach i z urzędem skarbowym.

– Znakomicie. – Amanda usiadła za biurkiem i podniosła telefon. – Coś jeszcze?

– Jeśli chodzi o zatrucie Chucka, Christopher zamierza przyznać się do nieumyślnego spowodowania śmierci. Dostanie piętnaście lat, ale pod warunkiem, że złoży przeciwko swojemu ojcu zeznania w sprawie morderstwa Gabrielli Ponticello. Znaleźliśmy też jeszcze jeden zestaw ksiąg rachunkowych pensjonatu, który pozwoli oskarżyć Cecila o uchylanie się od płacenia podatków. Twierdzi, że nic o tym nie wiedział, ale stan jego kont świadczy o czymś wręcz przeciwnym.

Zaczęła stukać na telefonie, mówiąc przy tym:

– Nie przerywaj sobie.

– Paul Ponticello i jego prywatny detektyw złożyli pod przysięgą oświadczenia związane z tym, co powiedział im Dave. To jednak tylko dowód ze słyszenia. Żeby dopiąć sprawę, musimy namierzyć samego Dave'a.

– My? – Amanda podniosła wzrok. – Nie zajmujesz się tą częścią sprawy.

– Wiem, ale... – Umilkł pod wpływem jej ostrego spojrzenia.

– Dave zniknął dzień po samobójstwie swojej przybranej matki – powiedziała. – Nie podejmował prób kontaktu z Jonem. Wyłączył telefon. Nie wrócił do przyczepy. Nie znaleziono go na terenie obozowiska. Biuro terenowe z północnej Georgii wydało komunikat w sprawie poszukiwań. Jestem przekonana, że wcześniej czy później gdzieś wypłynie.

Will potarł szczękę.

– Ten człowiek wiele przeszedł, Amando. Jedyna rodzina, jaką znał, właśnie przestała istnieć.

– Jego syn żyje – przypomniała mu. – Poza tym nie zapominaj o krzywdach, jakie wyrządził żonie. Nie mówię tylko o przemocy fizycznej i werbalnej. Od lat wiedział, że Mercy nie jest odpowiedzialna za śmierć Gabbie, ale ukrywał ten fakt, bo dawał mu nad nią przewagę.

Tego argumentu Will nie umiał podważyć, lecz było jeszcze wiele innych.

– Amando...

– Wilburze. – Nie dała mu dojść do słowa. – Dave McAlpine nie stanie się z dnia na dzień lepszym człowiekiem. Nigdy nie będzie ojcem, jakiego potrzebuje Jon. Nie zmienią go żadne logiczne argumenty, mądre rady, życiowe lekcje ani dowolna dawka miłości. Żyje jak żyje, bo tak chce. Doskonale wie, kim jest, i godzi się z tym. Nie zmieni się, bo nie chce się zmienić.

Will znowu potarł szczękę.

– Wiele osób mówiło tak o mnie, kiedy byłem szczeniakiem.

– Było, minęło. Teraz jesteś dorosły. – Odłożyła telefon na biurko. – Jak mało kto wiem, co musiałeś pokonać, żeby do czegoś dojść. Zapracowałeś na swoje szczęście i masz pełne prawo się nim cieszyć. Nie pozwolę, żebyś z tego wszystkiego zrezygnował w ramach jakiejś nierozważnej próby ocalenia ludzkości. Zwłaszcza tych jej przedstawicieli, którzy nie chcą być ocaleni. Nie da się służyć dwóm panom. Nie bez powodu Superman nigdy nie ożenił się z Lois.

– Wzięli ślub w tysiąc dziewięćset dziewięćdziesiątym szóstym roku w komiksie *Superman: The Wedding Album*.

Ponownie sięgnęła po telefon i zaczęła pisać.

Will czekał, aż odpowie. Dopiero po chwili przypomniał sobie, jak gładko potrafi kończyć rozmowy.

Idąc po schodach, włożył ręce do kieszeni. W sprawie Jona było wiele do przemyślenia, ale Will był z tych, którzy wolą działać, niż myśleć. Sięgnął do klamki zranioną dłonią. Szrama po nożu jątrzyła się jak nieudany eksperyment doktora Frankensteina. Sara nie żartowała w kwestii infekcji. Choć minął już miesiąc, wciąż łykał tabletki wielkości pocisku dum-dum.

Na jego piętrze nie paliło się światło. Formalnie rzecz biorąc, Willa nie powinno już tutaj być, choć zauważył, że Amanda nie zbeształa go za siedzenie po godzinach. Wewnętrznie nie zgadzał się z tym, co powiedziała – i nie tylko dlatego, że czuł się bardziej Batmanem niż Supermanem.

Ludzie się zmieniali. Swoje osiemnaste urodziny Will spędził w schronisku dla bezdomnych, dziewiętnaste w więzieniu, a kiedy miał dwadzieścia lat, złożył papiery na studia. Dzieciak, którego w szkole podstawowej regularnie karano za nieumiejętność przeczytania treści zadań, ukończył studia z zakresu sądownictwa karnego. Jedyna różnica między Willem a Dave'em polegała na tym, że temu pierwszemu ktoś dał szansę.

– Cześć! – zawołała Faith ze swojego gabinetu.

Will wsunął głowę do środka. Przy użyciu rolki do czyszczenia Faith starała się usunąć ze spodni kocią sierść. Sprowadziła do Atlanty koty McAlpine'ów, żeby umieścić je w schronisku. Szkopuł w tym, że zobaczyła je Emma, a jeden z nich wymknął się z transportera i upolował ptaka. Tak pokrótce przedstawiała się historia dwóch kotów – Herkulesa i Agathy – które są teraz pod opieką Faith.

– Jakiś kretyn w przedszkolu pokazał Emmie TikToka – powiedziała. – Córka wciąż próbuje podkradać mi telefon.

– Wcześniej czy później musiało do tego dojść.

– Myślałam, że jednak trochę później. – Faith wrzuciła rolkę do torebki. – W międzyczasie do moich drzwi zapukało FBI. Chcą przyśpieszyć kwestię aplikacji Jeremy'ego. Dlaczego wszystko dzieje się w takim tempie? Nawet mrożone obiady trzeba po wyjęciu z mikrofalówki odstawić na minutę, by ostygły.

Will usłyszał burczenie we własnym brzuchu.

– Oglądałem twoją rozmowę z Jonem. Dobra robota.

– Cóż. – Faith zarzuciła torebkę na ramię. – Właśnie skończyłam czytać listy Mercy do Jona. Złamały mi serce. Mogłabym pisać takie rzeczy do Jeremy'ego albo do Emmy. Mercy próbowała być dobrą matką. Mam nadzieję, że Jon pewnego dnia znajdzie się na takim etapie, by móc to zrozumieć.

– Dojdzie do tego – powiedział Will głównie dlatego, że chciał w to wierzyć. – A ten pamiętnik Mercy?

– Znajdziesz w nim dokładnie to, czego można się spodziewać po wynurzeniach dwunastoletniej dziewczyny zakochanej w przybranym bracie i przerażonej agresywnymi zachowaniami ojca.

– Christopher zeznał coś więcej?

– Wciąż twierdzi, że nie miał pojęcia, co się dzieje. Bitty nigdy go tak nie dotykała. Pewnie nie był w jej typie. – Faith wzruszyła ramionami, lecz nie lekceważącym gestem, tylko dlatego, że sprawa ją przerastała. – Wiesz, że Mercy widziała, jak to się działo z Dave'em? W jej pamiętniku znalazłam kilka uwag na ten temat. Znacznie więcej jest w listach. Bitty czule głaskała go po włosach albo pozwalała mu trzymać głowę na swoich kolanach. Masował jej stopy i ramiona. Mercy to obserwowała. Sama napisała, że to dziwne, ale najdziwniejsze jest to, że nigdy nie powiązała faktów.

– Krzywdziciele nie ograniczają się do omamiania swoich ofiar. Manipulują otoczeniem tak, że kiedy ktoś ośmieli się coś powiedzieć, to sam wyjdzie na chorego.

– Jeśli chcesz się upewnić, kto naprawdę był chory, poczytaj esemesy wymieniane między Bitty a Jonem.

– Widziałem je. – Zemdliło go tak, że odpuścił sobie lunch.

– Nienawidziła dzieci – stwierdziła Faith. – Pamiętasz, jak Delilah powiedziała, że Bitty nie brała na ręce nawet własnych pociech? Pozwalała im kisić się w brudnych pieluchach. A potem zjawia się Dave i jest dokładnie w jej typie. Co więcej, formalnie go odmładza, żeby zdawał się jeszcze bardziej w jej typie. Myślisz, że Dave wiedział o tym, że przez cały czas molestowała Jona?

– Wydaje mi się, że uświadomił to sobie dopiero podczas rozmowy w jadalni i zrobił, co mógł, żeby uratować syna.

– Pozwolę sobie w to wierzyć, bo w przeciwnym razie doszłabym do wniosku, że przyznał się tylko po to, by ocalić skórę Bitty.

Willowi też nie podobał się ten scenariusz. Wolał, by tej nocy nie dawały mu spać inne sprawy.

– Przepraszam, że nie odczytałem tatuażu Paula.

– Och, zamknij się – powiedziała Faith. – To ja jestem tą idiotką, która tylko mówi, że Bitty zachowuje się jak psychiczna eks Dave'a, ale nie zauważa, że faktycznie tak jest.

Will wiedział, że musi sobie odpuścić dalszy ciąg tej dyskusji.

– Postaraj się już nigdy niczego tak nie schrzanić.

– Spróbuję! – Faith zaczęła się śmiać. – Jak to się stało, że natknęłam się na zagadkę zamkniętego pokoju w stylu Agathy Christie ze zwrotami akcji godnymi Virginii Andrews?

Skrzywił się.

– Nie wiem jak, ale za szybko...

Will zapożyczył trik od Amandy i nie mówiąc nic więcej, wrócił korytarzem do swojego gabinetu. Stanął w progu i na widok Sary siedzącej na kanapie poczuł znajomą lekkość. Miała zdjęty but i pocierała mały palec u nogi.

Uwielbiał, jak rozpromieniała się na jego widok.

– Cześć! – powiedziała po prostu.

– Cześć.

– Uderzyłam się palcem o krzesło. – Włożyła but z powrotem. – Oglądałeś przesłuchanie?

– Aha. – Will usiadł obok niej. – Jak poszedł lunch z Delilah?

– Chyba była zadowolona, że ma z kim pogadać – odparła Sara. – Robi dla Jona wszystko, co w jej mocy. Na razie to trudne, bo chłopak nie chce jej wsparcia. Ilekroć go odwiedza, przez godzinę wpatruje się w podłogę, więc po tej godzinie ciotka wychodzi, a kiedy wraca nazajutrz, on znów nie podnosi wzroku.

– Ale wie, że ktoś nad nim czuwa – stwierdził Will. – Myślisz, że Jonowi mogłaby pomóc wizyta Dave'a?

– Takie kwestie pozostawię ekspertom. Jon ma ogrom traum do przepracowania, a Dave ma swoje. Zanim będzie mógł pomóc synowi, musi pomóc sobie.

– Amanda uważa, że Dave nie zamierza niczego w sobie naprawiać, bo jedyne, co zna, to los osoby pokaleczonej przez życie.

– Pewnie ma rację, ale na Jonie nie stawiałabym krzyżyka. Delilah wyznaczyła sobie odległy cel. Naprawdę go kocha. W sytuacjach takich jak ta wydaje mi się to bardzo ważne. Nadzieja jest zaraźliwa.

– Czy to twoja opinia lekarska?

– Moja opinia lekarska brzmi tak, że mój mąż i ja powinniśmy wyjść z pracy, żeby napchać się pizzą, pooglądać *Buffy: Postrach wampirów* i zadbać o to, by pieprznięcie się w mały palec nie oznaczało końca pieprzenia na ten wieczór.

Will się roześmiał.

– Muszę jeszcze tylko wysłać raport. Widzimy się w domu?

Sara obdarzyła go słodkim pocałunkiem, zanim wyszła.

Usiadł przy biurku i stuknął w klawiaturę, by obudzić ekran. Już miał włożyć słuchawki do uszu, gdy zadzwonił jego służbowy telefon.

Nacisnął przycisk trybu głośnomówiącego i przedstawił się:

– Will Trent.

– Cześć – przywitał go męski głos. – Mówi szeryf Sonny Richter z hrabstwa Charlton.

Will nie dostawał do tej pory telefonów z najbardziej wysuniętego na południe hrabstwa Georgii.

– Słucham. W czym mogę pomóc?

– Zatrzymaliśmy gościa za brak tylnych świateł, a znaleźliśmy przyklejoną pod siedzeniem paczkę heroiny. Mamy komunikat na jego temat z biura terenowego północnej Georgii, ale facet prosił, żebym najpierw się z tobą skontaktował. Twierdzi, że może udzielić informacji w zamian za lżejszy wyrok.

Will domyślił się dalszego ciągu, zanim Sonny Richter skończył mówić.

– Nazywa się Dave McAlpine – powiedział szeryf. – Chcesz tu przyjechać czy mam zadzwonić do biura?

Obrócił obrączkę wokół palca. Smukły kawałek metalu zawierał w sobie tak wiele znaczeń. Will nadal nie wiedział, co myśleć o uczuciu niezwykłej lekkości w piersiach, którego doświadczał za każdym razem, gdy znajdował się blisko Sary. Nigdy wcześniej nie zaznał szczęścia, które trwałoby tak długo. Minął miesiąc od ślubu, a euforia, jaka ogarnęła go podczas ceremonii, wciąż nie opadała. Ba, narastała z każdym dniem. Wystarczyło, że Sara się do niego uśmiechnęła albo uśmiała się z jednego z jego głupich żartów, by serce rosło mu z radości.

Amanda znów się myliła.

Istnieje taka dawka miłości, która może odmienić czyjś los.

– Dzwoń do biura – odparł. – Akurat temu człowiekowi nie jestem w stanie pomóc.

PODZIĘKOWANIA

W pierwszej kolejności jak zawsze dziękuję Kate Elton i Victorii Sanders, które towarzyszą mi w pisaniu właściwie od początku. Pragnę też podziękować mojej duchowej siostrze, Bernadette Baker-Baughman, oraz Diane Dickensheid, obie z zespołu VSA. Dziękuję Hilary Zaitz Michael i innym osobom z WME. A jeśli już o nich mowa, bardzo dziękuję Liz Heldens za to, że pociągnęła sprawy omawiane podczas kolacji w Atlancie, bo to dzięki temu zadziała się magia. Jestem jej też wdzięczna za sprowadzenie do mojego życia Dana Thomsena. Jesteście najlepsi!

Szczególne podziękowania należą się z Emily Krump, Liate Stehlik, Heidi Richter-Ginger, Jessice Cozzi, Kelly Daście, Jen Hart, Kaitlin Harri, Chantal Restivo-Alessi i Juliannie Wojcik z wydawnictwa William Morrow. Jeśli chodzi o globalne oddziały wydawnictwa HarperCollins, serdecznie dziękuję Janowi-Jorisowi Keijzerowi, Mirandzie Mettes, Kathryn Cheshire oraz niesamowitej i niestrudzonej Liz Dawson.

David Harper od niepamiętnych czasów udziela mnie (oraz Sarze) bezpłatnych porad lekarskich i jestem dozgonnie wdzięczna za jego cierpliwość i życzliwość, zwłaszcza gdy podczas samotnych poszukiwań w Google wpadam do jakiejś czarnej dziury i trzeba mnie potem stamtąd mozolnie wyciągać. Niezrównany Ramón Rodríguez był tak miły, że zasugerował kilka dań, jakie mogłyby się znaleźć w menu szefa portorykańskiej kuchni. Tonny Cliff sporządził mapę. Dona Robertson odpowiedziała mi na kilka pytań dotyczących GBI. Oczywiście wszelkie błędy biorę na siebie.

Na koniec pragnę podziękować mojemu ojcu za wszystkie wspólne chwile, a także złożyć hołd D.A., mojej miłości. Zawsze możesz na mnie liczyć. A ja wiem, że zawsze mogę liczyć na ciebie.

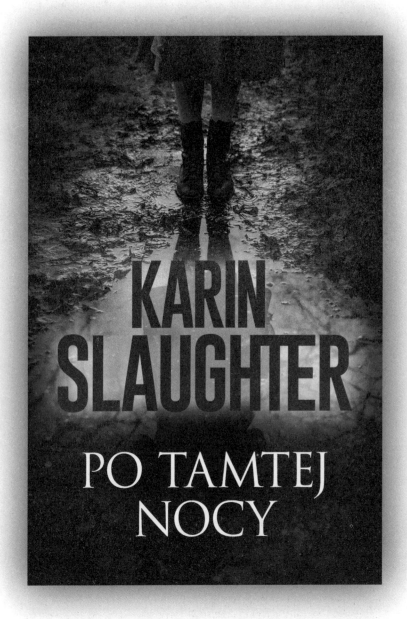

KARIN
SLAUGHTER

PO TAMTEJ
NOCY

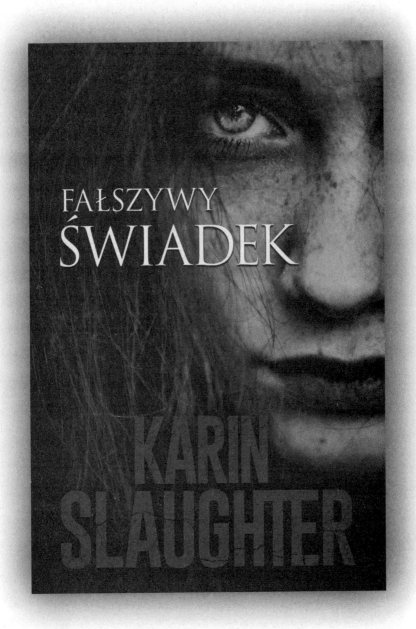

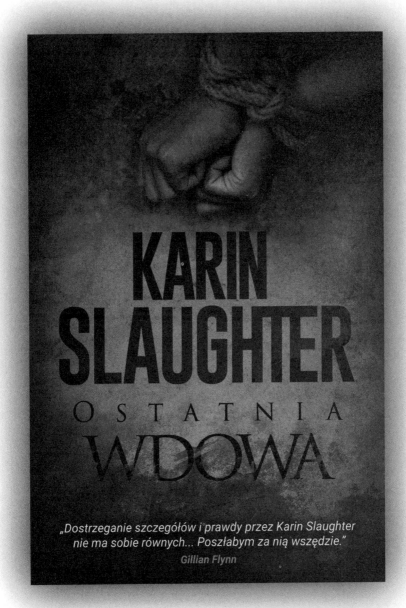

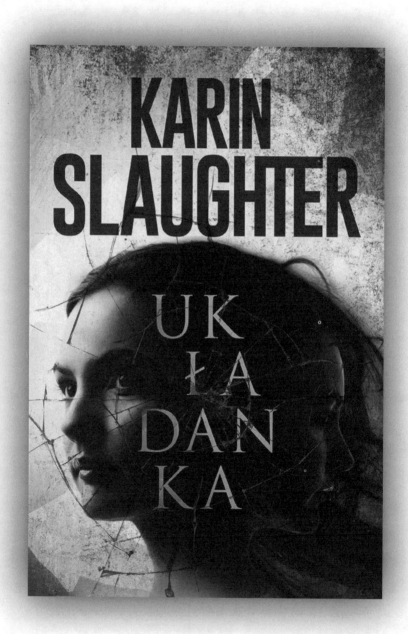

KARIN SLAUGHTER

DOBRA CÓRKA

*Mrożący do szpiku kości thriller o mrokach przeszłości.
Talent i serce Karin Slaughter trzymają przy lekturze
od pierwszej do ostatniej strony.*

CAMILLA LÄCKBERG

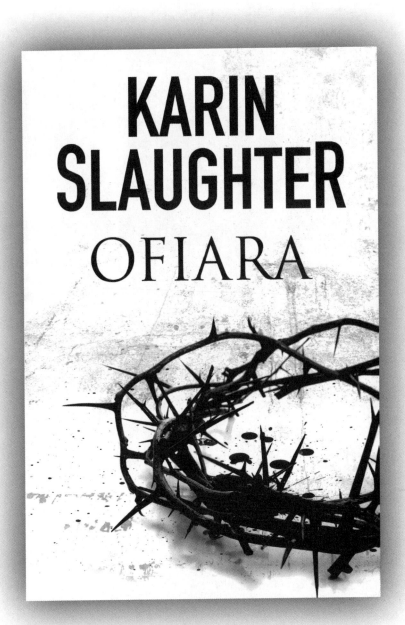